ÉDITIONS FRANCIS LEFEBVRE

42, rue de Villiers
92300 LEVALLOIS

ISBN 2 85115 530 X

© Éditions Francis Lefebvre 2002

Barthélemy Mercadal
Agrégé des Facultés de Droit
Professeur honoraire au Conservatoire National des Arts et Métiers

Patrice Macqueron
Professeur à l'Université de Rouen

Le droit
des affaires
en France

Principes et approche pratique
du droit des affaires
et des activités économiques

A jour au 1er août 2002

ÉDITIONS FRANCIS LEFEBVRE

42, rue de Villiers - 92300 Levallois-Perret

I

AVERTISSEMENT

Le présent ouvrage a pour objectif de favoriser la compréhension du droit des affaires. Il se propose, en partant de la vie des affaires, de mettre à jour, d'expliquer et de coordonner les règles fondamentales qui gouvernent les affaires et les activités économiques. En d'autres termes, il tend à dresser la gamme des techniques du droit des affaires et des activités économiques, et à en fournir les clés.

Cet ouvrage répond donc au besoin de nombreux étudiants fréquentant des formations faisant appel aux connaissances juridiques, telles celles des diverses écoles d'ingénieurs ou de management, les instituts universitaires de technologie ou les lycées techniques. Il est aussi utile aux divers agents économiques (techniciens, commerciaux, administratifs, financiers) qui, dans l'exercice de leur spécialité, sont confrontés aux règles gouvernant la production et la circulation des richesses. Le droit « informe » en effet toutes les activités ; aussi chaque participant à la vie des affaires a-t-il tout avantage à être averti, et instruit des techniques juridiques majeures qui conditionnent ses actes.

La présentation synthétique des principes fondamentaux du droit des affaires qui leur est proposée nous semble justifiée par la nécessité de réagir contre la fragmentation et l'abstraction. De plus en plus, en effet, l'enseignement du droit des affaires est morcelé. On en voit surgir fréquemment une nouvelle parcelle : droit des sociétés ou droit des groupements, droit bancaire, droit des marchés financiers, droit de la distribution, droit de la propriété industrielle, etc. Or la tendance au « compartimentage » des affaires justifie précisément une synthèse ; le technicien a besoin de points d'ancrage fondamentaux d'où se tirent des déductions. De plus, dans la vie juridique, comme ailleurs, tout se tient : les notions ne peuvent pas être arbitrairement isolées ; les faits se chargent de les rassembler. Comment régler la vie des sociétés commerciales, par exemple, sans se référer pratiquement à tous les concepts du droit des affaires, tels que ceux des titres négociables dont les effets de commerce sont l'expression la plus significative, ceux de la « faillite », ceux de la fiscalité, ceux des valeurs mobilières... ? La fréquentation d'un seul des compartiments du droit des affaires oblige à connaître au moins les principes qui sont en honneur dans les autres, car le droit est un.

Il faut cependant éviter, dans le même temps, que les principes du droit des affaires ne soient ressentis comme des abstractions. C'est pourquoi, dans le présent ouvrage, l'accent est mis sur les faits, les phénomènes de la vie des affaires, pour rendre sensible le lien qui raccorde la règle de droit au concret. Le droit est existentialiste ; la règle part du fait et va vers le fait : elle n'est pas un instrument de la spéculation didactique et doctrinale ; elle est opérationnelle, elle est un outil. La théorie doit se forger sur les problèmes que la pratique lui pose ; mais celle-ci ne peut élaborer ses solutions qu'à partir des éléments que la théorie lui fournit.

Pour rendre sensible ce lien entre le fait et la règle, la présentation formelle de l'ouvrage a été elle-même expurgée des abstractions classiquement utilisées, notamment dans les intitulés et annonces de plan, et orientée vers une lecture aussi visuelle que possible mettant en relief le vécu des règles de droit.

LISTE DES ABRÉVIATIONS UTILISÉES

AJDA	Actualité juridique : droit administratif
Ass. plén.	Assemblée plénière de la Cour de cassation ou du Conseil d'État
BAF	Bulletin des Associations et Fondations
BRDA	Bulletin rapide de droit des affaires
Bull. Aix	Bulletin des arrêts civils et commerciaux de la cour d'Aix-en-Provence
Bull.	Bulletin des arrêts de la Cour de cassation (chambres civiles ou chambre criminelle)
Bull. inf. C. cass.	Bulletin d'information de la Cour de cassation
CE	Conseil d'État
Ch. mixte	Cour de cassation, chambre mixte
Ch. réun.	Cour de cassation, chambres réunies
Civ.	Cour de cassation, chambre civile
CJCE	Cour de justice des Communautés européennes
Com.	Cour de cassation, chambre commerciale
Cons. const.	Conseil constitutionnel
Crim.	Cour de cassation, chambre criminelle
D.	Recueil Dalloz
DP	Recueil périodique Dalloz
DMF	Droit maritime français
GP	Gazette du Palais
JCP	Semaine juridique, édition générale
JO	Journal officiel
JO Déb. AN	Journal officiel, Débats parlementaires, Assemblée nationale
JOCE	Journal officiel des Communautés européennes
Rec.	Recueil des décisions du Conseil constitutionnel ou Recueil des décisions de la Cour de justice des Communautés européennes ou Recueil des décisions du Conseil d'État
Req.	Cour de cassation, chambre des requêtes
Rev. trim. dr. civ.	Revue trimestrielle de droit civil
Rev. trim. dr. com.	Revue trimestrielle de droit commercial et de droit économique
RJDA	Revue de jurisprudence de droit des affaires
S.	Recueil Sirey
Soc.	Cour de cassation, chambre sociale
TA	Tribunal administratif
TGI	Tribunal de grande instance
Trib. com.	Tribunal de commerce
Trib. confl.	Tribunal des conflits

Première partie :

Introduction au droit des affaires et des activités économiques

Préliminaire

La formation du droit des affaires et des activités économiques

1. Usuellement, les affaires désignent les activités économiques ou professionnelles, notamment sous leurs aspects commerciaux et financiers. Ces activités viennent du fond des temps et sont en perpétuelle évolution. Limitées sous l'Antiquité, elles ont pris leur essor au Moyen Âge et se sont progressivement étendues et affermies sous l'Ancien Régime et l'Empire (I). Mais c'est surtout depuis la révolution industrielle (xixe siècle) qu'elles ont connu leur plus grand développement avec l'apparition de l'esprit d'entreprise (II), le droit ayant apporté une réponse appropriée à chaque besoin.

I. Les activités économiques avant la révolution industrielle

ANTIQUITÉ

2. Prédominance agricole. — Les peuples les plus puissants de l'Antiquité — les Égyptiens des pharaons et les Romains de la Rome primitive — ont été surtout des agriculteurs, vivant des produits de leurs terres et ne cherchant guère à s'en procurer ailleurs. Ils méprisaient l'activité d'échange — le commerce comme l'on dit aujourd'hui — et d'une façon générale toute activité lucrative. Il y avait même toute une classe, celle des hommes libres (par opposition à celle des esclaves), qui n'avait pas besoin de travailler pour vivre et qui consacrait une partie de son temps à protéger les plus faibles, par exemple en les assistant dans leurs litiges. C'est ainsi que sont nées les activités dites « libérales » (notamment celles d'avocat ou de médecin) parce que exercées à l'origine par des hommes « libres ». Le caractère essentiellement agricole de ces civilisations se reflète dans le droit de cette époque : la plupart des règles juridiques ne concernent que l'exploitation des terres et l'on ne trouve guère de mesures propres à des activités commerciales. On doit tout de même relever en droit romain une remarquable théorie générale des obligations, appliquée notamment aux contrats bancaires, les premiers éléments de la comptabilité et la saisie collective (« venditio bonorum ») qui est à l'origine de la liquidation judiciaire.

Toutefois, plusieurs millénaires avant J.-C., d'autres peuples ont tiré leurs principales ressources des échanges, ce qui les a conduits à élaborer un certain nombre de règles pour le commerce. Les plus anciennes — tout au moins retrouvées — viennent de Babylone (à 160 km au S.-E. de Bagdad, au bord de l'Euphrate) et sont connues sous le nom de Code d'Hammourabi (stèle trouvée à Suse en 1902, datable de 1794 av. J.-C.).

> On a découvert aussi des originaux gravés sur briques d'opérations bancaires réalisées par les prêtres du temple d'Ourouk (localité de Basse-Mésopotamie, sur la rive gauche de l'Euphrate, aujourd'hui Warka) datables de 3400-3200 avant J.-C.
> En outre la lecture de l'Ancien Testament montre bien que, dès cette époque, il existait un droit commercial autonome.

A la même époque, les Phéniciens (habitants d'une ancienne contrée de l'Asie antérieure, située entre la Méditerranée et le Liban, au sud de l'Oronte) ont été les premiers grands navigateurs, n'hésitant pas à aller chercher leurs matières premières au-delà de Gibraltar et fondant de nombreuses colonies, par exemple Gades (Cadix) en Espagne et Carthage en Afrique. Ils établirent des règles pour le commerce maritime dont certaines, transmises par les Romains (essentiellement dans le « Digeste », de la première moitié du VIe siècle de notre ère, compilation ordonnée par le grand empereur byzantin Justinien Ier), sont encore en vigueur. Ainsi, notre théorie des avaries communes qui répartit entre les chargeurs d'un navire et le propriétaire de ce dernier les pertes subies par certains d'entre eux au cours d'un voyage maritime, à la suite par exemple du jet de leurs marchandises à la mer pour sauver le reste de l'expédition, a son origine dans la « lex Rhodia de jactu » que Rome aurait empruntée à Rhodes, ancienne colonie phénicienne.

> On a retrouvé en 1975, dans une île grecque, un navire phénicien qui s'y serait échoué entre 2700 et 2200 avant J.-C.
> Les alphabets grec et romain viennent de l'alphabet phénicien.

Après les Phéniciens, le commerce méditerranéen est un peu plus développé. Dès le VIe siècle avant J.-C., il est entre les mains des Grecs. On connaît par des plaidoyers, essentiellement ceux d'Isocrate (436-338 av. J.-C.) et de Démosthène (384-322 av. J.-C.), plusieurs des contrats commerciaux alors pratiqués, notamment des contrats de prêt.

Avec la chute de l'Empire romain, sous le coup des invasions barbares, l'activité commerciale allait connaître une éclipse jusqu'à l'établissement d'un nouvel ordre social, celui du Moyen Âge.

MOYEN ÂGE

3. Eclosion du commerce. – En l'an 1000, les invasions barbares, musulmanes et scandinaves laissent la France et l'Europe pratiquement ravagées. La plus grande partie de la population est dans les campagnes, les villes sont presque entièrement vides. On vit essentiellement de la terre. Toute la lutte pour la satisfaction des besoins, ce que les économistes d'aujourd'hui appellent l'économie ou l'activité économique, passe par la terre. Tous les hommes sont des paysans. Le plus grand nombre cultive pour le propriétaire terrien, le seigneur : celui-ci concède des terres et impose en échange des redevances. Le droit de l'activité économique de l'époque, c'est, pourrait-on dire, selon le langage actuel, le droit des affaires agricoles : il tient pour l'essentiel dans le régime des tenures fixant les modalités de concession de la terre par le seigneur aux serfs.

Mais, dès le XIe siècle, un nouveau mouvement ébranle le monde et la France : la renaissance et l'expansion du commerce. L'élan vient tant de la **Méditerranée** que de la **mer du Nord**. Il existe dans les petites cités de l'Italie du Nord et les villes hanséatiques (de la Baltique) des personnes qui, comme le note un contemporain, « ne labourent pas, ne sèment pas, ne font pas de vendanges ». Elles vivent exclusivement des échanges : elles achètent au loin, en Orient où elles sont entraînées par les croisades (du XIe au XIIIe siècle), des épices, des étoffes, des produits de luxe et des produits exotiques qu'elles vendent en Europe. Ces produits sont acquis par des marchands itinérants qui fournissent à leur tour les seigneurs. Et ainsi le commerce de la périphérie passe à l'intérieur des terres. Il se pratique dans des lieux privilégiés, les *foires,* où se rencontrent, à date fixe, les marchands des différentes régions et où règne une grande liberté de négociation. Les plus célèbres furent celles de Champagne, qui se tenaient alternativement à Troyes, Bar-sur-Aube, Provins, Lagny, et celles de Lyon et de Beaucaire.

> L'once troy, du nom de la ville de Troyes, est encore l'unité de transaction de l'or et d'autres métaux précieux ; un kilo d'or comprend 32,15 onces.

C'est une véritable révolution car ce mouvement porte un coup irrémédiable au système féodal et bouleverse les mœurs : à une époque où chacun vivait en autarcie, apparaît le « marchand », préoccupé de gains, qui provoque des besoins nouveaux et suscite le déplacement des individus.

Cette explosion du commerce s'accompagne d'une **renaissance des villes.** Il s'ensuit une activité de services très divers (réparation, fabrication), donnant naissance à l'activité des métiers, origine lointaine de l'artisanat d'aujourd'hui.

Pour faire face à ces nouvelles activités, des règles spéciales apparaissent. Les premières se manifestent dans les villes italiennes (Venise, Florence, Gênes, Pise, Amalfi), enrichies par le commerce avec l'Orient et organisées pour la plupart en républiques indépendantes. Les principales fonctions municipales y étaient occupées par des commerçants qui ont immédiatement compris qu'ils pourraient tirer avantage de l'institution d'une réglementation autonome réservée au commerce. Groupés en corporations puissantes, ils édictèrent des règles professionnelles généralement communes à toutes les corporations d'une même cité, plus simples et moins formalistes que le droit romain. On a appelé ces règles les « statuts ».

C'est dans ces « statuts » qu'est né le droit commercial moderne. On y trouve, par exemple, la réglementation de la société en commandite, celle des « faillites » et des juridictions spéciales composées de *consuls,* à la fois autorités municipales et juges (d'où leur nom de « tribunaux consulaires »), qui sont à l'origine de nos tribunaux de commerce.

Ce droit commercial italien a progressivement gagné toute l'Europe. Il a touché les villes de l'Europe du Nord qui étaient en relations commerciales avec les cités italiennes et, en France, les deux plus grands centres commerçants de l'époque, Lyon et Marseille. De là, il est passé dans les autres provinces françaises, dans les Flandres, puis en Angleterre et en Allemagne du Nord.

La connaissance et le développement de ce droit ont été favorisés par les foires. Les pratiques suivies dans chacune d'elles ayant donné, par exemple, naissance à la lettre de change (traite) formèrent un droit commercial des foires appliqué par des tribunaux spéciaux, composés de jurés désignés par les grandes associations de marchands et précurseurs de nos *tribunaux de commerce.* Par la suite, en France, ces tribunaux devinrent permanents en vertu d'un édit de Charles IX de novembre 1563 qui donna aux *juges consuls* mission de concilier les plaideurs et, à défaut, de les juger rapidement et à peu de frais. Ainsi s'est affirmé un droit des affaires terrestres largement comparable pour tous les peuples de l'Europe occidentale (le *« jus mercatorum »*).

Il n'en était pas de même en matière maritime où l'on comptait en effet deux types de règles qui furent recueillies dans deux documents différents au XIVe siècle : pour le commerce maritime en Méditerranée, le livre du Consulat de la Mer, et pour celui de l'Océan et de la Manche, les rôles d'Oléron.

Toutes ces règles, tant terrestres que maritimes, n'étaient cependant que des usages. Aussi pouvait-on craindre que l'incertitude sur leur contenu ne paralysât le développement du commerce. L'Ancien Régime et l'Empire devaient remédier à cette situation et faire accomplir un pas de plus à la mise en place d'un droit des affaires.

ANCIEN RÉGIME ET EMPIRE

4. Naissance de l'industrie et de la législation commerciale. – Au xve siècle, la découverte de l'Amérique modifie la nature des échanges ; il faut accaparer le plus d'or américain possible, ce qui entraîne un déplacement du commerce de la Méditerranée vers l'Océan. L'activité économique est dominée par la recherche des valeurs monétaires et leur fructification. C'est l'amorce de *l'activité financière* fondée sur le commerce de l'argent (prêt, change), posant les premières bases du capitalisme. Cette fièvre de l'argent engendra des spéculations dangereuses et des émissions imprudentes aboutissant à quelques déroutes retentissantes, comme celle de Law (1720). Mais elle a procuré des moyens pour développer des activités nouvelles. Aussi le xvie et le xviie siècle marquent-ils *l'essor de la manufacture.* De grands ministres de la royauté, Richelieu et surtout Colbert, mettent sur pied d'importantes entreprises de transformation des matières premières (fabrication de l'acier, filage de la laine, tissage des étoffes, confection du cuir, fabrication du papier) ; ce sont des manufactures d'État, comme les Gobelins, Beauvais, la Savonnerie, les arsenaux, ou des manufactures privées comme Saint-Gobain.

Parallèlement, l'activité agricole reste forte. Nombre de maîtres de forges en Europe ne sont encore que des propriétaires fonciers qui s'en remettent, pour leurs usines, à des intendants. Quant aux activités artisanales et « libérales », elles subsistent comme par le passé, sans connaître un développement considérable.

Mais ce qui accapare l'attention du pouvoir royal, c'est l'activité d'échange. On cherche à limiter les importations (droits prohibitifs sur les produits finis) et à accroître les exportations pour acquérir des métaux précieux (« *colbertisme* »). Le commerce maritime lointain est favorisé tant par l'aménagement des ports et des voies de communication, que par la *création de grandes compagnies* inspirées par le succès de la Compagnie hollandaise des Indes orientales.

> Cette compagnie, fondée en 1602, fut l'une des premières au monde à émettre des actions ; elle distribuait des dividendes (12 % les mauvaises années et 75 % les bonnes) en sacs de poivre.

Furent ainsi créées la Compagnie française des Indes occidentales (1628), la Compagnie des Indes orientales et occidentales (par Colbert en 1664) et la nouvelle Compagnie française des Indes occidentales, renouvelée en 1717 par John Law, mieux connue sous le nom de Compagnie du Mississippi.

Au xviiie siècle la négociation d'actions se développe dans toute l'Europe (création de banques de dépôt et de banques d'émission) sauf en France où le krach de Law, en 1720, ruinant des milliers de personnes, allait paralyser le commerce de l'argent.

5. Un tel mouvement a naturellement besoin d'ordre. Aussi a-t-on fixé des « règles du jeu ». Le commerce et la manufacture reçoivent un statut juridique établi par l'autorité publique. Ce statut donne le même régime à ces deux activités, mais on ne retient que le terme « commerce » pour les désigner. L'élaboration de ce corps de règles se fit en deux temps :

Ce furent d'abord, deux *ordonnances de Colbert :*

— l'ordonnance de mars 1673, relative au commerce terrestre, préparée par Jacques Savary, puis commentée par lui dans son livre « Le parfait négociant » (1675), d'où sa dénomination de « Code Savary » ;

— l'ordonnance d'août 1681, relative au commerce de mer.

Vint ensuite le *Code de commerce* de Napoléon Ier entré en vigueur le 1er janvier 1808. Hâtivement rédigé et voté à la suite de la grave crise financière de 1806 au cours de laquelle la Banque de France, fondée en 1800, fut menacée de « faillite », ce Code reproduisit essentiellement le droit antérieur ; le commerce des marchands et de l'argent, ainsi que la manufacture, se voyaient reconnaître un régime propre qui allait s'installer dans la vie juridique sous le nom de *droit commercial.* Les « commerçants » furent donc, pour une large part, affranchis des règles du récent Code civil (loi du 30 ventôse an XII - 21 mars 1804), qui avaient vocation à gouverner l'ensemble des relations juridiques. Il en est résulté, au plan du droit, un *cloisonnement des activités qui s'avère aujourd'hui fâcheux,* dans les relations entre professionnels. En effet, l'agriculture, l'artisanat et même les arts libéraux, toujours soumis en principe aux règles du droit civil, sont devenus de véritables activités économiques qui s'exercent dans des conditions comparables à celles du commerce et de l'industrie.

En outre, le Code de commerce n'avait pas su prévoir la formidable évolution qu'allaient connaître l'industrie et le commerce : il ne comprenait que six articles sur les transports, rien sur les assurances terrestres (seules les assurances maritimes y étaient traitées) ni sur les opérations de banque et de bourse ; il ignorait les notions de valeurs mobilières, de droit de propriété industrielle, de fonds de clientèle, etc.

II.   Les activités économiques depuis la révolution industrielle

6. L'esprit d'entreprise dans le commerce et l'industrie. – Le commerce est, par essence, marqué par la recherche du profit. Celle-ci a toujours existé mais, à partir de 1850, elle a été organisée sur une grande échelle. Un nouvel état d'esprit est apparu cherchant à mettre en place une organisation au sein de laquelle les facteurs de production et de vente seraient combinés avec méthode en vue de la plus forte rentabilité possible. C'est cet état d'esprit, appelé « esprit d'entreprise » ou *« esprit capitaliste »,* qui a engendré une profonde transformation dans l'industrie et le commerce.

Au commerce des marchands des siècles passés se sont substituées des formes modernes, caractérisées par un changement de dimension et de conception. Apparaissent les *grands magasins* (Zola, « Au bonheur des dames ») utilisant des méthodes de gestion jusque-là inconnues : entrée libre, rejet du marchandage, marge faible mais rotation plus rapide du stock, offre d'une multitude de produits, ouverture de succursales en plusieurs points du territoire. Ce mouvement se continue à notre époque avec les super et hypermarchés. La concurrence qu'il fait au commerce traditionnel est si redoutable que celui-ci ne peut survivre qu'en adoptant les mêmes principes de gestion, d'où l'apparition d'organismes collectifs de commerçants indépendants : groupements d'achats, magasins collectifs (voir n° 635), réseaux de « franchise » (voir n° 638-4), etc.

C'est aussi à partir de 1850 que la France passe de l'ère de la manufacture à l'ère de l'*industrie.* La transformation des matières en produits est alors l'œuvre de machines mues par la vapeur. De grandes usines de transformation s'édifient, des mines sont ouvertes ; de nouvelles techniques de fabrication permettent de développer et d'améliorer les filatures, la fonderie, l'imprimerie, l'exploitation des mines, etc. Les chemins de fer couvrent tout le territoire en attendant les autoroutes et les lignes aériennes. Ce développement industriel est pris en charge par de grandes entreprises groupant un nombre important de salariés et mettant en œuvre des capitaux considérables.

Pour améliorer leur rentabilité, les sociétés s'unissent en prenant des participations, en passant des accords de coopération, en participant à la constitution de filiales. Ces phénomènes, aujourd'hui très développés, engendrent des regroupements autour d'une société dite « société mère » ou société *« holding ».* L'ensemble des sociétés unies à la société mère ou à la société holding forme un groupe.

> De 1867 à 1875, il ne se créait qu'une centaine de sociétés par actions par an ; en 1907 il y en eut plus de 1 000, en 1920 plus de 3 000. Il en existait 244 283 au 1er janvier 2002.

Corrélativement, l'organisation du *crédit* se développe et s'affine afin de répondre aux besoins financiers énormes qu'exige désormais la mise en place de ces nouvelles structures industrielles et commerciales.

Le mouvement s'accomplit d'abord dans les pays européens, puis gagne l'Amérique, le Japon et aujourd'hui le monde entier. L'industrie, le commerce des marchandises, des services et de l'argent s'internationalisent à grands pas, surtout depuis 1950. La montée des besoins et le flux des produits se conjuguent pour entretenir cette ascension. Certains pays ont d'immenses besoins à satisfaire et des ressources naturelles ; d'autres ont un savoir-faire industriel, commercial et financier, ce qui les amène à se compléter. Ainsi prennent forme des actions de production et de commercialisation communes à plusieurs pays, qui donnent naissance à des *entreprises multinationales* ou transnationales.

Pour répondre à cette expansion industrielle et commerciale, le droit fournit les moyens appropriés. Peu à peu la propriété industrielle, les sociétés et diverses autres formes de groupement, les fonds de commerce, les contrats d'assurances sont réglementés. Par ailleurs, de multiples conventions internationales sont conclues permettant de rapprocher les législations des différents États, par exemple, sur la vente, les effets de commerce, les transports. Le mouvement s'est même accentué depuis la fin de la Seconde Guerre mondiale : unification régionale (UE), voire internationale (par exemple l'Organisation mondiale du commerce).

Les activités industrielles et commerciales sont ainsi entrées dans ce que les économistes appellent le système des échanges capitalistes (activité économique motivée par la recherche du profit) et, en même temps, dans l'économie mondiale. Mais les autres activités économiques n'ont pu rester à l'abri, le phénomène de l'échange capitaliste et l'esprit d'entreprise les ayant progressivement pénétrées.

7. Généralisation de l'esprit d'entreprise. – Depuis quelques années, il apparaît que le travail est de plus en plus la ressource qui permet à l'individu de faire face à ses besoins. Privé de rentes, l'homme ne vit plus pratiquement que de son activité.

> En 1914, il y avait huit millions de porteurs de valeurs mobilières (à peu près autant que de propriétaires fonciers) dont quatre millions possédaient un portefeuille atteignant ou dépassant 5 000 francs-or.

La propriété en elle-même ne fait plus vivre que quelques-uns. Elle n'a de valeur que liée à l'exploitation ; le faire-valoir l'emporte souvent sur le bien mis en valeur.

Puisque l'activité fait vivre, elle doit donc impérativement procurer un profit. La démonstration en est faite tous les jours par la colère de ceux qui exercent des activités non rentables. Le problème des activités industrielles et commerciales est ainsi devenu celui de toutes les autres. Or, les mêmes causes engendrant les mêmes effets, les solutions ne peuvent être que voisines. Aussi la *recherche de la rentabilité entraîne-t-elle avec elle l'organisation qui la procure : l'entreprise et l'esprit d'entreprise.* On le constate *dans tous les secteurs d'activité,* même les plus traditionnels.

La pénétration est très nette dans *l'agriculture.* Les exploitations agricoles sont conduites selon les mêmes règles de gestion que les entreprises industrielles et commerciales ; elles sont orientées vers la recherche de la rentabilité. Le droit suit ce mouvement, mettant à la disposition de cette mutation des mécanismes très comparables à ceux du commerce et de l'industrie : techniques d'aide et d'incitation, création de formules juridiques permettant divers groupements d'exploitants, aménagements des structures foncières, organisation du crédit, etc.

Le même phénomène peut être constaté dans d'autres domaines. Ainsi, la construction immobilière a-t-elle donné naissance à une profession nouvelle, celle de *promoteur immobilier,* qui est organisée comme une activité commerciale. *L'artisanat* lui-même est à la recherche de la rentabilité : mesures fiscales, protection contre la concurrence étrangère, création de banques populaires développant un crédit spécifique, sociétés coopératives artisanales. L'activité artisanale repose désormais sur une spéculation : elle met en œuvre une main-d'œuvre, des marchandises et un outillage. Prise en compte définitive de cette évolution, l'artisan est, aujourd'hui, soumis aux règles de la « faillite » et il a un fonds de clientèle. La seule différence avec l'industriel et le commerçant, c'est que l'artisan spécule sur de faibles volumes. On est bien loin ainsi de l'image des communautés de métiers d'autrefois.

Il n'est pas jusqu'aux *professions libérales* qui ne soient atteintes par des manifestations du même ordre. Certes, il est encore de règle de considérer que ces professions, surtout celles de médecin et d'avocat, restent traditionnelles par leur mode d'exercice, très personnalisé. Mais cette analyse est aujourd'hui plus idéale qu'effective ; la rentabilité s'impose à ces activités comme aux autres : c'est pourquoi les avocats et les médecins se groupent en sociétés comme on le fait ailleurs ; c'est pourquoi ils usent des mécanismes du crédit du secteur industriel et commercial pour leurs installations ; c'est pourquoi ils cèdent leur clientèle. Les professions libérales ont également pénétré en fait dans le circuit des échanges capitalistes : elles deviennent des métiers.

Et ce qui n'est pas le moindre paradoxe, la *puissance publique* elle-même est atteinte par l'esprit d'entreprise. D'abord, elle a été amenée à se préoccuper d'apporter aux particuliers certaines satisfactions que l'initiative privée ne leur procurait pas. Puis, de proche en proche, cette action a pris une place considérable jusqu'à ce qu'apparaisse un système se chargeant de satisfaire plusieurs besoins collectifs. Ainsi, l'État est devenu régulateur, puis acteur de l'activité économique. Il s'en est suivi l'apparition d'entreprises publiques faisant du commerce, de l'industrie, de la banque, de l'immobilier, voire de l'agriculture.

8. Réception juridique. — Le bond en avant de l'esprit d'entreprise, constaté au plan national et international, ne pouvait manquer d'engendrer des répercussions juridiques.

La *classification légale,* consacrée au début du xixe siècle par les codes napoléoniens, *réservant le droit commercial aux activités industrielles et commerciales et le droit civil aux autres, s'estompe.* Par exemple, les mêmes instruments de paiement sont utilisés dans tous les secteurs d'activité ; les sociétés ont également essaimé partout et leur régime de droit commun est aujourd'hui aligné sur celui des sociétés commerciales ; les assurances se sont généralisées. Dès lors, les juristes sentent que les catégories juridiques léguées par les siècles sont bousculées et deviennent confuses. Ainsi cherchent-ils une appréhension nouvelle qui expliciterait la dimension actuelle du droit commercial et donnerait une cohérence à ces nouveaux aspects de la vie juridique. Mais, pour l'instant, ces actions se traduisent par l'ouverture de directions de recherche plutôt qu'elles n'aboutissent à la création de catégories formellement — et encore moins légalement — tracées. Tel est le cas notamment du phénomène *« droit des affaires »*. Aucune définition formalisée n'a jamais été donnée du droit des affaires, ni dans les programmes universitaires ni dans la loi (Cl. Champaud, « Le droit des affaires », Que sais-je ? ; A. de Laubadère et P. Delvolvé, « Droit public économique », Dalloz). Il s'ensuit que les conceptions fleurissent. Par exemple, pour MM. E. Alfandari (« Droit des affaires », Litec), J.-P. Casimir, A. Couret et J.-J. Barbieri (« Droit des affaires », Sirey), Y. Guyon (« Droit des affaires », Economica), c'est le droit du monde des affaires, c'est-à-dire de ceux qui, de près ou de loin, directement ou indirectement, sont liés aux activités de la vie économique contemporaine ; pour M.-Y. Chartier (« Droit des affaires », PUF), c'est l'ensemble des règles qui régissent les activités industrielles et commerciales.

Chaque auteur est donc réduit à un parti pris, à un choix de conception. Le nôtre sera de saisir la réalité d'aussi près que possible. À notre avis, le *droit des affaires s'entend de l'ensemble des règles relatives aux activités économiques ou professionnelles telles qu'elles se présentent aujourd'hui.* Il englobe ainsi, principalement, les règles des affaires commerciales, industrielles et financières qui furent les premières à organiser les activités économiques. Mais il fait aussi une place aux règles des autres activités, dans la mesure où elles répondent à la notion d'entreprise et sont par là comparables dans leur essence à celles des activités commerciales.

Titre I

Les sources du droit des affaires et des activités économiques

9. Toute règle de droit peut, à un moment ou à un autre, être appelée soit à régir une situation économique donnée, soit à avoir un rapport avec cette situation.

Par exemple, un conjoint, pour entrer en société, doit y apporter quelque chose ; ceci nécessite de connaître les pouvoirs qu'il a sur ses biens et qui sont fixés par les règles civiles de son régime matrimonial.

De même tout commerçant, tout dirigeant de société ou tout acteur de la vie économique encourt, en cas d'infraction à certaines règles de la vie des affaires, des peines d'amende ou d'emprisonnement réglementées par le droit pénal.

Il est bien sûr impossible de dresser, dans cet ouvrage, un inventaire exhaustif et précis de toutes les règles juridiques ; nous nous limiterons donc aux principales normes se rapportant à l'activité économique.

Remarque.
Les règles de droit sont regroupées sous différentes qualifications fondées sur leur finalité. On différencie ainsi notamment :

— le « *droit privé* » applicable aux droits et obligations naissant des actes (principalement les contrats) ou des faits (principalement les fautes) accomplis par les particuliers les uns à l'égard des autres ;

— le « *droit pénal* » définissant les agissements qu'il punit (infractions classées en crimes, délits et contraventions) et fixant les peines qui leur sont applicables ;

— le « *droit administratif* » régissant l'exercice par la puissance publique, plus communément l'administration (État, collectivités publiques), de ses prérogatives et les rapports de la puissance publique avec les particuliers ;

— le « *droit disciplinaire* » concernant la bonne conduite des membres de certaines professions (notamment libérales) ou de certains groupements privés (syndicats, associations, groupements d'intérêt économique, sociétés coopératives ou mutuelles) ;

— le « *droit international privé* » ensemble des règles applicables aux droits et obligations naissant d'actes et de faits ayant un rapport avec un État étranger.

Des dispositions légales ou réglementaires dont la lettre est identique ou comparable peuvent être interprétées par les tribunaux avec un sens différent, engendrant des conséquences différentes, selon la nature des dispositions concernées (principe dit « d'autonomie des lois et règlements »).

Sur l'autonomie du droit fiscal, voir n° 809.

Ces règles émanent d'actes de l'autorité publique (chapitre I), mais bien souvent elles ne prennent tout leur sens et leur portée que dans la mesure où elles sont complétées par des usages (chapitre II) ou d'autres normes obligatoires (chapitre III), et interprétées par des décisions de justice (chapitre IV), voire assorties de commentaires de juristes (chapitre V).

Chapitre I
Les actes de l'autorité publique

10. Ces actes sont la principale source du droit. Bien que communément et abusivement dénommés « lois », ils se présentent, en fait, sous des formes distinctes et leur force obligatoire est inégale.

Section 1
Nomenclature des actes de l'autorité publique

11. En vertu du principe dit « de légalité », la force obligatoire de ces actes est liée à leur origine : les règles constitutionnelles, qui sont à la source de toutes les autres, ont naturellement une autorité supérieure et fixent celle que l'on doit reconnaître aux autres normes. Les actes émanant de l'autorité publique sont donc soumis à l'ordre hiérarchique indiqué figure I-1.

Figure I-1

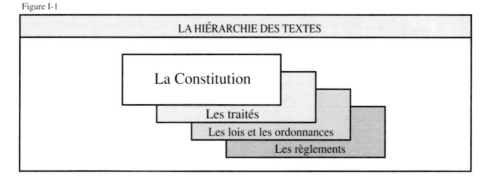

I. Constitution

12. Ont valeur constitutionnelle :

1) le texte de la Constitution du 4 octobre 1958 et son préambule ;

2) les textes auxquels fait référence ce préambule :

— la Déclaration des droits de l'homme et du citoyen du 26 août 1789,

— le préambule de la Constitution de 1946 ;

3) ce qu'il est convenu d'appeler « les principes fondamentaux reconnus par les lois de la République », par exemple le principe de la séparation des autorités administratives et judiciaires, le principe de la liberté d'exercer une activité professionnelle, le principe de la liberté d'association.

13. La Constitution détermine l'organisation et le fonctionnement des pouvoirs publics ; elle précise ainsi la compétence respective du Parlement et du pouvoir exécutif pour élaborer des règles de droit.

Elle est complétée par des *lois organiques,* n'ayant pas le caractère de lois constitutionnelles, fixant les modalités de l'organisation et du fonctionnement de ces pouvoirs publics.

> Par exemple, une loi organique détermine la durée des pouvoirs de l'Assemblée nationale et du Sénat, le nombre de leurs membres, leur indemnité, les conditions d'éligibilité, le régime des inéligibilités et des incompatibilités (Constitution art. 25, al. 1). De même, la composition du Conseil économique et social et ses règles de fonctionnement sont fixées par une loi organique (Constitution art. 71).

> Les lois organiques sont soumises à une procédure particulière de vote (Constitution art. 46) et, notamment, ne peuvent être promulguées qu'après déclaration par le Conseil constitutionnel de leur conformité à la Constitution.

II. Traités internationaux

A — TRAITÉS INTERNATIONAUX EN GÉNÉRAL

14. Les traités internationaux, ou conventions internationales, sont des accords conclus entre États souverains fixant des règles obligatoires pour les situations qu'ils soumettent à leur compétence.

> Ils empruntent parfois d'autres dénominations : « charte », « protocole », « accord », « pacte », etc. ; ces traités ont une portée très variable, mais leur régime juridique est le même.

Aperçu général

Traités bilatéraux

15. Ces traités *règlent un problème particulier* entre deux États. La France est ainsi engagée avec de nombreux pays dans des conventions douanières, des conventions fiscales pour éviter les doubles impositions, des conventions d'établissement (fixant le droit des Français à accomplir des affaires à l'étranger et celui des étrangers à en accomplir en France), etc.

Traités d'unification du droit

16. En l'absence de traité, les lois de chaque pays ont vocation à régir les affaires dès l'instant où elles ont un rapport avec ce pays. Pour éliminer les contradictions pouvant exister entre ces différentes législations à propos d'une même opération juridique, les États concluent entre eux des traités tendant à soumettre à un régime identique certains aspects des affaires, par exemple la vente des marchandises ou leur transport. Mais cette uniformisation est plus ou moins poussée selon les cas ; on peut en relever trois degrés.

Tantôt les traités imposent la loi nationale à appliquer dans un cas donné ; entre les différentes lois possibles (lois dites « en conflit »), ils en choisissent une ; c'est pourquoi on les appelle traités *réglant des conflits de lois.* Par exemple la convention de La Haye du 4 mai 1971 prévoit que la loi applicable à la responsabilité résultant d'un accident de circulation routière est la loi interne de l'État sur le territoire duquel l'accident est survenu (art. 3 de cette convention).

Tantôt les traités *définissent entièrement le régime d'une opération juridique donnée dans les relations internationales.* Ainsi quatre conventions fixent les règles applicables aux transports internationaux tant par fer (convention dite COTIF du 9 mai 1980), que par mer (convention de Bruxelles du 25 août 1924), par air (convention de Varsovie du 12 octobre 1929) ou par route (convention de Genève du 19 mai 1956, dite CMR). De même la convention des Nations unies du 11 avril 1980 sur les contrats de vente internationale de marchandises, dite « convention de Vienne », institue des règles uniformes pour la formation et les effets des contrats de vente de marchandises conclus entre professionnels des différents pays ayant adhéré à cette convention.

Tantôt les traités *soumettent à un même régime une opération juridique donnée, tant dans ses applications nationales qu'internationales.* Un tel traité crée une « *loi uniforme »,* ainsi nommée parce que cette loi devient la loi interne de chaque État rallié à la convention ; c'est le cas, par exemple, des conventions de Genève du 7 juin 1930 sur la lettre de change et le billet à ordre et celle du 19 mars 1931 sur le chèque qui ont mis au point un régime juridique que la France — ainsi que d'autres pays — a fait sien. Dès lors, dans tous les pays signataires de la convention de Genève, ces instruments — dits effets de commerce — obéissent aux mêmes règles.

Traités d'organisation de la vie économique

17. Ces traités, à la différence des précédents, n'ont pas pour objectif principal de trancher des difficultés juridiques. Leur but est de *faciliter les relations économiques* *entre États.* Mais cela les conduit à édicter des règles de droit que le juriste des affaires ne peut ignorer. Certains d'entre eux revêtent une importance particulière.

1° Les accords de **Bretton Woods** (dans le New Hampshire, aux USA), signés le 22 juillet 1944, ont abouti à la création du **Fonds monétaire international** (FMI) pour établir un système multilatéral de paiements et lutter contre les restrictions monétaires entravant le développement du commerce international ; ils ont aussi fondé la **Banque internationale pour la reconstruction et le développement** (BIRD ou Banque mondiale).

2° **L'Accord général sur les tarifs douaniers et le commerce ou Agetac** (General Agreement on Tarifs and Trade **GATT**), signé à Genève le 30 octobre 1947 entré en vigueur le 1er janvier 1948 repose sur trois principes fondamentaux :

— la **non-discrimination** entre partenaires commerciaux, ce qui entraîne l'application de deux clauses :

• la **clause de la nation la plus favorisée,** imposant à tout État signataire accordant des avantages commerciaux à un autre pays de les étendre à l'ensemble des États signataires ;

> Toutefois, les pays en voie de développement peuvent bénéficier de cette clause sans être contraints à consentir des concessions en retour. Voir, par exemple, infra, le système des préférences généralisées.

• la **clause de traitement national,** requérant de tout État signataire qu'il applique aux produits étrangers un traitement identique à celui de ses produits nationaux ;

> Toutefois, l'accord autorise l'émergence de zones de libre-échange ou d'unions douanières. En outre, ces règles sont fréquemment tournées par l'instauration de spécifications techniques.

— l'*abaissement* général et progressif *des barrières tarifaires ;*

— l'*interdiction des restrictions quantitatives* par la voie de contingentements sauf exception (notamment pour permettre de contrôler une production agricole et de résorber des excédents).

Pour abaisser les droits de douane et éliminer — ou du moins régulariser — les barrières commerciales non tarifaires, sept accords ont été conclus dans le cadre du GATT à la suite de négociations dites « rounds », puis aujourd'hui NCM (négociations commerciales multilatérales : Annecy en 1949, Torquay en 1950-1951, Genève en 1955-1956, Dillon en 1961-1962, Kennedy Round de 1964 à 1967, Tokyo Round de 1973 à 1979, Uruguay Round de 1986 à 1994).

L'accord de Marrakech du 15 avril 1994, mettant fin à l'Uruguay Round, a mis en place une nouvelle organisation, l'*Organisation mondiale du commerce (OMC),* chargée, notamment :

— de mettre en œuvre et de faire fonctionner les accords et instruments juridiques élaborés dans le cadre de l'Uruguay Round ;

— d'être l'enceinte unique pour les négociations commerciales ;

— de régler les différends entre États membres ;

— de coopérer avec le FMI et la BIRD.

3° Afin d'aider les pays du tiers-monde, les Nations unies ont créé, en 1964, la Conférence des Nations unies pour le commerce et le développement *(Cnuced).*

Cette organisation internationale, comptant aujourd'hui 167 membres — ce qui en fait la première organisation mondiale — dispose d'une structure propre composée d'une conférence plénière se réunissant tous les quatre ans, d'un organe permanent (le Conseil du commerce et du développement) et d'un secrétariat. Son ambition est d'instaurer des relations commerciales internationales plus équitables entre les pays industrialisés et les pays en voie de développement (PVD).

> La majorité absolue y appartient au « Groupe des 77 » qui rassemble les pays en voie de développement d'Afrique, d'Asie et d'Amérique latine ; ils sont aujourd'hui au nombre de 127, soit les quatre cinquièmes des pays membres des Nations unies.

Quoique ne disposant que de compétences très limitées, la Cnuced a permis de conclure de nombreux accords. L'un des plus connus est l'accord relatif au **système des préférences généralisées** par lequel les pays industrialisés se sont engagés à consentir des préférences, sans réciprocité, aux produits finis et demi-finis des pays en voie de développement.

4° Le 28 février 1975 a été signée à **Lomé** une convention conclue pour cinq ans entre les Communautés européennes et quarante-six États ACP (Afrique, Caraïbes et Pacifique). Renouvelée plusieurs fois, c'est aujourd'hui la convention de Lomé IV qui constitue un cadre unique de coopération Nord-Sud entre l'Union européenne et soixante et onze pays d'Afrique, des Caraïbes et du Pacifique.

Régime juridique des traités

18. Les traités, pour entrer en vigueur, doivent être **ratifiés** et **publiés** au Journal officiel. C'est **le président de la République** qui **ratifie** les traités, c'est-à-dire confirme ces engagements internationaux pris par l'État français. Cependant les traités de commerce, les traités ou accords relatifs à l'organisation internationale, ceux qui engagent les finances de l'État, ceux qui modifient une loi ne peuvent être ratifiés ou approuvés qu'**après accord du Parlement.**

> De très nombreux accords internationaux dits « accords en forme simplifiée » ne sont pas soumis à ratification. Leur force obligatoire, qui est la même que celle des traités, résulte de leur seule acceptation ou approbation par le gouvernement, le président de la République en étant informé (Constitution art. 52, al. 2).

Toutefois, si le Conseil constitutionnel, saisi par le président de la République, par le Premier ministre, par le président de l'Assemblée nationale ou par celui du Sénat, par soixante députés ou soixante sénateurs, a déclaré qu'un engagement international comporte une clause contraire à la Constitution, l'autorisation de ratifier ou d'approuver l'engagement international en cause ne peut intervenir qu'après révision de la Constitution.

18-1. Les traités ou accords régulièrement ratifiés ou approuvés ont, dès leur publication, une **autorité supérieure à celle des lois, sous réserve**, pour chaque accord ou traité, de son application par l'autre partie, s'ils prévoient une condition **de réciprocité.**

18-2. Les tribunaux, ou les arbitres, doivent interpréter les règles de droit posées par les traités lorsque leur sens n'est pas clair. Toutefois ils doivent surseoir à statuer et demander l'avis :

— soit de la Cour de justice des Communautés européennes lorsqu'il s'agit de fixer le sens d'une norme communautaire ;

— soit du gouvernement lorsque l'interprétation soulève des questions touchant à l'ordre international public, par exemple en matière de nationalité (Civ. 1re, 7 février 1995, Bull. I n° 73).

B — UNION EUROPÉENNE ET DROIT COMMUNAUTAIRE

Union européenne

19. Les Communautés européennes ont été instituées par trois traités, modifiés depuis, créant, respectivement, la Communauté européenne du charbon et de l'acier (Ceca, traité de Paris du 18 avril 1951, entré en vigueur le 25 juillet 1952), la Communauté européenne, dite couramment « Marché commun », et la Communauté européenne de l'énergie atomique (CE et CEEA, deux traités signés à Rome le 25 mars 1957 et entrés en vigueur le 1er janvier 1958).

Le traité signé à Maastricht, le 7 février 1992, a institué une *Union européenne* dénuée de personnalité juridique, fondée sur les Communautés européennes et destinée à mettre en œuvre une coopération en matière politique et monétaire.

> Le seul organe propre à l'Union européenne est le *Conseil européen* définissant les orientations politiques générales de l'Union.
>
> La mise en œuvre des actions de l'Union est confiée aux organes de la Communauté européenne (nos 19-1 et s.) : le Conseil de l'Union européenne, la Commission européenne, le Parlement européen et la Cour de justice des Communautés européennes.

Quinze États sont membres de cette Union : la Belgique, le Danemark, l'Allemagne, la Grèce, la France, l'Irlande, l'Italie, le Luxembourg, les Pays-Bas, la Grande-Bretagne, l'Espagne, le Portugal, l'Autriche, la Finlande et la Suède.

Remarque : Il ne faut pas confondre ces Communautés européennes avec les organisations internationales suivantes.

1° l'AELE *(Association européenne de libre-échange)* ou EFTA, créée par la convention de Stockholm du 4 janvier 1960, regroupe actuellement l'Autriche, la Norvège, l'Islande, la Finlande, le Liechtenstein, la Suède et la Suisse. L'AELE est une *zone de libre-échange* dont le but est de supprimer les restrictions douanières et quantitatives entre ses membres sur les *produits industriels* (et non agricoles). La Communauté européenne, ses États membres et les pays de l'AELE ont signé à Porto, le 2 mai 1992, un accord créant un *Espace économique européen.*

> Cet accord n'est pas encore entré en vigueur au Liechtenstein et en Suisse.

L'Espace économique européen est une zone de libre-échange où la réglementation communautaire s'applique aux relations entre les opérateurs économiques et où les États tentent de développer leur coopération politique dans les domaines de la politique sociale, l'environnement, l'éducation, la protection des consommateurs, les petites et moyennes entreprises (PME), le tourisme, la recherche et le développement.

2° La *Commission économique pour l'Europe des Nations unies* (CEE ou EEC), organe régional du Conseil économique et social de l'ONU, existe depuis 1947 et regroupe les pays européens de l'Est, de l'Ouest et les États-Unis. Elle s'est donné pour tâche de faciliter la collaboration économique entre ses États membres de manière essentiellement pratique. Ainsi a-t-elle permis le *développement des échanges Est-Ouest* par la création de la carte verte d'assurances, l'amélioration de l'accomplissement des formalités douanières lors des transports de marchandises (convention TIR), la mise au point de modèles de contrats internationaux, etc.

3° Le *Conseil de l'Europe* dont le statut, signé à Londres le 5 mai 1949, est entré en vigueur le 3 août 1949. Cette organisation, qui regroupe plus de 30 États membres et siège à Strasbourg, tend à établir une *communauté juridique européenne fondée sur une éthique occidentale* (respect des volontés individuelles et de la loi).

> Dans ce cadre, de nombreuses conventions ont été signées, dont, notamment, la Convention européenne de sauvegarde des droits de l'homme et des libertés fondamentales (4 novembre 1950, entrée en vigueur le 3 septembre 1953) dont les effets se manifestent régulièrement devant nos tribunaux.

Droit communautaire

Sources

19-1. Le droit communautaire est issu du traité CE, des actes communautaires, de la jurisprudence du tribunal de première instance et de la Cour de justice des Communautés européennes.

> On appelle habituellement « droit communautaire » le droit créé par les Communautés européennes et « droit européen » le droit créé par ou dans le cadre du Conseil de l'Europe.

1° Les articles du *traité CE, modifié,* s'appliquent directement à toutes les personnes concernées lorsqu'ils sont suffisamment précis pour qu'il soit possible d'en déduire des conséquences immédiates au moment de leur exécution (CJCE 5 février 1963, aff. 26/62, Rec. 1) ; tel est le cas, par exemple, des articles 81 et suivants relatifs aux règles concernant la concurrence.

2° Le Conseil de l'Union européenne et la Commission européenne peuvent adopter un certain nombre d'actes dits de droit dérivé ; il en existe quatre catégories.

> L'initiative des textes appartient à la Commission qui doit comprendre au moins un ressortissant de chaque État membre, sans que le nombre des membres ayant la nationalité d'un même État membre soit supérieur à deux.
>
> Le pouvoir de décision revient au Conseil de l'Union européenne où chaque gouvernement délègue l'un de ses membres (d'où l'ancienne appellation de « Conseil des ministres »).
>
> Le Parlement européen (518 parlementaires) participe à l'adoption des actes communautaires conjointement avec le Conseil. En cas de désaccord, un comité de conciliation se réunit pour aboutir à un consensus, le Parlement disposant en dernier lieu d'un droit de veto.

— Les *règlements* sont obligatoires dans tous leurs éléments et *directement applicables* dans tout État membre dès leur entrée en vigueur ; ils ont donc la même valeur dans l'ensemble de l'Union et s'insèrent dans le droit de chaque État sans nécessiter l'intervention d'un texte législatif ou réglementaire.

> Il existe, aujourd'hui, plus de 20 000 règlements communautaires obligatoires.

— Les *directives* ne *s'imposent* qu'*aux États membres* qui doivent prendre, dans un délai fixé, les dispositions législatives ou réglementaires nécessaires à la réalisation des objectifs qu'elles définissent.

> Au 1er janvier 1999, le pourcentage de directives n'ayant pas fait l'objet d'une transposition dans l'un au moins des 15 États membres, appelé taux de fragmentation, s'élève à 13,2 % (contre 18,2 % en mai 1998 et 27 % en novembre 1997). A présent, aucun État membre n'accuse un taux de non-transposition supérieur à 5,5 %.

Tout dépassement du délai d'adoption d'une directive sans que soient prises les mesures d'exécution a les quatre conséquences suivantes.

a) Dans un litige opposant une entreprise ou un particulier à l'État défaillant, les juges doivent appliquer directement les dispositions de la directive lorsqu'elles sont claires, inconditionnelles et suffisamment précises, en écartant les règles nationales contraires (CJCE 4 décembre 1974, aff. 41/74, Van Duyn : Rec. 1337 ; CE, ass., 6 février 1998, M. Tête : RJDA 5/98 n° 669) (« effet vertical » des directives).

> Les juges peuvent invoquer d'office les dispositions de la directive, c'est-à-dire sans que cela leur soit demandé (CJCE 11 juillet 1991, aff. 87 à 89/90, Verholen et autres : RJDA 10/91 n° 867).

b) Le ministère public d'un État membre ne peut pas fonder une poursuite pénale sur une infraction aux dispositions soit d'une règle interne contraire à une directive, soit de la directive elle-même (CJCE 11 juin 1987, aff. 14/86, « Pretore » de Salo : BRDA 1987/19, p. 10 ; Crim. 21 février 1994 : Bull. n° 74).

c) Dans un litige entre entreprises et/ou particuliers, la directive est inapplicable (Com. 27 février 1996 : RJDA 5/96 n° 734) ; toutefois, le juge national est tenu d'interpréter son droit interne à la lumière du texte et de la finalité de la directive (CJCE 14 juillet 1994, Paola Faccini Dori : JCP 1995 II 22358, obs. P. Level) (« effet horizontal » très limité des directives).

d) L'État membre défaillant doit réparer les dommages découlant, pour les entreprises et les particuliers, de la non-transposition d'une directive (CJCE 19 novembre 1991, aff. 6 et 9/90, Francovich : RJDA 12/91 n° 1106 ; CE, ass., 28 février 1992, 2 arrêts, SA Rothmans et SA Philip Morris France : RJDA 4/92 n° 415).

— Les **décisions** ne sont obligatoires que pour les destinataires qu'elles désignent.

> Si les décisions sont adressées aux États membres, ce caractère obligatoire s'adresse aussi à leurs juridictions (CJCE 21 mai 1987, aff. 249/85, Albako c/ BALM : BRDA 1987/19 p. 10).

— Les **recommandations et avis** ne sont pas obligatoires.

20. Les règlements sont publiés au *Journal officiel des Communautés européennes* (JOCE) et entrent en vigueur à la date qu'ils fixent ou, à défaut, le vingtième jour suivant leur publication.

Les directives et les décisions sont notifiées à leurs destinataires et, dès lors qu'elles s'adressent à tous les États membres, elles sont publiées au JOCE.

> Tous ces textes sont disponibles sur le site internet dénommé Légifrance (http://www.legifrance.gouv.fr) offrant, en outre, la possibilité de consulter les sites des institutions de l'Union européenne.

20-1. Le *tribunal de première instance des Communautés européennes* (TPI) statue sur les recours introduits par les particuliers et les entreprises, ainsi que sur toutes les affaires concernant la réglementation du dumping et des subventions.

> En 2000, 398 affaires ont été introduites devant le tribunal de première instance, 344 furent réglées et 786 étaient encore pendantes au 1er janvier 2001. La durée moyenne des procédures a été, cette année, d'environ 27 mois.
> Les arrêts du tribunal de première instance sont publiés, sous une forme concise, au JOCE puis, en totalité, au « Recueil de jurisprudence de la Cour de justice et du tribunal de première instance ». En outre le système automatisé de documentation pour le droit communautaire (CELEX) contient l'ensemble de la jurisprudence du tribunal de première instance, en texte intégral avec les sommaires établis pour chaque affaire.

21. La *Cour de justice des Communautés européennes* (CJCE) est investie de nombreuses compétences.

1e) Elle est une instance de cassation pour les affaires jugées par le tribunal de première instance des Communautés européennes.

2ᵉ) Elle est juge de droit commun des affaires introduites par un État membre ou par une institution communautaire.

3ᵉ) Elle statue sur la validité des actes pris par les institutions communautaires.

4ᵉ) Elle est, enfin, seule compétente pour *interpréter les normes communautaires* ; il s'agit là, pour les juridictions nationales, en présence d'une difficulté, de ce que l'on appelle une *question préjudicielle*, c'est-à-dire échappant à leur compétence pour être soumise préalablement à la Cour de justice.

> Les tribunaux et les cours d'appel apprécient souverainement s'il convient de solliciter l'interprétation de la Cour de justice pour résoudre un litige dont ils sont saisis, sauf si leurs décisions ne sont pas susceptibles de recours. En revanche la Cour de cassation et le Conseil d'État sont tenus de saisir la Cour des questions d'interprétation soulevées devant eux, sauf lorsqu'il existe déjà une jurisprudence en la matière ou lorsque la manière correcte d'appliquer la règle communautaire apparaît de toute évidence.

La Cour de justice ne doit, alors, se prononcer que sur l'interprétation ou la validité de la règle communautaire et laisser au juge national le soin de résoudre le problème juridique qui lui est posé.

> En 2000, 503 affaires ont été introduites devant la Cour de justice (dont 224 recours préjudiciels), 526 furent réglées et 873 étaient encore pendantes au 1ᵉʳ janvier 2001 ; la durée moyenne des procédures a été, durant cette année, d'environ 19 mois.
> Les décisions de la Cour de justice des Communautés européennes font l'objet d'une double publication : sous une forme concise au JOCE puis, en totalité, au « Recueil de jurisprudence de la Cour de justice et du tribunal de première instance ». Elles sont aussi reprises, en texte intégral avec les sommaires établis pour chaque affaire, par le système automatisé de documentation pour le droit communautaire (CELEX).

Primauté du droit communautaire

21.1. La Cour de cassation et le Conseil d'État reconnaissent la *primauté des règlements, directives et décisions sur les lois et règlements français antérieurs ou postérieurs* (solution constante depuis, notamment, Ch. mixte 24 mai 1975, « Jacques Vabre » : D. 1975 II 487, concl. A. Touffait ; CE, ass., 28 février 1992, 2 arrêts, SA Rothmans et Products et SA Philip Morris France : RJDA 4/92, n° 415).

L'État engage donc sa responsabilité en ne transposant pas en droit français les objectifs d'une directive.

21.2. Les décisions rendues par la Cour de justice des Communautés européennes, s'agissant de l'interprétation des normes communautaires, ont l'autorité de la chose « interprétée » ; par emprunt de la primauté attachée au Traité, elles s'imposent au juge national (Crim. 26 septembre 1994 : Bull. n° 303).

III. Lois

22. Les lois sont les *textes adoptés par le Parlement* (Assemblée nationale et Sénat) ou, exceptionnellement, par référendum.

Précisions

> 1° On utilise parfois le mot « loi » pour désigner tout acte émanant des autorités publiques. *Chaque fois que, dans cet ouvrage, il ne sera pas pris en son sens strict, il portera des guillemets (« loi »).*

2° La Constitution (art. 11) prévoit la possibilité de soumettre au référendum tout projet de loi portant sur l'organisation des pouvoirs publics, sur des réformes relatives à la politique économique ou sociale de la nation et aux services publics qui y concourent, ou tendant à autoriser la ratification d'un traité qui, sans être contraire à la Constitution, aurait des incidences sur le fonctionnement des institutions.

3° L'Assemblée nationale comprend aujourd'hui 577 députés élus au suffrage universel direct pour cinq ans. Le Sénat comprend 321 sénateurs élus pour neuf ans, renouvelables par tiers tous les trois ans, au suffrage universel indirect, par un collège d'élus locaux.

4° Outre son pouvoir législatif, le Parlement a aussi un pouvoir de contrôle, un pouvoir de participation au choix et au renvoi de l'exécutif et un pouvoir budgétaire.
Il peut ainsi poser des questions écrites, orales ou d'actualité aux membres du gouvernement et constituer des commissions d'enquête ou de contrôle en son sein.
En outre, à l'Assemblée nationale, c'est la politique du gouvernement dans son ensemble qui est appréciée ou mise en cause par le jeu de l'engagement de responsabilité ou de la motion de censure ; en effet si l'Assemblée nationale adopte cette motion ou désapprouve le programme ou une déclaration de politique générale du gouvernement, le Premier ministre doit remettre au président de la République la démission du gouvernement.

Les lois ne peuvent être prises que *dans le domaine défini par l'article 34 de la Constitution.*
Aux termes de ce texte, « la *loi fixe les règles* concernant :
— les droits civiques et les garanties fondamentales accordées aux citoyens pour l'exercice des libertés publiques ; les sujétions imposées par la Défense nationale aux citoyens en leur personne et en leurs biens ;
— la nationalité, l'état et la capacité des personnes, les régimes matrimoniaux, les successions et libéralités ;
— la détermination des crimes et délits ainsi que les peines qui leur sont applicables, la procédure pénale ; l'amnistie, la création de nouveaux ordres de juridiction et le statut des magistrats ;
— l'assiette, le taux et les modalités de recouvrement des impositions de toutes natures ; le régime d'émission de la monnaie.
La loi fixe également les règles concernant :
— le régime électoral des assemblées parlementaires et des assemblées locales ;
— la création de catégories d'établissements publics ;
— les garanties fondamentales accordées aux fonctionnaires civils et militaires de l'État ;
— les nationalisations d'entreprises et les transferts de propriété d'entreprises du secteur public au secteur privé.
La *loi détermine les principes fondamentaux* :
— de l'organisation générale de la Défense nationale ;
— de la libre administration des collectivités locales, de leurs compétences et de leurs ressources ;
— de l'enseignement ;
— du régime de la propriété, des droits réels et des obligations civiles et commerciales ;
— du droit du travail, du droit syndical et de la sécurité sociale.
Les lois de finances déterminent les ressources et les charges de l'État dans les conditions et sous les réserves prévues par une loi organique.
Des lois de programme déterminent les objectifs de l'action économique et sociale de l'État ».

Le défaut d'adoption des mesures d'application dans un délai raisonnable engage la responsabilité de l'État (CE, 9 avril 1993, SPADEM : Rec. p. 107).

23. L'*initiative des lois* appartient tant au Premier ministre *(projet de loi)*, après avis du Conseil d'État et délibération en Conseil des ministres, qu'aux députés et sénateurs *(proposition de loi)*.

> 73 textes ont été discutés et adoptés par le Parlement en 2000, dont 30 autorisant la ratification de conventions internationales ; 17 sont issus de propositions d'origine parlementaire, soit 39,5 % du total des textes adoptés hors conventions internationales.

Chaque texte est déposé indifféremment sur le bureau de l'Assemblée nationale ou du Sénat, sauf les lois de finances discutées en premier lieu par les députés. Il est d'abord *examiné par une commission* spéciale ou par l'une des six commissions permanentes de ces assemblées qui le discutent au vu du rapport établi par l'un de leurs membres ; puis le texte est *inscrit à l'ordre du jour* de cette assemblée.

> Le Parlement se réunit de plein droit en une session ordinaire qui commence le premier jour ouvrable d'octobre et prend fin le dernier jour ouvrable de juin (Constitution art. 28, al. 1).

Le gouvernement est le maître de cet ordre du jour, ce qui lui permet de donner priorité à ses projets et d'ajourner ainsi la discussion de certaines propositions de loi.

Après *débat* général, le texte est examiné dans sa rédaction initiale s'il s'agit d'un « projet » et dans la rédaction proposée par la commission s'il s'agit d'une « proposition ». Le gouvernement et les parlementaires peuvent en outre présenter des modifications aux textes en discussion *(amendements)*.

> En 2001, 8 659 amendements ont été déposés à l'Assemblée nationale dont 880 par le gouvernement, 2 922 par les commissions et 4 857 par les députés. Il en a été adopté 4 021 dont 749 d'origine gouvernementale, 2 643 présentés par les commissions et 629 déposés par les parlementaires.

> Le plus long débat que le Sénat ait eu à mener depuis le début de la Ve République est celui qui a concerné le projet de loi relatif à la liberté de communication (182 heures 30 minutes, 1 844 amendements ayant été déposés et 1 580 discutés).

> Les amendements déposés par le gouvernement ne requièrent pas d'avis du Conseil d'État et de délibération en Conseil des ministres.

Le Conseil constitutionnel censure les adjonctions ou modifications apportées par amendement si elles n'ont pas de lien avec le texte en discussion ou si elles dépassent, par leur objet ou leur portée, les limites inhérentes au droit d'amendement (27 juillet 2000 : JO 2 août p. 11922).

Le texte est *voté* article par article, sauf si le gouvernement impose, pour tout ou partie du texte en discussion, le vote bloqué, ce qui écarte de la discussion les amendements qui n'ont pas été proposés ou acceptés par le gouvernement.

Le gouvernement peut aussi engager sa responsabilité devant l'Assemblée nationale sur le vote d'un texte ; dans ce cas, ce texte est considéré comme adopté, sauf si une motion de censure, déposée dans les vingt-quatre heures qui suivent, est votée à la majorité des membres composant l'Assemblée nationale (Constitution art. 49, al. 3).

> Cette procédure n'est pas possible devant le Sénat.

La loi n'est définitivement adoptée que si elle est votée dans les mêmes termes par l'Assemblée nationale et le Sénat. Sinon s'établit une « *navette* » entre ces deux assemblées.

Après deux lectures (délibérations) — ou après une lecture pour les lois de finances ou lorsque le gouvernement déclare l'urgence —, le Premier ministre a la faculté — et non l'obligation — de provoquer la réunion d'une *commission mixte paritaire* chargée de proposer un texte.

> Cette commission est composée de 7 députés et de 7 sénateurs et d'un nombre égal de suppléants.
>
> En 2001, 24 commissions mixtes paritaires se sont réunies, conduisant à un accord entre l'Assemblée nationale et le Sénat sur 8 projets de loi.

Si la commission a réussi à élaborer un texte, le gouvernement peut, quand il le veut, décider de le soumettre aux deux Assemblées, aucun amendement n'étant recevable hors ceux du gouvernement ou ceux qui seraient déposés avec son accord.

Si la commission n'a pu aboutir à un accord, ou si le texte n'a pas été voté en termes identiques par les deux Assemblées, la navette reprend pour une lecture complète à l'issue de laquelle le gouvernement peut demander à l'Assemblée nationale de statuer définitivement.

> A ce stade de la procédure, les seuls amendements susceptibles d'être adoptés doivent soit être en relation directe avec une disposition du texte en discussion, soit être dictés par la nécessité d'assurer une coordination avec d'autres textes en cours d'examen au Parlement (Cons. const. décision n° 98-402 DC du 25 juin 1998, JO 3 juillet, p. 10147).

24. Une fois adoptée, la loi, pour entrer en vigueur, doit être promulguée et publiée.

La *promulgation* est le décret par lequel le président de la République atteste l'existence d'un texte et donne l'ordre de l'observer ; toute loi est désignée par la date de son décret de promulgation.

> Le président de la République promulgue les lois dans les 15 jours qui suivent la transmission au gouvernement de la loi définitivement adoptée ; ce délai est suspendu lorsque la loi est déférée au Conseil constitutionnel avant sa promulgation.
>
> Le président de la République peut, avant l'expiration de ce délai, demander au Parlement une nouvelle délibération de la loi ou de certains de ses articles ; tel a été le cas en deux occasions : en 1983 pour la loi sur l'Exposition universelle de 1989, après la décision du gouvernement de ne plus organiser cette manifestation et, en 1985, pour une loi sur l'évolution de la Nouvelle-Calédonie partiellement invalidée par le Conseil constitutionnel.

La *publication* est le fait de faire connaître le texte promulgué ; elle s'opère par insertion au Journal officiel « Lois et décrets ». La loi est obligatoire et, réciproquement, peut être invoquée à Paris un jour franc après cette publication ; ailleurs en France, le délai est d'un jour franc après l'arrivée du Journal officiel au chef-lieu d'arrondissement.

Calculer en « *jours francs* » revient à ne tenir compte ni du jour de départ (jour de parution ou jour d'arrivée du Journal officiel) ni du jour d'arrivée (jour d'entrée en vigueur du texte) ; on compte donc de minuit à minuit (voir figure I-2). Ainsi, une loi publiée au Journal officiel du 2 février est obligatoire à Paris le 4 février dès 0 h. Si ce Journal officiel arrive à Quimper le 4 février, la loi y est obligatoire le 6 février à 0 h.

Ce principe connaît cependant quelques exceptions : l'entrée en vigueur d'une loi peut, très exceptionnellement, être avancée (affichage). Elle est, beaucoup plus fréquemment, retardée, soit que le législateur ait expressément fixé une date, soit qu'il ait prévu d'attendre la publication des décrets d'application.

À compter de cette date, tout le monde ayant eu, théoriquement du moins, la possibilité de prendre connaissance du texte, la règle est opposable à tous.

> Certaines lois sont dites « Codes » (par exemple Code civil, Code de commerce, Code des marchés financiers) sans que cela leur donne un statut particulier.
> Les éditeurs ont pris l'habitude de joindre à la publication de ces codes un appendice rassemblant les textes concernant les mêmes domaines, voire de rassembler dans une édition spéciale dite (abusivement) « code » des textes concernant un domaine donné (par exemple Code des sociétés).

Figure I-2

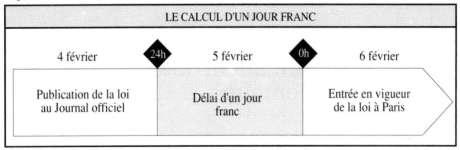

25. La loi reste en vigueur tant qu'elle n'est pas abrogée, c'est-à-dire abolie. Cette *abrogation* peut être expresse — une loi dit que telle autre loi est abrogée — ou tacite lorsque le texte nouveau est inconciliable avec les dispositions anciennes et incompatible avec leur maintien. Mais une loi ne peut pas être abrogée par simple désuétude (pour l'application d'un édit de 1776, voir Ch. réun., 5 mars 1924, D. 1924 I 81).

26. *La loi est subordonnée à la Constitution* et ne peut donc, en principe, comporter de dispositions qui lui soient contraires. Ce contrôle de conformité est assuré par le *Conseil constitutionnel*.

> Ce Conseil comprend les anciens présidents de la République et 9 membres nommés pour 9 ans, discrétionnairement, par le président de la République, le président de l'Assemblée nationale et le président du Sénat. Chacun en nomme 3. Ils sont renouvelables par tiers tous les 3 ans (chacun en choisissant 1).

Toutefois, ce contrôle est limité : il ne concerne que les lois votées par le Parlement à l'exclusion de celles qui sont adoptées à la suite d'un référendum (Cons. const. 23 septembre 1992, déc. n° 92-313 : JO p. 13 337). En outre, le Conseil ne peut être saisi qu'*avant la promulgation de la loi* et uniquement par le président de la République, le Premier ministre, le président de l'Assemblée nationale ou du Sénat, soixante députés ou soixante sénateurs. Il doit statuer dans le délai d'un mois, voire dans un délai de huit jours, à la demande du gouvernement, s'il y a urgence (Constitution art. 61).

Si une disposition légale est déclarée inconstitutionnelle, elle ne peut donc pas être promulguée et, de ce fait, n'entre jamais en vigueur :

Lorsqu'une loi est promulguée, sa conformité à la Constitution ne peut plus être contestée devant le Conseil constitutionnel, et les juridictions administratives ou judiciaires ne peuvent exercer un tel contrôle à l'occasion des litiges qui sont portés devant elles (Civ. 1re, 1er octobre 1986 : JCP 1987 II 20894, note E. Agostini ; CE, Ass., 21 décembre 1990, Confédération nationale des associations familiales catholiques : Rec. p. 368).

27. La loi est aussi **subordonnée aux traités** ou accords régulièrement ratifiés (Constitution art. 55) ; les juges, à l'occasion des litiges qui leur sont soumis, doivent donc contrôler la conformité des lois à ces accords.

IV. Textes émanant du pouvoir réglementaire

A — ORDONNANCES

28. Le gouvernement peut, pour l'exécution de son programme et dans un délai limité, demander au Parlement de l'autoriser à prendre des mesures qui sont, en principe, du domaine de la loi. Il procède alors par ordonnances.

> Ce recours est fréquemment utilisé pour des mesures que le gouvernement veut voir prises rapidement et sans discussion au Parlement.

Ces ordonnances sont décidées par le gouvernement, en Conseil des ministres, après avis du Conseil d'État. Elles doivent, ensuite, être signées par le président de la République ; elles entrent en vigueur dès leur publication au Journal officiel.

Pour acquérir force de loi, les ordonnances doivent être ratifiées par le Parlement. Tant qu'elles ne l'ont pas été, elles constituent un acte réglementaire pouvant faire l'objet d'un recours pour excès de pouvoir devant le Conseil d'État.

Si la ratification est généralement explicite, elle peut aussi résulter d'une manifestation de volonté implicite, mais clairement exprimée par le Parlement (Cons. const. 29 février 1972 n° 7273 : Rec p. 31). Notamment le législateur ratifie implicitement une ordonnance en lui apportant des modifications.

29. En cas de circonstances exceptionnelles, l'*article 16 de la Constitution* autorise le président de la République à prendre, seul, « les mesures exigées par les circonstances ». Selon le Conseil d'État, les mesures ainsi décidées sont soumises aux règles suivantes (Ass. plén. 2 mars 1962, Rubin de Servens : JCP 1962 II 12 613, concl. J.-F. Henry) :

— lorsqu'elles sont prises dans le domaine législatif, elles ont le caractère d'acte législatif et leur validité ne peut pas être contestée ;

— lorsqu'elles interviennent dans le domaine réglementaire, elles ont le caractère d'acte administratif et sont soumises au même contrôle de légalité que les règlements.

B — RÈGLEMENTS

30. D'une façon générale, les règlements sont identifiés aux décrets ou aux arrêtés émanant d'une autorité publique et prescrivant une règle de conduite à tous ceux qui sont susceptibles de tomber dans leur champ d'application. Mais tous les décrets et arrêtés ne sont pas, juridiquement, des règlements et, inversement, tous les règlements ne sont pas des décrets ou arrêtés.

En effet, pour être un *règlement* une mesure doit répondre *aux trois conditions suivantes :*

1° *Elle doit émaner d'une autorité compétente* pour édicter des règlements ; tel est le cas

— du président de la République ;

— du Premier ministre ;

— des ministres conformément aux pouvoirs qui leur sont attribués par les lois ou règlements ou qui leur sont délégués par le Premier ministre (Constitution art. 21) ;

— des préfets, conformément aux pouvoirs qui leur sont dévolus par les lois et règlements ;

— des présidents de conseil régional ou de conseil général, des maires, conformément aux pouvoirs qui leur sont attribués par les lois et règlements ;

— de tout établissement public conformément aux pouvoirs qui lui ont été confiés par la loi ou un règlement ;

— de toute autorité administrative indépendante, dans le cadre défini par les lois ou règlements et pour des mesures de portée limitée.

> Tel est le cas du Conseil des marchés financiers, de la Commission d'accès aux documents administratifs, de la Commission nationale de l'informatique et des libertés, du Conseil supérieur de l'audiovisuel, etc.

2° *Elle doit édicter une prescription,* c'est-à-dire imposer une règle de conduite à tenir.

3° Elle doit être *générale et impersonnelle,* c'est-à-dire s'adresser à tous ou à une catégorie indéterminée de personnes.

30-1. Ne remplissent pas ces conditions et ne *sont* donc *pas des règlements* les dispositions prises par les autorités administratives *lorsque :*

1° *Elles n'ont pas de portée juridique,* telles :

— *les réponses ministérielles aux questions écrites* posées par les parlementaires ;

> Les réponses ministérielles ont pour objet d'informer les parlementaires de l'action conduite par le gouvernement. Elles n'ont donc pas, en principe, de valeur juridique ; toutefois, en matière fiscale, elles expriment l'interprétation administrative des textes dont les contribuables peuvent se prévaloir (Livre des procédures fiscales, art. L 80 A). Par ailleurs, les réponses aux questions parlementaires qui sont soumises à la signature du ministre expriment la position de celui-ci, à une date et dans un contexte déterminés par la question posée. Dans ces conditions, et sous les réserves qu'elles impliquent, l'administration placée sous l'autorité du ministre est naturellement conduite à adopter une solution conforme à celle exprimée par la réponse au parlementaire, sauf si une décision de justice vient ultérieurement la contredire (Rép. L. Deprez, JO AN 7 avril 1997 p. 1771). En 2000, les députés ont adressé 16 452 questions écrites aux ministres et 13 547 réponses leur ont été apportées.

— *les réponses du médiateur de la République* aux parlementaires ;

— *les circulaires ou instructions de service* qui ont, en principe, pour objet soit d'exposer une politique gouvernementale, soit de guider l'action des agents de l'administration sur la façon d'appliquer les lois et règlements, soit de déterminer des règles de fonctionnement des services ;

> Toutefois une circulaire peut devenir réglementaire, totalement ou partiellement, selon la nature de ses dispositions, lorsque, sous couvert d'interprétation, elle édicte des prescriptions entraînant des droits ou des obligations pour les administrés (par exemple, CE 14 janvier 1981 : Rec. p. 13).

— *les directives* administratives fixant des normes en fonction desquelles des mesures individuelles seront prises par l'administration dans des domaines où les lois et règlements laissent à celle-ci une part d'appréciation discrétionnaire.

> Il existe des directives réglementaires (dites aujourd'hui « prescriptions ») en matière d'aménagement du territoire.

2° *Elles n'ont pas de portée générale,* par exemple l'octroi d'un permis de construire ou une déclaration d'utilité publique.

30-2. Remarques – 1°) Les lois 78-753 du 17 juillet 1978 (liberté d'accès aux documents administratifs) et 79-587 du 11 juillet 1979 (obligation pour l'administration de motiver ses décisions individuelles) permettent à toutes les personnes intéressées de *connaître les pratiques administratives* et notamment la façon dont l'administration interprète et applique les textes.

> En cas de refus exprès ou tacite (silence gardé pendant plus d'un mois) opposé à une demande de communication, l'intéressé peut saisir la Commission d'accès aux documents administratifs.

2°) Un administré peut invoquer l'*interprétation donnée par l'administration* dans sa documentation publiée, par exemple une réponse à une question écrite ou une circulaire ; si elle *lui* est favorable elle *est opposable* à l'administration. En revanche si elle lui est défavorable, il peut la combattre au contentieux (CE 4 juillet 1986, « soc. Publimod-photo » : Rec. p. 188 ; Com. 22 mars 1988 : Bull. IV n° 118).

31. Les règlements peuvent prendre des formes variées ; le plus fréquemment il s'agit de décrets ou d'arrêtés.

— Les *décrets* ne peuvent émaner que du président de la République (après avoir été délibérés en Conseil des ministres ou sans cette formalité) ou du Premier ministre, après, le cas échéant, consultation du Conseil d'État. Ils servent à déterminer les modalités d'application de certaines lois *(décrets d'application),* ou portent sur « les matières autres que celles qui sont du domaine de la loi » *(règlements autonomes)* (Constitution art. 37).

> Si certains décrets sont soumis à l'avis préalable du Conseil d'État (décrets dits en Conseil d'État), ils ne sont pas tenus d'y être conformes. Depuis 1980, les règlements d'administration publique sont assimilés aux décrets en Conseil d'État.
> En France, aujourd'hui, il y a environ 80 000 décrets en vigueur.

— Les *arrêtés* émanent des autres autorités exerçant une compétence réglementaire, notamment les ministres, les présidents de conseil régional ou de conseil général, les préfets et les maires.

32. Les règlements ne sont *obligatoires* pour les administrés que lorsqu'ils ont pu en avoir connaissance par publication ou notification. Les formes de cette publication sont variables ; seuls, les décrets doivent être obligatoirement publiés au Journal officiel « Lois et décrets ». Les autres actes sont publiés soit par insertion dans un bulletin officiel (par exemple celui de la concurrence, de la consommation et de la répression des fraudes) ou dans un recueil (Recueil des actes administratifs du département), soit par voie d'affichage (actes des autorités locales, notamment).

33. Comme celle des lois, l'*abrogation* des règlements est expresse ou tacite (CE, 4 décembre 1964, « Syndicat de défense… Arciveaux » : GP 1965 II 61).

> Si un règlement fait l'objet d'un retrait, il ne peut être rétroactivement anéanti que s'il n'a pas encore fait naître de droits, par exemple un décret ou un arrêté organisant un concours ne peut être abrogé si le concours a déjà été passé.

34. Les règlements doivent être conformes à la Constitution, aux traités et aux lois (principe de légalité, voir n° 11).

Tout règlement illégal peut :

— soit être annulé par une juridiction administrative, à condition qu'elle ait été saisie dans les deux mois qui suivent sa publication (recours pour excès de pouvoir) ;

— soit voir son application à une situation donnée écartée si un plaideur soulève l'exception d'illégalité. Toutefois, cette exception ne fait pas disparaître le règlement et elle doit être invoquée, à chaque fois, pour rendre le texte inapplicable. En outre, elle n'est recevable que devant une juridiction administrative ou devant une juridiction pénale.

> Ainsi jugé que si les juridictions pénales sont compétentes pour apprécier la légalité des actes réglementaires lorsque de cet examen dépend la solution du procès qui leur est soumis, elles ne sauraient déclarer illégal un décret pris pour l'application d'une loi comportant des dispositions répressives, que dans le cas où ledit décret en étend ou en modifie la portée (Crim. 9 janvier 1995, Bull. n° 8).
>
> Toutes les autres juridictions judiciaires — notamment les tribunaux d'instance, de grande instance et de commerce — doivent, en revanche, dès lors que la contestation soulevée leur apparaît sérieuse, surseoir à statuer et demander au juge administratif, par une question préjudicielle, de se prononcer sur l'illégalité.
>
> Cependant, tout juge judiciaire peut lui-même déclarer illégal un règlement constituant une voie de fait, c'est-à-dire portant atteinte à la propriété privée ou à des libertés individuelles (voir n° 94).

Section 2
Application des actes de l'autorité publique

I.   Application sur le territoire français

36. Toutes les règles de droit d'un pays donné s'appliquent sur le territoire de ce pays ; c'est le *principe* dit *de « territorialité* des lois » qui a quatre conséquences.

1° Les *actes de l'autorité publique française s'appliquent sur tout le territoire français* (Code civil art. 1), c'est-à-dire la France métropolitaine et les départements d'outre-mer (DOM) : Guadeloupe, Guyane, Martinique, Réunion.

Il existe cependant quelques dispositions propres à l'Alsace et à la Moselle, aujourd'hui en nombre restreint. En outre, certaines adaptations sont parfois nécessaires pour les DOM (notamment en matière agricole).

L'archipel de Saint-Pierre-et-Miquelon est aujourd'hui une collectivité territoriale de la République française [Loi du 11 juin 1985] ; toutefois, les lois et décrets nouveaux s'y appliquent de plein droit sans mention spéciale.

Mayotte constitue une collectivité territoriale qui prend le nom de « collectivité départementale de Mayotte » (Loi du 11 juillet 2001).

En revanche, les territoires d'outre-mer (TOM) et la Nouvelle-Calédonie sont régis par le principe de la spécialité législative ; les textes métropolitains n'y sont applicables qu'en vertu d'une disposition expresse, exception faite des lois dites « de souveraineté » qui, en raison de leur objet, sont nécessairement destinées à régir l'ensemble du territoire de la République (lois constitutionnelles, lois organiques, ratification des traités, état des personnes, etc.).

Sont TOM : les îles Wallis-et-Futuna et les Terres australes et antarctiques françaises (archipels Crozet et Kerguelen, îles de la Nouvelle-Amsterdam et de Saint-Paul, terre Adélie).

La Polynésie française (îles du Vent, îles Sous-le-Vent, îles Tuamotu et Gambier, îles Marquises, îles Australes, ainsi que les espaces maritimes adjacents) est un TOM doté d'un statut d'autonomie qui exerce librement et démocratiquement, par ses représentants élus, les compétences qui lui sont dévolues par la loi organique 96-312 du 12 avril 1996.

Les îles Éparses de l'océan Indien (Tromelin, Glorieuses, Juan de Nova, Europa et Bassas da India) et l'île de Clipperton n'ont pas de statut déterminé, en l'absence de population ; elles ne sont donc ni des DOM, ni des TOM, ni des collectivités territoriales à statut particulier.

2° *Les règles françaises s'appliquent sur le territoire français aussi bien aux Français qu'aux étrangers,* sauf, pour ces derniers, quelques questions relatives à leur statut personnel.

3° *Les actes des autorités publiques étrangères ne sont pas applicables en principe sur le territoire français.* Toutefois, les tribunaux français reconnaissent aux signataires d'un contrat international la faculté de choisir le droit qui régira leur contrat (loi dite « d'autonomie »), sous réserve de ne pas enfreindre les règles françaises dites « d'**ordre public international** » qui s'imposent aux juges français même au cas où le litige n'est pas soumis à la loi française.

Sont d'ordre public international, par exemple :
— les principes français de dessaisissement du débiteur et d'arrêt des poursuites individuelles des créanciers en cas de liquidation judiciaire (Civ. 1re, 5 février 1991 : RJDA 4/91 n° 352) ;
— le libre accès à la justice (Civ. 1re, 16 mars 1999 : Bull. I n° 92).

4° *Les lois et règlements français ne sont pas applicables sur le territoire d'un pays étranger.* Toutefois, les Français résidant à l'étranger restent soumis au droit français pour ce qui concerne leur état (statut individuel ou familial) et leur capacité.

II.   Application non rétroactive

37. Les lois et les règlements sont applicables du *jour de leur entrée en vigueur jusqu'au jour de leur abrogation.*

38. Les lois et règlements nouveaux ont toujours un *effet immédiat,* c'est-à-dire qu'ils s'appliquent à :

— tous les actes ou faits intervenant après leur mise en vigueur ;

— tous les effets des situations juridiques ayant pris naissance avant leur entrée en vigueur et non définitivement réalisées ; ils s'appliquent donc, par exemple, aux modalités du droit au renouvellement d'un bail commercial (Civ. 3ᵉ, 16 mai 1990 : Bull. III n° 120).

Toutefois, la loi nouvelle ne peut être appliquée à des *contrats en cours* que pour autant qu'elle institue des règles d'ordre public.

39. Les *lois nouvelles ne doivent pas, en principe, être appliquées rétroactivement.* Font cependant *exception :*

1° les *lois que le législateur rend expressément rétroactives ;* toutefois, ne peuvent être expressément rétroactives (Cons. const. 7 février 2002, n° 2002-458 DC : JO 12 février, 2783) :

— ni une loi à caractère répressif plus sévère,

— ni une loi faisant renaître une prescription légalement acquise ;

2° les *lois interprétatives,* se bornant à reconnaître, sans rien innover, un droit préexistant qu'une définition imparfaite a rendu susceptible de controverses (Cass. 3ᵉ civ. 27 février 2002 : RJDA 5/02 n° 477) ;

3° les *lois pénales plus douces* supprimant une incrimination ou comportant des dispositions plus favorables, à condition qu'une condamnation irrévocable n'ait pas été déjà prononcée (rétroactivité dite « in mitius ») ;

4° les *lois confirmatives* venant valider, dans un but d'intérêt général, des actes administratifs, à condition qu'ils n'aient pas été annulés par des décisions de justice ayant force de chose jugée et ne méconnaissent aucun principe de valeur constitutionnelle (Cons. const. 7 février 2002 n° 2002-458 DC : JO 12 février p. 2783).

> En revanche, les principes constitutionnels de la séparation des pouvoirs et de l'indépendance des juridictions interdisent les lois de validation remettant en vigueur un acte annulé par un juge administratif.

40. *Un règlement ne peut jamais* s'appliquer à des faits antérieurs à sa mise en vigueur ; il ne peut *être rétroactif,* sauf autorisation législative ou si cela est à l'avantage de l'administré. Sinon, tout intéressé peut saisir le juge pour faire constater l'illégalité d'un tel réglement.

Figure I-3

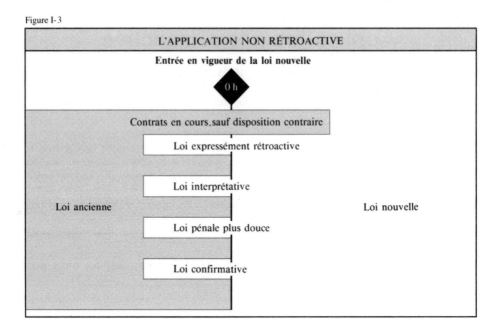

III. Force obligatoire des actes de l'autorité publique

A — RESPECT DES LOIS ET RÈGLEMENTS

41. Le respect des lois et règlements est assuré par la mise en œuvre de diverses mesures et de différentes sanctions.

Mesures conservatoires

41-1. Ces mesures s'efforcent de sauvegarder des droits qui paraissent menacés ; elles ont un caractère préventif. Tel est le cas des oppositions tendant à empêcher l'accomplissement d'un acte (par exemple l'opposition à un partage, art. 882 du Code civil), des saisies conservatoires, des sûretés judiciaires, des inventaires, des appositions de scellés, etc.

> La *saisie conservatoire* peut porter sur tous les biens mobiliers, corporels ou incorporels, appartenant au débiteur. Elle rend indisponibles les biens saisis. Elle comporte trois phases : autorisation judiciaire préalable, déroulement de la saisie et conversion en saisie-vente (meubles corporels, parts sociales ou valeurs mobilières) ou en saisie-attribution (créances).

> La *saisie-revendication* permet à une personne apparemment fondée à requérir la délivrance ou la restitution d'un bien meuble corporel de le rendre indisponible en attendant sa remise.

> Une *sûreté judiciaire* peut être constituée à titre conservatoire sur les immeubles, les fonds de commerce, les actions, parts sociales et valeurs mobilières. Les biens ainsi grevés demeurent aliénables mais le créancier qui a fait procéder à l'inscription de la sûreté dispose d'un droit de suite et de préférence (n° 208).

Mesures d'exécution forcée

42. Ces mesures ont pour but de ramener au respect des droits en cas de violation d'une loi ou d'un règlement ; elles sont dites « *voies d'exécution* ». Telles sont les différentes saisies, l'expulsion, l'astreinte, la contrainte par corps.

1° La saisie

42-1. La *saisie* permet à un créancier titulaire d'une créance liquide (dont le montant est déterminé) et exigible, constatée par un titre exécutoire (n° 291) de faire vendre des biens ou de se faire attribuer des créances de son débiteur défaillant.

Lorsqu'il n'y a qu'un seul créancier le produit de la vente ou le paiement de la créance lui est acquis. En cas de pluralité de créanciers, la personne chargée de la vente élabore un projet de répartition : ce projet devient définitif en l'absence de contestation du débiteur ou des créanciers ; en cas de contestation, il est procédé à une tentative de conciliation et, en cas d'échec, c'est le juge de l'exécution qui tranche.

> Le nom et la procédure des *saisies* varient selon les biens qui en font l'objet.

> La *saisie immobilière* porte sur les immeubles du débiteur ; elle débute par un commandement (délivré par huissier) adressé au débiteur valant saisie à partir de sa publication au bureau des hypothèques. L'immeuble saisi sera vendu aux enchères en justice ou devant notaire. Dans les dix jours qui suivent l'adjudication, il peut être fait surenchère en offrant un dixième du prix en plus, ce qui provoque une nouvelle revente aux enchères publiques.

> La *saisie-attribution* est la saisie entre les mains d'un tiers des créances du débiteur portant sur une somme d'argent. Les créances alimentaires sont insaisissables sauf pour le paiement des aliments.

> La *saisie des rémunérations* permet de saisir les sommes dues à titre de rémunération au débiteur, dans des proportions et selon des tranches fixées par l'article R. 145-2 du Code du travail, dans sa rédaction issue du décret 2002-10 du 4 janvier 2002.

> La *saisie-vente* permet de saisir et de faire vendre des biens meubles corporels appartenant au débiteur, qu'ils soient ou non détenus par ce dernier. Ne peuvent, toutefois, être saisis :
> • les biens que la loi déclare insaisissables ;

- les biens déclarés insaisissables par le testateur ou le donateur, si ce n'est, avec la permission du juge et pour la portion qu'il détermine, par les créanciers postérieurs à l'acte de donation ou à l'ouverture du legs ;
- les biens mobiliers nécessaires à la vie et au travail du saisi et de sa famille énumérés par l'article 39 du décret n° 92-775 du 31 juillet 1992, si ce n'est pour paiement de leur prix ; ils demeurent cependant saisissables s'ils se trouvent dans un lieu autre que celui où le saisi demeure ou travaille habituellement, s'ils sont des biens de valeur, en raison notamment de leur importance, de leur matière, de leur rareté, de leur ancienneté ou de leur caractère luxueux, s'ils perdent leur caractère de nécessité en raison de leur quantité ou s'ils constituent des éléments corporels d'un fonds de commerce ;
- les objets indispensables aux personnes handicapées ou destinés aux soins des personnes malades.

La *saisie-appréhension* permet l'exécution forcée d'une obligation de délivrance ou de restitution de biens meubles corporels.

La *saisie des véhicules terrestres à moteur* se fait soit par une déclaration auprès des services de la préfecture où est immatriculé le véhicule du débiteur soit par immobilisation de l'objet en quelque lieu qu'il se trouve, par tout moyen n'entraînant aucune détérioration.

La *saisie des droits incorporels* permet de saisir et de faire vendre les droits incorporels, autres que les créances de sommes d'argent, dont le débiteur est titulaire.

2° L'expulsion

42-2 L'*expulsion* d'un local d'habitation ne peut, sauf disposition spéciale, être poursuivie qu'en vertu d'une décision de justice ou d'un procès-verbal de conciliation exécutoire et doit obligatoirement être précédée de la signification d'un commandement d'avoir à libérer les locaux.

Ce n'est qu'à défaut d'évacuation dans le délai imparti par le commandement qu'il peut être procédé à l'expulsion forcée du débiteur.

3° L'astreinte

42-3 *L'astreinte* est une indemnité au versement de laquelle le juge peut, même d'office, c'est-à-dire sans que cela lui soit demandé, condamner un débiteur par jour de retard dans l'exécution de son obligation. L'astreinte est indépendante des dommages-intérêts. Elle est provisoire lorsque son montant peut être révisé par le juge ; elle est définitive lorsque son montant est insusceptible de révision. L'astreinte est considérée comme provisoire, si le juge n'a pas précisé qu'elle était définitive.

L'astreinte ne devient une véritable dette que lors de sa liquidation par le juge.

4° La contrainte par corps

42-4 *La contrainte par corps*, c'est-à-dire l'emprisonnement du débiteur pour l'inciter à payer, n'est possible que pour obtenir le versement des amendes ou condamnations pécuniaires prononcées par un tribunal en cas d'*infraction pénale* de droit commun.

> Cette contrainte par corps ne peut être prononcée ni contre les personnes mineures au moment des faits, ni contre les personnes âgées d'au moins soixante-cinq ans au moment de la condamnation.
>
> Sa durée varie de 5 jours à 4 mois selon le montant de l'amende et des condamnations pécuniaires impayées (5 jours : 150 à 450 € ; 4 mois : plus de 12 000 €).

Elle peut aussi être prononcée sur requête de l'administration pour les majorations et amendes fiscales dont sont redevables les personnes condamnées en application des articles 1741 et 1771 à 1779 du Code général des impôts.

Sanctions

43. Les sanctions sont très variées.

1° Sanctions pénales

43-1. Les sanctions pénales sont des peines, essentiellement l'amende ou l'emprisonnement, applicables uniquement si un texte les prévoit expressément. Elles peuvent être assorties de peines complémentaires telles que des interdictions, des déchéances, ou des confiscations.

Ces peines varient selon qu'elles sont encourues par des personnes physiques ou des personnes morales.

— *Personnes physiques*

• Les *peines criminelles*, sanctionnant des *crimes,* sont la réclusion ou la détention criminelle à perpétuité ou à temps (dix ans au moins), éventuellement complétées par une amende.

• Les *peines correctionnelles,* sanctionnant un *délit,* sont :

— l'emprisonnement (six mois à dix ans au plus) ;

— l'amende ;

— le jour-amende ;

> Lorsqu'un délit est puni d'une peine d'emprisonnement, la juridiction peut prononcer une peine de jours-amende consistant pour le condamné à verser au Trésor une somme dont le montant global résulte de la fixation par le juge d'une contribution quotidienne pendant un certain nombre de jours. Le montant de chaque jour-amende est déterminé en tenant compte des ressources et des charges du prévenu et il ne peut excéder 300 €. Le nombre de jours-amende est déterminé en tenant compte des circonstances de l'infraction et il ne peut excéder trois cent soixante.

— le travail d'intérêt général ;

> Lorsqu'un délit est puni d'une peine d'emprisonnement, la juridiction peut prescrire que le condamné accomplira, pour une durée de 40 à 240 heures, un travail d'intérêt général non rémunéré au profit d'une personne morale de droit public ou d'une association habilitée à mettre en œuvre des travaux d'intérêt général.

— l'une des peines privatives ou restrictives de droits prévues à l'article 131-6 du Code pénal, notamment la suspension du permis de conduire ou l'interdiction de conduire certains véhicules pendant une durée de cinq ans au plus, l'annulation du permis de conduire ou le retrait du permis de chasser avec interdiction de solliciter un nouveau permis pendant cinq ans au plus, la confiscation ou l'immobilisation de véhicules ou d'armes appartenant au condamné, l'interdiction pour une durée de cinq ans au plus d'émettre des chèques autres que ceux qui permettent le retrait de fonds par le tireur auprès du tiré ou ceux qui sont certifiés et d'utiliser des cartes de paiement, la confiscation de la chose qui a servi ou était destinée à commettre l'infraction ou de la chose qui en est le produit.

• Les *peines contraventionnelles,* sanctionnant des *contraventions,* sont l'amende (38 à 1 500 € au plus) éventuellement remplacée, pour les contraventions de 5e classe, par l'une des peines privatives ou restrictives de droits prévues à l'article 131-14 du Code pénal, notamment la suspension pour un an au plus ou l'immobilisation pour six mois au plus d'un ou de plusieurs véhicules appartenant au condamné, le retrait du permis de chasser avec interdiction de solliciter la délivrance d'un nouveau permis pendant un an au plus, l'interdiction pour une durée d'un an au plus d'émettre des chèques autres que ceux qui permettent le retrait de fonds par le tireur auprès du tiré ou ceux qui sont certifiés et d'utiliser des cartes de paiement, la confiscation de la chose qui a servi ou était destinée à commettre l'infraction ou de la chose qui en est le produit.

— Personnes morales

• Les **peines criminelles** ou **correctionnelles** encourues sont l'amende à un taux maximum égal au quintuple de celui prévu pour les personnes physiques par la loi qui réprime l'infraction et dans les cas prévus par la loi, l'une ou plusieurs des peines suivantes :

1° la dissolution, lorsque la personne morale a été créée ou, lorsqu'il s'agit d'un crime ou d'un délit puni en ce qui concerne les personnes physiques d'une peine d'emprisonnement supérieure ou égale à trois ans, détournée de son objet pour commettre les faits incriminés ;

2° l'interdiction, à titre définitif ou pour une durée de cinq ans au plus, d'exercer directement ou indirectement une ou plusieurs activités professionnelles ou sociales ;

3° le placement, pour une durée de cinq ans au plus, sous surveillance judiciaire ;

4° la fermeture définitive ou pour une durée de cinq ans au plus des établissements ou de l'un ou de plusieurs des établissements de l'entreprise ayant servi à commettre les faits incriminés ;

5° l'exclusion des marchés publics à titre définitif ou pour une durée de cinq ans au plus ;

6° l'interdiction, à titre définitif ou pour une durée de cinq ans au plus, de faire appel public à l'épargne ;

7° l'interdiction, pour une durée de cinq ans au plus, d'émettre des chèques autres que ceux qui permettent le retrait de fonds par le tireur auprès du tiré ou ceux qui sont certifiés ou d'utiliser les cartes de paiement ;

8° la confiscation de la chose qui a servi ou était destinée à commettre l'infraction ou de la chose qui en est le produit ;

9° l'affichage de la décision prononcée ou la diffusion de celle-ci soit par la presse écrite, soit par tout moyen de communication audiovisuelle.

• Les **peines contraventionnelles** encourues sont des amendes éventuellement remplacées, pour toutes les contraventions de la 5e classe, par une ou plusieurs des peines privatives ou restrictives de droits suivantes :

1° l'interdiction, pour une durée d'un an au plus, d'émettre des chèques autres que ceux qui permettent le retrait de fonds par le tireur auprès du tiré ou ceux qui sont certifiés ou d'utiliser des cartes de paiement ;

2° la confiscation de la chose qui a servi ou était destinée à commettre l'infraction ou de la chose qui en est le produit.

En outre, le règlement qui réprime une contravention peut prévoir à titre de peine complémentaire :

— la confiscation de la chose qui a servi ou était destinée à commettre l'infraction ou de la chose qui en est le produit ;

— s'agissant d'une contravention de 5e classe, l'interdiction pour une durée de trois ans au plus d'émettre des chèques autres que ceux qui permettent le retrait de fonds par le tireur auprès du tiré ou ceux qui sont certifiés.

— *Remarques*

1° L'action pour l'application de ces peines, dite *action publique,* ne peut être exercée que devant les juridictions répressives et dans des délais variables à dater du jour où l'infraction a été commise : un an pour les contraventions, trois ans pour les délits, dix ans pour les crimes, sauf pour les crimes contre l'humanité qui sont imprescriptibles.

2° Lorsque, à l'occasion d'une même procédure, la personne poursuivie est reconnue coupable de plusieurs infractions n'ayant encore entraîné aucune condamnation définitive, chacune des peines encourues peut être prononcée. Toutefois, lorsque plusieurs peines de même nature sont encourues, il ne peut être prononcé qu'une seule peine de cette nature dans la limite du maximum légal le plus élevé (règle dite du « non-cumul des peines »).

> Lorsque, à l'occasion de procédures séparées, la personne poursuivie a été reconnue coupable de plusieurs infractions n'ayant encore entraîné aucune condamnation définitive, les peines prononcées s'exécutent cumulativement dans la limite du maximum légal le plus élevé. Il est, toutefois, possible de prononcer la confusion totale ou partielle des peines de même nature.

Par dérogation, les peines d'amende pour contraventions se cumulent entre elles et avec celles encourues ou prononcées pour des crimes ou délits n'ayant encore entraîné aucune condamnation définitive.

2° Sanctions fiscales

43-2 *Les sanctions fiscales* sont des « pénalités fiscales » c'est-à-dire des sanctions pécuniaires appliquées par l'administration, en vertu de la loi, sous le contrôle des tribunaux administratifs pour, notamment, un paiement tardif de l'impôt, une absence de déclaration ou des insuffisances, omissions ou inexactitudes dans cette déclaration.

> En application des articles L 227 et suivants du Livre des procédures fiscales, ceux qui se sont intentionnellement soustraits à l'impôt (ou ont tenté de s'y soustraire) encourent des sanctions pénales (supra) et à titre de peine complémentaire tant l'interdiction d'exercer toute profession industrielle, commerciale ou libérale que le retrait du permis de conduire.

Les sanctions fiscales se cumulent entre elles en raison de leur caractère mixte, répressif et indemnitaire (Crim. 17 février 1992 : Bull. n° 75).

3° Sanctions administratives

43-3 *Les sanctions administratives* sont des amendes, confiscations et injonctions que l'administration peut imposer d'elle-même, sans intervention du juge, à ceux qui violent certains textes.

> Le Conseil constitutionnel (décision n° 89-260) a jugé que le principe selon lequel une même personne ne peut être sanctionnée deux fois pour un même fait ne s'oppose pas au cumul des sanctions pénales et des sanctions administratives.
>
> Il a néanmoins rappelé que le principe de proportionnalité des peines (Déclaration des droits de l'homme art. 8) doit être respecté et qu'en conséquence le montant global des sanctions éventuellement prononcées ne doit pas dépasser le montant le plus élevé de l'une des sanctions encourues.

4° Sanctions disciplinaires

43-4 *Les sanctions disciplinaires* frappent la violation des règles de fonctionnement de groupements privés, notamment des ordres professionnels (médecins, par exemple). Elles prennent généralement la forme d'amende, d'exclusion ou de restrictions quant aux droits reconnus par le groupement.

Ces sanctions sont licites si elles sont conformes à l'objet du groupement et non contraires à l'ordre public.

5° Sanctions réparatrices

43-5 *Les sanctions réparatrices* tendent à indemniser les préjudices subis, telle la condamnation du responsable d'un dommage à verser une somme d'argent (« dommages-intérêts ») à sa victime.

6° Amendes civiles

43-6 Les cours d'appel et la Cour de cassation peuvent prononcer des *amendes civiles* en cas de procédure abusive.

B — LOIS ET RÈGLEMENTS D'ORDRE PUBLIC OU SUPPLÉTIFS

45. *Les lois et règlements sont tous obligatoires mais ils ne le sont pas avec une égale intensité. En effet, certains d'entre eux, dits « impératifs » ou « d'ordre public », doivent être toujours appliqués alors que d'autres, dits « supplétifs », peuvent être écartés.*

Cette solution peut surprendre ; elle est cependant tout à fait opportune et justifiée. En effet, les règles supplétives ne sont édictées par le législateur que pour aider les utilisateurs en prévenant leurs oublis ; dès lors que les intéressés ont pensé à se prononcer sur les questions visées par ces règles, il n'y a aucune raison de les leur imposer.

46. Les lois et les règlements impératifs ou d'*ordre public* sont ceux auxquels il est interdit de déroger par une convention contraire, le législateur ou les juges estimant que leur respect est une condition déterminante du bon ordre social (Code civil art. 6).

> Une longue tolérance ne peut pas non plus empêcher leur application (Paris 13 février 1992 : RJDA 7/92 n° 697).

Ils protègent aussi bien les intérêts généraux de la collectivité et dits alors « d'*ordre public de direction* » que les intérêts individuels de tel ou tel contractant (par exemple ceux d'un consommateur) et l'on parle alors « d'*ordre public de protection* ». La différence majeure entre les règles d'ordre public de direction et celles d'ordre public de protection est qu'il est possible de renoncer au bénéfice des secondes mais pas à celui des premières.

> Sur les règles dites « d'*ordre public international* français », voir n° 36.

47. Les lois et règlements *supplétifs* ont une force obligatoire bien moindre. Ils ne s'imposent, en effet, qu'à défaut de manifestation de volonté contraire des intéressés. Par exemple, tous les Français mariés sont soumis à un régime matrimonial fixant leurs droits et obligations sur leurs biens pendant et après leur vie commune ; s'ils n'ont pas fait de contrat de mariage devant notaire, avant la célébration du mariage, la loi leur attribue obligatoirement le régime, dit légal, de communauté réduite aux acquêts (ce qui a été acquis pendant la vie commune) ; toutefois, par contrat, ils peuvent adopter des régimes variés allant de la séparation totale à la communauté totale de leurs biens.

48. Le législateur précise parfois qu'un texte est impératif, par exemple en édictant que « les dispositions de la présente loi sont d'ordre public » ou que « toute clause contraire... est réputée non écrite ». Mais, le plus souvent, il est muet et ce sont les juges qui doivent déterminer si la norme est impérative ou supplétive.

> Pour fixer le caractère d'ordre public d'une règle, dans le silence du texte considéré, il faut rechercher si la collectivité est attachée à une conduite donnée ou peut tolérer un comportement contraire. Il faut supputer l'appréciation « politique » que le législateur, ou le pouvoir réglementaire, a faite ou aurait pu faire.
>
> Mais l'interprétation doit être guidée par la règle constitutionnelle selon laquelle « tout ce qui n'est pas défendu par la loi ne peut pas être empêché » (Déclaration des droits de l'homme et du citoyen du 26 août 1789 art. 5) ; ainsi les textes qui restreignent une liberté, telle celle de disposer de son patrimoine ou de contracter, doivent être interprétés restrictivement.

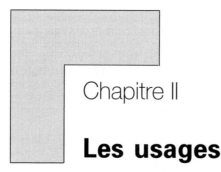

Chapitre II

Les usages

60. Les usages sont des pratiques qu'un emploi constant transforme en règles de droit non écrites.

> On distingue parfois usages et coutumes. En pratique, ces deux expressions peuvent être tenues pour synonymes.

Les usages tiennent une grande place dans la vie des affaires et cela pour trois raisons.

D'abord, la diversité des relations d'affaires est telle que le législateur n'a pas la possibilité de tout prévoir, aussi la loi s'en remet-elle souvent aux usages pour donner la règle à suivre. Par exemple, certains articles du Code civil (1135, 1159, 1160) invitent les tribunaux à se reporter aux usages pour interpréter les contrats ; de même, l'article 80 du décret 66-1078 du 31 décembre 1966 sur le transport maritime prévoit que certains services sont dus par les manutentionnaires s'ils « sont conformes aux usages du port ».

Ensuite, les transactions commerciales sont nécessairement rapides ; les commerçants n'ont pas le temps de préciser jusque dans les détails les conditions de leurs contrats ; ils s'en rapportent donc à ce qu'il est d'usage de faire en pareille circonstance.

Enfin, s'agissant du commerce international, les usages permettent d'unifier le droit plus rapidement que ne le font les traités entre États.

Section 1

Différents usages

61. Il serait vain de tenter d'énumérer tous les usages, même limités à la vie des affaires. Mais on peut en faire une présentation générale en distinguant les usages internationaux des usages internes.

62. *Les usages internationaux* sont des règles que les opérateurs du commerce international acceptent de suivre quelle que soit leur nationalité. Ils font pour certains d'entre eux l'objet de tentatives de codifications. Ainsi, la Chambre de commerce internationale a-t-elle élaboré des conditions internationales de vente *(Incoterms)* permettant au vendeur et à l'acheteur de définir précisément leurs obligations respectives en ce qui concerne, notamment, la mise à disposition de la marchandise, les modalités du transport, la livraison, la répartition des risques, le dédouanement, l'emballage de la marchandise, la preuve de l'exécution de ces obligations (FCA, CFR, CIF, etc.). Elle est, de même, à l'origine des « règles et usances relatives au crédit documentaire », véritable code des usages relatifs au financement ou au règlement des opérations d'exportation et d'importation.

> La Chambre de commerce internationale a aussi conçu différents codes internationaux de pratiques loyales en matière de publicité, de promotion des ventes, d'études de marché, de vente par correspondance et par publicité directe, de vente à domicile.

Le recours à l'arbitrage, très fréquent en matière internationale, favorise ce droit international coutumier. Il existe donc en droit international une résurgence de la « lex mercatoria » du Moyen Âge.

63. Les *usages internes* naissent de pratiques habituelles, parfois limitées à un lieu précis (notamment en matière portuaire).

Ces usages peuvent avoir une durée de vie très longue ; ainsi, en 1984, la Cour de cassation a reconnu comme étant toujours applicable une coutume rédigée en 1520 (sur le partage des bois et pâturages dans l'ancien pays de Soule, Civ. 3e, 13 mars 1984 : JCP 1985 II 20480, note P. Ourliac).

Ils jouent dans les domaines les plus variés.

Aujourd'hui, les pratiques suivies pour certaines affaires prennent souvent la forme plus élaborée d'un contrat inventé par la pratique pour répondre à des besoins nouveaux. Plusieurs conventions ont ainsi été créées tels le *crédit-bail* (voir n° 682), l'*affacturage* (voir n° 684), le *franchisage* (voir n° 638-4), l'*ingénierie* (ou engineering) qui est un contrat de fournitures et de montage d'installations industrielles, commerciales ou agricoles, telles que raffineries, centres commerciaux, ou exploitations laitières.

A l'origine, ces contrats ne sont connus que des initiés ; le public ne peut en avoir connaissance que par confidence ou par relation éventuelle dans une décision de justice. Mais lorsqu'ils sont plus largement répandus, les organismes professionnels (syndicats généralement) les diffusent à tous leurs membres sous la forme de *contrats-types ;* on trouve, par exemple, des contrats-types de vente, d'ingénierie, de distribution commerciale, de sous-traitance, etc.

En outre, à défaut de réglementation spécifique, certaines professions ont élaboré des *codes d'usage.*

64. Certains usages se sont généralisés à un ensemble de professions. Ainsi, toute marchandise vendue sans précision de sa qualité doit être loyale et marchande. De même, les prix indiqués par une entreprise dans un devis estimatif de travaux, ne comportant pas mention de prix forfaitaires fermes et définitifs, ne sont valables que pour une période limitée à trois mois car, au-delà, les prix subissent une nécessaire actualisation tenant compte de la hausse du coût des travaux (Civ. 3e, 16 novembre 1982 : BRDA 1983/9, p. 15).

D'autres *usages* généraux sont *communs à toutes les activités commerciales* et industrielles (au sens des articles L 110-1 et L 110-2 du Code de commerce). Tel est le cas notamment des usages suivants.

1° La *solidarité* se présume entre codébiteurs d'un engagement commercial (Com. 16 janvier 1990 : JCP 1991 II 21748) alors qu'entre codébiteurs d'une dette civile, elle doit être expressément stipulée (Code civil art. 1202).

2° S'agissant d'une vente commerciale, l'acheteur peut demander la réduction du prix en cas d'inexécution partielle par le vendeur de son obligation de délivrance *(réfaction)* (Com. 15 décembre 1992 : RJDA 4/93 n° 304).

En outre, si un vendeur commerçant ne s'exécute pas, une fois mis en demeure, l'acquéreur dispose d'une *« faculté de remplacement »*, c'est-à-dire qu'il peut acquérir les marchandises convenues auprès d'un tiers et le vendeur doit lui rembourser le prix de remplacement.

3° En principe, les intérêts échus des capitaux ne peuvent produire eux-mêmes des intérêts que si cela a été expressément prévu et s'ils sont dus pour au moins une année entière (règle dite de la « prohibition de l'anatocisme », Code civil art. 1154). Toutefois, l'usage autorise *la capitalisation des intérêts des sommes portées dans un compte courant à chaque arrêté de compte trimestriel* (Civ. 21 juillet 1931 : D. 1932 I 49, note Hamel).

> Il est à noter que les tribunaux ont étendu ce dernier usage à tous les comptes courants, même conclus entre deux parties civiles.

Section 2
Force juridique et preuve des usages

65. Les usages n'ont de *force juridique* que s'ils remplissent trois conditions :

1° ils doivent être généraux, constants et anciens ;

2° ils doivent être *acceptés* expressément ou tacitement par les parties, l'acceptation tacite résultant notamment de l'appartenance à la profession concernée par les usages ;

3° ils ne doivent pas être contraires à l'ordre public.

66. La *preuve* des usages incombe à ceux qui les invoquent et se fait par tous moyens. Dans la pratique, on utilise des attestations émanant d'autorités compétentes : chambres de commerce, syndicats professionnels ; ces attestations s'appellent *parères*. Mais l'information recueillie n'a qu'une valeur indicative, le juge du fond appréciant et interprétant souverainement les usages (Civ. 3°, 14 février 1984 : Bull. III n° 36).

> La preuve des usages est aujourd'hui simplifiée par l'existence de contrats-types et de nombreux codes d'usages (supra). En outre, le tribunal de commerce de Paris a créé, en 1982, un « Bureau des usages professionnels » où les professionnels peuvent procéder à l'enregistrement des usages propres à leur branche.

> Il est permis au juge de faire état de la connaissance personnelle qu'il a de l'existence ou de l'inexistence de l'usage invoqué devant lui à condition qu'il fasse débattre les parties de ses connaissances ; il en est de même pour l'arbitre.

Chapitre III

Les autres normes obligatoires

Section 1
Principes généraux du droit

67. Le Conseil constitutionnel, la Cour de cassation et le Conseil d'État reconnaissent l'existence de « principes généraux du droit » auxquels ils accordent valeur de règle du droit.

> Ces principes généraux du droit ne doivent pas être confondus avec les « principes fondamentaux reconnus par les lois de la République » qui ont valeur constitutionnelle dans la mesure où ils consacrent « les droits de l'homme et du citoyen » (supra n° 12).

Ces principes généraux, non écrits, sont induits par les juges des règles en vigueur et sont la traduction des fondements de l'ordre juridique existant, par exemple l'insaisissabilité des biens des personnes morales publiques. Ils ont valeur législative, seule la loi pouvant y déroger.

Ces principes généraux sont invoqués par les tribunaux pour combler les lacunes des textes ou pour éviter une atteinte à un intérêt légitime.

Section 2
Dispositions professionnelles

68. Ces dernières années sont apparues de nombreuses dispositions professionnelles dont l'appellation et l'origine sont diverses.

Il peut s'agir de *recommandations ou avis* d'*autorités administratives indépendantes,* c'est-à-dire d'organismes administratifs agissant au nom de l'État et disposant d'un réel pouvoir sans pour autant relever de l'autorité du gouvernement, par exemple, la Commission nationale informatique et liberté (Cnil), le Conseil de la concurrence, la Commission nationale d'équipement commercial ou le Conseil des marchés financiers (CMF).

Il peut aussi s'agir de **règles d'éthique** ou de déontologie professionnelle élaborées par des organismes professionnels ou à vocation économique. Tel est le cas, par exemple des « règles et usances relatives au crédit documentaire » de la Chambre de commerce internationale, des directives professionnelles de la Compagnie nationale des commissaires aux comptes, de différents « codes » (par exemple le Code de déontologie de la fédération européenne de la franchise, le Code de la déontologie de l'assurance-vie établi par la réunion des sociétés d'assurance sur la vie, le « guide contractuel des relations de sous-traitance » du Centre national de la sous-traitance, le « Recueil des recommandations » du Bureau de vérification de la publicité [BVP]).

La **force juridique de ces dispositions** s'apprécie en tenant compte des règles suivantes.

1° Les **actes** présentant les caractéristiques de règlements sont obligatoires comme tels, par exemple les normes de l'Afnor rendues obligatoires par arrêté ministériel.

2° Les recommandations devenues usuelles ne sont opposables aux non-professionnels que si leur notoriété est telle qu'ils ne peuvent les ignorer.

3° Les règles adoptées contractuellement lient les contractants.

4° Les autres dispositions peuvent être tenues pour obligatoires par les tribunaux si elles sont relatives à des comportements de prudence et de diligence que les intéressés seraient fautifs de ne pas suivre. Par exemple, la Cour de cassation a considéré qu'une norme, non obligatoire, de l'Afnor devait être respectée par l'installateur d'un chauffe-eau à gaz car elle constituait « l'expression des règles de l'art et de sécurité minimum qui s'imposaient à l'ensemble des professionnels » (Civ. 3e, 4 février 1976, Bull. III n° 49).

Chapitre IV

Les décisions de justice

70. Les décisions de justice jouent un très grand rôle dans l'élaboration du droit et spécialement du droit des affaires. Elles doivent, notamment, déterminer, en cas de silence d'un texte, si une norme est impérative ou supplétive ; il leur appartient aussi d'apprécier la force obligatoire des usages et d'interpréter tant les clauses des contrats que le contenu des lois et règlements lorsque leur sens fait difficulté.

Ces décisions énoncent des règles et des solutions qui constituent ce que l'on appelle *la jurisprudence.* Elles sont élaborées par des juridictions dont nous présenterons sommairement l'organisation (section 1) avant de rechercher quelle est la portée de leurs solutions (section 2).

Section 1

Organisation juridictionnelle

71. La justice est rendue, normalement, par des juridictions d'État. Mais les parties (demandeur et défendeur) peuvent convenir, par un compromis ou une clause compromissoire, de confier leur litige à un arbitre ou à un tribunal arbitral qui sont des « juges » privés rendant des décisions dites « sentences ». L'arbitrage, fréquent dans la vie des affaires, étant abordé n°ˢ 859 et s., nous ne traiterons ici que des juridictions étatiques à l'exception de celles qui sont propres aux territoires d'outre-mer.

72. La loi d'organisation judiciaire des 16 et 24 août 1790, devant les abus commis par les Parlements de l'Ancien Régime et inspirée par la théorie de la séparation des pouvoirs développée par Montesquieu (« De l'esprit des lois », 1748), décida de séparer les autorités administratives et judiciaires.

Figure 1-4

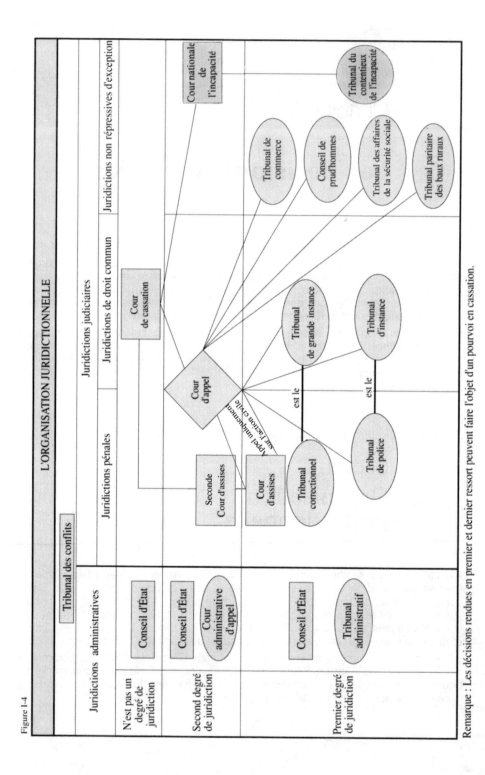

L'ORGANISATION JURIDICTIONNELLE

Remarque : Les décisions rendues en premier et dernier ressort peuvent faire l'objet d'un pourvoi en cassation.

Ce principe de séparation des autorités administratives et judiciaires a valeur constitutionnelle (Cons. const. 23 janvier 1987 : JCP 1987 II 20854, note J.-F. Sestier).

> Le principe de la séparation des autorités administratives et judiciaires n'interdit pas au juge judiciaire d'enjoindre la collectivité publique d'avoir à effectuer des travaux sur son domaine privé afin de mettre fin à des dommages subis par une propriété privée (Cass. civ. 2e, 29 avril 1998 : RJDA 8-9/98 n° 1067).

Il existe donc aujourd'hui deux ordres de juridiction : les juridictions judiciaires et les juridictions administratives.

I. Juridictions judiciaires

A — JUGES DU FOND

73. Les juges dits « du fond » sont ceux qui *jugent l'affaire tant en fait qu'en droit*. Chaque plaideur (dit « partie ») ayant, en principe, le droit de faire juger son affaire deux fois, il existe donc deux degrés de juridiction — et non pas trois comme pourrait, a priori, le laisser croire l'existence d'une Cour de cassation au-dessus des cours d'appel et tribunaux —, le premier étant soumis au second.

Juridictions du premier degré

Juridictions non répressives

74. À l'intérieur des juridictions du premier degré, il faut distinguer entre les juridictions dites de droit commun toujours compétentes, sauf si un texte spécial a prévu la compétence d'une autre juridiction, et les juridictions dites « d'exception » dont la compétence, exceptionnelle, résulte d'un texte spécial.

> Toutes les juridictions du premier degré rendent des décisions appelées « jugements ».

Juridictions de droit commun

75. La première juridiction de droit commun est, quoique ceci soit controversé, le *tribunal d'instance*. Ce dernier a succédé au juge de paix et existe, en principe, dans chaque arrondissement ; il statue à juge unique.

Le tribunal d'instance est compétent pour les *petits litiges*, notamment les actions personnelles et mobilières portant sur une somme ne *dépassant pas 7 600 €*.

Il est en outre, quel que soit le montant du litige :
— *« juge des loyers »*, sauf pour les baux commerciaux (réservés au tribunal de grande instance) et les baux ruraux (réservés au tribunal paritaire des baux ruraux) ;

— juge de l'*injonction de payer* (avec le tribunal de commerce) ;

— juge de l'*injonction de faire*, procédure permettant d'obtenir l'exécution en nature d'une obligation de faire née d'un contrat conclu entre des personnes n'ayant pas toutes la qualité de commerçant, lorsque la valeur de la prestation réclamée ne dépasse pas 7 600 €.

Sa compétence s'étend aussi, quel que soit le montant de la demande, aux litiges concernant les contrats de prêt soumis à la loi 78-22 du 10 janvier 1978, dite *loi Scrivener*, sur la vente à crédit et à la saisie des rémunérations.

En 1998, les tribunaux d'instance ont rendu 518 052 décisions.

Les fonctions de *juge des tutelles* sont exercées par un juge du tribunal d'instance.

Le juge d'instance rend également des ordonnances de référé et des ordonnances sur requête.

76. La seconde juridiction de droit commun est le *tribunal de grande instance*. Il en existe, aujourd'hui, 174 en métropole et 6 dans les départements d'outre-mer.

Les jugements y sont rendus, en principe, par trois magistrats au moins (toujours en nombre impair), sauf pour les litiges auxquels peuvent donner lieu les accidents de circulation terrestre, soumis à un juge unique, le renvoi à une formation collégiale restant possible.

En outre, le président du tribunal de grande instance peut toujours décider qu'une affaire sera jugée par un juge unique, sauf pour ce qui concerne l'état des personnes (statut individuel ou familial) et la discipline des professions juridiques et judiciaires. Toutefois, l'une des parties peut demander le renvoi à une formation collégiale.

Étant juridiction de droit commun, il est compétent pour tout litige portant sur une *somme supérieure à 7 600 €,* lorsque la loi n'en a pas spécialement réservé la connaissance à une autre juridiction.

Le tribunal de grande instance a une *compétence exclusive,* quel que soit le montant de la demande, notamment dans les matières suivantes : l'état des personnes, la rectification des actes d'état civil, l'adoption, les régimes matrimoniaux, les successions, la nationalité, la propriété immobilière, les marques, l'existence d'un brevet d'invention ou d'une appellation d'origine, les baux commerciaux sauf pour la fixation des prix des baux révisés ou renouvelés (pouvoir juridictionnel propre du président du tribunal).

Il est, de même, seul compétent pour statuer, à juge unique, sur tout ce qui a trait à l'exécution forcée des jugements et autres actes, y compris les demandes en exequatur des décisions étrangères et des sentences arbitrales.

Entre 1975 et 1990, le nombre d'affaires a augmenté de 100 %. En 1998, les tribunaux de grande instance ont rendu 627 163 décisions.

Le juge aux affaires familiales et *le juge de l'expropriation pour cause d'utilité publique* (fixant l'indemnité à défaut d'accord amiable, l'appréciation de l'utilité incombant aux juridictions administratives) appartiennent au tribunal de grande instance.

77. *Le président du tribunal de grande instance a un rôle juridictionnel propre.* Il connaît, notamment, des contestations relatives à la fixation du prix d'un bail commercial révisé ou renouvelé.

Il est *juge de l'exécution* et connaît des difficultés relatives aux titres exécutoires et des contestations qui s'élèvent à l'occasion de l'exécution forcée, même si elles portent sur le fond du droit, à moins qu'elles n'échappent à la compétence des juridictions de l'ordre judiciaire.

Il rend également des **ordonnances sur requête,** c'est-à-dire des décisions prises à la demande du requérant, sans débat contradictoire (l'adversaire n'est pas prévenu). Cette procédure est essentiellement utilisée dans des hypothèses où le but recherché ne serait pas atteint si la personne concernée était avisée à l'avance, par exemple la saisie-attribution de sommes figurant sur un compte bancaire ou l'inscription d'une sûreté provisoire. Mais une fois que l'acte autorisé a été accompli (la saisie par exemple), celui à qui l'ordonnance préjudicie peut user de voies de recours.

Il est, enfin, **juge des référés.** A ce titre il rend des ordonnances, après débat contradictoire (assignation du défendeur). Cette procédure permet d'obtenir très rapidement (en général une quinzaine de jours, éventuellement d'heure à heure) des décisions dans les cas précisés par les articles 808 et suivants du nouveau Code de procédure civile, notamment :

— la désignation d'experts judiciaires au début d'un litige (référé expertise) ;

— l'octroi d'une provision pouvant atteindre 100 % du montant de la dette, lorsque l'existence de la créance n'est pas sérieusement contestable *(référé provision)* ;

— toutes mesures pour **prévenir un dommage imminent,** par exemple la saisie d'une publication, ou pour **faire cesser un trouble manifestement illicite,** par exemple imposer la communication d'un barème de prix et de conditions de vente ou faire cesser une concurrence déloyale, même en présence d'une contestation sérieuse.

> Les ordonnances de référé sont en principe exécutoires par provision et peuvent être assorties d'une astreinte.

> Le juge des référés prend aujourd'hui une position prépondérante. Il est saisi de plus en plus fréquemment ; c'est le juge « immédiat » par opposition aux juges « de l'après-coup ». Au tribunal de grande instance de Paris, il y a des audiences de référé deux fois par jour.

Juridictions d'exception

78. Le **tribunal de commerce**. Son régime est traité aux n°s 852 et s. Le président de ce tribunal est juge des référés.

79. Le **conseil de prud'hommes** est une juridiction paritaire composée de conseillers élus par les employeurs et par les salariés. Il est compétent pour **tout litige individuel** portant **sur un contrat de travail,** quelle que soit la nature de la profession (sauf les marins au cours des périodes d'embarquement et, dans une certaine mesure, les journalistes). Il est incompétent pour les conflits collectifs (soumis aux juridictions de droit commun, exception faite des litiges survenant à l'occasion d'une procédure de licenciement pour motif économique) et de ceux qui relèvent de la sécurité sociale.

> Si l'action d'un salarié met en jeu l'application d'un accord collectif, elle garde cependant son caractère individuel.

La tentative de conciliation y est obligatoire et, en cas de partage des voix, un juge du tribunal d'instance (dit juge « départiteur ») vient présider le conseil.

Les conseils de prud'hommes sont divisés en cinq sections autonomes (encadrement, industrie, services commerciaux, agriculture, activités diverses) et comportent obligatoirement une formation commune de référé.

> Les conseils de prud'hommes ont été saisis, en 1998, de 162 000 affaires nouvelles et ont terminé 158 000 dossiers (délai moyen de règlement : 9,6 mois). Au 1er janvier 2002, il existait 271 conseils de prud'hommes en France.

80. Les *juridictions de sécurité sociale* sont de deux ordres.

1° Le *tribunal des affaires de la sécurité sociale*, présidé par un magistrat, assisté de deux assesseurs dont l'un représente les employeurs et l'autre les salariés (juridiction de type échevinage), connaît des conflits entre les organismes de la sécurité sociale et les assujettis ou les bénéficiaires de prestations (contentieux général de la sécurité sociale), à charge d'appel devant la cour d'appel.

> Les tribunaux des affaires de la sécurité sociale ont rendu, en 1998, 129 312 décisions.

Le président du tribunal des affaires de la sécurité sociale est compétent pour statuer en référé.

2° Le *tribunal du contentieux de l'incapacité,* présidé par un magistrat et composé uniquement d'assesseurs représentant les salariés et les employeurs ou travailleurs indépendants, connaît du contentieux technique sur l'état ou le degré d'invalidité, d'incapacité ou d'inaptitude au travail, à charge d'appel devant la Cour nationale de l'incapacité et de la tarification de l'assurance des accidents du travail.

81. Le *tribunal paritaire des baux ruraux*, créé au siège de chaque tribunal d'instance, est composé de représentants élus des propriétaires bailleurs et des locataires sous la présidence du juge d'instance et est compétent pour connaître des contestations entre bailleurs et preneurs de baux ruraux.

Le président du tribunal paritaire des baux ruraux est juge des référés.

Juridictions répressives

Juridictions d'instruction

82. Quand il y a lieu à instruction, elle est confiée en principe à un *juge d'instruction* (faisant partie du tribunal de grande instance) au premier degré.

Juridictions de jugement de droit commun

83. Le *tribunal de police* ne comporte qu'un seul magistrat qui est le juge d'instance. Il est compétent pour juger les *contraventions.*

> Les tribunaux de police ont rendu 746 155 décisions, en 1998.

Le *tribunal correctionnel* est une chambre du tribunal de grande instance composée de trois membres ; il statue sur les *délits*.

> Les tribunaux correctionnels ont prononcé 449 330 condamnations en matière délictuelle en 1998 ; le vol et la circulation routière représentent 55 % de l'ensemble des procédures jugées.

La *cour d'assises* juge en premier ressort, ou en appel, les *crimes*. Elle est présidée par un magistrat de la cour d'appel et composée de deux autres magistrats professionnels ainsi que de neuf jurés (le jury) tirés au sort pour chaque affaire lorsqu'elle statue en premier ressort ou de douze jurés lorsqu'elle statue en appel.

> Ces jurés sont choisis sur une liste annuelle établie dans chaque département. Pour chaque session, on tire au sort une liste de session. Pour chaque affaire, on tire au sort neuf ou douze noms ; l'accusé peut en récuser (refuser) cinq (six en appel) et le ministère public quatre (cinq en appel) de façon discrétionnaire.

La cour d'assises siège, en principe, tous les trois mois ; elle tient ses assises dans chacun des départements du ressort d'une cour d'appel (en général au chef-lieu) et connaît des affaires instruites dans les tribunaux de son ressort.

Il existe une cour d'assises spécialisée en matière militaire, compétente aussi pour les crimes contre la sûreté de l'État. Elle ne comporte pas de jury et est composée d'un président et de six assesseurs magistrats professionnels.

Juridictions d'exception

84. Ces juridictions sont nombreuses et nous n'en retiendrons que quelques-unes :

— Les **tribunaux maritimes commerciaux** jugent les infractions prévues par la loi du 17 décembre 1926 portant Code disciplinaire et pénal de la marine marchande.

— Les **tribunaux aux armées** rendent la justice militaire.

— Il existe des juridictions propres aux mineurs (moins de dix-huit ans au moment des faits) : le juge des enfants, le tribunal pour enfants et la cour d'assises pour mineurs.

> Le **juge des enfants** (appartenant au tribunal de grande instance) instruit et peut juger seul les délits et contraventions de 5e classe commis par des mineurs de 18 ans et les crimes perpétrés par des mineurs de 16 ans, uniquement s'il envisage de prononcer non pas une peine mais des **mesures de rééducation** ne comportant pas le placement du mineur dans une collectivité.

> Le **tribunal pour enfants** (présidé par le juge des enfants, assisté de deux personnes compétentes et intéressées par les questions d'enfance) connaît des contraventions de 5e classe et des délits commis par des mineurs de 18 ans ainsi que des crimes commis par les mineurs de 16 ans ; il peut prononcer des peines au contraire du juge des enfants.

> La **cour d'assises pour mineurs** (le président des assises, deux juges des enfants et neuf jurés désignés comme indiqué n° 83) statue sur les crimes commis par des mineurs de 16 à 18 ans.

Cour d'appel

85. Pour garantir une bonne justice, les plaideurs mécontents de la décision des premiers juges doivent pouvoir faire rejuger leur affaire par une juridiction hiérarchiquement supérieure. Aujourd'hui, il s'agit toujours d'une cour d'appel (sauf pour le contentieux technique de la sécurité sociale et les arrêts de condamnation rendus par les cours d'assises) ; il existe trente cinq cours d'appel en métropole et dans les départements d'outre-mer.

> **Remarques**
> 1° Les décisions du Conseil de la concurrence et du Conseil des marchés financiers (sauf celles qui sont prises en matière disciplinaire ou pour l'approbation des programmes d'activité) peuvent faire l'objet d'un recours devant la cour d'appel de Paris.
> 2° Les arrêts de condamnation rendus par les cours d'assises en premier ressort — mais non les arrêts d'acquittement — peuvent faire l'objet d'un appel porté devant une autre cour d'assises désignée par la chambre criminelle de la Cour de cassation et qui procède au réexamen de l'affaire. Toutefois, l'appel formé par une partie contre le seul jugement rendu sur l'action civile est porté devant la chambre des appels correctionnels de la cour d'appel.

En principe, toutes les décisions des juridictions du premier degré sont susceptibles d'appel. Font exception les décisions portant sur des demandes n'excédant pas 3 800 € chacune (3 720 € pour les conseils de prud'hommes), car les frais d'appel seraient, dit-on, trop élevés. On parle alors de **décisions rendues en premier et dernier ressort**.

> Lorsque le montant de la demande est indéterminé (non chiffrable), le jugement rendu par les juges du premier degré est toujours susceptible d'appel.

85-1. L'*appel* doit être interjeté, à compter de la notification du jugement rendu en premier ressort, c'est-à-dire à dater du moment où il a été officiellement porté à la connaissance de l'intéressé, dans un *délai :*
— d'*un mois,* en principe, pour les appels formés contre des décisions rendues par des juridictions non répressives ;
— de *dix jours* pour les appels formés contre les jugements des *tribunaux de police et correctionnels.*

86. L'appel a deux effets.

Effet suspensif. L'appel suspend l'exécution de la décision des premiers juges. Pour éviter les appels dilatoires, ces derniers peuvent rendre leur décision immédiatement exécutoire, pour tout ou pour partie (on dit alors « par provision »), en subordonnant, éventuellement, cette exécution à la constitution d'une garantie, réelle ou personnelle, suffisante pour répondre de toutes restitutions ou réparations. Le premier président de la cour d'appel est seul compétent pour arrêter ou aménager, en référé, cette exécution provisoire si elle risque d'entraîner pour le débiteur des conséquences manifestement excessives eu égard à ses facultés ou aux facultés de remboursement du créancier (Ass. plén. 2 novembre 1990, Bull. n° 11).

En outre, en cas d'appel principal dilatoire ou abusif, l'appelant peut être condamné à une amende civile de 15 à 1 500 €, sans préjudice des dommages-intérêts qui lui seraient réclamés.

Effet dévolutif. Lorsque l'appel tend à l'annulation de la décision des premiers juges, il saisit la cour d'appel de l'entier litige avec toutes les questions de fait et de droit qu'il comporte. Toutefois, si les parties ne critiquent que certains points du jugement (« chefs de jugement »), l'appel ne défère à la cour que ce qui est expressément ou implicitement critiqué.

Puisque la cour d'appel est un second degré de juridiction, il est interdit d'invoquer de nouvelles prétentions, sauf pour opposer la compensation, faire écarter les prétentions adverses ou faire juger les questions nées de l'intervention d'un tiers ou de la révélation d'un fait.

> Les prétentions ne sont pas nouvelles dès lors qu'elles tendent aux mêmes fins que celles soumises au premier juge, même si leur fondement juridique est différent.

Les décisions de la cour d'appel mettent fin au procès, sous réserve du recours exceptionnel qu'est le pourvoi en cassation, et portent donc le nom d'*arrêts*.

> Les cours d'appel ont rendu 275 773 décisions en 1998 ; ce nombre a plus que doublé en 10 ans et, sur les pourvois introduits, 30 % à peine font l'objet d'une cassation.

B — COUR DE CASSATION

87. La *Cour de cassation n'est pas un degré de juridiction* ; elle ne juge pas l'affaire mais les décisions rendues par une juridiction en dernier ressort ; elle vérifie si la règle de droit appliquée à l'espèce l'a été exactement.

La Cour de cassation est divisée en cinq chambres dites civiles (trois chambres civiles, une chambre commerciale et financière, une chambre sociale) et une chambre criminelle.

> Elle comprend 1 premier président, 6 présidents de chambre, 88 conseillers, 65 conseillers référendaires (rapportant les affaires et n'ayant que voix consultative), 1 procureur général, 1 premier avocat général, 22 avocats généraux.

Tenant les faits, tels qu'ils ont été constatés par les juges du fond, pour acquis (« appréciation souveraine des juges du fond »), la Cour **contrôle l'application des règles de droit et la motivation des juges du fond**, c'est-à-dire le raisonnement qui les a conduits à partir d'une règle donnée à la solution rendue. Elle vérifie aussi que les juges ont répondu à tous les moyens soumis par les plaideurs.

Le **pourvoi**, l'acte par lequel une décision est déférée à la Cour de cassation, peut être fait par l'une des parties ; il peut aussi émaner du procureur général près la Cour, spontanément, dans l'intérêt de la loi, ou sur ordre du ministre de la Justice, pour excès de pouvoir (empiètement d'une juridiction sur le pouvoir législatif ou réglementaire). Il doit, en principe, être fait dans un délai de deux mois à compter de la signification « à partie » (au plaideur) de la décision attaquée. Il n'a ni effet suspensif (sauf en cas de divorce — hors certains effets accessoires prévus par l'article 1122 du nouveau Code de procédure civile –, de séparation de corps ou de jugement condamnant l'État à payer), ni effet dévolutif ; il **n'empêche** donc **pas l'exécution de la décision attaquée** et cette exécution ne peut donner lieu qu'à restitution sans pouvoir en aucun cas être imputée à faute (Civ. 3e, 6 novembre 1986, Bull. III n° 145). En effet, **ce n'est pas l'affaire qui est déférée à la Cour mais la décision rendue par les juges du fond**.

> Le premier président de la Cour de cassation peut, à la demande du défendeur, et après avoir recueilli l'avis du procureur général et des parties, décider le retrait du rôle d'une affaire lorsque le demandeur ne justifie pas avoir exécuté la décision frappée de pourvoi, à moins qu'il ne lui apparaisse que l'exécution serait de nature à entraîner des conséquences manifestement excessives.

Le pourvoi en cassation n'est ouvert qu'**à l'encontre de décisions rendues en dernier ressort**, c'est-à-dire soit des jugements rendus en premier et dernier ressort, soit des arrêts de cours d'assises statuant en appel, soit des arrêts de cour d'appel ou de la Cour nationale de l'incapacité (sécurité sociale).

88. Le premier pourvoi peut, selon le cas, être porté devant :

— une **chambre** de la Cour où il est examiné par une formation de trois magistrats qui soit déclarent non admis les pourvois irrecevables ou non fondés sur un moyen sérieux de cassation, soit cassent la décision si la solution du pourvoi s'impose ; dans le cas contraire elle renvoie l'examen du pourvoi à l'audience de la chambre composée d'au moins cinq magistrats ;

— une **chambre mixte,** composée au minimum de douze magistrats, appartenant à trois chambres au moins de la Cour (quatre magistrats par chambre), en cas de partage égal des voix ; cette formation peut également être saisie lorsqu'une affaire pose une question relevant normalement des attributions de plusieurs chambres ou si la question a reçu ou est susceptible de recevoir devant les chambres des solutions divergentes ;

— l'**Assemblée plénière** (dix-neuf magistrats) éventuellement saisie lorsque l'affaire pose une question de principe, notamment s'il existe des solutions divergentes soit entre les juges du fond, soit entre les juges du fond et la Cour de cassation.

Figure I-5

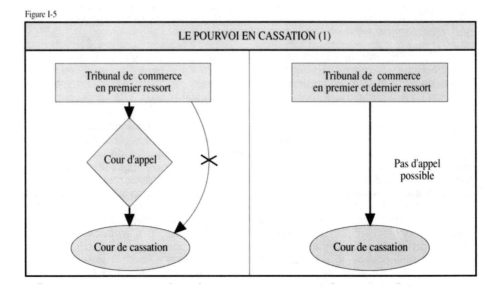

En 2001, la Cour de cassation a reçu 32 462 affaires nouvelles, soit une augmentation de plus de 75 % en quinze ans ; 31 213 affaires ont été jugées cette même année et il restait 38 428 dossiers en cours au 1er janvier 2002 (17 146 au 1er janvier 1980).

89. Si la Cour estime que la règle de droit a été correctement appliquée par les juges du fond, elle rend un **arrêt de rejet**, la décision attaquée se voyant reconnaître un caractère irrévocable. **Aucun recours n'est plus possible.**

Pour éviter les pourvois abusifs, le demandeur en cassation qui succombe dans son pourvoi peut, en cas de recours jugé abusif, être condamné à une amende civile dont le montant ne peut excéder 3 000 € et, dans les mêmes limites, au paiement d'une indemnité envers le défendeur.

90. Si, au contraire, la Cour estime que les juges du fond ont soit méconnu une règle de droit, soit insuffisamment motivé leur décision, soit omis de répondre aux conclusions des parties, elle rend un **arrêt de cassation.** Cet arrêt remet la cause et les parties dans l'état où elles se trouvaient avant la décision annulée ; il entraîne l'annulation de tout ce qui a été la suite ou l'exécution des dispositions censurées. En principe, la **Cour de cassation** ne jugeant pas l'affaire **renvoie** à une autre juridiction de même nature et de même degré que celle dont la décision a été cassée. Cette juridiction, dite « de renvoi », doit être saisie dans un délai de quatre mois à dater de la notification de l'arrêt de la Cour, c'est-à-dire à dater du moment où le plaideur en a eu officiellement connaissance ; elle rejuge alors l'affaire en fait et en droit.

> Il est fréquent que la juridiction de renvoi ne soit pas saisie, soit que les points restant en litige ne justifient pas la continuation du procès, soit que les plaideurs aient abouti à une conciliation au vu de la décision de la Cour de cassation, du temps écoulé et... des frais déjà engagés.

La juridiction de renvoi est libre de son appréciation. Au cas où elle reprendrait à son compte la décision de la solution censurée, un nouveau pourvoi est possible ; il est obligatoirement porté devant l'Assemblée plénière de la Cour de cassation (remplaçant les anciennes chambres réunies).

Figure I-6

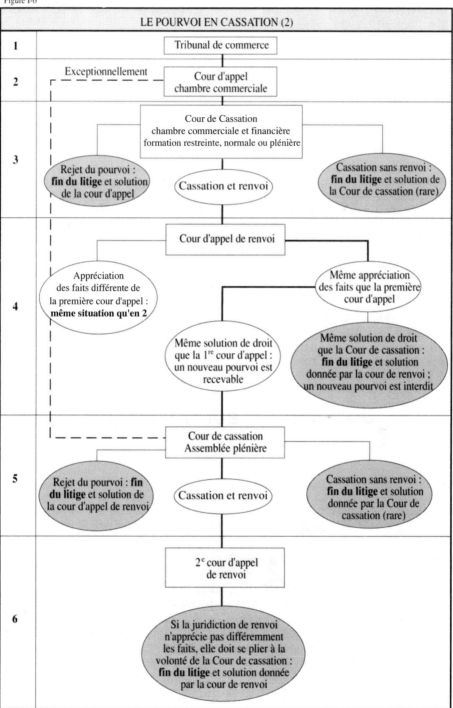

L'*Assemblée plénière* (dix-neuf magistrats) peut, alors, rendre un arrêt de rejet, désavouant la solution retenue par l'une des chambres de la Cour. Si, en revanche, elle casse et renvoie à une seconde juridiction de renvoi, cette dernière devra se conformer à la décision de l'Assemblée sur les points de droit qu'elle a tranchés.

91. La Cour de cassation peut *casser sans renvoi* lorsque la cassation n'implique pas qu'il soit à nouveau statué sur le fond, par exemple en cas de pourvoi dans l'intérêt de la loi, puisque la décision cassée conserve ses effets entre les parties, ou en cas de cassation pour appel tardif ou irrégulier, confirmant de ce fait le jugement rendu en premier ressort.

Mais la Cour peut aussi casser sans renvoi et se prononcer sur le fond lorsque les faits de la cause, tels qu'ils ont été souverainement constatés et appréciés par les juges du fond, lui permettent d'appliquer la règle de droit appropriée.

93. La Cour de cassation peut également être *saisie pour avis* par les juridictions de l'ordre judiciaire *sur une question de droit nouvelle,* présentant une difficulté sérieuse et se posant dans de nombreux litiges.

La Cour de cassation dispose d'un délai de *trois mois* pour donner sa réponse. La juridiction qui l'a saisie doit surseoir à statuer tant que la Cour n'a pas donné son avis ou, à défaut, jusqu'à l'expiration de ce délai ; elle peut néanmoins prendre les mesures d'urgence ou conservatoires nécessaires.

> La formation appelée à se prononcer sur une demande d'avis dans une matière autre que pénale comprend le Premier président, les présidents de chambre et 2 conseillers désignés par chaque chambre spécialement concernée par les questions posées.

> En 2001, la Cour de cassation a statué sur 8 demandes d'avis (20, en 1998).

II. Juridictions administratives

A — COMPÉTENCE DES JURIDICTIONS ADMINISTRATIVES

94. Pour que les juridictions administratives soient compétentes il faut *cumulativement* :

1° qu'une personne publique *soit partie au litige* (conflit entre un particulier et une personne publique ou entre deux personnes publiques) ;

2° que le litige porte sur l'activité d'un *service public administratif*, ou se rattache soit à l'exécution d'un marché public, soit à un acte ou un *contrat administratif*. Sont donc exclus les litiges entre particuliers et services publics industriels et commerciaux, organisés et fonctionnant comme des entreprises privées du même genre, tels EDF ou GDF (Civ. 1re, 9 décembre 1986 : JCP 1987 II 20790, obs. J.-P. Gridel) ; sont aussi exclus les conflits nés d'engagements pris par un établissement public et présentant un caractère de droit privé (Trib. confl. 12 novembre 1984 : JCP 1986 II 20577, note L. Fernandez).

Toutefois les juridictions judiciaires sont seules compétentes dans les trois hypothèses suivantes :

1° l'*emprise irrégulière,* lorsqu'une personne publique porte atteinte à une propriété privée immobilière par une mainmise momentanée ou définitive de manière irrégulière ;

> Tel est le cas, par exemple, de la pose dans le sous-sol d'un terrain appartenant à un particulier d'une canalisation destinée à l'adduction d'eau potable alors que l'administration ne justifie d'aucun titre pour procéder à ces travaux (Trib. confl. 4 novembre 1991, Mme Antichan : Rec. p. 478).

2° la *voie de fait,* c'est-à-dire l'atteinte à la propriété privée ou aux libertés fondamentales à la suite d'une décision administrative :
— soit prise dans des conditions caractérisant un excès de pouvoir,

> Tel est le cas, par exemple, de l'ordre de retirer son passeport à un contribuable au motif qu'il est redevable de lourdes impositions et n'offre pas de garanties de solvabilité, sans que ceci découle de poursuites pénales ou de la mise en exécution d'une contrainte par corps et se rattache à l'exercice d'un pouvoir conféré à l'administration pour assurer le recouvrement d'impôts directs (Trib. confl. 9 juin 1986 : AJDA 1986 p. 456, obs. M. Azibert et M. de Boisdeffre). En revanche, refuser un passeport à une personne dont les déplacements à l'étranger seraient de nature à compromettre la sécurité publique n'est pas une voie de fait (CE 15 avril 1988 : Rec. p. 143).

— soit exécutée avec une irrégularité flagrante ;

> Commet ainsi une voie de fait une entreprise chargée de travaux de voirie routière empiétant, en les exécutant, sur des terrains privés sans l'autorisation de leurs propriétaires (Civ. 1re, 1er octobre 1985 : Bull. I n° 243).

3° *lorsque le législateur en a ainsi décidé,* par exemple pour les impôts indirects (loi du 5 ventôse an XII), la sécurité sociale (loi du 24 octobre 1946), les dommages de toute nature causés par des véhicules de l'administration (loi 57-1424 du 31 décembre 1957) ou des « casseurs » (voir n° 254-2).

Remarque. Les parties à un contrat ne peuvent déroger, par le jeu d'une clause attributive de juridiction, *à ces règles* de compétence qui sont *d'ordre public* (Civ. 1re, 18 février 1986, Bull. I, n° 33 p. 29).

95. En cas de *conflit de compétence,* voire de *décisions,* on fait appel au *Tribunal des conflits* (créé par une loi du 24 mai 1872). Cette juridiction paritaire ad hoc, présidée par le garde des Sceaux (ministre de la Justice) est composée pour moitié de conseillers d'État et pour moitié de conseillers à la Cour de cassation ; le garde des Sceaux n'intervient que dans l'hypothèse (rare) de partage des voix.

> Le conflit peut prendre trois aspects.

> 1° *Conflit positif de compétence :* les juridictions administratives et judiciaires se sont toutes deux déclarées compétentes. Dans ce cas (sauf s'il s'agit de la Cour de cassation ou d'une cour d'assises), le préfet peut « élever le conflit », c'est-à-dire adresser à la juridiction judiciaire saisie un « déclinatoire de compétence », lui demandant de se dessaisir. Si la cour ou le tribunal rejette ce déclinatoire, le préfet prend, dans les quinze jours, un « arrêté de conflit » qui « élève le conflit » au Tribunal des conflits. Si ce dernier estime la juridiction administrative compétente, il confirme l'arrêté de conflit, dessaisissant la juridiction judiciaire ; sinon il annule cet arrêté, ce qui ressaisit la juridiction judiciaire.

> 2° *Conflit négatif de compétence :* les juridictions administratives et judiciaires se sont déclarées toutes deux incompétentes ; la dernière juridiction s'étant prononcée doit alors saisir le Tribunal des conflits qui annule la décision de la juridiction s'étant déclarée, à tort, incompétente.

3° **Conflit de décisions** : les juridictions administratives et judiciaires saisies toutes deux par un justiciable en vue du même objet ont rendu, dans cette même affaire, des décisions contradictoires. Le plaideur saisit le Tribunal des conflits qui juge l'affaire au fond, sa décision annulant les décisions antérieures. En revanche, le **Tribunal des conflits ne peut pas trancher les divergences de jurisprudence entre Conseil d'État et Cour de cassation.**

Lorsque l'une des juridictions suprêmes (Conseil d'État ou Cour de cassation) est saisie d'un litige soulevant une « difficulté sérieuse » de compétence, elle peut transférer au Tribunal des conflits le soin de résoudre cette question. Ce renvoi est purement facultatif.

B — DIFFÉRENTES JURIDICTIONS ADMINISTRATIVES

Conseil d'État

96. Le Conseil d'État a une double mission de conseil et de contentieux.

Le Conseil d'État comporte 195 membres : 1 vice-président, 6 présidents de section, 95 conseillers d'État dits « en service ordinaire », 62 maîtres des requêtes et 31 auditeurs, préparant le travail de discussion ; les conseillers d'État, dits « en service extraordinaire », sont des personnalités nommées pour quatre ans et ne pouvant pas faire partie de la section du contentieux.

Le président du Conseil d'État est le Premier ministre. Toutefois, il n'est autorisé à présider effectivement que l'assemblée générale et la commission permanente chargée de donner un avis sur les textes en cas d'urgence.

Il comprend une section du contentieux et cinq sections administratives dont quatre (section de l'intérieur, section des finances, section des travaux publics, section sociale) **fournissent des « avis »** au gouvernement, notamment sur ses projets de texte.

96-1. La **section du contentieux** est divisée en dix sous-sections. Les affaires soumises au Conseil d'État sont jugées soit par :

— **une ou plusieurs sous-sections ;**

— **« la section du contentieux** en formation de jugement » composée du président de la section du contentieux, des trois présidents adjoints, des présidents de sous-sections, du rapporteur et de deux conseillers d'État venant des sections administratives ; on parle, alors, d'« arrêts de section » ;

— l'**Assemblée du contentieux** présidée par le vice-président du Conseil d'État, et comprenant les présidents de section, les trois présidents adjoints de la section du contentieux, le président de la sous-section d'instruction et le rapporteur ; on parle, alors, d'« arrêts d'assemblée ».

Toutefois, le Conseil d'État connaît une « crise du contentieux » : après déduction des séries, il a enregistré 9 425 affaires nouvelles en 2001 et a rendu 9 240 décisions ; le stock des affaires restant à juger au 1er janvier 2002 représente 110 % des affaires jugées en 2001.

97. Le Conseil d'État juge :

— en **premier et dernier ressort** :

• les recours pour excès de pouvoir contre les décrets, les arrêtés ministériels et les actes ministériels pris après avis du Conseil d'État,

• les litiges nés hors des territoires soumis à la compétence territoriale des tribunaux administratifs ou exercés contre des actes administratifs ayant effet sur le ressort de plusieurs tribunaux administratifs, par exemple un recours en annulation contre une décision administrative prise par un ordre professionnel,
• les litiges relatifs à la situation individuelle des fonctionnaires nommés par décret du président de la République ;
— en *appel* : les jugements des tribunaux administratifs visés n° 98-1 ;
— en *cassation* : les décisions rendues par les cours administratives d'appel et les juridictions administratives spécialisées.

97-1. En outre, pour une question de droit nouvelle présentant une difficulté sérieuse et se posant dans de nombreux litiges, un tribunal administratif ou une cour administrative d'appel peuvent, par une décision qui n'est susceptible d'aucun recours, saisir pour avis le Conseil d'État ; ce dernier doit examiner dans un délai de trois mois la question soulevée et il est sursis à toute décision sur le fond de l'affaire jusqu'à l'avis du Conseil d'État ou, à défaut, jusqu'à l'expiration de ce délai.

> Il y a environ une quinzaine de saisines pour avis par an ; cet avis est publié au Journal officiel et fait immédiatement tourner court 200 ou 300 litiges.

Tribunaux administratifs

98. Les tribunaux administratifs (vingt-huit en métropole et deux dans les DOM) ont des *attributions* à la fois *consultatives* auprès du préfet et *contentieuses.*

Ils sont *juges* de droit commun, en *premier ressort*, en principe, des actes ou des contrats administratifs faits par une autorité administrative située dans leur ressort territorial.

> Sur la définition du contrat administratif, voir n° 547.
> Les autres contrats (dits de droit privé) conclus par l'administration sont de la compétence des juridictions judiciaires.

Ces règles connaissent de nombreuses exceptions pour le tribunal administratif de Paris qui, sinon, serait complètement engorgé.

> Le nombre d'affaires enregistrées devant les tribunaux administratifs connaît une croissance exponentielle : 20 000 en 1970, 40 000 en 1980, 70 000 en 1990 et 118 726 en 2001, séries exclues. Ces tribunaux ont rendu environ 120 700 décisions en 2001, séries exclues ; toutefois, le nombre des affaires restant à juger au 1er janvier 2002 représente plus de 135 % des affaires jugées en 2001.

Les présidents des tribunaux administratifs sont juges des référés.

Cours administratives d'appel

98-1. Pour tenter de porter remède à ce qu'il est convenu d'appeler la crise de la juridiction administrative, la loi 87-1127 du 31 décembre 1987, portant réforme du contentieux administratif, a créé des cours administratives d'appel. Celles-ci peuvent être appelées à donner leur avis sur les questions qui leur sont soumises par les préfets de région. En outre, elles sont compétentes pour statuer en appel sur les jugements des tribunaux administratifs autres que ceux qui se prononcent sur les recours en appréciation de légalité et les recours se rapportant aux élections locales, ces derniers contentieux continuant à relever du Conseil d'État.

Les arrêts rendus par les cours administratives d'appel peuvent être déférés au Conseil d'État par la voie du recours en cassation.

> Il existe sept cours (Bordeaux, Douai, Lyon, Marseille, Nancy, Nantes et Paris), dont le ressort est fixé par l'article R 7 du Code des tribunaux administratifs et des cours administratives d'appel.
>
> Elles ont enregistré 15 400 affaires nouvelles en 2001, séries exclues, et en ont réglé près de 13 000 ; toutefois, au 1er janvier 2001, il leur restait près de 40 000 dossiers à juger, soit plus du triple de leur capacité annuelle de jugement.

Les présidents des cours administratives d'appel sont juges des référés.

Juridictions administratives spécialisées

99. Il est impossible de les mentionner toutes et nous n'en citerons que trois.

1° La *Cour des comptes* doit vérifier sur pièces et sur place la régularité des recettes et des dépenses décrites dans les comptabilités publiques et s'assurer du bon emploi des crédits, fonds et valeurs gérés par les services de l'État et par les autres personnes publiques. Les arrêts rendus par la Cour des comptes sont susceptibles d'un recours en cassation devant le Conseil d'État.

Elle assure également la vérification des comptes et de la gestion des entreprises publiques et de leurs filiales. Elle contrôle aussi les institutions de la sécurité sociale et tout organisme bénéficiant du concours financier de l'État ou d'une autre personne publique soumise à son contrôle.

Elle établit chaque année un rapport public exposant ses observations et les enseignements qui devraient en être tirés.

2° Les *chambres régionales des comptes* jugent en premier ressort les comptes des comptables publics des collectivités et établissements publics relevant de leur compétence ; leurs jugements sont susceptibles d'appel devant la Cour des comptes.

3° La *Cour de discipline budgétaire et financière* (six membres : le premier président de la Cour des comptes, deux autres magistrats de la Cour des comptes et trois membres du Conseil d'État) contrôle les personnes qui ont le pouvoir de donner l'ordre de percevoir ou de verser des fonds au nom d'un organisme public (les « ordonnateurs » à ne pas confondre avec les « comptables » qui, eux, règlent ces sommes) sauf les ordonnateurs « politiques » (les ministres et ceux qui tiennent leur mandat du suffrage universel, tels les maires ou les présidents de conseil général).

100. Remarque : Le *Médiateur de la République,* institution créée en 1973, a pour mission d'intercéder auprès des administrations pour résoudre des erreurs ou injustices commises à l'encontre de particuliers dans le service public ; il intervient en dehors de tout procès, ce *n'est* donc *pas un organe juridictionnel mais une autorité administrative indépendante.*

> Le Médiateur de la République ne peut être saisi que par l'intermédiaire d'un parlementaire ; il a reçu 51 189 réclamations au cours de l'année 1999.

Le Médiateur de la République dispose, sur l'ensemble du territoire, de délégués qu'il a désignés. A sa demande, ils instruisent les réclamations qu'il leur confie et participent au règlement des difficultés dans leur ressort géographique.

> En 1999, 86,6 % des médiations tentées par le Médiateur, et 74,2 % de celles qui ont été tentées par ses délégués, ont été couronnées de succès.

III.   Magistrats et auxiliaires du droit

A __   MAGISTRATS

Magistrats de l'ordre judiciaire

101. Les magistrats de l'ordre judiciaire varient selon les juridictions :

Dans *les juridictions dites d'exception*, les juges ou conseillers (ceux qui prennent les décisions de justice) sont des professionnels élus par leurs pairs ; en revanche, les membres du ministère public sont les procureurs et substituts visés n° 103.

Dans les autres juridictions, les magistrats sont des *fonctionnaires* recrutés essentiellement par concours et formés à l'École nationale de la magistrature (ENM). Ils se divisent en deux grandes catégories : les juges et les membres du ministère public.

> Il y avait, au 1er septembre 1994, 6 138 magistrats en activité et 80 emplois vacants. Depuis 1988, le nombre de magistrats a progressé de 5,8 % alors que celui des affaires progressait de plus de 50 % dans le même temps.
> Des assistants de justice apportent leur concours aux travaux préparatoires réalisés par les juges du fond pour l'exercice de leurs attributions.

Juges (magistrature assise ou du siège)

102. Pour assurer l'indépendance des juges – *ceux qui prennent les décisions de justice –*, la Constitution de 1958 a prévu leur *inamovibilité.* Ils ne peuvent donc être déplacés, même pour un avancement, sans leur consentement. En outre, toute sanction disciplinaire ne peut être prise à leur encontre que par le Conseil supérieur de la magistrature (3 magistrats de la Cour de cassation, 3 magistrats des cours et tribunaux, un conseiller d'État et deux personnalités extérieures). La profession de juge, est, en principe, *incompatible* avec toute autre activité.

Ministère public (magistrature debout ou parquet)

103. Les membres du ministère public sont les *agents du pouvoir exécutif auprès des juridictions,* mais ils sont *indépendants de celles-ci.*

> Ce sont : au premier degré, un procureur de la République (près du TGI) et des substituts ; à la cour d'appel, 1 procureur général, des avocats généraux et des substituts généraux ; à la Cour de cassation, 1 procureur général, 1 premier avocat général et 22 avocats généraux.

Étant sous la dépendance du pouvoir exécutif, ils constituent un *corps hiérarchisé soumis aux instructions du garde des Sceaux* (ministre de la Justice) et dit « unique » ou « indivisible » car les membres d'un même parquet peuvent se remplacer mutuellement au cours d'un procès.

Les membres du parquet ont des attributions tant extrajudiciaires (par exemple la surveillance des registres de l'état civil ou des officiers ministériels) que judiciaires. Le ministère public peut intervenir comme *partie jointe*, donnant son avis sur l'application de la loi (« réquisitions ») dans une affaire dont il a communication ; il peut aussi être *partie principale* en étant demandeur devant une juridiction civile ou appelant ou intimé devant la cour d'appel, dans les cas spécifiés par la loi ou pour la défense de l'ordre public à l'occasion des faits qui portent atteinte à celui-ci.

Le ministère public, étant *« juge de l'opportunité des poursuites » pénales*, reçoit communication de tous les procès-verbaux, plaintes et dénonciations.

> Pour l'année 2000, sur les 4 606 961 procédures traitées par les parquets, 627 730 ont fait l'objet d'une poursuite devant les tribunaux et 247 481 ont fait l'objet d'une mesure dite de la troisième voie (médiation pénale, régularisation).

Il peut soit les classer sans suite, soit citer directement l'auteur de l'infraction à comparaître devant le tribunal de police ou le tribunal correctionnel, soit transmettre le dossier à un juge d'instruction.

Remarque
La victime peut elle aussi mettre en mouvement l'action publique par citation directe ou plainte avec constitution de partie civile.

Magistrats de l'ordre administratif

104. Les conseillers d'État, ceux des cours administratives d'appel et des tribunaux administratifs régionaux sont des *fonctionnaires* recrutés, pour l'essentiel, parmi les diplômés de l'École nationale d'administration (ENA).

> Il y avait, au 1er janvier 2000, 753 magistrats en fonction dans les cours administratives d'appel et les tribunaux administratifs et 217 emplois au Conseil d'État.

Les *conseillers des tribunaux administratifs* et des cours administratives d'appel bénéficient de l'*indépendance* ; leur profession est incompatible avec l'exercice d'un mandat de député, de sénateur, de représentant à l'Assemblée des Communautés européennes ou avec des fonctions de président d'un conseil régional ou général.

> La loi 86-14 a aussi créé un Conseil supérieur des tribunaux administratifs et cours administratives d'appel doté de pouvoirs comparables à ceux du Conseil supérieur de la magistrature.

104-1. Remarque : Le *commissaire du gouvernement*, malgré son appellation, *ne représente pas le gouvernement* devant les juridictions administratives ; membre de la juridiction, il expose publiquement, et en toute indépendance, son opinion sur les questions que présentent à juger les requêtes et sur les solutions qu'elles appellent.

La personne publique, qui est l'une des parties au procès administratif, se fait représenter par un avocat lorsque le ministère d'avocat est obligatoire.

B — AUXILIAIRES DE JUSTICE

Avocats

105. Les avocats sont les auxiliaires de justice qui ont pour tâche :

— de donner des consultations juridiques ou de rédiger des actes sous seing privé pour autrui ;

— d'assister ou de représenter les parties devant les organismes juridictionnels ou disciplinaires de toute nature. Ils ont le monopole de cette mission, réserve faite des attributions des avoués près des cours d'appel et des avocats au Conseil d'État et à la Cour de cassation, et des hypothèses où leur intervention n'est pas obligatoire.

> La **représentation** consiste à accomplir au nom de la partie représentée les actes de procédure ; l'**assistance** est une tâche de conseil et de préparation de la défense.
> La représentation des parties est libre devant les tribunaux de commerce, les tribunaux d'instance et les conseils de prud'hommes.

Ils sont tenus d'une obligation particulière d'information et de conseil à l'égard de leur client et il leur incombe d'apporter la preuve qu'ils ont exécuté cette obligation (Civ. 1re, 29 avril 1997 : Bull. I n° 132).

Les avocats exercent leurs fonctions sur tout le territoire national. Toutefois, ils ne peuvent **postuler**, c'est-à-dire diriger les différentes étapes de la procédure, que devant le tribunal de grande instance dans le ressort duquel ils ont établi leur résidence professionnelle.

> Les émoluments dus à l'avocat pour la postulation et les actes de procédure **(frais et dépens)** sont « tarifés » par un règlement. En revanche, les honoraires de consultation, d'assistance, de conseil, de rédaction d'actes juridiques sous seing privé et de plaidoirie sont fixés en accord avec le client. À défaut de convention entre l'avocat et son client, ces honoraires sont fixés, selon les usages, en fonction de la situation de fortune du client, de la difficulté de l'affaire, des frais exposés par l'avocat, de sa notoriété et des diligences de celui-ci.
>
> Toute fixation d'honoraires en fonction du résultat judiciaire est interdite. En revanche, est licite la convention qui, outre la rémunération des prestations effectuées, prévoit la fixation d'un honoraire complémentaire en fonction du résultat obtenu ou du service rendu.

Les avocats sont groupés en **barreaux**, administrés par un conseil de l'Ordre et présidés par un bâtonnier. Ils sont tenus au secret professionnel et protégés par une immunité judiciaire.

Un Conseil national des barreaux est chargé de représenter la profession d'avocat auprès des pouvoirs publics et de veiller à l'harmonisation des règles et usages de la profession.

> La loi 71-1130 du 31 décembre 1971 a réalisé la fusion, au 16 septembre 1972, des professions d'avocat, d'avoué près du tribunal de grande instance et d'agréé (tribunaux de commerce).
> La loi 90-1259 du 31 décembre 1990 a réalisé la fusion, au 1er janvier 1992, des professions d'avocat et de conseil juridique.

Officiers ministériels

106. Les officiers ministériels sont **titulaires d'une charge** (office ministériel) et exercent leurs fonctions en vertu de l'investiture qui leur est accordée par le gouvernement.

Ils prêtent leur ministère soit aux particuliers pour l'exécution de certains actes que ces derniers ne pourraient accomplir sans eux, soit aux magistrats pour préparer et exécuter leurs décisions.

Ils bénéficient d'un monopole résultant du nombre limité de charges et du droit de présenter leur successeur à l'agrément du ministre de la Justice.

1° Les **avoués près des cours d'appel représentent les parties** devant les cours d'appel auprès desquelles ils sont établis. Ils ont le monopole de cette mission, sauf quelques hypothèses où leur intervention n'est pas obligatoire (notamment pour faire appel du jugement d'un conseil de prud'hommes).

> L'assistance de la partie n'appartient pas au monopole des avoués et est exercée notamment par les avocats. L'intervention de l'avoué dans la procédure d'appel ne dispense pas l'avocat de son devoir de conseil (Civ. 1re, 29 avril 1997 : Bull. I n° 132).

Les avoués sont regroupés en chambres, une auprès de chaque cour d'appel et une chambre nationale.

2° Les **avocats au Conseil d'État et à la Cour de cassation** assistent et représentent les plaideurs devant l'une ou l'autre de ces juridictions et le **Tribunal des conflits**. Ils sont donc à la fois officiers ministériels et avocats. Ils ont le monopole de ces fonctions mais leur intervention n'est pas toujours obligatoire (par exemple, devant la Cour de cassation, pour les pourvois en matière prud'homale ou, devant le Conseil d'État, pour les recours pour excès de pouvoir).

Ils constituent un ordre (il existe 60 offices) à la tête duquel se trouve un président.

3° Les **huissiers de justice** sont chargés des **« significations »** (notifications judiciaires et extrajudiciaires) et de l'**exécution forcée** des jugements et autres titres exécutoires. Ils peuvent faire des **« constats »**, c'est-à-dire « des constatations purement matérielles, exclusives de tout avis sur les conséquences de fait ou de droit qui peuvent en résulter... **n'ayant que la valeur de simples renseignements** » (Ordonnance du 2 novembre 1945, article 1). Ils peuvent aussi procéder au recouvrement amiable ou judiciaire de toutes créances et, à titre accessoire, à des ventes volontaires de meubles par nature aux enchères publiques.

> Est dit **« extrajudiciaire »** tout acte effectué par un huissier et produisant des effets en dehors de toute procédure judiciaire.

Certains d'entre eux sont choisis pour un an, avec possibilité de réélection, pour assurer le service intérieur des tribunaux et notamment la police des audiences, d'où leur nom d'**« huissiers audienciers »**.

Leur compétence est limitée à un certain ressort territorial, en principe celui du tribunal d'instance de leur résidence.

Les huissiers sont regroupés en chambres départementales (avec chambre de discipline), régionales (ressort des cours d'appel) et nationale.

4° Les **greffiers des tribunaux de commerce** ont pour principales attributions d'assister les membres et le président du tribunal de commerce, de diriger l'ensemble des services du greffe, de tenir les différents registres prévus par les textes en vigueur (notamment le registre du commerce et des sociétés), de mettre en forme les décisions prises et motivées par les juges, d'être dépositaires des minutes (originaux) et archives dont ils assurent la conservation, d'authentifier les copies, d'assurer l'accueil du public.

> Aujourd'hui, le service des greffes des tribunaux d'instance et de grande instance, des conseils de prud'hommes, des cours d'appel et de la Cour de cassation est assuré par des fonctionnaires qui se sont substitués aux anciens offices. Ces personnes assurent toutes les tâches administratives du siège et du parquet.

La profession de greffier des tribunaux de commerce est représentée auprès des pouvoirs publics par un Conseil national des greffiers des tribunaux de commerce.

5° Les **notaires** sont chargés de donner un **caractère authentique** aux actes qu'ils reçoivent (voir n° 335) ; en tant que rédacteurs de ces actes, ils doivent procéder préalablement à la vérification des faits et conditions nécessaires pour en assurer l'utilité et l'efficacité puis renseigner leurs clients sur les conséquences des engagements qu'ils contractent (Com. 12 octobre 1993 : Bull. IV n° 336).

Les notaires ne sont pas dispensés de leur devoir de conseil par les compétences de leurs clients (Cass. civ. 1re, 4 avril 2001 : RJDA 3/02 n° 224).

Ils peuvent réaliser, à titre accessoire, des ventes volontaires de meubles par nature aux enchères publiques.

Ils sont groupés en chambres (chaque département) et en conseils régionaux (ressort d'une cour d'appel) ; le Conseil supérieur du notariat représente l'ensemble des notaires auprès des pouvoirs publics.

Aujourd'hui, il y a, en France, plus de 7 000 notaires (5 000 études environ) employant environ 41 000 salariés dont 70 % de femmes.

Dans de nombreux domaines (notamment en matière de sociétés, de baux commerciaux, de ventes de fonds de commerce), les honoraires des notaires sont désormais fixés d'un commun accord entre les parties ou, à défaut, par décision du juge chargé de la taxation.

6° Les *commissaires-priseurs judiciaires* organisent et réalisent les ventes *judiciaires* (prescrites par la loi ou par décision de justice) de meubles aux enchères publiques, et font les inventaires et estimations (dites « prisées ») correspondants.

Les ventes volontaires de meubles aux enchères publiques sont, sauf pour les meubles appartenant à l'État, organisées et réalisées par des sociétés de forme commerciale, dites « sociétés de ventes volontaires de meubles aux enchères publiques », régies par les articles L 321-4 et suivants du Code de commerce.

107. *Remarque :* Parmi ces officiers ministériels, les notaires, les huissiers de justice et les greffiers des tribunaux de commerce ont la qualité d'*officiers publics* ; en effet, agissant au nom de l'autorité publique, ils confèrent l'authenticité aux actes de leur compétence et les revêtent de la formule exécutoire (infra annexe 1).

C — AUTRES AUXILIAIRES DU DROIT

108. Il existe de nombreux autres auxiliaires du droit, nous ne citerons que les plus importants.

— Les *séquestres* sont les personnes désignées par une juridiction pour garder un objet faisant l'objet d'un litige et même parfois hors de tout litige.

— Les *administrateurs judiciaires, mandataires-liquidateurs et experts en diagnostic d'entreprises* remplacent les *syndics* de règlement judiciaire et de liquidation des biens.

— Les *experts judiciaires* sont des personnes qualifiées pour donner un avis sur des éléments de fait d'un procès. Ils sont librement choisis en procédure administrative. En matière civile, il est établi, chaque année, une double liste : une liste nationale (experts agréés par la Cour de cassation) et une liste dressée par chaque cour d'appel (experts près les cours d'appel) ; cependant le juge n'est pas obligé de nommer un expert figurant sur les listes officielles, sauf exceptions (par exemple pour les brevets ou, en principe, en matière pénale). Le titre d'expert judiciaire est protégé par la loi 71-498 du 29 juin 1971.

— Les *commissaires aux comptes* sont des personnes justifiant d'une qualification technique chargées de contrôler la comptabilité d'une entreprise, de vérifier qu'elle donne une image fidèle du patrimoine, de la situation financière et du résultat de l'entreprise et, plus généralement, de vérifier que la vie sociale se déroule dans des conditions normales.

Remarque : Les *conseils juridiques* sont devenus des avocats au 1er janvier 1992 ; toutefois, le titre de conseil juridique reste protégé comme celui d'avocat.

Section 2

Jurisprudence

109. Les tribunaux jouent un rôle décisif dans l'application des règles de droit ; ils sont amenés à définir leur sens à l'occasion des litiges qui leur sont soumis. Leurs décisions, notamment celles de la Cour de cassation et du Conseil d'État, pouvant avoir le dernier mot, ont une autorité qui se manifeste pendant fort longtemps, tant qu'une autre solution ne l'a pas renversée (revirement). Seule une loi, ou un règlement lorsque la règle relève de sa compétence, peut modifier les règles ainsi énoncées. L'ensemble de ces règles constitue ce qu'on appelle la « jurisprudence ». On doit donc accorder à cette dernière une attention extrême : il est nécessaire de suivre son évolution au jour le jour car chaque décision de justice est susceptible d'apporter, à tout moment, un complément, une inflexion, voire un revirement, « l'évolution de la jurisprudence relevant de l'office du juge dans l'application du droit » (Cass. 1re civ. 21 mars 2000 : Bull. civ. I n° 97). La « jurisprudence » est censée refléter fidèlement la « loi ». Les tribunaux doivent en effet fonder leurs décisions sur les « lois » : ils tranchent les litiges en appliquant celle qui convient à leur cas (art. 12 du nouveau Code de procédure civile). En pratique, ils sont souvent conduits à choisir entre les différents sens que la loi peut recevoir : c'est pourquoi on peut, à juste titre, considérer qu'il existe une « loi du juge ».

Cette « loi » se forge avec la mise en œuvre de techniques d'interprétation des actes législatifs (lois) et réglementaires (décrets et arrêtés notamment). En présence d'un texte donné, le juge peut en effet s'arrêter au sens littéral (étymologique, grammatical, syntaxique) ou lui préférer le sens conforme au but du texte (volonté de la loi ou sens de la matière). Entre ces deux sens, le juge est pratiquement libre de choisir celui qui semble le plus approprié au litige. Son choix dépend de l'opinion qu'il se fait des valeurs à faire prévaloir dans le conflit d'intérêts qu'on lui demande de trancher.

Cette pratique est souvent dénoncée comme un obstacle à la sécurité juridique, car elle rend difficile la prévision : on n'est jamais sûr de ce que sera la solution du juge. Il serait vain cependant d'espérer la réduire. Elle est une donnée « congénitale » du droit et de l'œuvre de justice.

Appelés à pacifier les conflits d'intérêts, les tribunaux ne peuvent y parvenir avec des solutions dogmatiques posées une fois pour toutes, mais en procédant à la pesée des intérêts ; quiconque aborde le droit doit donc avoir toujours présent à l'esprit que le « droit est ce qui est juste » et que le symbole de la justice est une balance dont les deux plateaux ne font que tendre vers l'équilibre, sans le réaliser parfaitement.

On trouve ces décisions de justice dans :

1° des revues habituelles de jurisprudence, notamment :
— le « Bulletin des arrêts de la Cour de cassation » (chambres civiles),
— le « Bulletin des arrêts de la Cour de cassation » (chambre criminelle),
— le « Recueil des décisions du Conseil d'État » dit « Recueil Lebon »,
— le « Recueil Dalloz-Sirey » (D),
— la « Semaine juridique » (JCP),
— la « Gazette du Palais » (GP) ;

2° des revues spécialisées, notamment :
— le « Bulletin rapide de droit des affaires » (BRDA) et la « Revue de jurisprudence de droit des affaires » (RJDA) pour l'ensemble du droit des affaires,

— la « Revue des sociétés » pour les sociétés,
— la « Revue de jurisprudence commerciale » pour les procédures collectives essentiellement,
— la « Revue critique de droit international privé », le « Journal du droit international » et la revue « Droit et pratique du commerce international » pour les affaires internationales,
— le « Bulletin des transports », la revue « Droit maritime français », la « Revue française de droit aérien » pour les transports,
— l'« Actualité juridique : droit administratif » (AJDA) ;

3° un site internet dénommé Légifrance (http://www.legifrance.gouv.fr) donnant également accès aux traités, directives et règlements de l'Union européenne, lois et règlements dans leur rédaction en vigueur (Décret 2002-1064 du 7 août 2002).

Chapitre V
Les commentaires des juristes

110. Bien des juristes font connaître leur opinion sur les « lois », les décisions de justice, les formules nouvelles de contrats. L'ensemble de ces prises de position constitue ce que l'on appelle « la *doctrine* ». Celle-ci émane principalement des professeurs et des chercheurs, mais elle est aussi l'œuvre des praticiens et des magistrats.

La doctrine s'exprime dans des études sous forme de thèses, *ouvrages*, articles ou notes ; elle se manifeste aussi dans les *congrès*, séminaires, tables rondes que notre époque a mis en honneur. Elle se forge encore dans des sociétés, *associations* ou instituts qui mettent à l'étude tel ou tel problème du droit des affaires.

Si les travaux de la doctrine peuvent influencer le législateur, ils ont surtout un rôle de guide pour les tribunaux, étant à la source de nombreuses règles jurisprudentielles.

Titre II

La mise en œuvre du droit

120. La vie juridique a ses « acteurs », les personnes physiques ou morales (sous-titre I) et elle porte sur des choses et des droits disponibles (sous-titre II). Les actes et faits juridiques sont à la source et assurent la transmission et l'extinction de ces droits (sous-titre III) dont l'inexécution ou la mauvaise exécution est sanctionnée (sous-titre IV).

Sous-titre 1

Les « acteurs », les personnes

Chapitre I
Les personnes physiques

Section 1
Personnalité juridique des êtres humains

I. Existence de la personnalité

A — ACQUISITION DE LA PERSONNALITÉ

124. En principe, tout individu devient sujet de droit à sa *naissance*, à condition de naître vivant et viable (physiologiquement apte à vivre).

En outre un *enfant simplement conçu*, à condition de naître ensuite vivant et viable, est réputé né si tel est son intérêt, par exemple s'il a la possibilité d'hériter avant sa naissance.

> La loi présume que l'enfant a été conçu, à un moment quelconque, pendant la période qui s'étend du trois centième au cent quatre-vingtième jour, inclusivement avant la date de la naissance (Code civil art. 311).

B — PERTE DE LA PERSONNALITÉ

125. La personnalité juridique prend fin avec *la mort*.

> La loi ne définit pas la mort, mais le permis d'inhumer, délivré par le maire, nécessite un certificat de décès établi par un médecin.

Lorsqu'une personne *disparaît* dans des circonstances rendant son décès extrêmement probable (catastrophe aérienne, naufrage, incendie, etc.), le tribunal de grande instance peut rendre un jugement déclaratif de décès. Si l'intéressé reparaît, il reprend ses biens dans l'état où ils se trouvent mais son mariage reste dissout.

En revanche, certaines personnes disparaissent dans des circonstances ne mettant pas leur vie en danger, désirant, par exemple, « refaire leur vie » ou échapper à leurs créanciers. On ne sait si elles sont mortes ou vivantes et elles sont juridiquement *« absentes »*.

> Les services de police sont saisis d'environ 15 000 demandes de recherche de personnes « absentes » par an.

Le juge des tutelles peut, s'il est saisi, constater qu'il y a *présomption d'absence* et nommer quelqu'un pour représenter le présumé absent et administrer ses biens, selon des modalités analogues à celles de l'administration légale sous contrôle judiciaire. Si le présumé absent reparaît ou donne de ses nouvelles, il est, sur sa demande, mis fin par le juge aux mesures prises pour sa représentation et l'administration de ses biens ; il recouvre alors les biens gérés ou acquis pour son compte durant la période de l'absence.

Dix ans après le jugement qui a constaté la présomption d'absence, il est possible de demander au tribunal de grande instance de procéder à une *déclaration d'absence.*

> Il en est de même, à défaut de constatation judiciaire de présomption d'absence, quand une personne a disparu sans donner de nouvelles depuis plus de vingt ans.

Cette requête fait l'objet de publicité et le jugement ne peut être rendu qu'un an au moins après cette publication. La décision de justice, une fois transcrite sur les registres des décès, a tous les effets que le décès établi de l'absent aurait eus : dissolution du mariage, dévolution de la succession, etc.

Si l'absent reparaît, il reprend ses biens (ou du moins ce qui en reste) mais son mariage reste dissout.

II. Protection de la personnalité juridique

126. La personnalité juridique est protégée par un certain nombre de droits. Il est impossible de les énumérer tous et l'on peut tenter de les regrouper sous quatre principes :

— le respect de l'*intégrité physique,* sauf nécessité thérapeutique ;

— le respect de l'*intégrité morale* et notamment le droit à l'honneur et à la réputation (par exemple le droit de réponse en matière de presse, radio ou télévision) ;

— le respect de la *vie privée* quels que soient le rang, la naissance, la fortune, les fonctions présentes ou à venir de la personne (Civ. 1re, 23 octobre 1990 : Bull. I n° 222) ; il s'agit notamment des droits de chacun tant sur sa propre image (photographie) ou l'intimité de sa vie familiale (adresse, vie sentimentale, état de santé), que face au traitement informatique de certaines données.

> La publication de renseignements d'ordre purement patrimonial, ne comportant aucune allusion à la vie et à la personnalité de l'intéressé, ne porte pas atteinte à l'intimité de sa vie privée (Civ. 1re, 20 octobre 1993 : Bull. I n° 295).

> *Précision* : La vie professionnelle ne relève pas, en principe, de la vie privée mais de la vie publique.

— le respect de la *liberté* d'où découle, par exemple, le droit dit « moral » d'un auteur de modifier une œuvre littéraire ou artistique ou de s'opposer à sa publication.

> La liberté fondamentale d'aller et venir n'est pas limitée au territoire national et comporte également le droit de le quitter (CE, ass., 8 avril 1987, ministre de l'intérieur et de la décentralisation c/Peltier : JCP 1987 II 20905, note M. Debène).

Ces *droits de la personnalité* étant indissolublement attachés à la personne humaine sont, en principe, *incessibles* (hors commerce) et *absolus* (s'imposant, théoriquement, au respect de tous). Leur violation ouvre droit à des sanctions civiles (par exemple, des dommages-intérêts, la publication du jugement de condamnation, la saisie d'un journal ou d'un ouvrage) et/ou pénales (par exemple, au cas de coups et blessures, de diffamation, d'atteinte à l'intimité de la vie privée d'autrui [voix ou image dans un lieu privé], etc.).

Section 2
Identification des personnes physiques

I.   Nom de famille

A — ATTRIBUTION DU NOM DE FAMILLE

129. Le nom de famille est le premier élément d'identification des personnes, l'appellation obligatoire complétée par des prénoms. Lorsque la filiation d'un enfant est établie à l'égard de ses deux parents au plus tard le jour de la déclaration de sa naissance ou par la suite mais simultanément, ces derniers choisissent le nom de famille qui lui est dévolu : soit le nom du père, soit le nom de la mère, soit leurs deux noms accolés dans l'ordre choisi par eux dans la limite d'un nom de famille pour chacun d'eux. Le nom dévolu au premier enfant vaut pour les autres enfants communs (Code civil art. 311-21).

L'enfant naturel (né de parents non mariés) prend le nom de celui qui l'a reconnu ; il peut également prendre le nom de celui qui l'a reconnu en second lieu, ou les noms accolés de ses deux parents, si ces derniers en font la déclaration conjointe devant le greffier en chef du tribunal de grande instance.

L'adoption plénière confère à l'enfant le nom de l'adoptant. En cas d'adoption par les deux époux, le nom conféré à l'enfant est déterminé comme pour un enfant légitime.

En cas d'adoption simple, le nom de famille de l'adoptant est ajouté ou, avec l'accord du tribunal, substitué à celui de l'adopté ; en cas d'adoption par deux époux, le nom de famille accolé ou substitué est, à la demande des adoptants, soit celui du mari, soit celui de la femme, soit en cas de substitution celui des deux époux.

Individualisant la personne au sein de la famille, les **prénoms** sont librement choisis par les parents. Tout prénom inscrit dans l'acte de naissance peut être choisi comme prénom usuel.

> Lorsque ces prénoms ou l'un d'eux, seul ou associé aux autres prénoms ou au nom, lui paraissent contraires à l'intérêt de l'enfant ou au droit des tiers à voir protéger leur nom de famille, l'officier de l'état civil en avise sans délai le procureur de la République. Celui-ci peut saisir le juge aux affaires familiales.
>
> Si le juge estime que le prénom n'est pas conforme à l'intérêt de l'enfant ou méconnaît le droit des tiers à voir protéger leur nom de famille, il en ordonne la suppression sur les registres de l'état civil. Il attribue, le cas échéant, à l'enfant un autre prénom qu'il détermine lui-même à défaut par les parents d'un nouveau choix qui soit conforme aux intérêts susvisés. Mention de la décision est portée en marge des actes de l'état civil de l'enfant.

Si les parents ne sont pas connus, l'officier de l'état civil attribue à l'enfant plusieurs prénoms dont le dernier lui tient lieu de nom.

B — USAGE DU NOM DE FAMILLE

Usage du nom : une obligation

131. L'usage du nom de famille et des prénoms est une obligation car ils servent à individualiser chaque être humain. Une personne ne peut donc en changer que si elle justifie d'un intérêt légitime.

> La modification du nom de famille ne peut résulter que :
> — de l'établissement d'un nouveau rapport de filiation ; toutefois, le changement du nom d'un enfant de plus de treize ans requiert son consentement ;
> — de la francisation d'un nom étranger par une personne qui acquiert ou recouvre la nationalité française lorsque son apparence, sa consonance ou son caractère étranger peut gêner son intégration dans la communauté française ; cette francisation, accordée par décret, consiste soit dans la traduction en langue française du nom, soit dans la modification nécessaire pour faire perdre à ce nom son apparence, sa consonance ou son caractère étranger, soit dans la reprise d'un nom perdu par décision d'un État étranger ou du nom porté par un ascendant français ;
> — d'une autorisation délivrée par décret à une personne qui justifie d'un intérêt légitime, par exemple éviter l'extinction du nom porté par l'un de ses ascendants ou collatéraux jusqu'au quatrième degré, voire modifier un nom de famille ridicule, odieux ou à consonance étrangère.
>
> Sur la procédure de changement de nom, cf. décret 94-52 du 20 janvier 1994.
>
> Le mariage est sans effet sur le nom de famille des époux ; toutefois chaque conjoint peut utiliser dans la vie courante, s'il le désire, le nom de son conjoint en l'ajoutant à son propre nom ou même, pour la femme, en le substituant au sien.
>
> La modification des prénoms résulte :
> — soit de leur francisation par une personne qui acquiert ou recouvre la nationalité française si leur apparence, leur consonance ou leur caractère étranger peut gêner son

intégration dans la communauté française ; cette francisation, accordée par décret, consiste dans la substitution à ce prénom d'un prénom français ou dans l'attribution complémentaire d'un tel prénom ou, en cas de pluralité de prénoms, dans la suppression du prénom étranger pour ne laisser subsister que le prénom français ;
— d'une décision du juge aux affaires familiales, si la personne justifie d'un intérêt légitime.

Toutefois, toute personne peut, entre sa majorité et la déclaration de naissance de son premier enfant, adjoindre le nom de son autre parent à son nom de famille ; cette faculté est exercée par déclaration écrite de l'intéressé remise à l'officier de l'état civil du lieu de sa naissance (C. civ. art. 311-22).

Il est en outre possible d'utiliser un **pseudonyme,** nom d'emprunt qu'un individu choisit pour dissimuler son identité (André Maurois, Bourvil, Johnny Halliday, abbé Pierre...). Ce pseudonyme, que l'on doit différencier du **surnom** attribué par des tiers, est protégé lorsqu'il est autorisé.

> Tout Français peut librement utiliser un pseudonyme, pourvu que les tiers ne puissent en subir de préjudice. Mais seul le nom de famille est admis pour l'exercice de certaines professions et certains actes, tels l'inscription sur une liste électorale, les actes d'état civil ou les actes authentiques.
>
> Une loi du 19 février 1942 interdit l'usage d'un pseudonyme aux personnes de nationalité étrangère, sauf dérogation dans un intérêt artistique, littéraire ou scientifique.

Usage du nom : un droit

132. Chaque être humain a, sur son nom de famille, un droit tant **incessible** qu'**imprescriptible** (il ne se perd pas par le non-usage). Mais le nom peut faire l'objet d'un accord portant sur son utilisation dès lors que son titulaire en concède l'usage à titre de marque, d'enseigne ou de nom commercial. En outre, un nom de famille peut devenir une dénomination sociale et alors se détacher de la personne physique qui le porte pour s'appliquer à une personne morale (une société, par exemple) qu'il distingue.

Ce droit est en outre **absolu.** Chaque personne physique peut donc interdire à un tiers d'user indûment de son nom s'il y a risque de confusion et existence d'un préjudice, fût-il moral.

II.   Domicile

133. Le domicile est le **siège juridique de la personne**, l'endroit où elle est située pour l'application des règles de droit ; par exemple, le tribunal territorialement compétent pour statuer sur un litige est, en principe, celui dans le ressort duquel est situé le domicile du défendeur.

Toute personne a un domicile mais n'en a qu'un.

A — NÉCESSITÉ DU DOMICILE

134. Le **domicile** est le lieu du principal établissement d'une personne ; il ne doit pas être confondu avec sa **résidence** qui est l'endroit où elle séjourne sans avoir l'intention d'en faire « son principal établissement ».

La détermination de ce caractère principal (domicile) ou secondaire (résidence) pose une question de fait relevant, dans chaque cas d'espèce, du pouvoir souverain d'appréciation des juges du fond. Ces derniers devront donc rechercher des indices probants : l'endroit où une personne séjourne le plus souvent, exerce sa profession, a des fonctions municipales, etc.

> Ne constitue pas un domicile, non plus que l'accès de celui-ci, une simple hutte de chasse et le terrain attenant, non entouré d'une clôture constante, lorsque ladite hutte n'est qu'un poste d'observation pour le chasseur, dépourvu des équipements les plus élémentaires propres à caractériser le domicile (Crim. 9 janvier 1992 : Bull. n° 6).

135. Dans certaines hypothèses, la *loi attribue* elle-même un *domicile* à des individus, que ce soit en raison de liens familiaux (par exemple le mineur non émancipé est domicilié chez ses parents ou son tuteur), ou de leur activité : les fonctionnaires nommés à vie — les juges du siège par exemple — sont domiciliés au lieu où ils exercent leur fonction ; les bateliers doivent choisir un domicile sur une liste de communes déterminées par l'administration ; il en est de même pour les forains et nomades.

135-1. Toute personne peut, pour échapper aux indiscrétions ou à la malveillance, refuser de faire connaître le lieu de son domicile, sauf si cette dissimulation a pour but de se dérober à l'exécution de ses obligations ou de frauder aux droits de ses créanciers (Civ. 1re, 30 juin 1992 : Bull. I n° 213).

B — UNITÉ DU DOMICILE

136. Le domicile devant servir à localiser une personne à un moment donné, tout individu ne peut donc avoir, en principe, qu'un seul domicile. Tout changement d'habitation nécessite de rechercher si la personne a l'intention de fixer son principal établissement à cette nouvelle adresse ou si elle désire conserver son *domicile d'origine*.

Ce principe comporte cependant des exceptions :

— les *domiciles secondaires :* chaque fois qu'un droit ne peut être exercé qu'en un seul lieu, le législateur réglementant ce droit peut en fixer le lieu (par exemple pour le mariage ou le droit de vote) ;

— l'*élection de domicile :* les parties à un acte juridique peuvent choisir (« élire ») un endroit où elles localisent certaines conséquences juridiques de cet acte. Ainsi, un plaideur peut, pour son procès, élire domicile chez son avocat, toutes les notifications étant alors directement faites à cet auxiliaire de justice qui est qualifié pour y répondre dans les délais.

III. Actes de l'état civil

137. L'état civil est le statut individuel (nom, âge, sexe, domicile) et familial (filiation, mariage, divorce, séparation) d'un individu par opposition à son statut professionnel. Il est très important car il est source de droits (l'autorité parentale par exemple) mais surtout d'obligations (le devoir de fidélité et de cohabitation pour les conjoints, l'obligation alimentaire entre époux et entre parents en ligne directe, etc.).

Les principaux faits et actes de l'état civil donnent lieu à l'établissement d'« actes de l'état civil » ayant une force probante particulière.

A — RÉDACTION ET UTILISATION DES ACTES DE L'ÉTAT CIVIL

138. Les actes de l'état civil sont des actes dits « *authentiques* » (voir n° 335) ayant pour objet de constater les événements dont dépend l'état civil des personnes, dressés par les officiers d'état civil (maires et adjoints avec délégation possible à d'autres membres du conseil municipal) : la *naissance* (l'acte devant être dressé dans les trois jours de l'accouchement), le *mariage* (l'acte étant dressé dès l'échange des consentements) et le *décès* (la déclaration de décès devant être faite dans un délai de vingt-quatre heures).

La *rédaction de ces actes* exige la présence soit des personnes concernées (mariage), soit de simples « déclarants » (ceux sur la déclaration de qui sont établis les actes de naissance et de décès), exceptionnellement de témoins (mariage). Elle est assurée par les officiers de l'état civil selon des procédés manuels ou automatisés ; toutefois, la signature de ces actes doit être manuscrite.

Les actes sont dressés *à la mairie de la commune où l'événement s'est passé*. Naissance, mariage et décès ayant rarement lieu au même endroit, un *regroupement* s'opère *sur l'acte de naissance* où doivent être transcrits ou mentionnés en marge le mariage, le divorce ou la séparation de corps, le décès et aussi la mise en curatelle ou en tutelle. Pour éviter une trop grande surcharge des actes de l'état civil, a été créé un *répertoire civil,* tenu par le greffe du tribunal de grande instance ; y sont reportées certaines mesures concernant la protection des incapables majeurs et les changements de régimes matrimoniaux.

139. Ces *actes* étant destinés à renseigner sur l'état civil des personnes physiques, ils sont *publics,* c'est-à-dire accessibles à tous. Cette publicité est assurée par la délivrance de copies intégrales ou d'extraits ; les copies intégrales des actes de naissance ou de mariage sont réservées à l'intéressé, ses représentants légaux (parents ou tuteur), son conjoint, ses ascendants et descendants, le procureur de la République, et, dans les cas où les lois et règlements les y autorisent, aux administrations publiques.

B — FORCE PROBANTE DES ACTES DE L'ÉTAT CIVIL

140. Les actes de l'état civil sont des *actes authentiques.* Ils font donc *foi jusqu'à inscription de faux* de ce que l'officier public a *directement constaté* (la présence d'un témoin, par exemple). Ils ne font foi que jusqu'à preuve du contraire de ce que l'officier d'état civil a reproduit sur les indications du déclarant sans le vérifier (le jour et l'heure d'une naissance, par exemple).

En cas d'erreur ou d'omission, une rectification peut être ordonnée par le président du tribunal de grande instance.

> Les erreurs purement matérielles sont rectifiables par les dépositaires des registres sur instruction du procureur de la République.

Les actes d'état civil constituent le *seul moyen de preuve admissible* des faits et actes qu'ils constatent (au cas de destruction de ces actes, voir l'article 46 du Code civil).

> Les certificats de concubinage, souvent délivrés par les mairies, n'ont aucune valeur juridique particulière et ne constituent qu'un élément de preuve parmi d'autres de cette situation de fait, dont la preuve est libre et peut être rapportée par tous moyens.

140-1. Remarque. Depuis la suppression des fiches d'état civil par le décret 2000-1277 du 26 décembre 2000, il est possible de justifier de son identité, son état civil, sa situation familiale ou sa nationalité française, pour les *procédures administratives courantes,* en présentant l'original ou la photocopie lisible d'un *livret de famille* tenu à jour (document remis aux époux par le service de l'état civil de la mairie du mariage et où sont portés un extrait de l'acte de mariage et des indications relatives à la naissance et au décès de leurs enfants), d'une carte d'identité ou d'un passeport en cours de validité, d'une copie ou d'un extrait d'acte de naissance quelle que soit sa date de délivrance.

Section 3
Capacité des personnes physiques

141. En *principe, toute personne est capable,* c'est-à-dire apte à jouir de droits (en être titulaire) et à les exercer (les mettre en œuvre) : par exemple, acheter une chose, en devenir propriétaire, la louer, la donner, etc. Mais certaines personnes peuvent perdre tout ou partie de cette aptitude ; elles sont alors dites « incapables » et soumises à un régime spécial de protection, connu sous le nom d'« incapacité d'exercice ».

> Nous n'aborderons pas les incapacités de jouissance rendant inaptes certaines personnes physiques à être titulaires de certains droits, car elles sont devenues très exceptionnelles (voir, par exemple, l'incapacité de recevoir édictée par les articles 908 et suivants du Code civil).

La capacité des individus est appréciée en fonction de leur loi nationale, quel que soit le pays où ils se trouvent.

Les incapacités d'exercice, interdisant à un Français de mettre en œuvre lui-même les droits dont il est titulaire, sont justifiées soit par l'âge, soit par une certaine faiblesse de caractère, soit par l'altération des facultés mentales ou corporelles de l'individu.

I.   Incapacité des mineurs

142. Les mineurs sont les personnes de *moins de 18 ans.* Ils sont protégés tant dans leur personne (les règles de l'autorité parentale) que pour la gestion de leurs biens : *ils doivent être représentés* par une autre personne (père, mère ou tuteur) qui agit en leur nom et pour leur compte.

Figure I-7

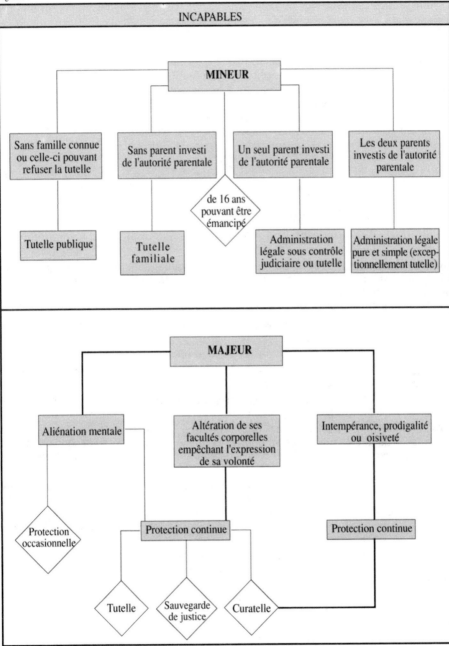

Si un mineur fait seul un acte que son représentant pouvait passer seul (les actes d'administration, c'est-à-dire de gestion courante d'un patrimoine) et s'il est lésé (la lésion étant une disproportion de valeur entre les prestations promises dans un contrat), cet *acte* est *rescindable* (annulable ou rajustable).

Si un mineur fait seul un acte qui ne pouvait être effectué par son représentant qu'avec l'habilitation, selon les cas, du conseil de famille, du conjoint ou du juge des tutelles (voir infra), ou s'il reçoit un paiement, ces *actes sont annulables* (rétroactivement anéantissables).

Par exception, le mineur peut faire seul les *actes conservatoires*, permettant la sauvegarde d'un bien ou d'un droit, telle l'interruption d'une prescription, et *les actes de la vie courante* autorisés par l'usage, tel l'achat d'objets usuels.

A — MINEUR EN TUTELLE
(Code civil art. 393 à 475)

143. La tutelle est le régime de représentation auquel sont soumis les mineurs ne pouvant bénéficier de l'autorité parentale, leurs parents ne les ayant pas reconnus ou étant soit décédés, soit privés de l'autorité parentale. En outre, le juge des tutelles peut toujours substituer la tutelle à une administration légale sous contrôle judiciaire.

> Si l'enfant n'a pas de famille connue ou si celle-ci peut refuser la tutelle, une tutelle publique est mise en place.

Organisation de la tutelle

144. La tutelle est confiée à un *tuteur* désigné par la volonté du survivant des parents ; à défaut de tuteur testamentaire, la tutelle est déférée à l'ascendant le plus proche en degré (tuteur légal) ou à une personne nommée par le conseil de famille (tuteur datif).

Une personne qui n'a pas de lien de parenté ou d'alliance (lien unissant une personne à celles qui ont avec son conjoint un lien de parenté) avec les père et mère du mineur ne peut être obligée d'accepter la tutelle. En revanche, pour les membres de la famille, il s'agit d'une charge obligatoire, gratuite, personnelle et définitive, sauf causes d'exclusion, de destitution ou d'excuse.

Le tuteur est contrôlé par deux organes privés (le subrogé tuteur et le conseil de famille) et deux organes de caractère étatique (le juge des tutelles et le tribunal de grande instance).

Le *subrogé tuteur* est nommé par le conseil de famille parmi ses membres, tant que faire se peut parmi les parents ou alliés de la ligne paternelle, si le tuteur appartient à la ligne maternelle et vice versa. Il surveille la gestion du tuteur et représente le mineur lorsque ses intérêts sont en opposition avec ceux du tuteur. Il doit signaler les fautes de gestion au juge des tutelles, à peine d'engager sa responsabilité personnelle pour défaut de surveillance.

Le *conseil de famille* est composé de quatre à six personnes (parents, alliés ou amis) désignées par le juge des tutelles (qui préside ce conseil). Pour délibérer valablement, il faut que la moitié au moins des membres soient présents ou représentés, la voix du juge des tutelles étant prépondérante en cas de partage des voix. Le conseil fixe le budget de la tutelle.

Le *juge des tutelles* nomme les membres du conseil de famille et les convoque aux réunions. Il examine les comptes annuels que le tuteur est tenu de remettre. Il convoque le tuteur et le subrogé tuteur, leur fait des observations et peut même prononcer des amendes (90 à 180 €).

Le *tribunal de grande instance* statue sur les recours formés contre les décisions du conseil de famille et du juge des tutelles.

Accomplissement des actes (figure I-8)

145. Le tuteur doit prendre soin de la personne du mineur et le représenter dans tous les actes civils. Il doit, lors de son entrée en fonction, faire procéder à un inventaire des biens du mineur ; les pouvoirs du tuteur varient selon l'importance des actes :

— Les *actes conservatoires* (sauvegardant les éléments d'un patrimoine, par exemple une assignation interrompant une prescription, la souscription d'une assurance) sont faits par le tuteur seul.

— Il en est de même pour les *actes d'administration* (actes de gestion courante d'un patrimoine), par exemple vendre des meubles d'usage courant, donner à bail un immeuble, voter dans une assemblée générale de société, etc.

— Le *paiement des dettes du mineur* et *l'encaissement de ses créances*, à condition de déposer dans le mois ces sommes sur un compte ouvert au nom du mineur auprès d'un dépositaire agréé, sont, eux aussi, effectués par le tuteur.

— Les *actes de disposition* (faisant sortir un bien de valeur du patrimoine) ne peuvent être faits par le tuteur qu'avec l'autorisation soit du conseil de famille soit, s'ils portent sur une somme inférieure à 15 300 €, du juge des tutelles. Tel est le cas, par exemple, de la vente d'un immeuble, d'un fonds de commerce, de valeurs mobilières, de la constitution d'une hypothèque ou d'un gage, etc.

— Certains *actes* sont *interdits* car jugés trop dangereux pour le mineur : par exemple, l'achat d'un bien du mineur par le tuteur, l'exercice pour le compte du mineur d'une activité commerciale, une donation au nom du mineur.

— Les *partages amiables* où le mineur serait impliqué doivent être homologués par le tribunal de grande instance.

Lorsque le tuteur a excédé ses pouvoirs, l'acte est annulable.

Cessation de la tutelle

146. La tutelle cesse lorsque le mineur atteint l'âge de 18 ans, décède ou est émancipé.

Dans les trois mois qui suivent la fin de la tutelle, le tuteur doit rendre un *compte général et définitif*. Le mineur, devenu majeur, ne peut approuver ce compte (donner « quitus ») qu'un mois après reddition (avec pièces justificatives) et il ne peut dispenser le tuteur de satisfaire à cette obligation.

L'approbation de ce compte n'interdit pas à l'ancien mineur de pouvoir engager, pendant cinq ans à dater de sa majorité, la responsabilité du tuteur pour faute de gestion et celle des organes de contrôle pour faute de surveillance.

B — MINEUR SOUS ADMINISTRATION LÉGALE
(Code civil art. 389 à 392)

Administration légale pure et simple

147. L'administration légale pure et simple s'applique aux enfants dont les parents exercent en commun l'autorité parentale.

148. *Ce régime est calqué sur la tutelle :*
— Les deux parents administrent conjointement les biens de leurs enfants mineurs. Toutefois, à l'égard des tiers, chacun d'entre eux est réputé avoir reçu de l'autre le pouvoir de faire seul les actes d'administration (gestion courante du patrimoine). Les actes de disposition (faisant sortir un bien de valeur du patrimoine) nécessitent l'accord des deux parents.
— Le juge des tutelles a les mêmes pouvoirs que dans une tutelle ; il doit en plus consentir aux actes de disposition les plus graves tels la vente ou l'apport en société d'un immeuble ou d'un fonds de commerce.
— L'administration légale prend fin par le décès du mineur, son émancipation, le fait qu'il ait atteint l'âge de 18 ans ou l'ouverture d'une administration légale sous contrôle judiciaire.

Administration légale sous contrôle judiciaire

149. L'administration légale sous contrôle judiciaire est réservée aux mineurs dont seul l'un des parents exerce l'autorité parentale.
L'administrateur légal est le parent qui exerce l'autorité parentale. Il a les mêmes pouvoirs que dans une administration légale pure et simple. Le juge des tutelles, jouant en même temps le rôle d'un subrogé tuteur et d'un conseil de famille, doit autoriser tous les actes de disposition et peut, à tout moment et même d'office, transformer l'administration légale sous contrôle judiciaire en tutelle.

C — MINEUR ÉMANCIPÉ
(Code civil art. 476 à 487)

150. *Le mineur émancipé est capable*, comme un majeur, de tous les actes de la vie civile.

L'émancipation est irrévocable ; elle peut être tacite (émancipation automatique par le mariage) ou expresse : elle est alors prononcée (à la demande des père et mère, ou de l'un d'eux, ou du conseil de famille) par le juge des tutelles si le mineur a seize ans révolus et s'il y a de « justes motifs » de le faire (hypothèse rare).

Le mineur émancipé n'est plus soumis à l'autorité parentale ; ses parents ne sont plus présumés responsables des dommages qu'il cause à autrui. Il a, en quelque sorte, une majorité anticipée ; toutefois *sa capacité reste limitée sur trois points :*

— son *mariage* nécessite le consentement de l'un au moins de ses parents ;

— son *adoption* exige l'accord de ses deux parents ;

— le mineur émancipé *ne peut pas être commerçant,* c'est-à-dire faire des actes de commerce à titre de profession habituelle, mais il peut faire des actes de commerce à titre isolé, par exemple signer occasionnellement une lettre de change.

II.   Majeurs incapables

151. L'incapacité d'un majeur résulte soit de son insanité d'esprit, soit de l'altération de ses facultés corporelles, soit de graves faiblesses de caractère (voir figure I-7) :

> En France, près de 1 majeur sur 100 est placé, aujourd'hui, sous un régime de protection.

1° L'*insanité d'esprit* implique de protéger le majeur soit occasionnellement, soit de manière continue :

— La *protection occasionnelle*. Tout acte juridique (manifestation de volonté ayant pour but de produire des conséquences juridiques, tel un contrat) fait par une personne alors qu'elle est *sous l'empire* d'un *trouble mental est annulable*. Peu importent la cause (maladie, alcool, drogue, etc.) et la durée (quelques instants, quelques semaines, quelques mois…) de cet état.

> Il s'agit d'une action en nullité relative. Elle est — ceci est exceptionnel — intransmissible aux héritiers sauf si l'acte porte en lui-même la preuve d'un trouble mental ou s'il s'agit soit d'une donation entre vifs (vivants) soit d'un testament.

En revanche, *celui qui a causé un dommage à autrui alors qu'il était sous l'empire d'un trouble mental* — et non pas physique (maladie cardiaque, par exemple) — *reste responsable,* car il peut se couvrir par une assurance.

> Un majeur incapable peut donc être condamné à supporter tout ou partie du passif de la société dont il est le dirigeant (Civ. 1re, 9 novembre 1983 : JCP 1984 II 20 316, note P. Jourdain).

— La *protection continue*. Elle est organisée lorsque l'altération des facultés du majeur rend nécessaire une représentation continue (voir infra).

2° L'*altération de ses facultés corporelles* (maladie, accident…) peut empêcher un majeur d'exprimer sa volonté ; de graves faiblesses de caractère, la *prodigalité* (dépenses exagérées ou déraisonnables), l'*intempérance* (abus d'alcool, de drogue, etc.), ou l'*oisiveté* (absence de travail rémunérateur) peuvent l'exposer à tomber dans le besoin ou compromettre l'exécution de ses obligations familiales.

Dans ces hypothèses, le majeur doit faire l'objet d'un régime de protection continue (voir infra).

A — PROTECTION DE LA PERSONNE

152. Il est parfois nécessaire de placer le majeur dans un établissement public ou privé spécialisé. Ce placement peut être requis par la famille sur production d'un certificat médical (placement dit « volontaire ») ou ordonné par le préfet pour les aliénés dangereux (placement dit « administratif » ou « d'office »).

Pour éviter les internements abusifs, le Code de la santé publique a prévu diverses mesures de contrôles médicaux, administratifs et judiciaires.

B — PROTECTION DU LOGEMENT

153. Quel que soit le régime de protection applicable, le logement de la personne protégée et les meubles meublants dont il est garni doivent être conservés à sa disposition aussi longtemps qu'il est possible. Toute vente devra être autorisée par le juge des tutelles après avis du médecin traitant.

C — PROTECTION CONTINUE DES BIENS (figure I-8)

154. Il existe trois régimes de protection continue qui sont, dans un ordre de gravité croissante : la sauvegarde de justice, la curatelle et la tutelle.

Sauvegarde de justice
(Code civil art. 488 à 491-6)

155. La sauvegarde de justice est *le système de protection minimum* correspondant aux altérations les moins graves des facultés personnelles. Elle résulte d'une déclaration médicale faite au procureur de la République, accompagnée de l'avis conforme d'un médecin spécialiste et elle prend fin au bout de deux mois, sauf renouvellement de la déclaration (reconduction, sans limite, de six mois en six mois).

Le *majeur n'est pas incapable*, il conserve le libre exercice de ses droits mais il est protégé tant dans ses actes que pour son inaction :

— Tout acte lésionnaire, c'est-à-dire octroyant au majeur une contrepartie d'une valeur inférieure à celle de sa prestation, est *rescindable* (annulable ou rajustable) ; tout acte excessif, c'est-à-dire inutile ou hors de proportion avec la fortune de son auteur, est *réductible.* Mais le tribunal jouit d'un large pouvoir d'appréciation ; il tient compte, notamment, de la bonne ou de la mauvaise foi du contractant pour statuer sur ces actions ; celles-ci sont transmissibles aux héritiers et doivent être exercées dans un délai de cinq ans.

— Si le malade laisse ses biens à l'abandon, les actes utiles pourront être faits par toute personne sans que celle-ci en ait, préalablement, été chargée. Cependant, pour les actes les plus graves, le juge des tutelles peut désigner un mandataire (une personne représentant le majeur), voire substituer à la sauvegarde de justice une curatelle ou une tutelle.

Ce régime n'est pas conçu pour durer : l'amélioration de l'état du majeur permet sa cessation ; l'aggravation des troubles entraîne l'ouverture d'une curatelle ou d'une tutelle.

Figure 1-8

GESTION DES BIENS DES INCAPABLES

Nature des actes	Mineur sous administration légale pure et simple	Mineur sous administration légale sous contrôle judiciaire	Mineur ou majeur en tutelle	Majeur en curatelle
Actes conservatoires (permettant la sauvegarde d'un bien ou d'un droit)	L'un et/ou l'autre des parents	L'administrateur légal	Le tuteur	Le majeur (possibilité d'actions en réduction pour excès ou en rescision pour lésion)
Actes d'administration (gestion courante du patrimoine)	L'un et/ou l'autre des parents	L'administrateur légal	Le tuteur	
Réception et emploi des capitaux				
Actes de disposition urgents ou portant sur moins de 15 300 €	Les deux parents	L'administrateur légal	Le tuteur avec l'autorisation du juge des tutelles	Le majeur assisté du curateur
ordinaires	Les deux parents	L'administrateur légal avec l'autorisation du juge des tutelles	Le tuteur avec l'autorisation du juge des tutelles	Le majeur assisté du curateur
les plus importants (vente de gré à gré ou apport en société d'un immeuble ou d'un fonds de commerce ; emprunt ; renonciation à un droit)	Les deux parents avec l'autorisation du juge des tutelles	L'administrateur légal avec l'autorisation du juge des tutelles	Le tuteur avec l'autorisation du conseil de famille	Le majeur assisté du curateur
Partage amiable	Les deux parents avec l'accord du juge des tutelles et homologation par le T.G.I.	L'administrateur légal avec l'accord du juge des tutelles et homologation par le T.G.I.	Le tuteur avec l'accord du conseil de famille et homologation par le T.G.I.	
Libéralité au nom de l'incapable. Cautionnement. Actes opposant les intérêts de l'incapable et de son représentant.	Interdit	Interdit	**Mineur** : interdit **Majeur** : donations possibles au profit du conjoint ou de l'un des descendants avec l'autorisation du conseil de famille	Sont autorisés - le **testament** : par le majeur -une **donation** : par le majeur assisté du curateur
Exercice d'une profession commerciale	Interdit	Interdit	Interdit	Interdit

Curatelle
(Code civil art. 508 à 514)

156. La curatelle s'applique à un majeur victime d'une *altération légère de ses facultés* mentales ou corporelles. Elle est prononcée par le juge des tutelles, après avis d'un médecin spécialiste sur l'opportunité de la mesure.

> Qu'il s'agisse d'une curatelle ou d'une tutelle, le majeur ne peut se prévaloir de l'absence de constatation médicale de l'altération de ses facultés lorsque, par son propre fait, il a rendu cette constatation impossible en se refusant à tout examen médical.

Peuvent, aussi, être mis sous curatelle ceux qui par *prodigalité, intempérance* ou *oisiveté* s'exposent à tomber dans le besoin ou compromettent l'exécution de leurs obligations familiales.

> Est ainsi justifiée la mise sous curatelle d'une personne laissant s'accumuler des dettes importantes, gérant ses biens de manière désastreuse et inapte à régler ses problèmes financiers (Civ. 1re, 22 juillet 1987 : Bull. I n° 254).

Le majeur conserve la capacité de faire lui-même certains actes, susceptibles alors d'être rescindés ou réduits. Mais les actes les plus graves (ceux pour lesquels le tuteur a besoin d'une autorisation du conseil de famille, recevoir des capitaux et en faire emploi) supposent l'*assistance d'un curateur* (le conjoint ou, à défaut, une personne nommée par le juge des tutelles), à peine de nullité.

> Ainsi, la délivrance d'une carte accréditive (carte bleue par exemple) donne au majeur la possibilité de s'endetter au-delà de ses revenus et exige l'assistance du curateur.
> À la différence des actes faits par le majeur en tutelle, la nullité des actes de disposition faits par le majeur sous curatelle sans l'assistance du curateur est laissée à l'appréciation des juges selon les circonstances de la cause (Civ. 1re, 16 octobre 1985 : Bull. I n° 262).

Tutelle
(Code civil art. 492 à 507)

157. La tutelle s'applique au majeur quand *l'altération* de ses facultés personnelles (mentales ou corporelles) *rend nécessaire une représentation continue* de l'intéressé. Elle est ouverte sur décision du juge des tutelles, à la requête soit de l'intéressé, soit de sa famille ou même d'office, mais toujours après constatation de l'état du malade par un médecin figurant sur la liste des médecins spécialistes dressée par le procureur de la République. Toutefois, si le juge des tutelles constate, eu égard à la consistance des biens à gérer, l'inutilité de la constitution complète d'une tutelle, il peut se borner à prononcer un gérant de tutelle, sans subrogé tuteur ni conseil de famille.

La tutelle est organisée et fonctionne comme celle des mineurs à quelques exceptions près, notamment :

• le tuteur « légal » est le conjoint ;

• tous les actes passés postérieurement au jugement d'ouverture de la tutelle, par la personne protégée, sont annulables, même s'ils ne sont pas lésionnaires ;

• le juge des tutelles, sur avis du médecin traitant, peut conférer au majeur en tutelle la capacité de faire lui-même certains actes, soit seul, soit avec l'assistance du tuteur.

> L'article L 5 du Code électoral prive le majeur en tutelle — mais non sous curatelle — du droit de vote.

Chapitre II

Les personnes morales

Section 1
Différentes personnes morales

I. Personnes morales de droit public

160. Les personnes morales de droit public se caractérisent par la détention de **prérogatives de puissance publique**, leur permettant, notamment, de créer unilatéralement des règles de droit obligatoires pour leurs destinataires.

Elles ne sont pas d'initiative privée mais résultent d'une loi ou d'un règlement.

Il s'agit des personnes morales suivantes :

1° L'*État.*

2° Les *collectivités territoriales :* par exemple les communes, les départements, les régions, les territoires d'outre-mer et les collectivités territoriales de la République. Ces collectivités sont aujourd'hui compétentes pour régler toutes affaires les concernant sous réserve de ne pas remettre en cause les intérêts généraux de l'État (représenté par le préfet).

> Leur poids économique est considérable. Il y a, en France, 36 494 communes, employant 600 000 agents, investissant chaque année plus de 9 milliards d'euros et dépensant plus de 46 milliards d'euros.

3° Les *établissements publics*, c'est-à-dire des organismes publics chargés de gérer des services publics (des activités ayant pour but de satisfaire des besoins d'intérêt général). Ils sont soumis au *« principe de spécialité »*, c'est-à-dire qu'ils doivent limiter leurs interventions au domaine que la loi ou le règlement les ayant créés leur attribue.

En principe, les établissements publics sont « *administratifs* » car ils gèrent, de manière autonome, une activité normalement réservée à l'administration. Font exception ceux auxquels la loi, un règlement ou les tribunaux reconnaissent un caractère :

— *industriel ou commercial* (Epic), par exemple Électricité de France, Gaz de France ;

— *scientifique et technique*, par exemple le Commissariat à l'énergie atomique (CEA), le Centre national d'exploitation des océans (Cnexo) ;

— *scientifique, culturel et professionnel*, par exemple le Conservatoire national des arts et métiers (Cnam) ou les universités ;

— *social*, par exemple les centres communaux d'action sociale, obligatoirement mis en place par chaque commune.

Les établissements publics, sauf ceux qui sont industriels ou commerciaux (Epic), sont soumis aux règles du droit administratif et de la comptabilité publique.

> *Précisions.*
>
> 1° Il ne faut pas confondre les établissements publics, personnes morales publiques relevant d'un ministère de tutelle, avec les personnes morales privées reconnues d'utilité publique.
>
> 2° Certains établissements publics sont à la fois administratifs et industriels et commerciaux (Trib. confl. 12 novembre 1984, société Interfrost c/FIOM : JCP 1986 II 20577, note L. Fernandez).
>
> 3° Les sociétés d'économie mixte et les sociétés nationales sont des personnes morales de droit privé.

4° *Les groupements d'intérêt public.* Ils peuvent être constitués entre l'État, des collectivités territoriales, des établissements publics, des associations, et toute autre personne morale de droit privé, pour mettre en œuvre des missions d'intérêt général dans des domaines spécifiques : sport, protection de la nature, culture, jeunesse, enseignement technologique et professionnel du second degré, enseignement supérieur, action sanitaire et sociale, accès au droit (conseil départemental de l'aide juridique), développement social urbain, coopération interrégionale et transfrontalière entre collectivités locales appartenant à des États membres de l'UE.

II.   Personnes morales de droit privé

A — GROUPEMENTS DE PERSONNES

Principaux groupements de personnes

Figure I-9

LES PRINCIPAUX GROUPEMENTS DE PERSONNES				
Groupement \ But	Se partager un bénéfice	Profiter d'une économie	Faciliter, développer, accroitre l'activité économique de leurs membres	Autre
Société	●	●	●	
Association		●	●	●*
GIE			●	

* ou un syndicat

Sociétés

164. Les sociétés sont des personnes morales regroupant deux ou plusieurs personnes, appelées associés, qui conviennent de **mettre quelque chose en commun** (les apports) **en vue de se partager le bénéfice** (enrichissement pécuniaire) **ou de profiter de l'économie** (éviter une dépense) qui pourra en résulter. Les sociétés se présentent sous différentes formes : des sociétés types et des sociétés particulières réservées à des situations déterminées.

Par exception, une seule personne peut constituer une société à responsabilité limitée, dite « entreprise unipersonnelle à responsabilité limitée » (EURL), une entreprise agricole à responsabilité limitée (EARL) ou une société par actions simplifiée (SASU).

Sociétés types

165. Selon la nature de leur activité on distingue :

1° Les **sociétés civiles** (SC). Ce sont celles qui ne font pas d'acte de commerce et qui ne revêtent pas l'une des cinq formes indiquées ci-dessous à propos des sociétés commerciales. Dans ces sociétés, les associés sont tenus personnellement et indéfiniment (mais non solidairement) des dettes sociales, au prorata de leur part dans le capital social : si, par exemple, la société comprend trois associés : A (50 % du capital), B (30 %) et C (20 %) et si la société fait des pertes, on ne peut demander à A, B et C que respectivement 50 %, 30 % et 20 % des dettes.

En janvier 2002, il existait plus de 965 000 sociétés civiles dont 634 574 sociétés civiles immobilières.

2° Les *sociétés commerciales.* Ce sont les six types de sociétés définis par le Code de commerce :

— les *sociétés en nom collectif* (SNC), dans lesquelles les associés ont tous la qualité de commerçant et répondent indéfiniment et solidairement des dettes sociales ; si la société fait des pertes, il est donc possible de demander à l'un des associés de régler la totalité du passif social, cet associé se retournant, ensuite, contre ses coassociés pour leur demander leur part contributive ;

En janvier 2002, 55 284 sociétés en nom collectif étaient immatriculées au registre du commerce.

— les *sociétés en commandite simple* (SCS) groupant deux catégories d'associés : les commandités, qui ont la qualité de commerçant, répondent indéfiniment et solidairement des dettes sociales et sont les seuls à pouvoir gérer la société ; les commanditaires qui ne sont pas commerçants et ne répondent des dettes sociales qu'à concurrence du montant de leurs apports à la société ;

Il en existait 2 395 en janvier 2002.

— les *sociétés à responsabilité limitée* (SARL) dont les associés n'ont pas la qualité de commerçant et ne sont responsables des dettes sociales qu'à concurrence de leurs apports à la société ;

Il existait, en janvier 2002, 1 222 897 SARL. Le capital de ces sociétés, d'un montant minimal de 7 500 €, est divisé en parts sociales qui, en principe, ne sont pas librement transmissibles. Il y a au maximum 50 associés dans une SARL.
Le gérant d'une SARL est obligatoirement une personne physique.
Les EURL (entreprises unipersonnelles à responsabilité limitée) sont des SARL ne comportant qu'un seul associé.

— les *sociétés anonymes* (SA) dont les associés (actionnaires) n'ont pas la qualité de commerçant et ne sont responsables des dettes sociales qu'à concurrence de leurs apports ;

Le capital d'une SA, d'un montant minimal de 37 000 €, est divisé en actions, le nombre des actionnaires ne devant pas être inférieur à 7. L'action a sur la part sociale — qui représente les droits des associés dans les SNC, SCS ou SARL — le double avantage de la libre cessibilité, sauf clause d'agrément, et de la négociabilité (voir n° 617).

Du point de vue de leur gestion, il existe deux types de sociétés anonymes :
— les SA « de type classique », gérées par un conseil d'administration, choisi parmi les actionnaires, qui désigne un directeur général et éventuellement des directeurs généraux délégués, et qui détermine les orientations de l'activité de la société ;
— les SA « de type nouveau » comprenant :
• un directoire, composé de personnes physiques, actionnaires ou non, chargé de l'administration et de la direction de la société ;
• un conseil de surveillance, groupant des personnes physiques ou morales, obligatoirement actionnaires, dont le rôle est essentiellement de nommer les membres du directoire, de contrôler leur gestion et d'autoriser certains actes.

Il existait, en janvier 2002, 211 622 SA à conseil d'administration et 6 491 SA à directoire.

— les *sociétés par actions simplifiées* (SAS) dont les statuts fixent librement les conditions de fonctionnement ;

Ce type récent de société, remportant un grand succès en raison de sa souplesse, ne comprenait encore que 25 646 sociétés en janvier 2002.

— les *sociétés en commandite par actions* (SCA) se différenciant des sociétés en commandite simple par le fait que les commanditaires sont des actionnaires (sur la différence entre parts sociales et actions, voir supra).

Il en existait 524 en janvier 2002.

165-1. Remarque. À cette classification, la doctrine en a superposé une autre fondée sur la considération attachée à la personne des associés :

— Les *sociétés de personnes* sont celles dans lesquelles les associés n'acceptent d'entrer qu'en raison de la personnalité des autres associés ; on dit que ces sociétés sont fondées sur « l'intuitus personae ». En conséquence les décisions sont prises, sauf précision contraire, à l'unanimité ; de plus tout nouvel associé doit être agréé, en principe à l'unanimité, et la disparition d'un associé peut entraîner la dissolution de la société. Cette catégorie comprend les sociétés en nom collectif, les sociétés en commandite simple et les sociétés civiles ;

— Les *sociétés de capitaux* sont celles qui ne peuvent fonctionner que grâce au capital permettant de mesurer le pouvoir de chaque associé. En conséquence ces sociétés ont obligatoirement un capital et seul importe l'investissement effectué, la personne des associés étant indifférente. Ce sont les sociétés à responsabilité limitée et les sociétés par actions (SA, SCA, SAS).

Sociétés particulières

166. À partir des six sociétés types que nous venons d'énumérer, bien des formes particulières ont été organisées. Ces sociétés obéissent aux règles de l'un des types fondamentaux, mais sont en plus dotées d'un régime spécial défini par la loi pour répondre à des besoins spécifiques. Elles sont très diverses et certaines ont un statut juridique très particulier ; nous n'en citerons que deux :

— Les *sociétés coopératives*. Elles sont le plus souvent à capital variable et doivent respecter trois principes essentiels : le principe de double qualité, les associés étant en même temps soit les travailleurs (coopératives ouvrières de production, SCOP), soit les clients (coopératives de consommation par exemple), soit les fournisseurs de la société (coopératives agricoles) ; le principe de gestion démocratique (« un homme égale une voix ») attribuant à chaque associé une voix quelle que soit la nature ou l'importance de son apport ; le principe de la ristourne proportionnelle, d'après lequel les bénéfices sont distribués au prorata des opérations traitées ou des services fournis.

Toutefois, les coopératives peuvent admettre comme associés, dans les conditions fixées par leurs statuts, des personnes physiques ou morales qui n'ont pas vocation à recourir à leurs services ou dont elles n'utilisent pas le travail mais qui entendent contribuer par l'apport de capitaux à la réalisation des objectifs de la coopérative. Ces associés ne peuvent en aucun cas détenir ensemble plus de 35 p. 100 du total des droits de vote.

— Les *sociétés d'économie mixte* et les *sociétés nationales*. Elles sont soumises pour l'ensemble au régime des sociétés anonymes, mais présentent surtout la particularité que leur capital appartient, pour les premières, en partie à des collectivités publiques, et, pour les secondes, entièrement à l'État.

Associations

167. Les associations groupent deux ou plusieurs personnes, dites sociétaires, qui mettent en commun d'une façon permanente leurs connaissances ou leur activité dans un but autre que de partager des bénéfices (enrichissement pécuniaire). En conséquence, *l'association peut se constituer pour profiter d'une économie* (minorer une dépense), par exemple pour faire, à moindre coût, un déplacement.

L'association peut faire des bénéfices ; seulement, à la différence de la société, *elle ne peut pas les distribuer à ses membres*.

> On estime à environ 800 000 le nombre d'associations en France. Il s'en crée près de 60 000 par an ; en outre, près d'un Français sur deux adhère à au moins une association.
>
> Contrairement à une idée trop couramment répandue, les associations jouent un rôle économique très important. Au 31 décembre 1995, plus de 110 000 associations employaient près de 1 200 000 personnes, soit 960 000 salariés en équivalent temps plein ; il existe environ 275 000 associations répertoriées au répertoire des entreprises (fichier Sirene).
>
> Pour inciter au mécénat, le législateur favorise les dons et legs faits notamment à certaines associations.
>
> Les associations d'une certaine importance ayant une activité économique sont soumises aux mêmes obligations comptables que les commerçants, sous le contrôle d'un commissaire aux comptes ; elles peuvent bénéficier des mesures de prévention des difficultés des entreprises.
>
> Les associations exerçant une activité économique effective depuis au moins deux ans peuvent émettre des obligations.

Groupements d'intérêt économique

168. Les *groupements d'intérêt économique (GIE)* ont pour but de faciliter ou de développer l'activité économique de leurs membres, d'améliorer ou d'accroître les résultats de cette activité et non pas de réaliser des bénéfices pour eux-mêmes. Leur activité doit se rattacher à l'activité économique de leurs membres et ne peut avoir qu'un caractère auxiliaire par rapport à celle-ci. Tel est le cas, par exemple, du GIE « groupement des cartes bancaires », du GIE du « Pull marin breton » (propriétaire de la marque Breizlen), du GIE « Habitat rural et Aménagement des campagnes normandes », etc.

> Près des 2/3 des 16 846 GIE existant en janvier 2002 proviennent du secteur des services. Ils sont le plus souvent conçus pour profiter d'une économie (minorer une dépense) ou pour être des outils de coordination entre les membres d'une profession (avec risque de dégénérescence en structure anticoncurrentielle).

Un GIE n'est commercial que si son activité est elle-même commerciale (Amiens 4 décembre 1987 : BRDA 1989/17 p. 11) ; cette commercialité ne peut résulter ni de son immatriculation au registre du commerce et des sociétés ni, le cas échéant, du fait que ses membres soient commerçants.

En dépit de quelques réussites, ils sont de moins en moins utilisés car leurs membres répondent indéfiniment et solidairement des dettes contractées par le groupement.

Remarque : Il ne faut pas confondre les groupements d'intérêt économique avec les groupements d'intérêt public.

168-1. Le règlement 2137/85 du Conseil des Communautés européennes, en date du 25 juillet 1985, a institué un *groupement européen d'intérêt économique (GEIE)*.

Organisé selon des modalités proches du GIE français (possibilité de le créer sans capital, responsabilité solidaire et indéfinie des membres pour les dettes du groupement, etc.), le GEIE ne peut être constitué qu'*entre des entreprises relevant d'au moins deux États membres* différents.

Syndicats

169. Les syndicats sont constitués pour la défense d'intérêts professionnels.

Ils sont une forme particulière d'association (CE 3 décembre 1958, Fédération syndicale mondiale : Rec. p. 844 ; Soc. 4 avril 1990 : Bull. V n° 164). Toutefois, les syndicats professionnels « représentatifs » bénéficient de prérogatives sociales ne pouvant être étendues aux associations professionnelles (CE 24 février 1989, ministre des affaires sociales : Rec. p. 494).

Conditions d'octroi
de la personnalité morale

170. Pour jouir de la personnalité morale, un groupement doit être régulièrement constitué et faire l'objet de publicité.

Constitution régulière du groupement

171. Presque tous les groupements de personnes ont pour « acte de naissance » un *accord de volontés (contrat),* dit « statuts ».

> Les exceptions sont rares, ainsi :
> — l'EURL, l'EARL et la SAS peuvent résulter :
> • d'un acte unilatéral de volonté de l'associé unique,
> • de la réunion dans une même main de toutes les parts d'une SARL ou d'une EARL ou de toutes les actions d'une SAS ;
> — les copropriétaires d'un immeuble divisé en appartements sont groupés par la loi en un syndicat.

Ces statuts doivent être conformes :

— aux règles générales des contrats fixées par les articles 1108 et suivants du Code civil ;

— à la réglementation spécifique de la personnalité morale choisie.

Ainsi, pour créer une société, l'accord de volontés des associés doit obéir aux règles de droit commun des contrats et aux règles propres à ce type de contrat exigeant trois éléments : un apport de chaque associé pour réaliser la mise en commun de quelque chose, un partage des profits et des pertes, et une volonté de rechercher en commun un profit commun (appelée « affectio societatis »). Si l'on veut créer un groupement d'intérêt économique, les règles propres à ce contrat sont différentes : les apports ne sont plus indispensables mais il faut que l'activité fixée au groupement soit le prolongement de l'activité de ceux qui le créent.

La sanction de la violation de ces règles est la nullité du groupement. Cependant, s'agissant des sociétés, le souci de donner aux tiers qui traitent avec elles la certitude que leur engagement ne sera pas remis en cause a conduit à limiter les causes de nullité et à permettre, très largement, de les régulariser.

Publicité légale

172. Le plus fréquemment, le groupement ne peut jouir de la personnalité juridique qu'une fois que le contrat a fait l'objet de certaines mesures de publicité.

1° Les *sociétés* jouissent de la personnalité juridique à dater de leur *immatriculation* au registre du commerce et des sociétés.

2° Les *associations* jouissent de la personnalité juridique à compter de la *publication au Journal officiel* d'un extrait de leur déclaration à la préfecture ou à la sous-préfecture.

3° Les *groupements d'intérêt économique* jouissent de la personnalité juridique à dater de leur *immatriculation* au registre du commerce et des sociétés ; il en est de même pour les *groupements européens d'intérêt économique* immatriculés en France.

4° Les *syndicats* sont dotés de la personnalité juridique à dater du *dépôt* de leurs statuts *à la mairie* du lieu où est fixé leur siège.

172-1. Hors ces cas réglementés, les tribunaux considèrent que tout autre groupement acquiert automatiquement la personnalité morale s'il est pourvu d'une possibilité d'expression collective pour la défense d'intérêts licites, dignes par suite d'être juridiquement reconnus et protégés (Soc. 17 avril 1991 : Bull. V n° 206).

> Se sont ainsi vu reconnaître la personnalité juridique, par exemple, les comités de groupe (Paris 10 juin 1986 : BRDA 1986/21 p. 11) ou les comités d'hygiène et de sécurité (Soc. 17 avril 1991, ibidem).

172-2. La durée du groupement doit être déterminée dans les statuts et ne peut, pour les sociétés et les GIE, excéder 99 ans, sous réserve de prorogation avant l'arrivée du terme fixé. L'association peut être à durée indéterminée.

La personnalité morale disparaît par la dissolution du groupement entraînant sa liquidation.

Transformation

172-3. En principe la transformation d'un groupement en une autre forme de groupement, telle celle d'une association en société, est impossible ; elle entraîne la dissolution de la personne morale existante et la création d'une nouvelle personne juridique.

Par dérogation, toute société ou association dont l'objet correspond à la définition du groupement d'intérêt économique peut être transformée en un tel groupement sans donner lieu à dissolution ni à création d'une personne morale nouvelle. Un groupement d'intérêt économique peut, pareillement, être transformé en société en nom collectif.

De même une association peut, sous certaines réserves, se transformer en société coopérative sans perdre sa personnalité morale.

172-4. *Remarque* : La *transformation régulière d'une société* en société d'une autre forme *n'entraîne pas la création d'un être moral nouveau,* même si elle s'accompagne de modifications importantes du « pacte social » (Com. 4 mars 1986 : Bull IV n° 40).

B — LE GROUPEMENT DE BIENS (LA FONDATION)

173. La fondation est l'acte juridique par lequel une ou plusieurs personnes physiques ou morales décident l'affectation irrévocable de biens, droits ou ressources à la réalisation d'une œuvre d'intérêt général et à but non lucratif.

La fondation *reconnue d'utilité publique* jouit de la personnalité morale à compter de la date d'entrée en vigueur du décret en Conseil d'État lui accordant la reconnaissance d'utilité publique ; elle peut alors accepter la dotation prévue et bénéficier, en cours d'existence, de subventions, dons et legs. La fondation d'*entreprise* jouit de la personnalité morale à compter de la publication au Journal officiel de l'autorisation administrative qui lui confère ce statut.

> Seules les fondations reconnues d'utilité publique sont désormais autorisées à utiliser l'appellation de « fondation », sous peine de sanctions pénales, et à recevoir des dons et legs exonérés de droits de succession.

Section 2
Attributs de la personne morale

174. L'être moral est doté d'une personnalité juridique qui lui permet d'acquérir des droits, de contracter des obligations, d'ester (agir) en justice, d'engager sa responsabilité tout comme une personne physique dont il diffère essentiellement par l'absence d'existence corporelle.

Mais la personne morale doit se borner à agir dans la sphère d'activité fixée par ses fondateurs en ne concluant que des actes conformes à son objet (*« principe de spécialité »*) (Com. 8 janvier 1991 : Bull. IV n° 13). La sanction de la violation de cette règle est la nullité de l'acte. Toutefois, les sociétés à responsabilité limitée et les sociétés par actions sont valablement engagées par les actes faits par leurs représentants légaux même s'ils dépassent l'objet social.

I.   État de la personne morale

175. Les personnes morales sont identifiées comme les personnes physiques. Elles ont un *nom* (dénomination ou raison sociale) qu'elles peuvent faire protéger en justice pour éviter tout risque de confusion avec d'autres personnes.

Elles ont un *domicile*, généralement situé au lieu de la direction ; on l'appelle siège de la personne morale ou, par influence du droit des sociétés, siège social.

Elles ont enfin une *nationalité*. On dit couramment qu'une société est française ou étrangère mais cette formule demande à être précisée. Dire qu'une personne morale est française signifie qu'elle est soumise à la loi française, peut jouir des droits réservés aux Français et peut bénéficier à l'étranger de la protection diplomatique accordée par l'État français à ses citoyens. Toutefois, l'application de ces trois règles ne dépend pas d'un critère unique. Ainsi, la loi française est applicable à toute personne morale ayant fixé son siège en France : c'est la règle dite de *« la loi du lieu du siège social »* ; en revanche, certaines lois réservent la jouissance des droits propres aux nationaux français aux personnes morales contrôlées par des Français, c'est-à-dire dont des Français forgent la volonté et conduisent l'action : c'est la *règle* dite *« du contrôle »*.

II.   Patrimoine
de la personne morale

176. La personne morale a des droits et des obligations qui lui sont propres et qui sont distincts de ceux de chacun des membres qui la composent. Cela entraîne trois conséquences importantes :

1° Il n'y a pas de compensation possible entre la dette qu'une personne morale a envers un tiers et la dette que ce tiers aurait envers l'un des membres de l'être moral.

2° *Les créanciers de la personne morale ne peuvent se faire payer que sur le patrimoine de celle-ci.* Les membres de la personne morale ne sont pas personnellement tenus au paiement des dettes de celle-ci, sauf pour les GIE, les GEIE et certaines sociétés. Corrélativement, les créanciers de ces membres n'ont aucun droit sur le patrimoine de la personne morale. Cette règle de principe connaît cependant de notables atténuations au moins dans sa première proposition. De plus en plus, les créanciers de la personne morale peuvent se faire payer sur le patrimoine de certains membres. On considère, en effet, qu'il est inadmissible que, sous couvert d'une personne morale, il soit possible de réaliser des profits au détriment des créanciers. Une telle situation est dénoncée comme un abus de la personnalité morale. La principale sanction de cet abus se rencontre en cas de cessation des paiements de la personne morale.

> Ainsi, les dirigeants des personnes morales commerçantes (et notamment des sociétés commerciales) peuvent être tenus de payer tout ou partie du passif de la personne morale lorsqu'ils ont commis des fautes de gestion ; ils peuvent aussi être personnellement soumis à une procédure collective lorsqu'ils ont réalisé des affaires sous le masque de la personne morale et dans leur intérêt personnel.

> Ces règles, qui s'appliquent également à la société unipersonnelle à responsabilité limitée (EURL) ou à la société par actions simplifiée unipersonnelle (SASU), réduisent considérablement, voire anéantissent, l'objectif de ceux qui croient, en constituant une telle société, mettre à l'abri une partie de leur patrimoine.

3° *Les membres du groupement ne sont pas personnellement propriétaires des biens appartenant à la personne morale.* Ils ont seulement droit à un certain nombre de prestations fixées dans les statuts de celle-ci. Par exemple, dans les sociétés, les associés ont un droit aux résultats et un droit de participation aux décisions (l'ensemble de ces droits est appelé droits sociaux).

III. Pouvoirs de la personne morale

177. Entité abstraite, dépourvue de force physique, la personne morale ne peut exercer ses droits et exécuter ses obligations que si une volonté se charge de les mettre en œuvre pour son compte ; seules des personnes physiques peuvent exprimer cette volonté. Tout le statut juridique des pouvoirs de la personne morale tient donc dans la détermination des modalités selon lesquelles des personnes physiques agiront en son nom et pour son compte.

Ces modalités varient selon les types de personnes morales. Mais ces différences ne sont que des adaptations d'un même mécanisme auquel aucune personne morale ne peut se soustraire.

A — POUVOIR DE DÉCISION

178. Ce pouvoir, qui consiste à décider de la conduite de la personne morale pour l'avenir, appartient, selon la personne morale, soit aux dirigeants, soit à la collectivité des membres du groupement, soit aux deux.

Les décisions régulièrement prises s'imposent à tous les membres du groupement ; mais cette règle connaît *deux limites* importantes :
— l'*abus du droit* : toute décision abusive peut être annulée par les tribunaux, par exemple lorsqu'elle a été adoptée contrairement à l'intérêt collectif et dans l'unique dessein de favoriser certains membres du groupement ;
— les *droits individuels* : chaque membre de la personne morale a un certain nombre de droits qui ne peuvent pas normalement lui être retirés, tel notamment, dans les sociétés, le droit de vote (sous réserve de l'existence d'actions à dividende prioritaire sans droit de vote et de la possibilité de fractionner les droits attachés aux actions entre certificats d'investissement et certificats de droit de vote).

B — POUVOIR D'EXÉCUTION

179. Le pouvoir d'engager la personne morale à l'égard des tiers appartient aux *représentants statutaires ou légaux* de la personne morale ; tel est le cas, notamment, des directeurs généraux de sociétés anonymes, des gérants de sociétés en nom collectif, à responsabilité limitée ou en commandite.

Toutefois, ces personnes doivent agir au nom de la personne morale, dans la limite de l'objet social. En outre elles doivent respecter les limitations statutaires, sauf dans les sociétés où de telles clauses sont inopposables aux tiers même s'ils en ont connaissance (Com. 2 juin 1992 : RJDA 8-9/92, n° 836).

C — POUVOIR DE CONTRÔLE

180. Ce pouvoir appartient à la collectivité des membres de la personne morale qui l'exerce à l'occasion du compte rendu d'activité des dirigeants. Dans les sociétés commerciales, le pouvoir de contrôle des associés est très développé : les associés d'une SARL ou d'une SA, représentant au moins le vingtième (5 %) du capital social, ont, notamment, le droit de demander au tribunal de nommer un expert pour enquêter sur tel ou tel aspect de la gestion des dirigeants. De plus, dans les personnes morales ayant une activité économique d'une certaine importance, un contrôle spécial est effectué sur les comptes par des spécialistes appelés *commissaires aux comptes* qui présentent chaque année à l'assemblée des membres un rapport sur leur mission.

D — CONFLITS DE POUVOIRS

181. Ces conflits existent lorsque le fonctionnement de la personne morale est bloqué. Ils sont résolus par la nomination en justice, sur demande de tout intéressé, d'un *administrateur judiciaire* encore appelé administrateur provisoire. Lorsque le conflit est insurmontable, le tribunal peut décider de dissoudre la personne morale (dissolution dite « pour justes motifs »).

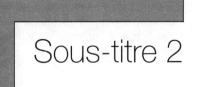

Sous-titre 2

Les choses et les droits disponibles

— Les choses, objets de droit (chapitre I).
— Les droits sur les choses (les « biens ») (chapitre II).
— L'acquisition des droits par les personnes (chapitre III).

Chapitre I

Les choses

Section 1
Choses appropriables ou non appropriables

187. *En principe, toutes les choses peuvent faire l'objet de propriété privée, sauf les choses communes et les biens domaniaux.*

Les *choses communes* sont celles dont l'usage est commun à tous, par exemple l'air ou l'eau de la mer ; si elles ne sont pas susceptibles d'être appropriées dans leur globalité, elles peuvent faire l'objet de certaines appropriations à condition de respecter les règles d'usage fixées par la puissance publique (État ou collectivités territoriales) ; ainsi peut-on extraire du sel de la mer, se l'approprier et le vendre ;

Les *biens domaniaux* sont les biens des collectivités publiques affectés à l'usage du public ou aménagés et affectés à un service public, par exemple les rivages maritimes, les routes, les voies ferrées, les fleuves et rivières navigables et flottables, les livres des bibliothèques publiques, etc.

> Ces biens sont dits aussi biens du « domaine public ». Toutefois, les personnes morales publiques ont également des droits réservés à leur propre usage soumis pour l'essentiel aux règles de la propriété privée, par exemple des propriétés foncières non affectées à l'usage d'un service public (biens dits du « domaine privé »).

Toutes les autres *choses* sont appropriables ; on distingue cependant entre celles qui sont *déjà appropriées* et celles qui, au moment où on les envisage, ne le sont pas encore, dites *choses sans maître* ou **vacantes**.

Ces choses sans maître ne peuvent être que des meubles, car tout immeuble, dès qu'il devient vacant, appartient à l'État (Code civil art. 539). Ces meubles sont *appropriés par celui qui les « occupe »,* c'est-à-dire s'en empare avec l'intention d'en devenir propriétaire ; tel est le cas des « res nullius » et des « res delictae » :

— les « *res nullius* » sont les meubles que personne ne s'est encore appropriés, par exemple le gibier sauvage, les poissons de mer ou des eaux courantes, le goémon, etc. ;

> Des faisans nés et élevés en captivité, bien qu'appartenant à une espèce sauvage, ne sont pas des animaux sans maître vivant à l'état sauvage mais des animaux domestiques (Civ. 2e, 12 novembre 1986 : Bull. II n° 163).

— les « *res delictae* » sont les *meubles abandonnés* volontairement ou jetés par leurs propriétaires ; il ne faut pas les confondre avec les objets perdus dotés d'un régime spécial (notamment les trésors et les épaves maritimes ou fluviales).

Section 2
Classifications des choses selon leur nature

I. Choses fongibles et non fongibles

189. Les *choses fongibles* ou *« choses de genre »* sont celles qui sont interchangeables ; pour les distinguer il faut, le plus souvent, les compter, les peser ou les mesurer. Tel est le cas, par exemple, de la plupart des productions agricoles, d'un métal d'une qualité déterminée, d'une somme d'argent dans une certaine monnaie, etc.

Par opposition, les *biens non fongibles* ou *corps certains* ont une individualité ne permettant pas de les remplacer exactement, par exemple un terrain, ou une automobile immatriculée.

Cette distinction est très importante, notamment pour le *transfert de propriété : en cas de vente d'une chose de genre, le transfert de propriété n'a lieu qu'au moment de l'individualisation ; en cas de vente d'un corps certain, le transfert de propriété est instantané.*

189-1. Il est toutefois possible, dans un contrat de vente, d'aménager la date du transfert de propriété, notamment en la retardant au complet paiement du prix (*clause* dite *« de réserve de propriété »*).

Le vendeur peut revendiquer les marchandises — ce que les tribunaux interprètent comme englobant tous les objets mobiliers corporels et incorporels (parts sociales par exemple) — vendues avec une clause de réserve de propriété *même si l'acheteur est en redressement ou en liquidation judiciaire*. Cette revendication est soumise aux quatre conditions suivantes :

— la clause doit figurer dans un écrit établi au plus tard au moment de la livraison (remise matérielle) ;

— les marchandises doivent exister encore « en nature » lors de l'ouverture de la procédure collective, c'est-à-dire être nettement individualisées chez l'acheteur et n'avoir fait l'objet ni d'une transformation ni d'une incorporation leur ayant fait perdre leur identité. Toutefois, la revendication en nature peut s'exercer sur les biens mobiliers incorporés dans un autre bien mobilier lorsque leur récupération peut être effectuée sans dommage pour les biens eux-mêmes et le bien dans lequel ils sont incorporés. La revendication en nature peut également s'exercer sur des biens fongibles lorsque se trouvent entre les mains de l'acheteur des biens de même espèce et de même qualité ;

— l'action doit être exercée dans les trois mois à dater du prononcé du jugement ouvrant la procédure collective (délai préfix ne pouvant être ni interrompu, ni suspendu) (Com. 13 février 1990 : Bull. IV n° 41) ;

— il n'y a pas lieu à revendication si le prix est payé immédiatement, le juge pouvant accorder un délai avec l'accord du créancier requérant.

Nonobstant toute clause contraire, la clause de réserve de propriété est opposable à l'acheteur et aux autres créanciers, à moins que les parties n'aient convenu par écrit de l'écarter ou de la modifier.

Figure I-10

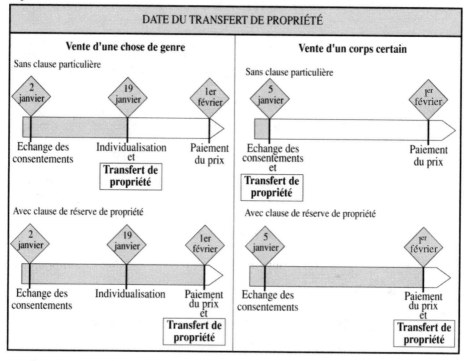

II.   Choses consomptibles et non consomptibles

190. Les *choses consomptibles* sont celles dont on ne peut se servir qu'en les détruisant ou en les aliénant, par exemple une somme d'argent, du carburant, des aliments, etc.

Les **choses non consomptibles** sont, au contraire, celles dont on peut faire un usage prolongé, par exemple une machine, une habitation, un vêtement etc.

Cette distinction est importante lorsqu'il y a obligation de restitution. Ainsi différencie-t-on le prêt à usage (droit de se servir de la chose à condition de la rendre) du prêt de consommation (droit de consommer la chose avec restitution par équivalent).

III. Choses frugifères et non frugifères

191. Les choses frugifères sont celles qui sont susceptibles de produire des fruits ; au sens juridique, les **fruits** sont ce qu'une chose produit périodiquement sans altération ni diminution sensible de sa substance : les intérêts d'une somme d'argent, les loyers, les céréales, etc.

Par opposition aux fruits, on appelle **produits** ce qui est procuré par une chose sans périodicité ou avec altération de substance : les produits des mines et carrières, les arbres de haute futaie, etc. Leur perception, entamant le capital, est considérée comme un acte de disposition.

La distinction entre fruits et produits est très importante d'un point de vue fiscal mais aussi, notamment, pour la détermination des pouvoirs du tuteur ou de l'administrateur légal, des droits de l'usufruitier et des conséquences d'une possession.

Section 3
Distinction entre meubles et immeubles

192. Aux termes de l'article 516 du Code civil, tous les biens sont meubles ou immeubles.

Cette distinction résulte de la loi et les parties ne peuvent y déroger même par consentement mutuel (Civ. 3e, 26 juin 1991 : RJDA 10/91 n° 838) ; elle a un intérêt capital notamment pour :

— la fiscalité, les droits perçus à l'occasion des mutations immobilières et mobilières étant différents ;

— la protection de la propriété : publication des mutations immobilières et rôle particulièrement efficace de la possession en matière mobilière ;

— la constitution des sûretés : la différence entre le gage et l'hypothèque ;

— la protection du vendeur : seule la vente d'immeuble, lorsque le vendeur est lésé de plus des 7/12 et agit moins de deux ans après le jour de la vente, est rescindable (annulable ou rajustable) ;

— la compétence des juridictions : le tribunal compétent pour connaître d'un litige sur un immeuble est celui dans le ressort duquel il est situé et, pour un meuble, celui dans le ressort duquel est domicilié le défendeur ; il y a compétence d'attribution du tribunal de grande instance pour les actions immobilières pétitoires et du tribunal d'instance pour les actions possessoires ; le régime des saisies mobilières est différent de celui des saisies immobilières.

I.   Immeubles

A — IMMEUBLES PAR LEUR NATURE

194. Les immeubles par leur nature sont :

— *le sol :* la surface (les « fonds de terre ») et le sous-sol (mines, carrières) ;

— *ce qui est fixé au sol :* les végétaux, les constructions dans tous leurs éléments. Ainsi les briques, les planches ou les gaines électriques incorporées dans une construction sont immeubles car elles font partie intégrante de l'immeuble.

B — IMMEUBLES PAR LEUR DESTINATION

195. Les immeubles par leur destination sont des meubles par nature juridiquement considérés comme des immeubles car ils sont l'accessoire d'un immeuble, tels les volets d'une maison ou les machines attachées à une terre agricole.

Conditions de l'immobilisation par destination

196. Trois conditions sont nécessaires pour qu'un meuble puisse être immobilisé par sa destination :

1° Le meuble et l'immeuble doivent appartenir à la même personne ;

2° Le propriétaire doit vouloir créer un lien entre le meuble et l'immeuble ;

3° Il doit exister *un rapport de destination* entre le meuble et l'immeuble ; ce lien de destination peut présenter deux aspects : l'affectation du meuble au service de l'immeuble ou l'attache à perpétuelle demeure.

— *L'affectation du meuble au service de l'immeuble* (destination économique) nécessite que le meuble soit indispensable pour l'exploitation de l'immeuble ; elle peut prendre des formes variées : destination agricole (outillage agricole, serres d'un horticulteur, par exemple), destination industrielle (machines et outillage, par exemple) ou destination à d'autres usages (les meubles garnissant un hôtel, par exemple).

— *L'attache à perpétuelle demeure* (destination ornementale ou somptuaire) se manifeste par des faits matériels d'adhérence apparente et durable ne permettant pas de détacher le meuble sans altérer la substance de l'immeuble, par exemple une bibliothèque construite aux dimensions exactes d'une pièce dont elle épouse les particularités.

Effets de l'immobilisation par destination

197. L'immobilisation par destination est une fiction juridique rendant les meubles solidaires de l'immeuble auquel ils sont liés. Ainsi, en cas de vente, sauf stipulation contractuelle contraire, les immeubles par destination sont considérés comme aliénés en même temps que l'immeuble. De même, les immeubles par destination ne peuvent être saisis indépendamment de l'immeuble, sauf pour paiement de leur prix.

Cette construction juridique connaît cependant des limites, le propriétaire pouvant toujours mettre fin à l'immobilisation par destination.

> Des fresques, immeubles par nature, deviennent des meubles du fait de leur arrachement des murs du bâtiment qu'elles décoraient (Ass. plén. 15 avril 1988, Bull. n° 4).

C — IMMEUBLES « PAR L'OBJET AUQUEL ILS S'APPLIQUENT »

198. *Les immeubles « par l'objet auquel ils s'appliquent » ne sont pas des choses mais des droits* considérés comme des immeubles parce que leur objet a un caractère immobilier. Tel est le cas, notamment, des droits réels immobiliers, par exemple un usufruit portant sur un immeuble.

II.   Meubles

199. Tous les biens qui ne sont pas des immeubles entrent dans la catégorie juridique des meubles, composée des meubles par leur nature, des meubles par anticipation et des meubles incorporels.

A — MEUBLES PAR LEUR NATURE

200. *Sont meubles par leur nature* les animaux et les corps qui peuvent se transporter d'un lieu à un autre, soit qu'ils se meuvent par eux-mêmes, soit qu'ils ne puissent changer de place que par l'effet d'une force étrangère.

Remarques :

1° Des biens meubles par leur nature sont, juridiquement, réputés immeubles :

— lorsqu'ils perdent leur individualité pour constituer un immeuble, telles les briques servant à la construction d'une maison ; après l'édification il n'y a plus de briques —

donc plus de meubles — mais une maison — donc un immeuble — (*immobilisation par incorporation*) ;

— lorsqu'ils sont l'accessoire d'un immeuble (*immobilisation par destination*).

2° Le corps humain n'est pas une chose (Civ. 2e, 15 juillet 1965 : GP 1965 II 330).

3° Les meubles, dans la langue juridique, ne se limitent pas au mobilier (« meubles meublants ») et couvrent aussi les marchandises, les camions, les navires, les avions, les outils, les machines, les animaux, etc.

B — MEUBLES PAR ANTICIPATION

202. Les *meubles par anticipation* sont des immeubles par leur nature traités comme des meubles (par anticipation) parce qu'ils sont destinés à le devenir dans un proche avenir en n'étant plus fixés au sol. L'intérêt est essentiellement d'ordre fiscal, les droits de mutation sur les meubles étant moins élevés que sur les immeubles.

Tel est le cas, par exemple, des matériaux de démolition, des produits tirés d'une carrière ou d'une récolte sur pied. Ces choses sont, en effet, vendues en vue de leur séparation du sol ; on anticipe donc, à la date de leur vente, la qualité de meuble qu'elles n'auraient normalement prise qu'au jour de cette séparation.

C — MEUBLES INCORPORELS

203. Les *meubles incorporels ne sont pas des choses matérielles mais des droits mobiliers.* Ainsi, peut-on citer :

— les droits réels portant sur des meubles ;

— les créances, sauf exception ;

— les actions en justice portant sur des droits mobiliers ;

— les parts sociales et les actions des sociétés.

Chapitre II

Les droits disponibles

— Les droits de créance (section 1).
— Le droit de propriété et ses démembrements (section 2).
— Les garanties sur meubles et immeubles (section 3).
— Le droit de rétention (section 4).
— Les droits de propriété sur les œuvres de l'esprit (section 5).

Section 1
Droits de créance

205. Les *droits de créance, dits « droits personnels », permettent à une personne,* appelée « créancier », *d'exiger d'une autre personne,* appelée « débiteur », *une prestation,* c'est-à-dire l'accomplissement d'un acte (un travail par exemple) ou d'une abstention (une non-concurrence par exemple). Au droit de créance correspond la dette du débiteur, créance et dette constituant une *obligation.* Ce sont donc des droits qui n'ont d'effet qu'à l'égard d'une personne ou de certaines personnes déterminées et qui présentent une grande insécurité.

En effet, si le débiteur n'exécute pas son obligation, le créancier peut saisir et faire vendre les biens figurant dans le patrimoine de ce dernier au jour de la poursuite (c'est le « droit de gage général » de l'article 2093 du Code civil) ; mais encore faut-il qu'il y en ait ; le créancier ne peut aller rechercher ceux qui ont été donnés ou aliénés auparavant, *il n'a pas de droit de suite.*

En outre les créanciers sont payés dans l'ordre où ils se présentent *(« au prix de la course »),* les premiers pouvant être réglés intégralement et les suivants ne recevant rien. Si plusieurs créanciers se présentent ensemble et si le débiteur est insolvable, chacun sera payé par contribution *(« au marc le franc »,* c'est-à-dire proportionnellement), sauf causes légitimes de préférence. Par exemple si l'actif est de 100 et le passif de 1 000, le débiteur ne peut régler que 10 % de son passif ; chacun recevra donc 10 % du montant de sa créance : pour A 10 % de 50, pour B 10 % de 20, etc. *Il n'y a pas de droit de préférence.*

> Si le débiteur est saisi, il devra régler d'abord le créancier saisissant et ceux qui se sont joints à la saisie.

Le *créancier* dépourvu de droit de suite et de droit de préférence est dit
« *chirographaire* ».

206. Un créancier chirographaire dispose de trois actions pour se protéger contre
l'insolvabilité de son débiteur : l'action oblique, l'action directe et l'action paulienne.

Figure I-11

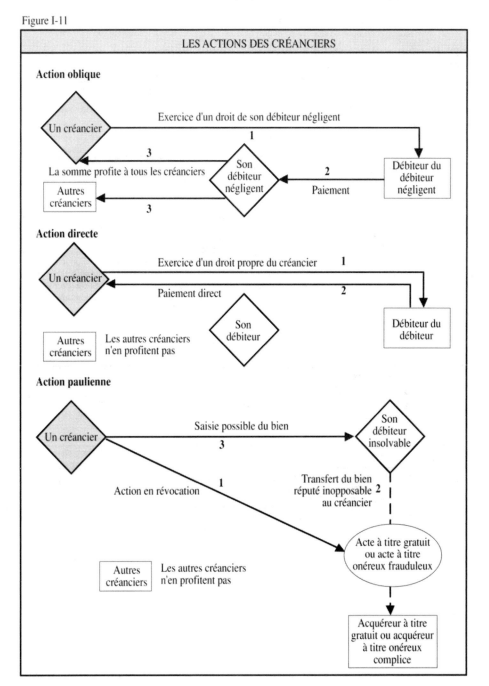

1° **L'action oblique** permet au créancier, titulaire d'une créance certaine, liquide et exigible, d'exercer les droits et actions de son débiteur lorsque celui-ci néglige d'en faire usage, à l'exception de ceux qui sont exclusivement personnels. Mais, faute de droit de préférence, il devra partager avec tous les autres créanciers.

> La carence du débiteur est établie lorsqu'il ne justifie d'aucune diligence dans la réclamation de ce qui lui est dû ; c'est au débiteur qu'il appartient de justifier de sa diligence pour s'opposer à l'action oblique (Civ. 1re, 28 mai 2002 : BRDA 13/02 n° 16).

2° **L'action directe** permet à un créancier d'agir en son nom et pour son compte contre le débiteur de son débiteur afin d'obtenir le versement à son profit de ce que doit ce débiteur à son propre débiteur. Cette action directe, créant une préférence au profit de l'un des créanciers, est exceptionnelle. Citons notamment :

— l'action directe de la victime d'un dommage contre l'assureur de l'auteur du dommage ;

— l'action directe des sous-traitants ;

> La sous-traitance est un contrat conclu entre un entrepreneur, dit entrepreneur principal, et une autre personne, dite sous-traitant ; il oblige le premier à payer les travaux exécutés à sa demande par le second. En revanche, aucun lien contractuel ne lie le maître de l'ouvrage, destinataire final des travaux, et le sous-traitant.
>
> La loi 75-1334 du 31 décembre 1975, relative à la sous-traitance, a mis en place deux procédures (figure I-12) :
>
> 1° **Paiement direct.** En cas de sous-traitance de marchés passés par l'État, les collectivités territoriales ou les établissements et entreprises publics d'un montant au moins égal à 600 €, le sous-traitant doit être payé directement par le maître de l'ouvrage (client) : il n'en est toutefois ainsi que si le sous-traitant a été, sur la demande de l'entrepreneur principal, accepté par le maître de l'ouvrage et si les conditions de paiement du contrat de sous-traitance ont été agréées par ce dernier. Ces deux conditions sont cumulatives (CE 13 juin 1986 : BRDA, 1986/17, p. 12).
>
> 2° **Action directe.** En cas de sous-traitance de marchés conclus entre personnes privées ou de marchés passés par les organismes publics d'un montant inférieur à 600 €, le sous-traitant peut demander directement au maître de l'ouvrage le paiement des sommes qui lui sont dues en vertu du sous-traité si l'entrepreneur principal ne les lui a pas payées un mois après avoir été mis en demeure. Toutefois, cette possibilité n'est ouverte au sous-traitant que s'il a été accepté (même tacitement) et ses conditions de paiement agréées.

Figure I-12

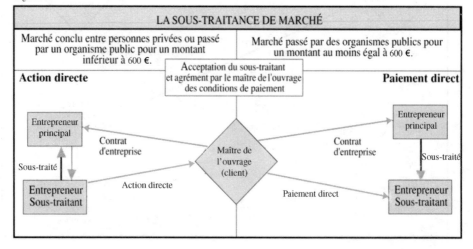

— l'action directe du Trésor public contre les débiteurs d'un contribuable s'exerçant sous forme soit de saisie-attribution, soit d'avis à tiers détenteur ;

> Cette dernière procédure ne peut être utilisée que pour le paiement des créances fiscales privilégiées et ne peut porter que sur des espèces.

— l'action directe du bailleur d'immeuble contre le sous-locataire en cas de non-paiement des loyers par le locataire principal.

3° *L'action paulienne* permet de supprimer le dommage subi par un créancier, victime de la fraude de son débiteur, en rétablissant à son égard la situation antérieure. Elle n'est recevable que si l'acte attaqué a entraîné un appauvrissement du débiteur et si ce dernier a eu connaissance du préjudice causé au créancier (Civ. 1re, 13 janvier 1993 : Bull. I n° 5).

Ainsi un créancier peut faire juger que la donation d'un bien par son débiteur à un tiers, rendant ce débiteur insolvable, caractérise la fraude paulienne ; la donation sera donc inopposable au créancier qui pourra saisir le bien entre les mains du tiers, comme s'il était toujours dans le patrimoine de son débiteur, puis le faire vendre et se payer sur le prix.

Toutefois, lorsque le tiers contre lequel le créancier exerce l'action paulienne est un acquéreur à titre onéreux (l'acheteur d'un bien par exemple, par opposition au donataire qui est un acquéreur à titre gratuit), le créancier doit, pour aboutir, démontrer que l'acquéreur a eu conscience de participer à la fraude.

L'action paulienne ne peut être exercée que par les créanciers dont la créance est antérieure à l'acte attaqué ; elle a donc un effet relatif, sauf en cas de procédure collective de l'auteur de la fraude où elle produit effet à l'égard de tous les créanciers, y compris ceux dont le droit est né postérieurement à la fraude (Com. 13 février 1990 : Bull. IV n° 44).

207. Est passible d'un emprisonnement de trois ans et d'une amende de 45 000 € tout débiteur qui, même avant la décision judiciaire constatant sa dette, a organisé ou aggravé son insolvabilité, soit en augmentant le passif ou en diminuant l'actif de son patrimoine, soit en diminuant ou en dissimulant tout ou partie de ses revenus, soit en dissimulant certains de ses biens, en vue de se soustraire à l'exécution d'une condamnation de nature patrimoniale prononcée par une juridiction répressive ou par une juridiction civile en matière délictuelle ou d'aliments. Ces sanctions sont également applicables, dans les mêmes conditions, aux dirigeants de droit ou de fait des personnes morales.

Malgré tout, la situation du créancier dépourvu de droit de suite et de droit de préférence reste très précaire. Il a donc intérêt à se munir d'un droit réel accessoire.

Section 2
Droit de propriété et ses démembrements

208. *Le droit de propriété et ses démembrements, dits « droits réels », confèrent à leur titulaire un pouvoir exercé sans intermédiaire sur une chose corporelle ;*

ces droits n'ont donc qu'un titulaire ou sujet actif et un objet (la chose) mais pas de débiteur ou sujet passif.

Ce pouvoir direct sur un objet doit être respecté par tous ; on dit que *le droit réel est opposable à tous* (« erga omnes ») ou encore qu'il s'agit d'un droit absolu. Il s'ensuit que le titulaire de ce droit peut, en principe, reprendre l'objet en quelques mains qu'il se trouve *(droit de suite)* et être payé par priorité sur le prix *(droit de préférence)* en cas de vente judiciaire.

> Sur le droit de suite des auteurs d'œuvres d'art plastique, voir n° 238.

I.   Droit de propriété

A — CONTENU DU DROIT DE PROPRIÉTÉ

211. La propriété est le droit de jouir et disposer des choses de la manière la plus absolue, pourvu qu'on n'en fasse pas un usage prohibé par les lois ou par les règlements (Code civil art. 544).

Attributs du droit de propriété

212. Le propriétaire a tous les droits sur la chose ; il peut :
— l'*utiliser* à sa convenance *(« usus »)* ;
— en *percevoir* le profit : les *fruits* et les *produits* (« *fructus* ») ;

> Le propriétaire a seul le droit d'exploiter son bien sous quelque forme que ce soit (Civ. 1re, 10 mars 1999 : RJDA 4/99 n° 488) ; toutefois, il ne peut interdire l'utilisation de l'image de son bien que si cette reproduction cause un préjudice certain à son droit d'usage ou de jouissance (Civ. 1re, 2 mai 2001 : BRDA 10/01 p. 9).

— en *disposer* soit matériellement (destruction, par exemple), soit juridiquement (aliénation, constitution d'une hypothèque, etc.) [*« abusus »*].

Limites du droit de propriété

213. Les limites du droit de propriété tiennent, d'une part, aux *limites de la chose* sur laquelle porte ce droit et, d'autre part, à l'existence de *restrictions aux prérogatives du propriétaire.*

Limites de la chose objet du droit de propriété

214. Le droit de propriété s'applique à la chose telle qu'elle est délimitée, mais aussi à ce qui s'y unit ou s'y incorpore.

1° *Les limites de la chose.*

215. Si le problème ne se pose pas pour les meubles, il est très important pour les immeubles :

— Les *limites horizontales* sont fixées par des opérations dites de *bornage* ou par des *clôtures* (obligatoires dans les « villes ou faubourgs »). Ces clôtures peuvent appartenir à un seul propriétaire ou aux deux propriétaires voisins (clôture mitoyenne). Le lit des rivières non domaniales appartient au propriétaire du fonds ou aux propriétaires riverains par moitié ;

— Les *limites verticales :* La propriété du sol emporte la propriété du dessus et du dessous. La *propriété* du *dessus* implique donc celle des eaux pluviales tombant sur le fonds ainsi que celle des lacs et étangs d'eau douce le recouvrant et des sources y jaillissant, avec certaines restrictions quant à leur utilisation.

Le droit de propriété permet, en outre, de s'*opposer à tout empiètement* sur l'espace dominant le sol (par exemple les branches des arbres mais aussi toute construction qui devra alors être démolie) ; toutefois, il ne permet pas de faire obstacle au passage des avions (Loi du 31 mars 1924).

Il se complète par la *propriété du dessous* permettant de faire obstacle aux empiètements souterrains (racines des végétaux par exemple) et de faire toutes les fouilles et en tirer tous les produits à l'exception des substances minières dont les droits de recherche et d'exploitation sont accordés par l'État à un opérateur minier de son choix ; le propriétaire dépossédé d'une partie de son sous-sol touche en contrepartie une « redevance tréfoncière ».

2° *L'accession.*

216. Le propriétaire d'un terrain devient propriétaire de ce qui s'y unit ou s'y incorpore (l'*accession immobilière*), que ce soit par l'action naturelle des cours d'eaux ou par le travail de l'homme : constructions et plantations.

Si quelqu'un *construit ou plante sur son terrain avec les matériaux d'autrui*, il en devient propriétaire ; le propriétaire des matériaux ou des plants utilisés n'a pas le droit de les enlever et n'obtient que leur valeur estimée à la date du paiement outre, éventuellement, des dommages-intérêts.

Si quelqu'un *construit ou plante sur le terrain d'autrui*, c'est le propriétaire du terrain qui devient, par accession, propriétaire des constructions et des plantations, mais deux cas doivent être distingués :

— le constructeur est de bonne foi (au moment des travaux, il avait un titre de propriété dont il ignorait le vice, Civ. 3e, 29 mars 2000 : Bull. III n° 75) ; dans ce cas il ne peut être contraint à supprimer les constructions ou plantations et le propriétaire du sol doit lui rembourser le coût réel des travaux ou la plus-value acquise par le fonds, l'estimation étant faite à la date du remboursement, le choix appartenant au seul propriétaire (Civ. 3e, 24 octobre 1990 : Bull. III n° 204) ;

— le constructeur est de mauvaise foi ; le propriétaire du sol peut, alors, soit faire démolir l'ouvrage aux frais du constructeur, soit conserver la construction ou les plantations en versant une indemnité déterminée, théoriquement, comme précédemment.

> En fait, le propriétaire du sol, menaçant d'obliger à démolir, versera souvent une indemnité inférieure.

Remarque : Il *ne faut pas confondre l'accession,* c'est-à-dire la construction ou plantation entièrement chez autrui, *avec l'empiétement.* Dans ce dernier cas, aussi minime que soit le débordement sur la propriété d'autrui, il y a obligation de démolir ce qui dépasse (Civ. 3e, 17 avril 1996 : RJDA 7/96 n° 962, s'agissant d'un empiétement de 16 à 22 millimètres), même en cas de bonne foi (Civ. 3ᵉ, 29 février 1984 : JCP 1984 IV 147) et si la solution de bon sens eût été d'accorder des dommages-intérêts (Civ. 3ᵉ, 20 janvier 1988 : JCP 1988 IV 115).

Figure I-13

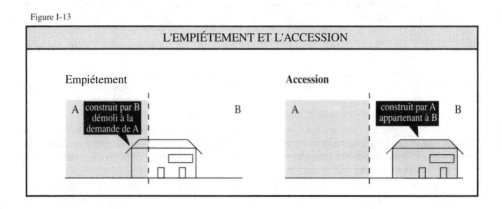

Restrictions aux prérogatives du propriétaire

1° Restrictions légales.

217. Conformément à l'article 34 de la Constitution, seul le législateur peut porter atteinte aux prérogatives du propriétaire ; toutefois, il ne peut le faire que pour un motif d'intérêt général et dans une mesure proportionnée au but à atteindre, le droit de propriété ayant valeur constitutionnelle (jurisprudence constante du Conseil constitutionnel depuis une décision du 16 janvier 1982 : AJDA 1982 p. 202 et 209, note Rivero).

De telles restrictions sont nombreuses ; citons, notamment :
— les nationalisations ;
— les expropriations pour cause d'utilité publique ;

> En cas d'expropriation pour cause d'utilité publique, le propriétaire doit recevoir une indemnisation qui ne peut pas être symbolique et doit obligatoirement être fixée en espèces (Civ. 3ᵉ, 15 mai 1991 : Bull. III n° 142 p. 83).
> En outre, le transfert de propriété, non demandé par le propriétaire, ne peut intervenir qu'à la suite d'une procédure régulière d'expropriation (Ass. plén. 6 janvier 1994 : Bull. n°1).

— les réquisitions ;
— la réorganisation foncière, ayant pour objet d'améliorer à l'intérieur d'un périmètre déterminé la structure des fonds agricoles et forestiers par voie d'échange de parcelles et de mettre en valeur les terres incultes ou manifestement sous-exploitées ;
— l'aménagement, la protection et la mise en valeur du littoral ;
— les servitudes ;
— les droits de **préemption** accordant à certaines personnes le pouvoir de se substituer à l'acquéreur de certains objets contre le gré tant de l'acheteur que, éventuellement, du vendeur.

> Bénéficient d'un droit de préemption, notamment :
> — l'État sur les œuvres d'art définies par l'article 61 du décret 2001-650 du 19 juillet 2001 ;
> — la Bibliothèque nationale sur tout document d'archives privées mis en vente publique ;
> — l'administration des impôts pour un prix majoré de 10 % sur les immeubles, droits immobiliers, fonds de commerce ou clientèles, droit à un bail ou au bénéfice d'une

promesse de bail portant sur tout ou partie d'un immeuble, lorsqu'elle estime le prix de vente insuffisant (lutte contre la fraude réalisée par le biais du « dessous de table »). L'administration doit motiver sa décision et justifier son fondement en droit et en fait (Com. 16 juin 1987, plusieurs arrêts, Bull. IV n°s 148, 149, 151) ;
— les communes, dotées d'un plan d'occupation des sols, si elles ont institué un droit de préemption urbain ;
— le locataire d'un fonds rural sur ce bien ; de même les Safer (sociétés d'aménagement foncier et d'établissement rural) ont un droit de préemption leur permettant d'acquérir les terres agricoles à un prix fixé par le tribunal paritaire des baux ruraux en cas de désaccord, ce prix pouvant être inférieur à celui qui est proposé par un tiers ;
— le locataire d'un local à usage d'habitation sur son logement, sauf en cas de vente entre parents jusqu'au troisième degré inclus si l'acquéreur occupe le logement pendant deux ans ;
— le propriétaire d'un local où est exploité un fonds de commerce ou un fonds artisanal pour le droit au bail lorsque le locataire, prenant sa retraite, cède son bail pour l'exercice d'une activité différente.
On appelle « *délaissement* » la procédure permettant au propriétaire d'un terrain susceptible d'être préempté de requérir du bénéficiaire de la préemption, qu'il acquière son terrain.

Ajoutons qu'une abondante réglementation *limite le droit de construire* : directives territoriales d'aménagement (DTA), schémas de cohérence territoriale (SCT), plans locaux d'urbanisme (PLU), cartes communales.

En l'absence de plan local d'urbanisme ou de carte communale, la construction est interdite hors des parties déjà urbanisées, sauf exceptions.

2° *Restrictions conventionnelles.*

218. Les restrictions conventionnelles peuvent résulter notamment :
— d'une *clause d'inaliénabilité*, privant du droit de disposer de la chose ; cette stipulation n'est licite que si elle remplit trois conditions : répondre à un intérêt sérieux et légitime, être temporaire et être convenue à l'occasion du transfert d'un droit réel ;
— d'une *clause d'interdiction d'achat*, fréquente en matière d'actions (pacte d'actionnaires) ;
— d'une *clause de préemption*, usuelle entre associés en cas de cessions de parts sociales ;
— d'une clause créant une servitude.

3e *Restrictions jurisprudentielles :*

219. Les *restrictions jurisprudentielles* sont l'abus du droit de propriété et le trouble de voisinage. Il y a *abus du droit de propriété* chaque fois que le propriétaire exerce son droit sans intérêt sérieux ou en vue de nuire à autrui, ce qui constitue une faute génératrice de dommages-intérêts.

Il y a *trouble de voisinage* chaque fois qu'un propriétaire use de sa chose dans un intérêt sérieux mais avec une telle intensité que les voisins subissent un préjudice excédant les inconvénients normaux du voisinage (fumée, odeurs, bruits, trépidations, etc.). Cet exercice anormal du droit de propriété est lui aussi source de dommages-intérêts pour les voisins subissant un préjudice.

Lorsque le trouble de voisinage émane d'un immeuble donné en location, la victime de ce trouble peut en demander réparation au propriétaire qui dispose d'un recours contre son locataire lorsque les nuisances résultent d'un abus de jouissance ou d'un manquement aux obligations nées du bail (Civ. 2e, 8 juillet 1987 : Bull. II n° 150).

4° *Propriétés collectives.*

220. Plusieurs personnes, dites copropriétaires, peuvent être cotitulaires d'un droit de propriété ; les prérogatives de chacune sont alors nécessairement limitées par celles des autres. Le régime ordinaire de *copropriété* est l'indivision, mais il existe des règles spéciales pour des copropriétés organisées.

— L'*indivision* existe le plus souvent entre cohéritiers d'une même succession ou entre coacheteurs d'une même chose. Chaque copropriétaire (ou indivisaire) a une *quote-part du droit de propriété sur la chose entière* et non pas un droit de propriété sur une quote-part de la chose. Il faut donc l'accord de tous pour faire un acte de quelque importance. La loi a prévu que l'indivision doit être provisoire ; chacun peut demander le partage sauf prolongation judiciaire ou conventionnelle (les conventions d'indivision sont d'une durée maximum de cinq ans mais elles sont renouvelables).

— La *mitoyenneté* est une « indivision forcée » où les pouvoirs et les devoirs des copropriétaires, plus étendus qu'en droit commun de l'indivision, sont réglés par les articles 653 et suivants du Code civil.

> Si une personne prend l'initiative de faire bâtir un mur sans avoir obtenu l'accord du propriétaire de la parcelle limitrophe, cette construction n'est pas mitoyenne et demeure privative.

— La *copropriété des immeubles bâtis, divisés par étages ou par appartements,* est réglementée par la loi 65-577 du 10 juillet 1965 modifiée. Chaque copropriétaire est le seul propriétaire d'une « partie privative » (l'appartement, c'est-à-dire un cube d'air, les portes, cloisons...). Mais les éléments essentiels de l'immeuble, dits « parties communes », sont indivis (terrain, gros œuvre, escaliers, couloirs, toiture, etc.).

Cette indivision est organisée par la loi : les copropriétaires sont obligatoirement groupés en un « *syndicat* », doté de la personnalité morale et chargé d'administrer les parties communes. Les décisions prises lors de l'assemblée générale annuelle sont exécutées par un syndic ; un conseil syndical assiste le syndic et contrôle sa gestion.

> La *multipropriété* (« time-share ») *n'est pas une copropriété.* C'est un procédé commercial dont la finalité est de multiplier les « droits de séjour », reposant sur diverses techniques contractuelles conférant un droit de jouissance périodique (« à temps partagé ») sur un immeuble à usage d'habitation.

— Les *fonds communs de placement*, dénués de personnalité morale, sont des copropriétés de valeurs mobilières dont les parts sont émises et rachetées, à la demande des porteurs, à la valeur liquidative majorée ou diminuée, selon les cas, de frais et commissions.

> Ces parts sont des valeurs mobilières pouvant faire l'objet d'une admission à la cotation par le Conseil des marchés financiers.
> Les *fonds communs de placement à risques* sont ceux dont l'actif est constitué, pour 40 % au moins, de valeurs mobilières n'étant pas admises à la négociation sur un marché réglementé français ou étranger, ou de parts de SARL. Les porteurs de parts ne peuvent demander le rachat de celles-ci avant l'expiration d'une période qui ne peut excéder dix ans.

— Les *fonds communs de créances,* dépourvus de personnalité morale, sont des copropriétés ayant pour objet exclusif d'acquérir des créances ni douteuses, ni litigieuses, détenues par des établissements de crédit ou la Caisse des dépôts et consignations en vue d'émettre, en une seule fois, des parts représentatives de ces créances. Cette mise des créances sous forme de titres est dite « titrisation ».

> Ces parts sont des valeurs mobilières ; elles ne peuvent donner lieu, par leurs porteurs, à demande de rachat par le fonds.
> Après cette émission le fonds ne peut plus acquérir de nouvelles créances ; il doit être liquidé dans les six mois suivant l'extinction de la dernière créance.

B — POSSESSION

221. *Posséder est se comporter comme le titulaire d'un droit que l'on n'a pas.* La possession suppose donc :
— un élément matériel *(« le corpus »)*, le fait d'exercer sur la chose les prérogatives du propriétaire (s'en servir par exemple),
— un élément intentionnel (l'*« animus domini »*), l'intention d'agir comme un propriétaire.

> Sont dits *« détenteurs »* ceux qui ont le « corpus » sans l'« animus » car ils tiennent un bien en vertu d'un contrat impliquant sa remise par le véritable propriétaire (dépôt, bail, mandat ou prêt).

221-1. La possession ne produit d'effets — elle est dite alors *« utile »* – qu'à la condition d'être exempte de quatre vices :
— la *discontinuité*, consistant à exercer sur la chose un pouvoir par trop épisodique ;
— l'*équivoque*, les actes du possesseur ne révélant pas son intention de se comporter en propriétaire, sans ambiguïté, dans des circonstances n'étant pas de nature à faire douter de sa qualité ;
— la *violence* pour entrer en possession ;
— la *clandestinité*, la possession ne se manifestant pas par des actes apparents.
La discontinuité et l'équivoque sont des vices absolus, ils privent la possession d'effet à l'égard de tous ; la violence et la clandestinité sont des vices relatifs, ne pouvant être invoqués que par leurs victimes.

Effets communs à toutes les possessions utiles

Présomption de propriété

222. Le possesseur étant apparemment titulaire du droit de propriété, toute personne revendiquant la propriété d'un bien *(action* dite *« pétitoire »)* doit faire la preuve de son droit, c'est-à-dire démontrer qu'elle tient ce bien de quelqu'un qui était lui-même propriétaire (preuve souvent difficile).
Si le demandeur ne peut aboutir dans sa demande, faute de preuve, le possesseur reste en possession du bien, non pas parce qu'il en est le propriétaire, mais parce que l'on n'a pas pu démontrer qu'il ne l'est pas.

Prescription acquisitive

222-1. Le possesseur acquiert la propriété d'autrui après un certain délai (prescription) : 30 ans quand il est de mauvaise foi (il sait qu'il n'est pas le propriétaire), immédiatement (meubles) ou au bout de 10 ou 20 ans s'il est de bonne foi et a un juste titre (immeubles) (voir n°s 225 et 225-1).

Actions possessoires

222-2. Trois actions sont accordées au possesseur d'un immeuble pour défendre sa possession :

— La *complainte* et la *dénonciation de nouvel œuvre* protègent le possesseur, ayant cette qualité depuis un an au moins, contre les troubles (complainte) ou les menaces de trouble (dénonciation de nouvel œuvre) ; elles peuvent être utilisées par un possesseur, par exemple, contre un voisin entreprenant de bâtir une maison malgré une servitude de vue le lui interdisant, ou passant régulièrement, sans autorisation, sur son fonds.

— L'*action en réintégration* (dite aussi « réintégrande ») permet au possesseur de se faire rétablir dans la possession qui lui a été enlevée par violence ; elle serait utile, par exemple, à une personne dont le voisin aurait usurpé une partie de sa parcelle de terre.

Ces actions doivent être exercées dans l'année qui suit le trouble.

Effets particuliers de la possession utile et de bonne foi

223. Le possesseur de bonne foi est celui qui croit être le véritable titulaire du droit de propriété ; la bonne foi étant toujours présumée, il ne faut pas que le possesseur connaisse le droit d'autrui.

Selon l'article 550 du Code civil, la bonne foi doit s'appuyer sur un titre, c'est-à-dire un acte juridique — manifestation de volontés émise en vue de produire des effets juridiques, par exemple un contrat — qui, en raison d'un vice quelconque, n'a pu transférer à son détenteur la propriété du bien auquel il se rapporte.

Acquisition des fruits

224. Le possesseur de bonne foi, évincé par le véritable propriétaire, a le droit de conserver les fruits de la chose qu'il a effectivement perçus.

Par exception, le possesseur de bonne foi n'est pas redevable des dégradations de la chose (il ne savait pas qu'il serait peut-être amené à restituer).

Remarque : Le propriétaire doit indemniser le possesseur, qu'il soit de bonne ou de mauvaise foi, des frais exposés pour la conservation de la chose *(impenses nécessaires),* par exemple la réparation d'une toiture. Les dépenses qui, sans être indispensables, ont procuré une plus-value à l'objet *(impenses utiles)* sont remboursées jusqu'à concurrence de cette plus-value, appréciée au moment de la revendication (par exemple l'installation du chauffage central).

Les dépenses d'agrément *(impenses somptuaires ou voluptuaires)* ne sont pas remboursables.

Acquisition de la propriété mobilière (Code civil art. 2279)

225. La possession de bonne foi d'un meuble permet au possesseur de se prévaloir immédiatement d'un droit de propriété sur ce meuble si :
— elle est *actuelle* et *effective* (manifestée concrètement) ;
— elle porte sur un *meuble corporel* – c'est-à-dire ayant une existence tangible – *isolé et individualisé*.

Toutefois, les *navires, bateaux et aéronefs* soumis à immatriculation sont censés, aux yeux des tiers, appartenir non pas à celui qui les possède matériellement, mais à celui au nom duquel ils sont inscrits.

> Cette exception ne s'applique pas aux automobiles dont l'immatriculation est purement administrative.

Par exception, le propriétaire qui a perdu un meuble ou à qui il a été volé peut le revendiquer à un possesseur de bonne foi, pendant un délai de 3 ans à compter de la *perte* ou du *vol*. Toutefois, si le possesseur actuel de la chose volée ou perdue l'a achetée dans une foire ou sur un marché, ou dans une vente publique, ou chez un marchand vendant des choses pareilles, le propriétaire originaire ne peut se la faire rendre qu'en remboursant au possesseur le prix qu'elle lui a coûté.

Acquisition de la propriété immobilière (l'usucapion) (Code civil art. 2265)

225-1. La possession de bonne foi d'un immeuble rend le possesseur propriétaire au bout de *dix* ou de *vingt* ans : dix ans, si le véritable propriétaire habite dans le ressort de la cour d'appel dans l'étendue de laquelle l'immeuble est situé ; vingt ans, s'il est domicilié hors dudit ressort.

> Si le véritable propriétaire a eu son domicile, à différentes époques, dans le ressort et hors du ressort de la cour, voir l'article 2266 du Code civil.

Il faut, cependant, que le possesseur ait un *juste titre*, c'est-à-dire un acte juridique de transfert de propriété consenti par une personne qui n'est pas le véritable propriétaire (Civ. 3e, 13 décembre 2000 : Bull. III n° 192).

Remarque : La nécessité du juste titre est une condition distincte de la bonne foi ; il ne faut donc pas confondre ce titre avec celui qui est visé supra n° 223. En effet, certains titres (nuls de nullité absolue — voir nos 569 et s. — ou revêtus d'une fausse signature) qui n'auraient pu réaliser un transfert de propriété ou qui n'ont pas d'effet translatif (un partage par exemple) prouvent la bonne foi du possesseur mais ne sauraient être qualifiés de « juste titre ».

Le délai de dix ou de vingt ans ne court qu'à compter du jour où la possession a effectivement débuté et où le juste titre a acquis date certaine.

L'usucapion rétroagit à la date où la possession a commencé à courir.

Figure I-14

LA PRESCRIPTION ACQUISITIVE					
Nature du bien	Possession utile	Bonne foi	Mauvaise foi	Juste titre	Acquisition de la propriété
Immeuble					Jamais
	●		●		30 ans
	●	●			30 ans
	●	●		●	10 ou 20 ans
Meuble					Jamais
	●	●			Immédiat (1)
	●		●		30 ans
(1) Possibilité de revendication de la propriété par le propriétaire originaire pendant trois ans en cas de perte ou de vol					

C — ACQUISITION ET PERTE DU DROIT DE PROPRIÉTÉ

226. Les modes d'acquisition du droit de propriété sont très variés :
— l'*occupation* (voir n° 187) ;
— l'*accession* (voir n° 216) ;
— la *prescription acquisitive* (voir n°s 222-1, 225 et 225-1) ;
— la *succession ab intestat* (sans testament, la dévolution de la succession étant réglée alors par la loi, voir n° 276) ;
— un *testament* (acte juridique unilatéral par lequel une personne organise la dévolution de ses biens pour après sa mort, voir n° 276) ;
— un *contrat* à titre gratuit (donation) ou à titre onéreux (vente, apport en société, location-accession, etc.).

> La faculté de *réméré* est un acte par lequel le vendeur se réserve de reprendre la chose vendue moyennant la restitution du prix principal, des frais de la vente et des impenses nécessaires et utiles. La vente à réméré ne peut pas être conclue pour un délai de plus de cinq ans.
> Est appelé *fiducie* le contrat par lequel une personne, dite « fiduciant », transfère à une autre personne, dite « fiduciaire », la propriété d'un bien à charge de retransférer ce bien, après un certain délai, soit au fiduciant, soit à un tiers ; cette technique est utilisée pour gérer des biens ou pour constituer une sûreté.

226-1. Le droit de propriété est *perpétuel*. Il ne se perd pas par le non-usage, sous réserve de la prescription acquisitive d'un tiers. Il ne s'éteint que par la disparition de la chose ou par abandon (renonciation du propriétaire à son droit).

II.   Démembrements de la propriété

227. Les démembrements de la propriété ne confèrent à leurs titulaires que certains des attributs du droit de propriété. Nous ne pourrons que les citer :

1° L'*usufruit* est le droit réel qu'a une personne, dite *usufruitier,* de jouir (« usus » et « fructus ») d'une chose dont l'« abusus » appartient à une autre personne, dite *nu-propriétaire*.

L'usufruit peut être d'origine légale (conjoint survivant par exemple) ou avoir été établi par contrat ou testament. C'est un *droit temporaire* limité à trente ans pour les personnes morales et s'éteignant avec le décès de l'usufruitier personne physique *(droit viager)*, à moins d'être stipulé pour une durée plus brève. À l'expiration de l'usufruit, le nu-propriétaire retrouve l'« usus » et le « fructus » de la chose.

L'usufruitier n'a droit qu'aux fruits (revenus périodiques) et pas aux produits (revenus exceptionnels). Il doit jouir de la chose « en bon père de famille », à peine de déchéance pour « abus de jouissance » ; il doit assurer les réparations d'entretien, mais non pas les grosses réparations.

2° Le *droit d'usage* est un diminutif de l'usufruit, l'intéressé ayant l'« usus » et le « fructus » de la chose, mais uniquement dans la mesure de ses besoins et de ceux de sa famille.

3° Le *droit d'habitation*, encore plus restreint, est le droit d'habiter une construction sans pouvoir la donner en location.

4° L'*emphytéose* est un droit de jouissance sur un immeuble conféré à une personne pour une longue durée (18 à 99 ans) et moyennant une faible redevance, par un contrat de bail ; à la différence du bail normal qui est un droit personnel, le bail emphytéotique est un droit réel. Il sert essentiellement à aménager des zones à urbaniser ou à restaurer des monuments. On peut rapprocher de l'emphytéose *le bail à construction* (loi 64-1247 du 16 décembre 1964).

5° La *servitude* est une charge qui *pèse sur un immeuble* – et non pas sur le propriétaire de cet immeuble –, dit *fonds servant,* « pour l'usage et l'utilité » d'un autre immeuble dit *fonds dominant*. La servitude ne peut exister que si les deux immeubles appartiennent à des propriétaires différents et elle subsiste quels que soient les changements de propriétaires. La servitude est donc l'accessoire inséparable de la propriété du fonds dominant, par exemple la servitude de passage en cas d'enclave, la servitude relative aux distances des plantations, etc.

6° Le *droit de superficie* ne donne un droit réel que sur la surface du sol et les constructions et plantations mais non pas sur le sous-sol, appartenant à un *tréfoncier*. Le droit de superficie peut même être limité aux constructions et plantations.

Section 3
Garanties sur immeubles et meubles

228. Le paiement des créances peut être garanti par des droits permettant à leurs titulaires d'être payés par priorité. Ces droits sont dits « réels » car ils portent sur une chose, et « accessoires » car ils sont adjoints à un droit de créance pour le renforcer.

Le créancier titulaire d'une telle garantie, dite « **sûreté réelle** » est dans une situation bien préférable à celle du créancier chirographaire car il a, sur un immeuble ou un meuble, un droit de préférence et, parfois, un droit de suite.

> On oppose aux « sûretés réelles » les « sûretés personnelles » — la dette étant alors garantie par une caution — qui ne sont pas des droits réels, mais des droits de créance.

I.   Garanties sur immeubles

A — HYPOTHÈQUE

230. L'*hypothèque* est une sûreté portant sur un ou plusieurs immeubles déterminés du débiteur. Le propriétaire reste en possession de l'immeuble et peut l'aliéner, le créancier hypothécaire étant protégé par son droit de suite et son droit de préférence.

Cette garantie a été rendue possible par un système de publication des droits réels immobiliers (la **publicité foncière**). Tout créancier doit pouvoir savoir si un éventuel emprunteur est propriétaire d'un immeuble et si ce bien n'est pas déjà grevé d'hypothèques. De même l'acquéreur éventuel d'un immeuble, exposé à un droit de suite, doit savoir si l'immeuble est ou non hypothéqué.

> Cette publicité se fait au fichier immobilier tenu par la *conservation des hypothèques* (administration dépendant du ministère chargé de l'économie) dans le ressort duquel est situé l'immeuble. Doivent y être publiés notamment :
> — les droits réels immobiliers, certains actes les affectant (règlements de copropriété, clauses d'inaliénabilité par exemple) et certains droits personnels (contrats de location-accession ou de crédit-bail, ou de bail d'une durée supérieure à douze ans par exemple) ;
> — les actes juridiques les constituant ou les transférant : vente, contrat d'hypothèque, testament, etc. ;
> — les faits juridiques faisant naître ou affectant ces droits, telle la transmission successorale ;
> — certains actes de procédure, tel un commandement de saisie immobilière ;
> — certaines demandes en justice telles que l'action en annulation ou en résolution d'une vente.
>
> Les actes à publier doivent être authentiques.

Un acte non publié est *inopposable* à ceux qui ont acquis du même auteur un droit concurrent qui, lui, a été publié.

Il existe des régimes particuliers notamment pour les donations.

Ainsi, au cas où une personne vendrait successivement le même immeuble à deux acquéreurs différents, sera réputé propriétaire le premier à avoir publié l'acte.

Mais l'acquisition d'un immeuble, en connaissance de sa précédente cession à un tiers, constitue une faute ne permettant pas au second acquéreur d'invoquer à son profit les règles de la publicité foncière (Civ. 3e, 20 mars 1979 : Bull. III n° 71).

Il peut y avoir sur un même immeuble plusieurs hypothèques (hypothèques de 1er, 2e, ne rang), la préférence étant accordée selon l'ordre chronologique des publications.

Toutefois, lorsque le droit créé trouve sa source dans la loi elle-même, il est opposable à tous même lorsqu'il n'a pas été publié à la conservation des hypothèques (Civ. 3e, 16 décembre 1998 : Bull. III n° 253).

B — ANTICHRÈSE

230-1. L'antichrèse est un contrat par lequel un créancier se fait remettre par son débiteur, en garantie de sa créance, la possession d'un immeuble.

Le créancier perçoit les fruits et revenus de l'immeuble et les impute annuellement sur les intérêts et le capital de la dette jusqu'à son règlement.

C — PRIVILÈGES IMMOBILIERS

231. Il en existe deux catégories :

1° Les *privilèges généraux* donnent un droit de préférence sur tous les biens (d'abord les meubles puis les immeubles) du débiteur même s'ils sont hypothéqués. Il n'y a droit de suite que si ces privilèges sont publiés (rare). Ils garantissent le paiement des *frais de justice*, des *salaires* et des trois dernières années de *droits d'auteur*.

2° Les *privilèges spéciaux* (privilège du vendeur d'immeubles, du prêteur de deniers pour l'acquisition d'un immeuble, etc.) portent sur certains immeubles déterminés. À condition d'être publiés, ils procurent un droit de suite et un droit de préférence, primant même les hypothèques.

II. Garanties sur meubles

232. Les meubles sont, par essence, déplaçables ; faute de trouver un point d'ancrage pour pouvoir publier les droits réels mobiliers, le débiteur doit donc, en principe, être dépossédé du meuble sur lequel porte le droit réel accessoire, sinon il présenterait une apparence trompeuse de solvabilité et la garantie du créancier risquerait fort d'être totalement illusoire.

Cependant, dans certaines hypothèses exceptionnelles, il est possible de donner aux créanciers un droit réel efficace sur un meuble sans être obligé d'en déposséder le débiteur (certains contrats et les privilèges mobiliers).

A — GARANTIE AVEC DÉPOSSESSION : LE GAGE
(Code civil art. 2073 et s.)

233. Le *gage,* dit aussi nantissement mobilier, *est un contrat par lequel une personne remet, en garantie d'une dette, un meuble à un créancier.*

> **Précisions.**
> Le mot « gage » désigne, indifféremment, tant la chose remise que le droit réel accessoire lui-même.
>
> Le gage du vendeur à crédit d'un *véhicule automobile* n'est pas d'origine conventionnelle. La loi a prévu qu'il existe automatiquement si la vente ou le prêt sont constatés par écrit et ce gage est publié sur un registre spécial tenu par la préfecture délivrant la carte grise. Ce gage attribue un droit de préférence mais l'existence d'un droit de suite est très discutée.

Le gage suppose donc la dépossession du débiteur et doit, sauf s'il est commercial, être constaté dans un acte authentique ou sous seing privé ayant acquis date certaine.

Si le créancier gagiste n'est pas payé, il peut :

— soit exercer son droit de rétention (n° 237) ;

— soit se faire attribuer en paiement l'objet du gage par un tribunal ;

> La *clause,* dite *« pacte commissoire »,* aux termes de laquelle le créancier gagiste deviendrait de plein droit (automatiquement) propriétaire du meuble faute de paiement est nulle, sauf si le gage porte sur des espèces (Com. 9 avril 1996 : RJDA 8-9/96 n° 1096), ou si cette stipulation a été convenue postérieurement au contrat de gage, le débiteur ne subissant plus la pression du créancier.

— soit demander au tribunal la vente aux enchères du meuble et se payer par préférence sur le prix ; toutefois, le créancier s'expose, alors, à être primé par les privilèges pour lesquels la loi fixe un rang préférable, notamment : le superprivilège des salariés (les soixante derniers jours de travail ou les quatre-vingt-dix derniers jours pour les VRP), les privilèges du Trésor public et les privilèges de la sécurité sociale.

> La *clause,* dite *« de voie parée »,* autorisant une vente à l'amiable est nulle, sauf si elle a été convenue après le contrat de gage, le débiteur ne subissant plus la pression du créancier. Si le gage est commercial, il est possible, huit jours après signification faite au débiteur, de vendre la chose gagée aux enchères.

Remarque : L'attribution judiciaire est pour le créancier une simple faculté et il ne saurait lui être reproché de préférer la mise en vente du bien avec exercice de son droit de préférence, au risque d'être primé par certains créanciers d'un rang préférable au sien (Com. 3 novembre 1983 : JCP 1984 II 20 234, note J. Mestre).

Le créancier gagiste n'a pas de droit de suite ; toutefois, cela ne lui est pas préjudiciable puisqu'il détient la chose et peut la retenir (droit de rétention).

B — GARANTIES SANS DÉPOSSESSION

234. Les garanties sans dépossession sont :

1° Les *hypothèques mobilières sur des instruments de navigation :* les navires (hypothèque maritime), les bateaux de navigation intérieure (hypothèque fluviale) et les aéronefs (avions) (hypothèque aérienne).

2° Les gages ou nantissements sans dépossession, dont le régime s'apparente tantôt à l'hypothèque, tantôt au gage :
— le nantissement du *fonds de commerce* ou du *fonds artisanal* emportant droit de suite et de préférence, mais sans possibilité d'attribution judiciaire ;
— le nantissement de l'*outillage et du matériel d'exploitation* emportant droit de préférence (et droit de suite s'il existe sur le matériel une plaque indiquant la sûreté), avec possibilité d'attribution judiciaire.
— le nantissement des *films cinématographiques* ;
— le nantissement du *droit d'exploitation des logiciels* ;

3° Les *warrants* sans dépossession : warrant agricole, warrant hôtelier, warrant pétrolier…

4° Les privilèges mobiliers qui, à la différence des privilèges immobiliers, ne sont pas, en principe, publiés ; ils sont très nombreux :
— les *privilèges généraux* grèvent tous les meubles du débiteur ; ils sont énumérés et classés par l'*article 2101 du Code civil* et quelques lois spéciales. Tel est le cas, notamment, des créances de frais de justice, des salaires, des créances de l'Urssaf ou du Trésor public. Mais les privilèges généraux sont, à quelques exceptions près, primés par les privilèges spéciaux ;
— les *privilèges spéciaux* ne portent que sur certains meubles du débiteur, définis par la loi qui les crée. Tel est le cas du privilège du vendeur de meubles (portant sur la chose vendue si elle est encore en possession de l'acheteur et non transformée), du privilège du bailleur d'immeuble, du privilège pour frais de conservation, etc.

> Le vendeur de meubles voit sa sûreté renforcée par une action en revendication dont le régime déjà strict — elle ne s'applique qu'à une vente au comptant ; le meuble vendu doit être encore en possession de l'acheteur sans être transformé et l'action doit être intentée dans les huit jours de la livraison — est encore plus rigoureux lorsque l'acheteur est en cessation des paiements.

Section 4
Droit de rétention

237. *Le droit de rétention permet à un créancier, détenant un bien corporel de son débiteur et qu'il est tenu de restituer, de refuser de s'en dessaisir jusqu'au paiement de sa créance.*

Le droit de rétention n'emporte ni droit de suite (si le créancier se dessaisit de la chose, cette sûreté disparaît) ni droit de préférence ; mais c'est un droit réel opposable à tous et même aux tiers non tenus de la dette (Civ. 1re, 7 janvier 1992 : RJDA 5/92 n° 499).

Ce droit est l'accessoire de presque tous les nantissements.

> Ne bénéficient pas d'un droit de rétention :
> — le nantissement de fonds de commerce ou de fonds artisanal ;
> — le nantissement d'outillage ;
> — le nantissement de créances de marchés publics.
>
> Le droit de rétention est opposable même au vendeur de marchandises soumises à réserve de propriété (Com. 3 octobre 1989 : BRDA 1989/24 p. 22).

Il existe, plus généralement, dès que trois conditions sont réunies :

— *une créance certaine* (indiscutée), *liquide* (dont le montant est fixé avec précision) et *exigible* ;

— *la détention* par le créancier d'un bien corporel et aliénable du débiteur ;

— une *connexité* entre la créance et la détention. Cette connexité peut être *juridique* (ou subjective), un contrat ayant rendu le rétenteur créancier du propriétaire du bien ; elle peut aussi, sous certaines réserves, n'être que *matérielle* (ou objective), la créance étant née à l'occasion de la chose (par exemple le droit de rétention du séquestre ayant fait des frais pour conserver la chose).

Mais le créancier titulaire d'un droit de rétention ne peut faire vendre lui-même le bien sous peine de perdre son droit ; il doit attendre d'être désintéressé par un autre créancier ou, s'il s'agit d'un créancier gagiste, demander l'attribution judiciaire.

> Aussi tout créancier devrait, dans la mesure du possible, n'accepter en nantissement que des biens d'une valeur supérieure au montant de sa créance afin que, s'il est amené à arguer de son droit de rétention, d'autres créanciers aient intérêt à le désintéresser.

Section 5
Droits de propriété sur les œuvres de l'esprit

238. Ces droits, dits intellectuels ou de clientèle, confèrent à leurs titulaires le droit exclusif d'exploiter ce qu'ils ont personnellement créé :

— soit *des œuvres originales :* la propriété littéraire et artistique (droits d'auteur, n° 648) ;

> Après la cession initiale d'une œuvre d'art plastique (tableau ou statue par exemple), son auteur peut opérer un prélèvement de 3 % sur le prix hors-taxe atteint par celle-ci lors de ses reventes aux enchères publiques successives (art. L 122-8 du Code de la propriété intellectuelle).
>
> Ce droit, dit « droit de suite », appartient à l'auteur et, après son décès, à ses héritiers pendant soixante-dix ans.

— soit des *inventions :* les brevets (n°s 653 et s.) ;

— soit *des signes distinctifs :* les marques (n°s 650 et s.), les dessins et modèles (n° 651), le nom commercial et l'enseigne (n° 654).

Dans certains cas se trouve adjoint un droit dit « moral », extrapatrimonial, de l'auteur sur son œuvre (voir n° 648).

Chapitre III

Le patrimoine

239. Dans le langage courant, le patrimoine désigne la richesse d'une personne, le montant de ses avoirs. Pour le droit, le *patrimoine est l'ensemble des droits et obligations d'une personne, ayant une valeur économique ou pécuniaire et étant dans le commerce juridique*. Le patrimoine, au sens juridique du terme, présente donc deux aspects très particuliers :

— il comporte un actif (les droits) et un passif (les obligations ou dettes) ; c'est donc une *universalité* dont ne sont exclus que les droits sans valeur pécuniaire, dits droits extrapatrimoniaux (droits familiaux et droits de la personnalité) ;

— il comprend non seulement les droits et obligations actuels mais encore ceux dont une personne deviendra titulaire dans l'avenir.

Le régime du patrimoine est caractérisé par les trois règles suivantes :

1° La *nécessité du patrimoine :* toute personne a, nécessairement, un patrimoine au sens juridique du terme. En effet, même si aujourd'hui elle ne possède rien (enfant venant de naître), elle a vocation à être, demain, titulaire de droits personnels ou réels. *Il n'y a donc pas transmissibilité entre vifs* (vivants) *d'un patrimoine*.

La transmission d'un patrimoine n'est possible qu'à cause de mort, l'ayant cause (l'héritier) étant censé continuer la personne du défunt.

2° *Il n'y a pas de patrimoine sans qu'une personne*, physique ou morale, *en soit titulaire*. Des biens ayant pour dénominateur commun un même but ne peuvent donc former, à eux seuls, une masse autonome ; *il n'y a pas*, en droit français, *de patrimoine d'affectation*. Par exemple, les créances et les dettes nées de l'exploitation d'un fonds de commerce ne sont pas celles du fonds mais celles du propriétaire du fonds. Il en est de même s'agissant des créances et des dettes nées de la marche d'une entreprise. Il y a donc, en droit, des entrepreneurs, personnes physiques ou morales, mais non pas des entreprises.

C'est pour cette raison que, lorsque l'on veut affecter une masse de biens à un but précis, on crée une personne morale à laquelle on apporte ces biens, par exemple une société unipersonnelle.

3° L'*unité du patrimoine :* chaque personne n'a normalement qu'un patrimoine qu'elle ne peut pas cloisonner, l'ensemble de l'actif répondant de l'ensemble du passif, ce qui a deux conséquences :

— un créancier chirographaire peut, pour se faire payer, saisir n'importe quel bien figurant dans le patrimoine de son débiteur ; par exemple le créancier du propriétaire d'un fonds de commerce peut saisir un élément du fonds ou, s'il préfère, n'importe quel autre bien de cet entrepreneur.

— le décès d'une personne entraîne la dévolution en bloc de son patrimoine à ses ayants cause, censés continuer la personne du défunt (dit leur « auteur »). Les héritiers recueillent donc tout le contenu du patrimoine, tant actif que passif, et sont tenus de payer les dettes excédant l'actif sur leurs biens personnels, sauf s'ils ont refusé la succession.

Ce principe d'unité du patrimoine comporte toutefois des dérogations : ainsi est-il possible de n'accepter une succession que sous bénéfice d'inventaire, l'héritier étant alors à la tête de deux patrimoines, le sien et celui du défunt, dont il ne recevra que l'éventuel bonus. De même, au cas où la succession est bénéficiaire mais l'héritier insolvable, les créanciers du défunt disposent du bénéfice de la « séparation des patrimoines », c'est-à-dire qu'ils peuvent demander à être payés sur l'actif de la succession par préférence aux créanciers personnels de l'ayant cause.

> L'acceptation d'une succession sous bénéfice d'inventaire a toutefois un très grave inconvénient pratique : outre les frais qu'elle entraîne, les biens successoraux ne peuvent être cédés à l'amiable et doivent être vendus aux enchères (meubles) ou judiciairement (immeubles).

239-1. *Remarque.* Le droit français ne connaît pas le « trust », institution spécifique des droits anglo-saxons ; ce mécanisme permet à une ou plusieurs personnes (les « trustees ») de détenir des droits de toute nature sous réserve de ne les exercer qu'au bénéfice d'une ou plusieurs personnes (les bénéficiaires) ou dans un but autorisé par la loi, de telle manière que les avantages économiques découlant de ces droits profitent non aux « trustees » mais aux bénéficiaires (lesquels peuvent comprendre également un ou plusieurs trustees) ou encore à un autre objet du « trust ».

Sous-titre 3

L'acquisition, la transmission et l'extinction des droits

240. Les personnes juridiques (sous-titre 1) jouissent des droits disponibles (sous-titre 2), dont il faut examiner comment ils sont acquis (chapitre I), transmis (chapitre II) et s'éteignent (chapitre III).

Chapitre I

L'acquisition des droits

241. Les droits peuvent être acquis volontairement (les actes juridiques, section 1) ou résulter de comportements, voire des circonstances (les faits juridiques, section 2).

Section 1
Actes juridiques

242. Les actes juridiques sont des *manifestations de volonté émises en vue de produire des effets juridiques* (créer, modifier ou éteindre des droits), tel un contrat ou un testament.

Il existe deux catégories d'actes juridiques.

Les *actes juridiques unilatéraux* émanent d'une seule volonté, tels le testament, la mise en demeure, la confirmation, l'acceptation ou le refus d'une succession, etc.

Les *actes juridiques bilatéraux ou plurilatéraux* reposent sur l'accord de deux ou plusieurs volontés, tels les contrats ou les délibérations des assemblées générales des groupements de personnes.

> Il ne faut pas confondre le contrat unilatéral supposant l'accord de deux volontés et n'entraînant d'obligations à la charge que de l'un des contractants (par exemple la donation), avec l'acte juridique unilatéral fondé sur une seule volonté (par exemple le testament).

La plupart des actes produisent leurs effets du vivant de leur auteur *(actes entre vifs)* ; toutefois, certains ne sont faits qu'en considération du décès *(actes à cause de mort)*, par exemple l'assurance décès ou le testament.

Selon l'importance des conséquences juridiques recherchées, on distingue entre *actes conservatoires, actes d'administration* et *actes de disposition* (voir n° 145).

Certains actes procurent aux intéressés des avantages réciproques *(actes à titre onéreux)*, par exemple un contrat de vente. D'autres actes, en revanche, visent à donner à une personne un avantage sans contrepartie *(actes à titre gratuit ou libéralités)*, par exemple le testament ou la donation.

Nous étudierons les conditions de validité et les effets des actes juridiques aux n°s 549 et suivants, en abordant le plus important d'entre eux : le contrat.

Section 2
Faits juridiques et responsabilité civile délictuelle

243. *Les faits juridiques sont des événements* (par exemple une concurrence déloyale ou un accident de circulation) *auxquels la loi attache des effets juridiques qui n'ont pas été spécialement voulus par les intéressés.*

Ces faits peuvent être involontaires, tels la naissance, la majorité, la maladie, le décès, la force majeure (voir n° 272) ou l'écoulement du temps permettant de prescrire (voir n° 290) ; ils peuvent aussi être volontaires, par exemple une infraction au Code de la route ou un vol. Mais dans les deux cas, leurs effets juridiques n'ont pas été voulus.

Ils sont tellement variés qu'il est impossible de les énumérer tous, nous ne retiendrons ici que quelques exemples particulièrement importants : les faits générateurs de responsabilité civile, l'abus de droit, la bonne ou la mauvaise foi, la fraude, le comportement indigne, l'apparence, l'enrichissement injuste, l'urgence et la force majeure.

I.   Responsabilité civile

244. *Quiconque cause un dommage illicite* – il existe des dommages licites, par exemple la concurrence loyale et légale — *à autrui doit le réparer.* Ce dommage peut avoir pour origine :

1° Un *accident de circulation* où est impliqué un *véhicule terrestre à moteur,* entraînant l'application des règles décrites n° 260 ;

2° Un cas de *force majeure,* ou le fait d'un tiers ou une faute de la victime présentant les caractères de la force majeure ; il n'y a *pas* alors *de réparation possible* (on parle de « cause étrangère non imputable ») ;

3° Un simple *fait* (dit « quasi-délit » ou « délit civil ») entraînant une responsabilité dite délictuelle soumise aux règles exposées ci-après.

Remarques. 1° Il ne faut pas confondre ce délit civil avec le délit pénal qui est une faute prévue par un texte et pourvue d'une sanction pénale. Si le délit civil est en même temps une infraction pénale (blessures involontaires, escroquerie ou abus de confiance, par exemple), la victime peut, selon son choix, demander la réparation de son dommage devant une juridiction civile ou devant une juridiction répressive (cette action est dite, alors, *action civile*).

Lorsque le ministère public a exercé l'action publique, la partie lésée peut se constituer partie civile, par voie d'*intervention*, devant le juge d'instruction ou la juridiction de jugement.

Si le ministère public n'a pas intenté l'action publique, la partie lésée peut porter son action civile devant la juridiction répressive par voie d'action :
— une *citation directe* devant le tribunal de police ou le tribunal correctionnel, lorsque l'instruction n'est pas obligatoire et que l'auteur de l'infraction est connu (la victime devenant partie civile) ;
— une *plainte avec constitution de partie civile*, soit contre une personne dénommée, soit contre un inconnu.

Pour qu'une constitution de partie civile soit recevable, il est nécessaire que les circonstances sur lesquelles elle s'appuie permettent au juge d'admettre comme possibles l'existence du préjudice allégué et la relation directe de celui-ci avec une infraction à la loi pénale (Crim. 4 novembre 1991 : Bull. inf. C. cass. 1992 n° 122).

Lorsqu'il rend une ordonnance de non-lieu à l'issue d'une information ouverte sur constitution de partie civile, le juge d'instruction peut, sur réquisitions du procureur de la République, s'il considère que la constitution de partie civile a été abusive ou dilatoire, prononcer contre la partie civile une amende civile dont le montant ne peut excéder 15 000 € (Code de procédure pénale art. 177-2) ; il en est de même pour le tribunal correctionnel, saisi par une citation directe de la partie civile, en cas de relaxe (Code de procédure pénale art. 392-1).

La victime a 10 ans pour agir devant une *juridiction civile* ; en revanche, si elle porte son action devant les *juridictions pénales*, le délai varie selon la nature de l'infraction : 10 ans pour les crimes, 3 ans pour les délits, 1 an pour les contraventions.

La chose jugée au pénal s'impose au juge civil avec une autorité absolue. Il est ainsi également des motifs de la décision dès lors qu'ils sont le soutien nécessaire de cette décision (dispositif) (Com. 9 octobre 2001 : RJDA 2/02 n° 216). Si les deux juridictions sont saisies en même temps, les juges civils doivent surseoir à statuer en attendant la décision des juges pénaux (« le criminel tient le civil en l'état »). Toutefois, la déclaration par le juge répressif de l'absence de faute pénale non intentionnelle ne fait pas obstacle à ce que le juge civil retienne une faute civile d'imprudence ou de négligence (Civ. 1re, 30 janvier 2001 : Bull. I n° 19).

> La victime ne peut abandonner la voie civile, primitivement choisie, pour la voie pénale (règle « una via electa... »). En revanche, elle peut retirer sa constitution de partie civile devant le juge répressif afin de saisir le juge civil ; toutefois, dès que le juge pénal a statué au fond, elle ne peut abandonner la voie pénale pour la voie civile sans l'accord des autres parties.
>
> Même en cas de relaxe, la victime d'une infraction non intentionnelle peut obtenir réparation devant le tribunal correctionnel, si, avant la clôture des débats, elle demande, en application des règles de la responsabilité civile, réparation des dommages résultant des faits ayant fondé la poursuite.
>
> Pour aider les victimes d'infractions en leur facilitant la connaissance de leurs droits et de leurs possibilités d'indemnisation, se sont constituées des associations « d'aide aux victimes et d'information sur les problèmes pénaux » (Avipp) et des « bureaux municipaux d'aide aux victimes », bénéficiant de subventions de l'État.

2° Le dommage né de l'inexécution ou de la mauvaise exécution d'un contrat est réparé selon les règles exposées n°s 594 et s. Le créancier d'une obligation contractuelle ne peut se prévaloir contre le débiteur de cette obligation des règles de la responsabilité délictuelle et ce même s'il y a intérêt (Civ. 1re, 4 novembre 1992 : Bull. I n° 276).

> L'action qui peut être engagée pour manquement à des obligations contractuelles ne fait pas obstacle à l'action en responsabilité délictuelle engagée contre un tiers qui a contribué à la violation du contrat auquel il est étranger (Civ. 1re, 26 janvier 1999 : RJDA 4/99 n° 490).

A — LE DOMMAGE

245. Le dommage indemnisable peut être :

— *matériel :* toute atteinte à un bien ou à l'intégrité physique d'une personne, couvrant tant la perte subie (« damnum emergens ») que le manque à gagner (« lucrum cessens ») ;

> Une victime ne peut obtenir la réparation de la perte de ses rémunérations que si ces dernières sont licites ; les revenus non déclarés, provenant d'un travail dissimulé, n'ouvrent pas droit à indemnisation (Civ. 2e, 24 janvier 2002 : JCP 2002 IV 1368).

— *moral :* par exemple, une diffamation, la perte d'un être cher, la douleur due à des souffrances physiques, la privation de certains agréments (pratique d'un sport par exemple)... Ce préjudice est indemnisé par un « pretium doloris », littéralement « le prix de la douleur ».

Mais le dommage *doit être certain*, même s'il n'est que futur ; simplement éventuel, il ne serait pas réparable. Le dommage doit enfin être *direct* ; on ne répare pas des conséquences lointaines car elles pourraient être dues à autre chose.

> Par exemple, le préjudice subi par une SARL du fait du décès de son gérant des suites d'un accident de voiture (baisse du chiffre d'affaires et dépenses supplémentaires entraînées par le décès) ne résulte pas directement de l'accident et n'est pas indemnisable (Crim. 10 mai 1989 : BRDA 1989/17 p. 7).

Toutefois, les tribunaux admettent de réparer *la perte d'une chance* présentant un caractère direct et certain, chaque fois qu'est constatée la disparition de la probabilité d'un événement favorable, bien que, par définition, la réalisation d'une chance ne soit jamais certaine ; par exemple, une personne victime d'un accident ayant mis fin à l'évolution de sa carrière professionnelle sera indemnisée d'après ce qui aurait dû être l'évolution future de sa situation.

La réparation du préjudice peut être demandée par la victime elle-même ou par une personne subrogée dans ses droits, tels une caisse de sécurité sociale (pour les accidents du travail par exemple) ou un assureur (pour les assurances de dommages mais non pour les assurances de personnes où l'on cumule les indemnités).

Si la personne est décédée, ses héritiers recueillant son patrimoine peuvent réclamer la réparation du dommage au nom du défunt (action « successorale ») ; ils disposent, en outre, d'une action personnelle pour indemniser leur propre préjudice (dit « préjudice par ricochet »).

> Si un concubin a droit, aujourd'hui, à la réparation du préjudice personnel subi du fait du décès de son concubin, la seule qualité de maîtresse ne justifie pas l'octroi de dommages-intérêts ; ainsi le décès d'un homme passant la journée ou une partie de celle-ci chez une femme qui lui préparait de la nourriture et faisait parfois la lessive de ses vêtements, retournant chez une autre pour y passer la nuit, n'ouvre pas droit à la réparation du préjudice subi par les deux femmes, la double liaison étant trop précaire (Crim. 8 janvier 1985 : Bull. n° 12 p. 30).

B — LIEN DE CAUSALITÉ

246. Une personne provoque un accident de la circulation, la victime a le pied foulé ; elle est conduite à l'hôpital et décède au cours d'un examen de routine. Doit-on considérer que l'auteur de l'accident est responsable d'une foulure ou d'un décès ? Tel est le problème de la causalité.

Il faut rechercher ce qui a provoqué le dommage et ceci par rapport à toutes les circonstances qui l'ont conditionné mais ne sont que de simples coïncidences temporelles ou spatiales. En fait, *il faut déterminer quel est l'événement sans lequel le dommage ne se serait pas produit*.

Les tribunaux, pour résoudre ce problème, procèdent très empiriquement en recherchant l'antécédent qui, en suivant le cours des choses, est à l'origine du préjudice. Mais ils s'écartent, parfois, de cette ligne de conduite en retenant une faute moralement plus grave, même si elle n'est pas forcément déterminante.

Il faut que le dommage soit relié au fait dommageable par un rapport certain, c'est-à-dire nettement prouvé et direct.

> Par exemple, il y a un lien direct entre le crédit excessif consenti par une banque à une entreprise dont elle connaissait la situation irrémédiablement compromise et le préjudice subi par les créanciers, en cas de mise en redressement judiciaire de l'entreprise, pour défaut de paiement de leurs créances (Com. 26 mars 1996 : RJDA 7/96 n° 944). En revanche, il n'y a pas de lien direct entre la faute commise par un amant qui entretient des relations coupables avec une femme mariée au domicile conjugal de cette dernière et le suicide de celle-ci (Lyon, 13 novembre 1950 : D. 1951 II 99).
>
> De même, un ascenseur étant tombé en panne par suite de surcharge, le propriétaire de l'immeuble n'a pas été reconnu recevable à demander aux passagers identifiés l'indemnisation des frais de réparation ; en effet il n'avait pu démontrer ni le rôle causal joué par ces usagers ni l'existence d'une faute collective, les premiers passagers montés dans l'appareil n'ayant pas l'obligation d'en sortir, ni de s'opposer à la venue des autres, ni d'empêcher que la commande de départ fût actionnée (Civ. 2e, 18 novembre 1987 : Bull. II n° 237).

Si le juge retient plusieurs causes, il y a alors **partage de responsabilité,** les coresponsables étant tenus **in solidum** (c'est-à-dire avec solidarité sans représentation mutuelle des codébiteurs).

C — FAITS GÉNÉRATEURS DE RESPONSABILITÉ CIVILE

Une faute
(Code civil art. 1382 et 1383)

248. *La loi n'a pas défini la faute*, se contentant de parler de « tout fait quelconque de l'homme ». Il faut donc déterminer quels sont les « faits » constitutifs d'une faute.

249. Chacun doit s'abstenir de nuire à son prochain. Aussi une personne fait-elle une *faute par commission* en ne respectant pas une règle légale et, plus généralement, en ne se comportant pas comme l'aurait fait une personne raisonnable et prudente, placée dans les mêmes circonstances, autant dire… bien souvent.

> Une société commet une faute en envoyant des documents débutant par l'affirmation que le destinataire a gagné une somme importante alors qu'une lecture complète du document révélait que le destinataire était invité à participer à un tirage au sort qui n'avait pas encore eu lieu ; le préjudice du destinataire est constitué par la personnalisation des documents envoyés et la vaine croyance dans l'acquisition d'une somme importante (Civ. 2e, 28 juin 1995 : Bull. II n° 225).
>
> Une banque commet une faute par imprudence en envoyant un chéquier par courrier ordinaire ; elle doit donc indemniser une personne à qui a été remis un chèque établi sur une formule extraite de ce chéquier non parvenu à destination et ayant fait l'objet d'une opposition (Com. 28 février 1989 : Bull. IV n° 70).

Mais la faute peut, aussi, résulter d'un fait négatif (une abstention). Ainsi existe-t-il une *faute par abstention* en n'accomplissant pas ses obligations « légales » (non-assistance à personne en danger, par exemple) ou en ne prenant pas les précautions nécessaires pour éviter un dommage à autrui (pollution, par exemple).

La Cour de cassation considère que l'on doit supporter les conséquences de ses actes même si l'on n'en est pas conscient (enfant en bas âge ; pour l'aliéné, voir n° 151) (Ass. plén. 9 mai 1984, 5 arrêts : Bull. n°s 1 et s.).

Toutefois, l'on n'est pas responsable si, comme l'on dit, on ne pouvait agir autrement. Ainsi ne retiendra-t-on pas la responsabilité de celui qui a agi par suite d'un cas de force majeure (voir n° 272), en état de nécessité (voir n° 271) ou en état de légitime défense (Civ. 2e, 22 avril 1992 : Bull. II n° 127).

250. Lorsque la *victime a* elle-même *commis une faute*, ne présentant pas les caractères de la force majeure, ayant concouru à la production du dommage, les juges du fond peuvent prononcer un *partage de responsabilité* ; ils laissent alors à la victime la charge d'une partie du dommage qu'ils apprécient souverainement.

Une faute d'une personne dont on doit répondre
(Code civil art. 1384)

251. Chacun est responsable non seulement du dommage qu'il a causé par son propre fait, mais encore de celui qui est causé par le fait des personnes dont il doit répondre, par exemple ses enfants, ses apprentis, ses préposés (salariés), etc.

Remarque : Ces différentes responsabilités du fait d'autrui ne *sont* pas cumulatives mais *alternatives* (Crim. 2 oct. 1985 : Bull. n° 294).

Une faute d'un enfant

252. Les *père* et *mère* (ou celui des deux à qui a été attribuée l'autorité parentale) sont *responsables de plein droit* des dommages causés par un enfant mineur non émancipé résidant chez eux (Civ. 2e, 20 janvier 2000 : Bull. II n° 14). Cette présomption de responsabilité continue à peser sur les parents même lorsque le mineur est élève dans un établissement scolaire, voire placé en internat (Civ. 2e, 29 mars 2000 : Bull II n° 69). Les parents ne peuvent donc échapper à leur responsabilité qu'en apportant la preuve que les dommages sont dus à un cas de force majeure ou à la faute de la victime
(Civ. 2e, 9 mars 2000 : Bull. II n° 44).

> La jurisprudence semble donc s'acheminer vers une responsabilité de plein droit, du fait de leurs enfants mineurs, du ou des parents exerçant l'autorité parentale, sans autre condition.

Une faute d'un apprenti

253. L'apprentissage est une forme d'éducation alternée. Il a pour but de donner à des jeunes travailleurs ayant satisfait à l'obligation scolaire une formation générale, théorique et pratique, en vue de l'obtention d'une qualification professionnelle sanctionnée par un diplôme ou un titre à finalité professionnelle enregistré au répertoire national des certifications professionnelles.

> Le contrat d'apprentissage est un contrat de travail de type particulier par lequel un employeur s'engage, outre le versement d'un salaire, à assurer à un jeune travailleur une formation professionnelle méthodique et complète, dispensée pour partie en entreprise et pour partie en centre de formation d'apprentis. L'apprenti s'oblige, en retour, en vue de sa formation, à travailler pour cet employeur pendant la durée du contrat, et à suivre la formation dispensée.

L'employeur a l'obligation de surveiller l'apprenti ; il est donc responsable des fautes commises par ce dernier alors qu'il est — ou devrait être — sous sa surveillance, comme le sont les parents (supra).

Une faute d'un préposé (salarié)

254. L'**employeur** (le « commettant ») est responsable des **dommages causés** par ses salariés ou ses préposés occasionnels **dans les fonctions** auxquelles il les a employés.

> Un préposé occasionnel est une personne soumise exceptionnellement à une subordination juridique, c'est-à-dire à un devoir d'obéissance envers une autre personne ayant sur elle un pouvoir de commandement ; tel est le cas d'un artisan indépendant installant des appareils sous le contrôle et la surveillance du service après-vente d'un fournisseur, dans l'accomplissement des tâches ainsi confiées (Crim. 22 mars 1988 : Bull. n° 142).

> L'existence d'un lien de préposition n'implique pas nécessairement, chez le commettant, les connaissances techniques pour pouvoir donner des ordres avec compétence (Civ. 2ᵉ, 11 octobre 1989 : Bull II n° 175). En outre, il ne nécessite ni la durabilité du lien, ni l'existence d'une contrepartie financière (Crim. 14 juin 1990 : Bull. n° 245).

L'employeur répond de tous les dommages causés par son salarié lorsque ce dernier a trouvé dans son emploi l'occasion et les moyens de sa faute (Crim. 21 décembre 1976 : Bull. n° 376). Il n'est exonéré de sa responsabilité que si le préposé a agi hors des fonctions auxquelles il était employé, sans autorisation, et à des fins étrangères à ses attributions.

> Ont ainsi été reconnus responsables :
> — une compagnie d'assurances pour des détournements de fonds commis par l'un de ses inspecteurs (Ass. plén. 19 mai 1988 : Bull. n° 5) ;
> — une entreprise de nettoyage pour des préposés ayant, pendant le temps et à l'occasion de leur travail, occasionné des coups et blessures (Crim. 23 juin 1988 : Bull. n° 289, arrêt n° 3) ou commis un vol (Civ. 2ᵉ, 22 mai 1995 : Bull. II n° 154) ;
> — un comptable agréé pour les faux commis par son salarié (Crim. 23 juin 1988 : Bull. n° 289, arrêt n° 5).

> N'ont, en revanche, pas été reconnus responsables :
> — une entreprise de surveillance pour un incendie volontaire commis par un préposé dans les locaux qu'il avait pour mission de protéger (Ass. plén. 15 novembre 1985, Bull. n° 9) ;
> — un entrepreneur pour les dommages causés par son préposé conduisant pour un déplacement privé, en dehors des heures de travail, un véhicule de service (Civ. 2ᵉ, 11 avril 1986, Bull. II n° 48).

Cette *présomption* de *responsabilité* est *absolue. L'employeur ne peut donc pas s'en exonérer en démontrant n'avoir pas commis de faute.* Il ne peut se décharger qu'en apportant la preuve que le dommage n'est pas dû à la faute de son salarié mais à une cause étrangère : force majeure (voir n° 272), fait d'un tiers imprévisible et irrésistible ou faute de la victime.

> Ainsi jugé qu'une personne, avisée et bien au courant du formalisme bancaire, remettant à un employé de banque des espèces, sans demander ni recevoir le moindre document, fait preuve d'une imprudence consciente et délibérée en se livrant à une opération extra-bancaire. Cette faute ne l'autorise pas à invoquer la responsabilité civile de la banque commettant (Civ. 2ᵉ, 13 novembre 1992 : RJDA 1/93 n° 85).

En principe, si le salarié a agi *dans le cadre de ses fonctions*, la *responsabilité de l'employeur* peut *seule* être engagée (Ass. plén. 25 février 2000 : Bull. n° 2) ; en conséquence, si le salarié a agi sans excéder les limites de la mission qui lui est impartie par son employeur, il n'engage pas sa responsabilité à l'égard des tiers (Crim. 23 janvier 2001 : Bull. n° 21).

Toutefois, le salarié condamné pénalement pour avoir intentionnellement commis, fût-ce sur l'ordre de son employeur, une infraction ayant porté préjudice à un tiers, engage sa responsabilité civile à l'égard de celui-ci (Ass. plén. 14 décembre 2001 : Bull. n° 17) ; la victime peut donc, dans cette hypothèse, agir non seulement contre l'employeur mais également contre son salarié.

Une faute d'un agent de l'État

254-1. Pareillement, si une faute est commise par un fonctionnaire ou un agent d'un service public durant l'exercice de ses fonctions, l'État est présumé responsable.

> Cette action est de la compétence du tribunal administratif, sauf exceptions, par exemple pour les fautes de surveillance des membres de l'enseignement public (Loi du 5 avril 1937) et les accidents de véhicule (Loi du 31 décembre 1957).
>
> Sur la substitution de la responsabilité de l'État à celle des membres de l'enseignement public (ou privé si l'établissement d'enseignement a passé avec l'État au moins un contrat d'association) pour un dommage subi par les élèves qui leur sont confiés, si ce fait se rattache à une faute de surveillance, voir l'article 1384 du Code civil alinéas 6 et 8.

Toutefois, l'État n'est pas responsable lorsque l'agent public a commis une faute personnelle, détachable de sa fonction.

> Ainsi jugé pour un manquement volontaire et inexcusable à des obligations d'ordre professionnel et déontologique (Crim. 2 avril 1992 : RJDA 4/93 n° 359).

L'État peut éventuellement se retourner contre l'agent (action récursoire) mais il ne le fait que dans les cas les plus graves.

Une faute de « casseurs »

254-2. L'État est civilement responsable des dégâts et dommages résultant de crimes et délits commis à force ouverte ou par violence, par des attroupements ou rassemblements armés ou non armés, soit contre des personnes, soit contre des biens. Ainsi l'État peut-il être amené à répondre du préjudice commercial (perte de recettes d'exploitation ou accroissement de dépenses d'exploitation) conséquence directe de ces infractions (Avis CE, ass., 6 avril 1990, SNCF : JCP 1990 IV, 179).

Une faute d'une personne dont on doit répondre

254-3. Une personne ayant accepté la charge d'organiser, de diriger et de contrôler l'activité d'une ou de plusieurs autres personnes est tenue de répondre des dommages causés par ces personnes (Ass. plén. 29 mars 1991, Blieck : Bull. n° 1).

> **Ainsi** jugé que des associations sont responsables du fait de :
> — handicapés mentaux dont elles ont la garde (Civ. 2e, 24 janvier 1996 : Bull. II n° 16) ;
> — mineurs confiés par une décision prise en matière d'assistance éducative (Civ. 2e, 20 janvier 2000 : Bull. n° 15) ;
> — leurs membres au cours des compétitions sportives auxquelles ils participent, s'agissant d'associations sportives ayant pour mission d'organiser, de diriger et de contrôler leur activité pendant ces compétitions (Civ. 2e, 3 février 2000 : Bull. II n° 26).
> **En revanche** le tuteur ou l'administrateur légal sous contrôle judiciaire d'un majeur dont les facultés mentales sont altérées n'est pas responsable des agissements de la personne protégée sur le fondement de l'article 1384 al. 1 (Civ. 2e, 25 janvier 1998 : Bull. II n° 62).

Elle ne peut pas s'exonérer de cette responsabilité de plein droit en démontrant qu'elle n'a commis aucune faute (Crim. 23 juin 1997 : Bull. n° 124) ; elle ne pourra donc le faire qu'en apportant la preuve que le dommage est dû à une cause étrangère qui ne lui est pas imputable : force majeure (voir n° 272), une faute de la victime ou le fait d'un tiers imprévisible et irrésistible.

Fait d'une chose

255. Le Code civil ne prévoyait que des cas exceptionnels de responsabilité du fait d'une chose (animaux et bâtiments). C'est le développement du machinisme au xixe siècle qui a mis en évidence cette lacune grave. En effet, faute de pouvoir se fonder sur un principe de responsabilité du fait des choses, la victime d'un accident de travail ne pouvait être indemnisée qu'en prouvant une faute de son employeur, ce qui était le plus souvent impossible. Quand une chaudière explose, comment prouver une faute ?

Aussi les tribunaux ont-ils isolé un membre de phrase de l'article 1384, alinéa 1, du Code civil, qui était une simple transition, pour en tirer un principe général de responsabilité du fait des choses : « on est responsable... des choses que l'on a sous sa garde ». Toutefois, de nombreuses choses connaissent un régime spécial de responsabilité.

> La présomption de responsabilité de l'article 1384, al. 1 ne vise que le dommage causé par la chose et non celui qui est causé à la chose elle-même (Civ. 2e, 25 novembre 1992 : Bull. II n° 280).

Responsabilité générale du fait des choses

256. Pour qu'il y ait responsabilité, il faut : une chose, un « fait » de cette chose, un gardien de cette chose.

Une chose

257. Hors celles qui sont soumises à un régime particulier de responsabilité, *toutes les choses sont concernées* (le corps humain n'étant pas une chose) :
— les meubles ou les immeubles ;
— les choses avec ou sans vice propre (Ch. réun. 13 février 1930, Jand'heur : DP 1930 I 57 concl. P. Matter, note G. Ripert) ;
— les choses actionnées par la main de l'homme ou non (arrêt Jand'heur, ibidem) ;
— les choses en mouvement ou non (Civ. 24 février 1941 : S 1941 I 201, note P. Esmein) ;
— les choses dangereuses ou non (Civ. 2e, 15 juin 2000 : RJDA 9-10/00 n° 935) ;
— les animaux (Code civil art. 1385 ; Civ. 2e, 2 avril 1997 : Bull. II n° 101).

> Toutefois, le détenteur du droit de chasse n'est pas gardien du gibier vivant à l'état sauvage (Civ. 2e, 9 janvier 1991 : Bull. II n° 3).

Ce qui compte est que la chose soit la cause génératrice du dommage.

Le « fait » de cette chose

258. Pour qu'il y ait responsabilité, il faut que *la chose ait joué un rôle actif* dans la production du dommage, un contact matériel entre la victime et la chose n'étant pas nécessaire.

> Ainsi jugé que joue un rôle actif dans la réalisation d'un dommage un escalier sans protection suffisante et démuni de rampe (Amiens 10 novembre 1992 : JCP 1993 IV 1323).

Lorsque la chose est en mouvement elle est présumée être l'instrument du dommage (Civ. 2e, 29 avril 1998 : Bull. II n° 142).

Mais il n'y a pas « fait de la chose » lorsqu'une chose inerte a joué *un rôle* purement *passif,* occupant sa place normale et fonctionnant normalement, par exemple le sol d'un magasin ne présentant pas un caractère anormalement glissant (Civ. 2e, 18 octobre 1989 : Bull. II n° 187) ou un escalier dont la hauteur et la largeur des marches ne présentent aucun caractère dangereux (Civ. 2e, 7 mai 2002 : Bull. inf. C. cass. 2002 n° 759).

> Jugé, toutefois, qu'est nécessairement l'instrument du dommage :
> — une paroi vitrée fixe du seul fait qu'elle s'est brisée lorsqu'elle a été heurtée (Civ. 2e, 15 juin 2000 : RJDA 9-10/00 n° 935) ;
> — une boîte aux lettres débordant de 40 centimètres à une hauteur de 1 mètre 43 sur un trottoir de 1 mètre 46 de large, de par sa position (Civ. 2e, 25 octobre 2001 : Bull II n° 162).

Peu importe que la victime ait participé gratuitement à l'usage de la chose (Ch. mixte 20 décembre 1968, 3 arrêts : D. 1969 II 37, concl. R. Schmelck).

Un gardien de la chose

259. *Le* responsable est le *gardien* de la chose, c'est-à-dire celui qui, selon les tribunaux, *en a l'usage, la direction et le contrôle* (Ch. réun. 2 décembre 1941, « Franck » : D. C. 1942 I 25, note Rodière) ; en pratique, c'est la personne qui a un pouvoir de commandement sur elle, pouvant ainsi l'empêcher de nuire.

> Sur l'incompatibilité entre les qualités de préposé et de gardien, voir n° 260-7.

Le propriétaire de la chose est présumé en être le gardien, mais il peut prouver qu'il en a transmis la garde ou qu'elle lui a été usurpée, en cas de vol par exemple.

> Ainsi jugés être devenus gardiens comme ayant l'usage, le contrôle et la direction de l'objet au moment du dommage :
> — le client d'un supermarché ayant emprunté un chariot à ce magasin (Civ. 2e, 14 janvier 1999 : Bull II n° 13) ;
> — une société ayant pris en location un bulldozer (Civ. 2e, 7 février 1990 : Bull. II n° 25) ;
> — un skipper professionnel à qui le propriétaire d'un navire a confié une mission de convoyage maritime (Nancy 6 juin 1991 : Bull. inf. C. cass. 1991 n° 1871).
> En revanche :
> — dans un magasin où la clientèle peut se servir elle-même, il ne suffit pas qu'un client manipule un objet offert à la vente pour qu'il y ait transfert de garde (Civ. 2e, 28 février 1996 : RJDA 7/96 n° 1001) ;
> — la mission de surveillance d'un immeuble confiée à une entreprise spécialisée n'opère pas de transfert de garde (Civ. 1re, 16 juin 1998 : Bull. I n° 217).

En principe, une chose n'a qu'un gardien à la fois. Cependant, à l'égard des objets ayant un « dynamisme propre », les tribunaux distinguent le gardien de la structure, responsable des vices de la chose, et le gardien du comportement, qui a la charge de son utilisation ; en cas de dommage, c'est le gardien de la structure qui est responsable, à moins que le gardien du comportement n'ait commis une faute.

> Ont ainsi été jugés responsables des dommages provoqués par l'explosion ou l'implosion de leurs produits, des fabricants :
> — de bouteilles de boisson gazeuse (Civ. 2e, 4 juin 1984 : BRDA 1984/ 21 p. 5) ;
> — d'appareils de télévision (Civ. 2e, 16 janvier 1991 : RJDA 3/91 n° 267).

Lorsque la garde d'une chose est exercée en commun par plusieurs personnes, chacun des cogardiens est tenu, vis-à-vis de la victime, à la réparation intégrale du dommage (Civ. 2e, 7 novembre 1988 : Bull. II n° 214).

La jurisprudence met, à la charge du gardien, *une présomption absolue de responsabilité.* Il ne peut donc s'en exonérer qu'en démontrant que le dommage est dû à une cause étrangère : la force majeure (voir n° 272), le fait d'un tiers ou la faute de la victime présentant les caractères de la force majeure (Civ. 2e, 25 juin 1998 : RJDA 2/99 n° 232) ; le vice de la chose n'est pas exonératoire, faute d'être externe.

> Ainsi jugé qu'une personne sortant d'un chemin pour caresser un chien, dont elle connaissait la férocité, commet une faute qui est la cause unique du dommage et est, pour le gardien de l'animal, imprévisible et irrésistible (Civ. 2e, 19 février 1992 : Bull. II n° 53).

Si le gardien n'apporte pas la preuve que le fait du tiers ou la faute de la victime constitue un cas de force majeure, il ne peut obtenir qu'un *partage de responsabilité.*

Ainsi jugé pour :

— un grand magasin s'agissant de la chute d'une personne dans l'un des escalators de cette entreprise, provoquée par la chute d'une autre personne (Civ. 2e, 29 mars 2001 : Bull. n° 68) ;

— la SNCF, s'agissant de la chute d'une personne tombée d'un train en marche sur un quai de gare, après avoir été poussée vers l'extérieur par un tiers, la porte ayant été précédemment ouverte par un autre voyageur non identifié qui avait sauté avant l'arrêt complet du train, alors que le fait de ces tiers, à l'origine du dommage, n'est ni imprévisible, ni irrésistible (Civ. 2e, 15 mars 2001 : Bull. II n° 56).

259-1. Cependant, *en cas d'incendie,* la victime doit prouver la faute du propriétaire ou du gardien de la chose à l'origine de l'incendie (Code civil art. 1384, al. 2).

Responsabilités particulières du fait des choses

260. De nombreuses choses connaissent un régime spécial de responsabilité, notamment :

— La **chute** d'un élément d'une **construction** entraîne la responsabilité du **propriétaire** de cet immeuble, si la dégradation est due à un vice de construction ou à un défaut d'entretien (Code civil art. 1386). Mais s'il s'agit d'un immeuble autre qu'un bâtiment, ou de la responsabilité due à un bâtiment pour toute autre cause que la ruine, les tribunaux appliquent la responsabilité générale du fait des choses.

Ainsi jugé que l'existence de fissures dans un conduit de cheminée ne constitue pas la ruine d'un bâtiment au sens de l'article 1386 (Civ. 2e, 3 mars 1993 : Bull. II n° 86).

Précisions. L'article 1386 du Code civil n'exclut pas que les dispositions visées n°s 256 et suivants soient invoquées à l'encontre du gardien non propriétaire (Civ. 2e, 23 mars 2000 : Bull. II n° 54).

— Les *objets se détachant des aéronefs* entraînent la responsabilité de l'exploitant de cet aéronef ; celle-ci ne peut être écartée ou atténuée que par la preuve de la faute de la victime ; il en va de même pour les *téléphériques*.

— L'*accident nucléaire*, s'il est en rapport avec une installation nucléaire ou un transport nucléaire, pèse sur l'exploitant de l'installation qui ne peut s'en exonérer que dans des circonstances exceptionnelles ; cette responsabilité connaît, en outre, des modalités particulières en raison de l'énormité des risques encourus.

260-1. — *Les véhicules terrestres à moteur*, à l'exception des chemins de fer et des tramways circulant sur des voies qui leur sont propres, impliqués dans un accident de la circulation sont soumis à un régime spécial de responsabilité (Loi 85-677 du 5 juillet 1985, dite « loi Badinter »).

Cette *législation, applicable même quand le transport est effectué en vertu d'un contrat*, dans un véhicule de transports en commun ou en taxi a, pour s'en tenir à l'essentiel, deux objectifs :

1° Une *augmentation des cas d'indemnisation des dommages corporels*.

Les piétons, cyclistes et personnes transportées, âgés de moins de seize ans ou de plus de soixante-dix ans, de même que les personnes auxquelles il est reconnu 80 % d'incapacité permanente ou d'invalidité, sont toujours indemnisés, sauf s'ils ont volontairement recherché le dommage.

Les piétons, cyclistes et personnes transportées âgées de seize à soixante-dix ans sont toujours indemnisés, sauf s'ils ont commis une faute inexcusable qui a été la cause exclusive de l'accident. Pour la Cour de cassation, « seule est inexcusable au sens de ce texte la faute volontaire d'une exceptionnelle gravité, exposant sans raison valable son auteur à un danger dont il aurait dû avoir conscience » (Ass. plén. 10 novembre 1995 : Bull. n° 6).

Ont ainsi été jugés inexcusables, par exemple :
— la faute d'un piéton qui, délaissant un passage souterrain, s'engage en courant, pour la traverser, sur une voie rapide comportant deux doubles couloirs de circulation délimités par des glissières de sécurité et séparés par un terre-plein central planté d'arbustes, après avoir franchi la rambarde de protection interdisant l'accès de la chaussée aux piétons (Crim. 12 mai 1993 : Bull. n° 173) ;
— le comportement de celui qui ouvre, durant la marche, la portière du véhicule dans lequel il se trouve et se jette dans le vide (Crim. 28 juin 1990 : Bull. n° 268) ;
— le fait pour un piéton d'escalader de nuit un talus herbeux en bord de route, d'enjamber une glissière de sécurité pour accéder à une route nationale puis de se coucher sur l'axe médian de la chaussée, la tête et le tronc reposant sur l'unique couloir de circulation d'une automobile (Civ. 2e, 19 novembre 1997 : Bull. II n° 278).
En revanche, a été considérée comme n'étant pas inexcusable la faute d'un piéton allongé sur la chaussée, en état d'ivresse, de nuit par temps de brouillard (Civ. 2e, 1er avril 1998 : Bull. II n° 112).

2° Une *accélération des procédures d'indemnisation.* Dans les huit mois de l'accident, l'assureur du responsable doit faire une offre de transaction à la victime.

Un fonds de garantie est chargé d'indemniser les victimes lorsque le responsable du dommage demeure inconnu ou n'est pas assuré.

Il y a eu, en 2001, en France, 153 945 blessés et 7 720 tués à la suite d'un accident de la route. Les compagnies d'assurances ont traité, en outre, 500 000 vols de voiture, 2,5 millions de bris de glace et près de 4 millions d'accidents matériels. Elles ont versé aux assurés ou provisionné pour sinistre à payer 13,2 milliards d'euros.

Responsabilité du fait des produits défectueux
(Code civil art. 1386-1 et s.)

260-2. Tout producteur est responsable d'un dommage d'au moins 500 € causé par un défaut de son produit, qu'il *soit ou non lié par un contrat avec la victime.*

Cette obligation de sécurité ne pèse que sur celui qui produit, à titre professionnel, une matière première, un produit fini ou une matière composante.
Cette responsabilité concerne tous les produits définis comme tous les biens meubles, même s'ils sont incorporés dans un immeuble, y compris les produits du sol, de l'élevage, de la chasse et de la pêche. Encore faut-il que ces produits soient mis en circulation, c'est-à-dire que le producteur s'en soit dessaisi volontairement, chaque produit ne faisant l'objet que d'une seule mise en circulation.

260-3. La victime doit prouver avoir subi un dommage d'au moins 500 €, le défaut du produit et le lien de causalité entre les deux.

Un produit est défectueux dès lors qu'il n'offre pas la sécurité à laquelle on peut légitimement s'attendre. Dans l'appréciation de cette dernière, il doit être tenu compte de toutes les circonstances et notamment de la présentation du produit, de l'usage qui peut en être raisonnablement attendu et du moment de sa mise en circulation ; un produit ne peut pas être considéré comme défectueux du seul fait qu'un autre, plus perfectionné, a été mis postérieurement en circulation.

Le professionnel est tenu de réparer les dommages corporels ou matériels provoqués par son produit mais pas ceux qui ont été causés au produit défectueux lui-même.

260-4. Le producteur est responsable de plein droit à moins qu'il ne prouve l'un des faits suivants :
— il n'a pas mis le produit en circulation ;
— compte tenu des circonstances, il y a lieu d'estimer que le défaut ayant causé le dommage n'existait pas au moment où le produit a été mis en circulation par lui ou que ce défaut est né postérieurement ;
— le produit n'était pas destiné à la vente ou à toute autre forme de distribution ;
— l'état des connaissances scientifiques et techniques, au moment où il a mis le produit en circulation, n'a pas permis de déceler l'existence du défaut (le « risque de développement ») ;
— le défaut est dû à la conformité du produit avec des règles impératives d'ordre législatif ou réglementaire.

La responsabilité du producteur peut être réduite ou supprimée, compte tenu de toutes les circonstances, lorsque le dommage est causé conjointement par un défaut du produit et par la faute de la victime ou d'une personne dont la victime est responsable. En revanche, cette responsabilité n'est pas écartée même si le producteur peut établir qu'un tiers a concouru à la réalisation du dommage.

Les clauses qui écartent ou limitent la responsabilité du fait des produits défectueux sont interdites et réputées non écrites. Toutefois, elles sont valables entre personnes agissant à titre professionnel mais uniquement pour les dommages causés aux biens qui ne sont pas principalement utilisés par la victime pour son usage ou sa consommation privés.

260-5. La responsabilité spécifique du producteur s'éteint dix ans après la mise en circulation du produit qui a causé le dommage, sauf en cas de faute.

L'action en réparation fondée sur ces dispositions se prescrit dans un délai de trois ans à compter de la date à laquelle le demandeur a eu ou aurait dû avoir connaissance du dommage, du défaut et de l'identité du producteur.

Fait d'une chose dont est responsable une personne dont on doit répondre

260-7. Lorsque le responsable du fait d'une chose est un enfant, un apprenti, un salarié ou un agent de l'État, les parents, l'employeur ou l'État sont, respectivement, présumés responsables dans les conditions exprimées aux n°s 252 et suivants.

Remarque : Le salarié n'est pas le gardien des objets que son employeur met à sa disposition ; étant subordonné il n'en a pas l'usage, la direction et le contrôle ; c'est *l'employeur* qui *reste gardien* (Civ. 2e, 19 janvier 1972 : Bull. II n° 20).

D — RÉPARATION DU DOMMAGE

261. L'action en responsabilité peut, en principe, être exercée pendant *dix ans* à compter de la manifestation du dommage ou de son aggravation.

Elle est, le plus souvent, dirigée contre celui qui a commis une faute ou le gardien d'une chose et/ou une personne qui doit en répondre ; toutefois, la victime dispose d'une action directe contre l'*assureur* de l'intéressé. En outre, si le responsable du dommage demeure inconnu ou n'est pas assuré, la victime peut mettre en cause un *fonds de garantie* pour :

• les accidents de circulation où est impliqué un véhicule terrestre à moteur, à l'exclusion des chemins de fer et des tramways circulant sur des voies qui leur sont propres ;

• les accidents causés par des personnes circulant sur le sol dans les lieux ouverts à la circulation publique ;

• les dommages corporels occasionnés par tous actes de chasse ou de destruction des animaux nuisibles ;

• les dommages corporels résultant d'actes de terrorisme commis sur le territoire national ou dont sont victimes des Français à l'étranger et les dommages corporels ou matériels résultant d'autres infractions.

> L'examen des dossiers des victimes appartient au fonds de garantie pour les dommages résultant du terrorisme et il est du ressort des commissions d'indemnisation des victimes d'infractions pour les dommages résultant des autres infractions.

261-1 *Les juges du fond évaluent souverainement le dommage* sans pouvoir se contenter d'une indemnisation forfaitaire (Civ. 2e, 5 janvier 1994 : Bull. II n° 8). Ils doivent évaluer le préjudice de la victime, *au jour où ils statuent,* en se fondant sur tous les éléments existant à cette date, notamment des effets de la dépréciation monétaire. Si l'état de la victime d'un accident corporel s'améliore ultérieurement, l'autorité de chose jugée s'oppose à ce que la décision soit remise en question. Si, au contraire, cet état s'aggrave, la victime peut se faire indemniser pour ce nouveau préjudice, les juges n'ayant pas statué sur ce point.

La réparation doit être intégrale, sans que l'auteur du dommage puisse se prévaloir ni du fait que la victime a perçu de sa compagnie d'assurances une indemnité de caractère contractuel consécutive à ses cotisations (Civ. 2e, 3 octobre 1990 : Bull. II n° 182), ni, en cas de dommage matériel, de la vétusté du bien (Civ. 2e, 3 octobre 1990 : BRDA 1990/20 p. 23), ni des revenus professionnels du conjoint survivant de la victime (Crim. 3 mars 1993 : Bull. n° 97).

Elle doit avoir lieu en nature si possible (destruction d'un ouvrage par exemple) ou, à défaut, en argent sous forme de capital ou de rente indexée. Mais la créance de réparation n'existe et ne peut produire d'intérêts que du jour où elle a été judiciairement constatée.

II.   Abus de droit

262. Il est de principe que l'exercice d'un droit ne doit pas être abusif.

> La règle n'est affirmée par la loi qu'à titre exceptionnel (par exemple l'article 1780 du Code civil) mais elle est constamment appliquée par les tribunaux qui sanctionnent par ce moyen les abus les plus divers, tels ceux du droit de propriété, d'action en justice, de majorité ou de minorité dans les groupements ; de même, si la libre recherche de la clientèle est de l'essence même du commerce, l'abus de la liberté du commerce, causant, volontairement ou non, un trouble commercial, constitue un acte de concurrence déloyale ou illicite (Com. 22 octobre 1985 : Bull. IV n° 245).

Seul l'usage des droits dits discrétionnaires n'est pas susceptible d'abus. Mais ces droits sont rarissimes dans les rapports patrimoniaux.

L'abus suppose que le titulaire du droit agisse avec une intention de nuire ou, autrement dit, par malice. Cette intention se constate à travers différents indices ; elle résulte notamment de la conjonction de l'inutilité de l'usage auquel prétend le titulaire du droit et du préjudice que cet usage cause à celui qui s'y oppose ; l'abus peut même résulter d'une simple abstention (Civ. 3e, 17 janvier 1978 : Bull. III n° 41).

La sanction de l'abus de droit est souvent la condamnation à réparation du dommage causé, mais elle peut aussi être l'annulation de l'acte abusif.

III.   Bonne ou mauvaise foi

263. La *notion de bonne foi joue un rôle considérable en droit,* car elle influe sur l'application de la quasi-totalité des règles de droit.

> Par exemple, la possession de bonne foi procure des avantages exceptionnels décrits n°s 223 et suivants ; les contrats doivent être exécutés de bonne foi (Code civil art. 1134, al. 3).

Est de bonne foi celui qui est convaincu de la régularité de son comportement, mais il est impossible de définir plus précisément cette notion. En effet, elle ne peut être affinée qu'en fonction de la règle concernée ; à chaque application pratique correspond une définition précise, par exemple pour le possesseur voir n° 223, pour le porteur d'un effet de commerce voir n° 614.

La bonne foi est, avant tout, utilisée par le législateur et les tribunaux pour tenir compte de *la loyauté* des intéressés. *Elle* se *présume,* c'est-à-dire que l'on n'a pas à la prouver ; mais comme il s'agit d'une présomption simple, il est possible d'en apporter la preuve contraire.

IV.   Fraude

264. Forme particulièrement exacerbée de la mauvaise foi, la fraude est volontaire. C'est l'*utilisation d'une règle de droit pour écarter l'application de la règle qui aurait dû être retenue en raison des circonstances de l'espèce.* Frauder est donc faire jouer, dans un but parfaitement déloyal, un mécanisme juridique pour tourner une autre règle. Ainsi un débiteur impécunieux, se sachant exposé à des poursuites, va donner à un tiers les éléments actifs de son patrimoine pour éviter qu'ils ne soient saisis par ses créanciers. Il cherche donc à échapper à son obligation de rembourser ses dettes en aliénant ses biens avant saisie.

La loi n'a prévu les conséquences d'une fraude que dans certaines hypothèses, par exemple en octroyant l'action paulienne aux créanciers (voir n° 206). Mais les tribunaux, de manière très générale, ont érigé en principe que « la fraude fait exception à toutes les règles » ou encore que « la fraude corrompt tout » (« fraus omnia corrumpit »). Pour sanctionner la fraude, ils exigent que les conditions suivantes soient réunies :

— l'auteur de la fraude doit avoir agi *intentionnellement*, c'est-à-dire en cherchant à contourner la règle obligatoirement applicable ;

— la preuve de la fraude doit être rapportée : la *fraude ne se présume pas* ;

— *celui qui invoque la fraude ne doit pas être fautif* ;

— l'action doit être exercée avant trente ans.

La sanction de la fraude est la neutralisation de l'effet frauduleux, c'est-à-dire de celui que son auteur a utilisé pour éluder une autre règle. Cela se traduit, le plus souvent, par l'inopposabilité de l'acte à la victime de la fraude et parfois par son annulation. Ainsi une aliénation consentie pour frauder aux droits de créanciers leur est inopposable ; ceux-ci pourront donc saisir le bien qui sera considéré pour eux comme n'ayant jamais quitté le patrimoine de leur débiteur. Mais cet effet ne se produit, en principe, qu'*à l'égard des victimes de la fraude*. Dans les rapports des parties à l'acte frauduleux et à l'égard des tiers, l'acte frauduleux produit tous ses effets : par exemple, l'aliénation consentie par le débiteur en fraude des droits de ses créanciers reste valide dans ses rapports avec l'acquéreur, qui peut lui demander des dommages et intérêts s'il vient à être privé du bien acheté repris par le créancier poursuivant.

> La *fraude au sens de l'article L 213-1 du Code de la consommation* est le fait de tromper ou de tenter de tromper un contractant, par quelque moyen ou procédé que ce soit, sur certaines caractéristiques du produit ou du service, objet du contrat.

V.   Apparence

265. Quelques textes de lois et, surtout les tribunaux, donnent un effet juridique au comportement apparent d'une personne (Ass. plén. 13 décembre 1962 : D. 1963 II 277, note J. Calais-Auloy).

Si quelqu'un se présente comme le titulaire d'un droit ou d'un pouvoir qu'en réalité il n'a pas, toute personne traitant avec lui pourra opposer son acte au véritable titulaire du droit ou du pouvoir sous réserve que cette apparence soit :

— notoire, persistante et sans équivoque ;

— fondée sur une erreur « commune » (« error communis facit jus »), c'est-à-dire partagée par presque tout le monde et, en conséquence, inévitable (on ne pouvait normalement y échapper) ; cependant, les tribunaux se contentent parfois — notamment en matière de mandat. — d'une erreur légitime (infra) ;
— prouvée par celui qui l'invoque ;
— légitime, les usages ou les circonstances autorisant le tiers à ne pas demander de justification avant de traiter ; toutefois, chacun devant connaître les lois fixant les pouvoirs de l'auteur d'un acte (par exemple ceux d'un dirigeant de société), celui qui n'a pas pris de précautions n'est pas autorisé à invoquer l'apparence.

> Par exemple, le bénéficiaire d'un cautionnement, consenti en dehors des limites de ses pouvoirs par le représentant légal d'une société anonyme au nom de cette société, ne peut invoquer le mandat apparent, car il devait vérifier si ce dirigeant avait été autorisé par le conseil d'administration à accorder la garantie de la société (Com. 24 février 1987 : BRDA 1987/9, p. 10).

Ainsi un paiement fait entre les mains d'une personne qui a, apparemment, pouvoir de le recevoir libérera le débiteur si les conditions précitées sont remplies.

VI.   Comportement indigne

266. Nul ne peut demander à bénéficier des dispositions d'une règle si c'est pour échapper aux conséquences fâcheuses d'actes ou de faits accomplis dans des conditions ne méritant pas justice. Par exemple, si la qualité de fonctionnaire est incompatible avec celle de commerçant, cette incompatibilité ne peut être invoquée par un fonctionnaire, qui a pris un fonds de commerce en location-gérance, pour se soustraire à ses obligations contractuelles (Com. 30 janvier 1996 : RJDA 4/96 n° 498).

Cependant, il ne s'agit là que d'une solution de principe ; les tribunaux, désireux de trouver la sanction la plus efficace, peuvent, lorsque la mesure leur paraît plus adéquate, écarter l'application de cette règle.

VII.   Enrichissement injuste

267. Nul ne peut s'enrichir injustement aux dépens d'autrui ; en conséquence celui qui, par erreur, a payé la dette d'autrui a un recours contre le débiteur (Civ. 1re, 4 avril 2001 : JCP 2001 IV 2016). Il peut l'exercer par trois mécanismes : l'action en répétition de l'indu, la gestion d'affaires, l'action « de in rem verso » (l'enrichissement sans cause).

> Le paiement de l'indu, la gestion d'affaires et l'enrichissement sans cause sont communément appelés des « quasi-contrats ».

A — ACTION EN RÉPÉTITION DE L'INDU
(Code civil art. 1376 et s.)

268. L'action en répétition de l'indu *permet à une personne d'obtenir la restitution de ce qu'elle a versé à quelqu'un qui n'y avait pas droit ;* tel est le cas, par exemple, d'un paiement fait à une autre personne que le créancier ou d'un versement effectué deux fois.

> Si une personne exécute volontairement une obligation en la sachant dépourvue de sanction juridique (obligation dite « naturelle »), par exemple en payant une dette prescrite, elle ne peut réclamer le remboursement de ce qu'elle a versé.

B — GESTION D'AFFAIRES
(Code civil art. 1372 et s.)

269. *Le gérant d'affaires est celui qui, sans être mandaté ni en avoir reçu pouvoir, fait volontairement un acte dans l'intérêt d'une autre personne* (dite « maître de l'affaire » ou géré). Par exemple, après une tempête, une personne demande à un couvreur de réparer la toiture de l'habitation de son voisin alors absent.

> En revanche, n'a pas la qualité de gérant d'affaires celui qui n'a eu en vue que son intérêt propre (Civ. 1re, 28 mai 1991 : RJDA 10/91 n° 789).

Celui sur les intérêts de qui on a, ainsi, veillé doit rembourser au gérant toutes les dépenses utiles ou nécessaires qu'il a faites ; il doit, aussi, remplir les engagements que le gérant a contractés en son nom et pour son compte avec des tiers, s'ils sont utiles.

C — ENRICHISSEMENT SANS CAUSE

270. *Si une personne n'agissant pas dans son intérêt enrichit une autre personne, en s'appauvrissant corrélativement et ce sans justification juridique (« sans cause »),* elle peut, à défaut de toute autre action possible (par exemple la gestion d'affaires ou le paiement indu), réclamer à l'enrichi une indemnité (action dite « de in rem verso ») ; tel est le cas, par exemple, d'une femme mariée sous le régime de la séparation de biens qui aide son mari dans l'exercice de sa profession sans recevoir de rémunération corrélative (Civ. 1re, 26 octobre 1982 : Bull. I n° 302).

> Un enrichissement a une cause lorsqu'il résulte de l'application d'une loi ou d'un contrat. Ainsi, une prescription extinctive est la cause de l'enrichissement du débiteur libéré du paiement de sa dette et de l'appauvrissement corrélatif du créancier.

Cette indemnité est égale à la moins élevée des deux sommes représentant soit l'appauvrissement évalué au jour où il s'est réalisé, soit l'enrichissement évalué au jour de la demande.

Cette action n'est possible qu'à défaut de toute autre action ; elle ne peut remplacer une action que le demandeur ne peut pas intenter faute de preuve, par exemple, ou par suite d'une prescription. Elle ne peut pas aboutir quand l'appauvrissement est dû à la faute de l'appauvri (Com. 18 mai 1999 : RJDA 6/99 n° 646).

VIII. Urgence

271. L'urgence tient à l'existence de circonstances diverses qui font peser *une menace imminente et sérieuse sur des intérêts légitimes que seule une action immédiate* – mais impossible à accomplir par défaut de la capacité ou du pouvoir requis — *est susceptible d'écarter.* Tel est le cas lorsque, faute de riposte instantanée, il y a risque de dépérissement d'une preuve, de déchéance d'un droit, de ruine matérielle d'un bien et surtout d'insolvabilité d'un débiteur.

> Outre l'urgence, les tribunaux utilisent aussi les mots : péril, péril en la demeure, célérité, nécessité.

L'urgence permet de prendre aussitôt une mesure apte à écarter le risque encouru, notamment l'une des mesures conservatoires visées au n° 41-1 : saisies conservatoires, sûretés judiciaires. Ces mesures sont, normalement, prononcées par le juge des référés ; l'urgence justifie aussi la procédure d'assignation dite « à jour fixe » (voir n° 305).

Les tribunaux retiennent, au titre des faits justificatifs, l'*état de nécessité*, lorsqu'une personne, pour sauvegarder un intérêt supérieur, n'a pas d'autre solution que d'accomplir un acte défendu par la loi pénale.

> Ainsi un chirurgien découvrant, lors d'une intervention pratiquée avec le consentement du malade aux fins prévues par le diagnostic, une affection plus grave non diagnostiquée, doit poursuivre l'opération si elle est nécessaire et urgente ; il n'est pas alors passible du délit de coups et blessures volontaires. Si l'opération peut être différée, il doit révéler au patient les conséquences possibles de son intervention et solliciter son accord.

IX. Force majeure

272. La force majeure (ou *« cas fortuit »*) est un événement remplissant les deux conditions suivantes :

— il est normalement *irrésistible* et *insurmontable*. Pour la 1re chambre civile et la chambre commerciale de la Cour de cassation, un événement prévisible peut constituer un cas de force majeure dès lors que ses effets sont irrésistibles et que celui qui s'en prévaut a pris toutes les précautions rendues nécessaires par la prévisibilité de l'événement (Civ. 1re, 12 décembre 2000 : RJDA 3/01 n° 272 ; Com. 1er octobre 1997 : RJDA 11/97 n° 1317) ; les autres chambres de la Cour de cassation définissent la force majeure comme un événement non seulement irrésistible mais aussi *imprévisible* (Civ. 2e, 15 mars 2001 : RJDA 8-9/01 n° 923).

> **Ainsi,** constitue un cas de force majeure un incendie allumé par des agriculteurs dont la manifestation a dégénéré en émeute et qui ont échappé au contrôle des forces de l'ordre (Civ. 1re, 17 novembre 1999 : RJDA 5/00 n° 508).
> **En revanche,** la perte d'un pli recommandé par la Poste ne constitue pas un cas de force majeure car elle n'est ni imprévisible, ni irrésistible. L'expéditeur doit choisir un moyen plus sûr ou, s'il entend utiliser l'envoi postal, assurer ce colis pour sa valeur marchande (Paris 10 déc. 1982 : BRDA 1983/3 p. 14).

— il est, également, *externe au débiteur* ou à l'activité de son entreprise, un entrepreneur ne pouvant invoquer la défaillance de son matériel ou de son personnel.

Toutefois, un mouvement de grève peut être considéré comme un événement externe à un employeur dès lors que ce dernier n'est pas à l'origine du mouvement social. Ainsi le caractère de force majeure a-t-il été reconnu à des grèves fondées sur des revendications salariales que seul le gouvernement pouvait satisfaire. (Civ. 1re, 24 janvier 1995 : RJDA 5/95, n° 545).

Ainsi en est-il d'un véritable cyclone affectant plus de trente communes et déracinant des centaines d'arbres solidement implantés (Civ. 3e, 29 juin 1988 : Bull. III n° 119) ou d'un ouragan d'une violence exceptionnelle (Civ. 3e, 11 mai 1994 : Bull. n° 94).

Chapitre II

La transmission des droits

273. En principe les droits sont transmissibles ou, comme l'on dit, « dans le commerce juridique ». Font exception :

— les droits *extrapatrimoniaux* sous quelques réserves ;

— les droits fondés sur l'*« intuitu personae »,* c'est-à-dire attachés aux qualités que présente une personne ; ainsi dans les sociétés en nom collectif, où la personnalité de chaque associé joue un rôle déterminant, les parts sociales ne peuvent être cédées qu'avec le consentement de tous les associés, toute clause contraire étant réputée non écrite ;

— les droits dits *« viagers »,* s'éteignant au décès de leur auteur, tel l'usufruit.

Celui qui transmet un droit est appelé *« auteur »* (le vendeur par exemple) ; celui qui reçoit le droit prend le nom de *« ayant cause »* ou *« ayant droit »* (l'acheteur par exemple).

Section 1
Étendue de la transmission

274. Il est possible de transmettre tout ou partie d'un patrimoine ou, au contraire, un droit isolé. On appelle *ayants cause universels* les personnes qui reçoivent tout le patrimoine de leur auteur ; ce transfert ne pouvant se faire qu'à cause de mort, il s'agit donc des héritiers ou des légataires universels. On dénomme *ayants cause à titre universel* ceux qui reçoivent une quotité du patrimoine de leur auteur, tout en ayant vocation à en percevoir la totalité, par exemple deux enfants héritant de leur père. Sont dits *ayants cause à titre particulier* les personnes qui reçoivent de leur auteur un ou plusieurs droits déterminés ; tel est le cas, par exemple, de l'acheteur d'un bien meuble ou immeuble qui « tient » le droit de propriété du vendeur.

La *transmission universelle* ou à titre universel *porte sur les droits et les dettes correspondantes.* En revanche, l'ayant cause à titre particulier n'est pas tenu par les actes passés par son auteur à l'occasion du bien transmis et constituant une charge (contrat de crédit ayant permis l'acquisition du bien vendu, par exemple), sauf s'ils ont créé un droit réel publié avant le transfert.

Un *principe* de bons sens et d'équité impose que *nul ne peut transmettre à autrui plus de droits qu'il n'en a* lui-même (« Nemo plus juris transfere potest quam ipse habet »). Il existe, cependant, de nombreuses *exceptions* dues essentiellement à :

— *la publicité foncière :* par exemple, si un vendeur aliène le même immeuble à deux acquéreurs différents, celui qui est préféré est le premier à avoir publié et non le premier acheteur, sauf fraude à ses droits ;

> Ainsi, le premier à avoir publié, même s'il est le second acheteur, est devenu le propriétaire, alors qu'au moment où il a acheté, le vendeur, ayant déjà conclu une première vente, est censé avoir déjà transféré son droit de propriété et, de ce fait, ne plus rien avoir à transmettre.

— *l'apparence :* par exemple la règle « en fait de meubles, possession vaut titre » décrite n° 225 ;

— *la bonne foi :* ainsi le possesseur de bonne foi, tenu de restituer une chose, en conserve, cependant, les fruits.

Section 2
Modes de transmission

A — SUCCESSION

275. Les droits d'un défunt sont transmissibles par *succession. À défaut de testament,* la dévolution de la succession est réglée par la loi à des personnes dites « *héritiers* » (succession ab intestat).

> Le conjoint survivant non divorcé et contre lequel il n'existe pas de jugement de séparation de corps ayant force de chose jugée (dit le conjoint successible) a pendant un an, la jouissance gratuite du logement qui constitue son habitation principale au moment où il devient veuf, et, ensuite, jusqu'à son décès, un droit d'habitation assorti d'un droit d'usage sur le mobilier.
>
> En outre, en l'absence de testament, il a droit (C. civ. art. 757 et s.) :
>
> — en présence d'enfants ou d'autres descendants du défunt, à son choix, à l'usufruit de la totalité des biens existants, ou la propriété du quart des biens lorsque tous les enfants sont issus des deux époux ; en présence d'un ou plusieurs enfants qui ne sont pas issus des deux époux, la propriété du quart des biens sans pouvoir opter pour l'usufruit ;
>
> — en présence des père et mère du défunt et en l'absence de descendants, à la moitié des biens, l'autre moitié étant dévolue pour un quart au père et pour un quart à la mère. Quand le père ou la mère est prédécédé, la part qui lui serait revenue revient au conjoint successible ;
>
> — en l'absence de descendants ou des père et mère du défunt, à toute la succession.
>
> Le conjoint survivant d'un chef d'entreprise qui justifie par tous moyens avoir travaillé pendant dix ans dans l'entreprise sans recevoir de rémunération sous quelque forme que ce soit (salaire ou participation aux bénéfices ou aux pertes) bénéficie d'un *droit de créance* d'un montant égal à trois fois le SMIC annuel en vigueur au jour du décès, dans la limite de 25 % de l'actif successoral.

B — TESTAMENT

276. Le *testament* est un acte juridique unilatéral par lequel une personne organise la dévolution de ses biens à d'autres personnes, dites *légataires,* pour après sa mort.

Cependant, lorsque le défunt laisse des descendants (enfants ou petits-enfants) ou, à défaut, des ascendants ou, en leur absence, un conjoint successible, une part de la succession doit leur être réservée (d'où leur appellation d'héritiers réservataires) et il ne peut disposer que de ce que l'on dénomme *« la quotité disponible »*.

Cette part réservataire est, pour les descendants, calculée selon la formule $\dfrac{n}{n+1} \leqslant 3/4$, n représentant le nombre d'enfants. Ainsi deux enfants doivent se voir réserver les 2/3 de la succession et trois enfants, ou plus, les 3/4 de la succession.

Pour les ascendants, à défaut de descendants, cette part réservataire est d'1/4 pour chaque ligne (paternelle et maternelle).

Pour le conjoint successible, à défaut de descendants ou d'ascendants, la part réservataire est d'1/4 des biens.

C — DONATION

277. La donation est un contrat par lequel le donateur aliène gratuitement un bien en faveur d'un donataire qui l'accepte.

Elle suppose un acte notarié, sauf pour ce qui peut être transmis de la main à la main (don manuel).

Elle est en principe irrévocable, sauf entre époux ou pour inexécution des charges, ingratitude ou survenance d'enfant. Elle doit être réduite, à la demande des héritiers réservataires, si elle est supérieure à la quotité disponible (voir n° 276).

Elle ne peut être faite qu'aux personnes capables de la recevoir.

D — CESSION DE CRÉANCE
(figure I.15)

278. La *cession de créance* (ou transfert de créance) est l'acte par lequel un créancier (le cédant) transfère à une autre personne (le cessionnaire) les droits qu'il a contre son débiteur (le cédé). Elle est donc fondée sur un accord entre le cédant et le cessionnaire, le débiteur cédé ne pouvant s'y opposer.

Pour être opposable au *débiteur cédé* et aux tiers — ceux qui, n'ayant pas été parties à l'acte, ont intérêt à ce que le cédant soit encore créancier (Civ. 1re, 4 décembre 1985 : Bull. I n° 336) —, la cession doit faire l'objet de l'une des mesures de *publicité* prévues par l'article 1690 du Code civil : signification de cette cession au débiteur cédé par acte d'huissier ou acceptation de la cession par le débiteur cédé dans un acte authentique.

Ces formalités ne sont pas requises lorsqu'il y a transmission des éléments d'actif et de passif à titre universel, par exemple en cas d'absorption d'une société par une autre société (Com. 18 décembre 1984 : BRDA 1985/6 p. 21).

Le cessionnaire acquiert la créance — il est donc seul à avoir qualité pour en demander le paiement — avec, éventuellement, les droits réels accessoires la confortant mais aussi ses vices. Le *débiteur cédé peut* donc *opposer au cessionnaire* tous *les* moyens de défense (*exceptions*) *dont il aurait pu arguer contre le cédant.* Supposons, par exemple, une personne, A, vendant des

Figure I-15

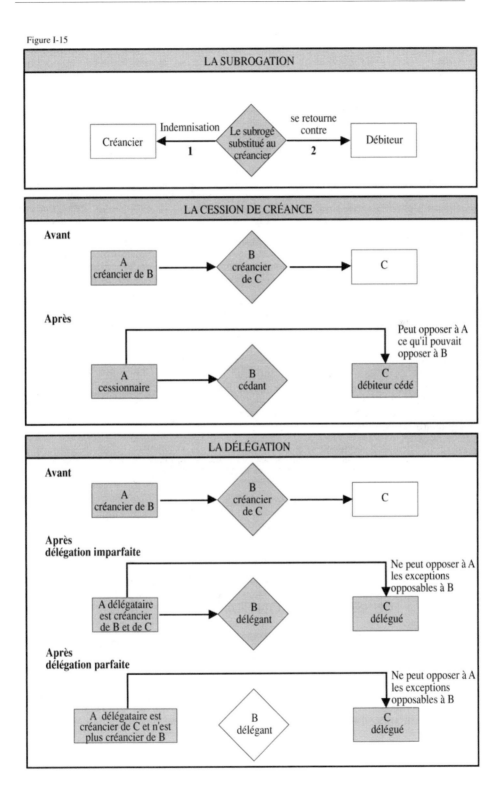

marchandises à B et cédant à C la créance qu'elle détient sur B ; le débiteur cédé, B, pourra opposer à C (cessionnaire) toutes les exceptions qu'il aurait pu opposer à A (le cédant) : défaut de conformité de tout ou partie de la marchandise, manquants, avaries, vices cachés, etc.

> La cession de créances litigieuses (faisant l'objet d'un procès) connaît un régime spécial prévu par les articles 1699 à 1701 du Code civil.

Remarque : Si la créance est constatée par un titre négociable les règles applicables, diamétralement opposées, sont exposées aux numéros 610 et suivants.

278-1. Toute personne morale, ou toute personne physique dans l'exercice de son activité professionnelle, peut céder ou nantir à un établissement de crédit une créance qu'elle détient sur une personne morale ou une créance professionnelle sur une personne physique, par simple remise d'un **bordereau** (Loi du 2 janvier 1981, dite « loi *Dailly* », codifiée aux articles L 313-23 et suivants du Code monétaire et financier).

> La transmission des créances cédées ou nanties peut même être faite par tout procédé informatique permettant de les individualiser (bande magnétique, par exemple), le bordereau se bornant à indiquer le moyen par lequel elles sont transmises, leur nombre et leur montant global.
>
> Toutefois, ce bordereau doit comporter un certain nombre de mentions déterminées par l'article L 313-23 du Code monétaire et financier. En leur absence, le titre ne vaut pas comme acte de cession de créances et ne peut être invoqué pour demander paiement au débiteur dans les formes établies par ce Code (Com. 9 avril 1991 : Bull. IV n° 121).

La cession de créance par bordereau prend effet entre les parties et devient opposable aux tiers à la date portée sur le bordereau. En outre si le débiteur s'engage, par un écrit intitulé « acte d'acceptation de la cession ou du nantissement d'une créance professionnelle », à régler directement l'établissement de crédit il ne peut pas lui *opposer* les *exceptions* fondées sur ses rapports personnels avec le signataire du bordereau.

> L'**acte d'acceptation** n'est valable que s'il est **exactement rédigé** dans les termes énoncés par la loi. Est en conséquence nul l'acte intitulé : « Acte d'acceptation d'une créance cédée » (Com. 5 novembre 1991 : BRDA 1991/22 p. 21).

278-2. En revanche, *on ne peut transmettre une dette à titre particulier* car on ne peut imposer à un créancier un autre débiteur que celui qu'il a accepté, la personnalité du débiteur étant décisive pour la sécurité du paiement.

E — CESSION DE CONTRAT

279. *La cession de contrat* est la transmission par une personne à un tiers de l'ensemble des rapports juridiques découlant d'un contrat. Elle n'est prévue, par le législateur, que dans certains cas particuliers ; *notamment,* aux termes de l'article L 122-12, alinéa 2, du Code du travail, s'il survient une *modification dans la situation juridique de l'employeur,* notamment par succession, vente, transformation du fonds, mise en société, *tous les contrats de travail en cours* au jour de la modification *subsistent entre le nouvel employeur et le personnel* de l'entreprise.

> Cette disposition s'applique, même en l'absence d'un lien de droit entre les employeurs successifs, à tout *transfert d'une entité économique* conservant son identité et dont

l'activité est poursuivie ou reprise (Ass. plén. 16 mars 1990 : Bull. n° 4). En revanche elle n'est pas applicable à la seule perte d'un marché (Ass. plén. 16 mars 1990 : Bull. n° 3).

Le nouvel employeur doit aussi prendre en charge les dettes que l'ancien employeur avait envers ses salariés avant le transfert, sauf si le changement d'employeur résulte d'une procédure de redressement ou de liquidation judiciaire.
L'employeur qui doit ainsi payer les dettes de son prédécesseur peut se retourner contre lui afin d'en obtenir le remboursement.

En vertu du principe de liberté contractuelle, *il est possible de céder un contrat,* sauf si le contrat est incessible (contrat comportant une clause stipulant l'incessibilité). La cession suppose le consentement du cocontractant cédé, soit préalablement dès la conclusion du contrat, soit ultérieurement lors de la substitution (Com. 6 mai 1997 : Bull. IV n° 117).
Dans le premier cas, la cession est opposable au cocontractant cédé par le seul fait de l'accord entre cédant et cessionnaire ; il n'en est autrement que si une clause impose son information ou son agrément lors de la substitution (Com. 6 mai 1997 : Bull. IV n° 118).
Dans le second cas, le consentement à la substitution peut être tacite et résulter, notamment, de la poursuite, après substitution, de l'exécution du contrat et du paiement des factures (Com. 7 janvier 1992 : BRDA 1992/2 p. 21).

F — SUBROGATION PERSONNELLE
(figure I.15)

280. La *subrogation personnelle* consiste à substituer au créancier originaire d'une obligation un autre créancier ayant payé à la place du débiteur ou ayant fourni les moyens de payer. Ainsi, la sécurité sociale, versant des prestations à un assuré en cas d'accident, est subrogée dans les droits de la victime à l'encontre du tiers responsable ; de même l'assureur ayant versé une indemnité d'assurance est subrogé, jusqu'à concurrence de cette indemnité, dans les droits et actions de l'assuré contre les tiers qui, par leur fait, ont causé le dommage ayant donné lieu à ce versement, sous réserve de ce qui sera dit n° 738.

> Il ne faut pas confondre la subrogation personnelle avec la *subrogation réelle,* en vertu de laquelle un bien nouveau se substitue à un autre bien en prenant son régime juridique. Ainsi, un conjoint vendant un bien qui lui est propre (non entré en communauté) peut utiliser l'argent de la vente à acquérir un autre bien qui lui sera propre au lieu et place du précédent.

Les conditions de la subrogation varient selon qu'elle est d'origine conventionnelle (par exemple l'affacturage) ou légale (par exemple la sécurité sociale ou l'assurance) ; mais les effets en sont identiques : la *créance* est *transmise avec tous ses avantages accessoires au subrogé* (par exemple le bénéfice d'une clause de réserve de propriété, Com. 15 mars 1988 : Bull. IV n° 106, arrêt n° 2).
Toutefois, le subrogé ne peut réclamer que ce qu'il a effectivement versé et non le montant nominal de la créance. En outre, si le subrogé était lui aussi obligé à la dette (caution ou codébiteur solidaire), il ne peut réclamer à l'un des autres coobligés la totalité de la somme ; il doit, après avoir déduit sa part contributive, diviser ses recours entre les coobligés.

G — DÉLÉGATION
(figure I.15)

281. *La délégation* est un *mode indirect de transmission des obligations.* Elle consiste pour un créancier (le délégant) à demander à son débiteur (le délégué) d'exécuter l'obligation dont celui-ci est tenu envers une troisième personne (le délégataire) dont le créancier est lui-même débiteur. Ainsi, une personne B débitrice de A et créancière de C va obtenir de ce dernier un engagement de payer A ; il n'y aura donc pas deux paiements (C-B ; B-A) mais un seul (C-A). La délégation ressemble donc à la cession de créance ; mais le délégué s'étant engagé envers le délégataire, il se forme une obligation nouvelle et il ne pourra opposer les exceptions qu'il aurait pu invoquer à l'encontre de son créancier primitif (le délégant) (comparer avec n° 278) (Com. 22 avril 1997 : RJDA 8-9/97 n° 1076). En revanche, il peut invoquer les exceptions concernant la créance objet de la délégation comme, par exemple, l'extinction de celle-ci par l'effet de la prescription (Civ. 1re, 17 mars 1992 : RJDA 5/92 n° 489).

Ce mécanisme juridique est très fréquemment utilisé dans la vie des affaires. Par exemple, un banquier, pour garantir un crédit octroyé à un entrepreneur, va se faire attribuer les créances que son client a sur un tiers par suite de travaux effectués (délégation de marché). Le banquier est le délégataire, l'entrepreneur le délégant et le tiers le délégué.

La *délégation* est *parfaite* lorsque le délégataire accepte que l'engagement du délégué soit substitué à celui du délégant, ce dernier étant ainsi libéré de toutes ses obligations envers le délégataire ; elle suppose l'intention de nover (voir n° 289). Elle est donc peu intéressante pour le délégataire et beaucoup moins fréquente que la *délégation imparfaite* qui n'opère pas novation. Dans ce cas, le délégataire a désormais deux débiteurs (le délégant, débiteur primitif, et le délégué). La délégation imparfaite joue, pour le délégataire, le rôle d'une sûreté : ses droits primitifs contre le délégant subsistent et s'y ajoute une créance sur le délégué qui ne peut lui opposer ni les exceptions qu'il avait contre le délégant, ni celles dont ce dernier pouvait se prévaloir (Com. 25 février 1992 : JCP 1992 IV 21922).

Chapitre III

L'extinction des droits

282. Les causes d'extinction des droits sont très variées ; nous nous bornerons à mentionner ici les principales d'entre elles : l'arrivée du terme (section 1), le paiement (section 2), l'impossibilité d'exécuter un droit (section 3), la renonciation à un droit (section 4), la novation (section 5) et la prescription extinctive (section 6).

Section 1
Arrivée du terme

283. *Le terme est une date ultérieure ou un événement futur, se produisant nécessairement, auquel est subordonnée l'extinction d'un droit temporaire.*

> Un événement incertain non seulement dans sa date mais aussi quant à sa réalisation ne constitue pas un terme mais une **condition** (Civ. 1re, 13 avril 1999 : RJDA 7/99 n° 759).
>
> La condition peut être suspensive : le contrat est suspendu tant qu'elle n'est pas remplie et si elle se réalise le contrat devient pleinement efficace rétroactivement, c'est-à-dire à compter du jour où il s'est formé ; elle peut aussi être résolutoire, le contrat étant anéanti une fois la condition arrivée.
>
> La condition est nulle si elle est illicite ou immorale ou impossible ou si elle dépend uniquement du bon vouloir de celui qui s'oblige (condition dite « purement potestative »).

Par exemple, une société conclue pour quatre-vingt-dix-neuf ans devra, à l'expiration de ce délai, être dissoute si une assemblée générale extraordinaire des associés n'a pas, préalablement, décidé de la proroger.

De même, tout droit *viager* disparaît avec le décès de son titulaire.

Section 2
Paiement
(exécution d'une obligation)

284. Dans le langage juridique, le *paiement est l'exécution d'une obligation quel que soit son objet et non pas uniquement le versement d'une somme d'argent ;*

ainsi, dans un contrat d'entreprise, l'entrepreneur, en effectuant la prestation de services visée au contrat, exécute son obligation et fait un paiement.

> Le paiement peut être effectué par le débiteur ou par un tiers et, en principe, le créancier ne peut pas le refuser. En cas de résistance abusive, les articles 1257 à 1264 du Code civil mettent à la disposition du débiteur une procédure spéciale : offres de paiement et consignation.

284-1. S'agissant de l'exécution des obligations de somme d'argent, quatre règles doivent être mentionnées.

1° Le *cours légal* de la monnaie : les paiements faits en France doivent être effectués en euros ;

> *Précisions.*
>
> 1. Les pièces et les billets libellés en francs ont cessé d'avoir cours légal à compter du 18 février 2002 ; ils sont repris sans frais jusqu'au 17 février 2005 par la Banque de France, l'Institut d'émission des DOM et le Trésor public ;
>
> 2. Un créancier n'est pas tenu d'accepter plus de cinquante pièces libellées en euros lors d'un seul paiement, quelle que soit la valeur faciale des pièces utilisées (Règlement 974/98 du 3 mai 1998 art. 11).
>
> 3. En cas de paiement en billets et pièces, le débiteur est obligé de faire l'appoint, c'est-à-dire de se procurer le numéraire nécessaire pour régler exactement les sommes dont il est redevable (Code monétaire et financier article L 112-5) ; l'usager d'un emplacement de stationnement payant est donc tenu de se munir des moyens destinés au règlement de la redevance et ne saurait échapper à une amende pour non-paiement du stationnement en invoquant le fait que l'appareil horodateur n'accepte ni les billets de banque, ni certaines pièces de monnaie (Paris 20 mai 1997 : Bull. inf. C. cass. 1997 n° 1476).
>
> 4. Le chèque n'est pas une monnaie ayant cours légal et il peut donc être refusé, sauf par un commerçant adhérent à un centre de gestion agréé. Toutefois, les traitements ou salaires excédant 1 500 €, l'achat pour un montant supérieur à 3 000 € effectué par un particulier dans le cadre d'une vente aux enchères et tout règlement effectué par un particulier non commerçant ayant son domicile fiscal en France, en paiement d'un bien ou d'un service, d'un montant supérieur à 3 000 € doivent obligatoirement être faits soit par chèque barré, soit par virement bancaire ou postal, soit par carte de paiement ou de crédit, soit par titre interbancaire de paiement (TIP) sous peine d'une amende de 15 000 € (Code monétaire et financier art. L 112-8 et L 161-1) ; cette amende incombe pour moitié au particulier non commerçant qui a effectué le règlement et au vendeur de biens ou au prestataire de services qui l'a accepté, chacun étant solidairement tenu d'en assurer le règlement total. En outre certaines opérations effectuées par des professionnels (loyers, transports, services, fournitures et travaux, acquisition d'immeubles ou d'objets mobiliers...) et dont le montant dépasse 450 € doivent être réglées par chèque barré, virement, carte de paiement ou de crédit, sous peine d'une amende dont le montant est fixé à 5 % des sommes indûment réglées en numéraire (Code monétaire et financier art. L 112-6-1 et L 112-7).
>
> 5. Les tribunaux considèrent que la contrevaleur en euros d'une dette stipulée en monnaie étrangère doit être fixée au jour du paiement, sauf si le retard apporté à celui-ci est imputable à l'une des parties (Civ. 1re, 18 décembre 1990 : RJDA 4/91 n° 272) ; dans ce dernier cas, le créancier peut convertir la somme qui lui est due à la date de la mise en demeure (Civ. 2e, 29 mai 1991 : RJDA 8-9/91 n° 685).
>
> 6. Dans un contrat interne, la fixation de la créance en monnaie étrangère constitue une indexation déguisée interdite (Civ. 1re, 11 octobre 1989 : Bull. I n° 311).
>
> 7. Sur la date de valeur, voir n° 616.

2° Le *nominalisme :* un euro, légalement, vaut toujours un euro ; quelle que soit la dépréciation de la monnaie, le débiteur n'est tenu de verser que la somme numérique exprimant sa dette (sur l'absence de révision pour imprévision des contrats et ses palliatifs, voir n° 585) ;

3° Le *cours forcé :* les billets de banque ne sont plus convertibles en or ; on est donc passé de la « monnaie-papier » au « papier-monnaie ».

> Les pièces d'or, démonétisées, ne peuvent être assimilées à une somme libellée en monnaie étrangère et doivent être traitées comme une chose de genre dont la restitution doit être faite en nature ou, à défaut, par équivalent, la contre-valeur étant calculée en fonction de leur valeur marchande au jour du règlement (Civ. 1re, 22 avril 1986 : JCP 1986 IV 182).

4° Pour tous produits et services et sauf dispositions contraires figurant aux conditions de vente ou convenues entre les parties, le *délai de règlement* des sommes dues est fixé au trentième jour suivant la date de réception des marchandises ou d'exécution de la prestation demandée (Code de commerce art. L 441-6 al. 2).

> Pour les délais de paiement de certaines denrées alimentaires voir l'article L 443-1 du Code de commerce.

Les conditions de règlement doivent obligatoirement préciser les conditions d'application et le taux d'intérêt des pénalités de retard exigibles le jour suivant la date de règlement figurant sur la facture dans le cas où les sommes dues sont réglées après cette date (Code de commerce article L 441-6 al. 3).

> Sauf disposition contraire, qui ne peut, toutefois, fixer un taux inférieur à une fois et demie le taux d'intérêt légal, ce taux est égal au taux d'intérêt appliqué par la Banque centrale européenne (BCE) à son opération de refinancement la plus récente (taux directeur) majoré de 7 points de pourcentage.

284-2. Dans tout contrat de vente d'un bien meuble ou de fourniture d'une prestation de services par un professionnel à un consommateur, sauf stipulation contraire, les sommes versées d'avance sont des *arrhes,* ce qui a pour effet que chacun des contractants peut revenir sur son engagement, le consommateur en perdant les arrhes, le professionnel en les restituant au double.

> S'ils n'ont pas le caractère d'arrhes, les versements effectués par le consommateur sont des *acomptes.* Alors que les arrhes représentent une faculté de dédit, le versement d'un acompte signifie que la vente est définitive. En conséquence, ni le consommateur, ni le professionnel ne peuvent se dédire sans s'exposer au versement de dommages-intérêts. Le contrat peut d'ailleurs prévoir que le montant de l'acompte restera acquis au vendeur si l'acheteur renonce à la vente.

Ces sommes versées d'avance portent intérêt au taux légal à l'expiration d'un délai de trois mois à compter du versement jusqu'à l'exécution du contrat.

285. On appelle *« dation en paiement »* la remise en paiement par le débiteur à son créancier, avec son accord, d'une chose différente de celle qui était initialement prévue. Par exemple, le débiteur d'une somme d'argent transfère à son créancier, qui l'accepte, la propriété d'un matériel ou d'un outillage pour se libérer de sa dette (voir figure I.16).

Figure I-16

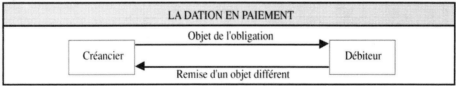

286. Le paiement peut aussi s'opérer par *compensation* (voir figure I.17). Lorsque deux personnes sont, à la fois, créancières et débitrices l'une de l'autre, au lieu d'effectuer un double paiement, on considère que les deux dettes sont éteintes (compensées) jusqu'à concurrence de la plus faible ; il ne reste donc à verser que l'éventuelle différence. La compensation a trois origines :

1° La *compensation légale* a lieu si les créances remplissent les cinq conditions suivantes :

— *réciprocité* (créances entre les mêmes personnes) ;

> Il n'y a pas réciprocité entre la dette de fournitures d'une société et la créance qu'elle détient sur une société du même groupe que son fournisseur car, bien qu'ayant les mêmes dirigeants et des intérêts communs, les deux sociétés du groupe constituent des personnes morales distinctes.

— *certitude* (créances ni éventuelles, ni subordonnées à une condition) ;

— *fongibilité* (créances ayant le même objet, une somme d'argent par exemple) ;

— *exigibilité ;*

— *liquidité* (créances dont le montant est déterminé).

Par *exception,* bien que ces conditions soient réunies, le législateur a prévu que la compensation est exclue dans certains cas, notamment :

— si elle doit porter *préjudice à des droits acquis* par des tiers ; ainsi, une créance frappée de saisie-attribution, étant devenue indisponible, ne peut plus être compensée ;

— si l'une des *créances* est *insaisissable ;* par exemple un employeur ne peut compenser le versement d'un salaire avec des sommes qui lui seraient dues par le salarié pour fournitures diverses, sauf rares exceptions ;

— si elle est invoquée *contre l'État.*

La compensation s'opère de plein droit même à l'insu du débiteur. Toutefois, cette règle n'est pas d'ordre public et les parties peuvent renoncer à s'en prévaloir.

2° La *compensation* est *conventionnelle* lorsque deux personnes conviennent de compenser deux créances dont l'une au moins ne remplit pas les conditions légales (par exemple une dette exigible et une dette non encore échue).

3° Une *compensation judiciaire* peut être prononcée par les juges *entre* des *créances* qui ne sont ni liquides ni exigibles dès lors qu'elles sont *connexes,* même si l'un des créanciers est en redressement judiciaire. La connexité ne peut exister qu'entre créances dérivant d'un même contrat ou de conventions distinctes appartenant à un ensemble contractuel unique servant de cadre général aux relations des parties (Com. 1er avril 1997 : BRDA 1997/8 p. 10).

Figure I-17

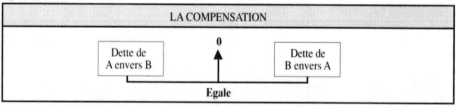

Section 3

Impossibilité d'exécution

287. *Un droit disparaît par caducité lorsque sa mise en œuvre est impossible,* par exemple en cas de force majeure ; de même, le droit de propriété s'éteint par disparition de la chose sur laquelle il porte. En revanche, le décès d'une personne ne fait pas disparaître ses dettes qui sont transmises à ses ayants cause universels.

Si l'impossibilité d'exécution est d'origine fautive, le droit se survit sous la forme d'une obligation à réparation (responsabilité contractuelle ou délictuelle, selon les cas).

287-1. L'exécution d'un droit peut, aussi, être paralysée par la confusion ou la consolidation :

1° La *confusion* est la réunion dans la même personne des qualités de créancier et de débiteur, ce qui éteint les deux créances ; ainsi existe-t-il une confusion si un débiteur devient l'ayant cause universel de son créancier, au décès de celui-ci.

2° La *consolidation* est l'équivalent de la confusion en matière de droits réels.

> Sur la consolidation des comptes, voir n° 515-1.

Si, pour une cause quelconque, les qualités de sujet actif et de sujet passif d'une obligation redeviennent distinctes (résolution d'un acte d'acquisition par exemple), l'obligation éteinte reprend toute sa force.

Section 4

Renonciation à un droit

288. En principe, un droit peut disparaître par renonciation volontaire de son titulaire. Ainsi en est-il de l'abandon d'une chose par son propriétaire ou de la remise de dette.

> La renonciation à un droit ne se présume pas. Elle ne peut résulter que d'actes manifestant sans équivoque la volonté d'y renoncer et ne peut se déduire, par exemple, d'un simple retard à demander l'exécution d'un contrat.

S'il est interdit de renoncer par avance aux règles de protections établies par une loi d'ordre public, il est en revanche permis de renoncer aux effets acquis de telles règles (Civ. 1re, 17 mars 1998 : Bull. I n° 120).

Section 5
Novation
(figure I.18)

289. *La novation est l'extinction d'une obligation par la création d'une obligation nouvelle* qui remplace la première, par exemple la substitution d'une rente viagère à une dette en capital.

Pour qu'il y ait novation, quatre conditions doivent être réunies :

1° la validité des deux obligations ;

2° la création d'une obligation nouvelle par changement de la dette, que ce soit :
— dans son objet, par exemple une obligation de verser une somme d'argent à la place d'une obligation de fournir une marchandise ;

> Il ne faut pas confondre novation et dation en paiement. La nouvelle obligation résultant de la dation en paiement s'exécute à l'instant même de sa naissance ; au contraire, l'obligation nouvelle née de la novation subsiste jusqu'à la date d'exécution prévue.

— dans sa cause, par exemple vendeur et acquéreur conviennent, après la vente, que l'acquéreur, débiteur du prix, conserve cette somme à titre de prêt ;
— par changement de débiteur, par exemple la délégation parfaite (voir n° 281) ;

3° la volonté de nover ; elle ne se présume pas et doit s'exprimer par des actes ou faits manifestant de manière non équivoque cette intention.

> Ainsi jugé qu'en cas d'emprunt il ne suffit pas, pour opérer une novation, de modifier les modalités de remboursement (Civ. 1re, 2 décembre 1997 : RJDA 2/98 n° 136).

4° la capacité des parties.

La novation produit un double effet : d'une part, elle éteint l'obligation ancienne avec toutes ses sûretés *(effet extinctif)* ; d'autre part, elle crée une obligation nouvelle qui se substitue à l'ancienne *(effet créateur) ;* ainsi les exceptions et les moyens de défense que le débiteur pouvait faire valoir contre l'ancienne créance ne sont pas opposables à la nouvelle créance.

Figure I-18

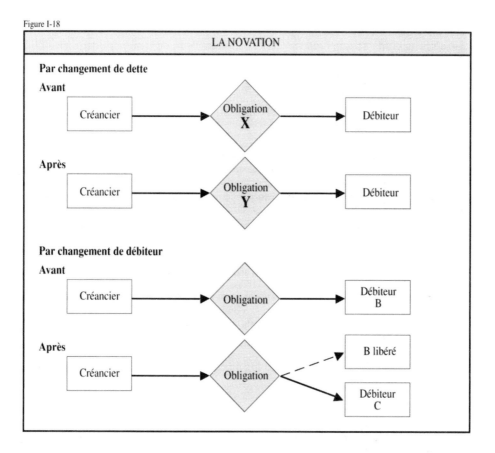

LA NOVATION

Par changement de dette

Avant

Par changement de débiteur

Avant

Après

Section 6

Prescription extinctive

290. Lorsqu'un droit n'est pas exercé par son titulaire pendant un certain laps de temps, il s'*éteint par le non-usage.* On parle alors de prescription extinctive ou de prescription libératoire.

> La prescription acquisitive est l'acquisition d'un droit réel par une possession prolongée (voir n°s 222-1, 225 et 225-1).

En *principe,* toutes *les actions* tant réelles que personnelles *sont prescrites par trente ans.* Mais la prescription n'éteint que l'action en justice (voie offensive) ; *l'exception* (voie défensive) *est imprescriptible* et perpétuelle. Ainsi, un contractant, assigné en exécution forcée de son engagement, peut toujours se défendre en soulevant l'exception de nullité du contrat, même si l'action en nullité est déjà prescrite.

Le principe de la prescription trentenaire connaît de **très nombreuses exceptions** tenant au fait que :

— certains droits sont imprescriptibles : par exemple le droit au nom de famille ou le droit de propriété ne s'éteignent pas par le non-usage (Civ. 3e, 16 janvier 1991 : Bull. III n° 25) ;

— dans de très nombreux cas la loi a abrégé ce délai ; ainsi, les obligations nées à l'occasion de leur commerce entre commerçants ou entre commerçants et non-commerçants se prescrivent par dix ans si elles ne sont pas soumises à des prescriptions spéciales plus courtes.

> Ainsi, l'action en paiement de marchandises vendues par des marchands à des consommateurs se prescrit en deux ans, l'action en paiement des salaires se prescrit en cinq ans, l'action en responsabilité contre le transporteur de marchandises, par terre ou par eau, se prescrit en un an, etc.

De même les créances contre l'État se prescrivent en quatre ans à partir du premier jour de l'année suivant celle au cours de laquelle les droits ont été acquis.

La **prescription peut être interrompue,** mais uniquement par une citation en justice, un commandement ou une saisie signifiés à celui que l'on veut empêcher de prescrire, ou par la reconnaissance de sa dette par le débiteur.

> L'envoi d'une lettre, même recommandée, n'interrompt donc pas une prescription (Com. 13 octobre 1992 : RJDA 12/92 n° 1187).
> La déclaration des créances, dans le cadre d'une procédure collective, équivalant à une demande en justice, interrompt la prescription (Com. 28 juin 1994 : BRDA 94/14 p. 6).

Dans ce cas le délai déjà couru est anéanti, il faut « repartir de zéro » (voir figure I-19).

La prescription peut être **suspendue,** soit parce que le créancier est dans l'impossibilité d'agir par suite d'un cas de force majeure, soit dans certaines hypothèses limitativement prévues par les articles 2252, 2253 et 2258 du Code civil.

> La prescription ne court pas :
> — contre les incapables, pendant le temps de leur incapacité, sauf pour les courtes prescriptions ;
> — entre époux pendant le mariage, pour éviter de troubler « la paix des ménages » ;
> — contre l'héritier bénéficiaire qui est en même temps créancier de la succession.

Le délai marque alors un temps d'arrêt (il est « gelé ») et il repart dès que cesse la cause de suspension, en tenant compte du temps déjà accompli (voir figure I-20).

290-1. *Remarques :*

1° Certains délais, dits **délais préfix,** sont insusceptibles d'interruption ou de suspension ; ils ne peuvent résulter que d'une **disposition légale expresse** (Ass. plén. 14 janv. 1977 : D. 1977 II 89, concl. P. R. Schmelck).

2° Les **courtes prescriptions** connaissent un régime spécial :
— lorsque le débiteur reconnaît l'existence de sa dette, en cours de prescription, il en résulte une **interversion de la prescription :** au bref délai originaire se substitue le délai de droit commun : dix ans entre commerçants ou entre commerçants et non-commerçants, trente ans dans les autres cas (pour un exemple, Com. 23 juin 1987 : Bull. IV n° 161) ;

> Les courtes prescriptions édictées par les articles 2271, 2272 et 2273 du Code civil reposent sur une présomption de paiement et visent les dettes que l'on n'a pas coutume de constater par un titre ; au contraire quand un titre émané du débiteur porte reconnaissance de la dette, on est en présence d'une dette ordinaire impayée, qui échappe à ces prescriptions (Civ. 1re, 15 janvier 1991 : Bull. I n° 17).

— leur effet extinctif est moins fort lorsque le créancier est autorisé à déférer le serment décisoire au débiteur sur la question de savoir si la chose a été réellement payée ; dès lors, si le débiteur ne prête pas serment d'avoir payé, il reste tenu de sa dette malgré l'écoulement du délai.

Figure I-19

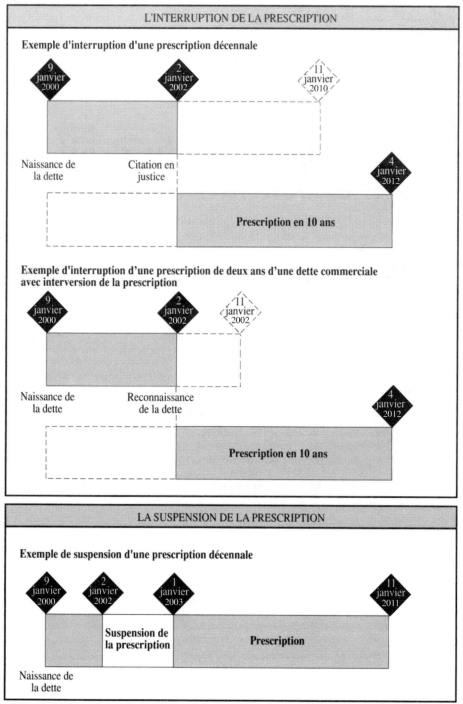

NOTA : Le délai ne comprend pas le jour où la prescription a commencé à courir et n'est écoulé que lorsque le dernier jour est entièrement accompli (articles 2260 et 2261 du Code civil).

Sous-titre 4

La sanction du droit (l'exécution forcée)

291. Tout créancier peut pratiquer une mesure conservatoire pour assurer la sauvegarde de ses droits.

Il peut aussi contraindre son débiteur défaillant à exécuter ses obligations à son égard. Notamment, s'il est muni d'un titre exécutoire constatant une créance liquide (évaluée ou évaluable en argent) et exigible, il peut mettre en œuvre les voies d'exécution décrites aux n°s 42-1 et s.

Seuls constituent des *titres exécutoires* :
— les décisions juridictionnelles ayant force exécutoire ;
— les actes et les jugements étrangers ainsi que les sentences arbitrales revêtues de l'exequatur ;
— les extraits de procès-verbaux de conciliation signés par le juge et les parties ;
— les actes notariés revêtus de la formule exécutoire (copie exécutoire ou « grosse ») ;
— le titre délivré par l'huissier en cas de non-paiement d'un chèque (voir n° 616) ;
— les titres délivrés par les personnes morales de droit public qualifiés comme tels par la loi, ou les décisions auxquelles la loi attache les effets d'un jugement.

L'État est tenu de prêter son concours à l'exécution des jugements et des autres titres exécutoires. Un refus ouvre droit à réparation ; l'huissier chargé de l'exécution peut donc requérir le concours de la force publique.

Chapitre I
Notions sommaires sur le droit judiciaire

292. *Le droit cherche à favoriser les tentatives de conciliation.* Par exemple, tout litige opposant un propriétaire et un locataire sur le prix du bail renouvelé peut être soumis en premier lieu à une commission départementale de conciliation.

Quatre organes de conciliation sont particulièrement importants :

1° Les *conciliateurs de justice* sont des personnes bénévoles devant faciliter le règlement amiable des différends en rapprochant les points de vue de personnes venues les trouver, dont la démarche commune dénote une volonté de se concilier.

Le Code de commerce (art. L 611-3 et suivants) a retenu cette conception du règlement des litiges et prévu qu'une personne nommée « conciliateur » (sans rapport avec le précédent) puisse être nommée pour organiser un règlement amiable des créances des entrepreneurs en difficulté.

2° Les *médiateurs.* Désigné par le juge saisi d'un litige, avec l'accord des parties, le médiateur est une tierce personne chargée d'entendre les parties et de confronter leurs points de vue pour leur permettre de trouver une solution au conflit qui les oppose. La médiation, dont la durée ne peut excéder trois mois, renouvelables une fois, peut être confiée à une personne physique ou à une association.

De même tout établissement de crédit doit désigner un ou plusieurs médiateurs chargés de recommander des solutions aux litiges relatifs à l'application par les établissements de crédit des obligations prévues en matière de conventions de compte de dépôt (Code monétaire et financier art. L. 312-1-3).

Sur le médiateur de la République voir supra n° 100.

3° La *BP 5000.* Elle tente de régler à l'amiable les conflits opposant consommateurs et professionnels ; son animation et son secrétariat sont assurés dans la quasi-totalité des 94 départements où elle est mise en place par la Direction générale de la concurrence, de la consommation et de la répression des fraudes.

4° Les *commissions de règlement des litiges de consommation.* Progressivement instituées au sein de chaque comité départemental de la consommation, elles ont pour mission de favoriser le règlement amiable des litiges nés des opérations de vente ou de prestations de services réalisées par des professionnels au profit de personnes physiques contractant pour un usage non professionnel, dans un délai de 2 mois à compter de la réclamation.

293. Pour régler un différend privé, les parties peuvent conclure une *transaction,* c'est-à-dire un contrat ayant pour objet de *mettre fin à un litige ou* de *prévenir une contestation susceptible de naître* et qui comporte, nécessairement, des concessions réciproques, quelle que soit leur importance relative (Soc. 5 janvier 1994 : Bull. V n° 1).

Cette convention, obligatoirement rédigée par écrit, a la *même valeur qu'une décision passée en force de chose jugée* ; elle ne peut donc être remise en cause sauf pour les rares hypothèses prévues aux articles 2053 et suivants du Code civil.

En outre lorsque, en cours d'instance, les parties mettent fin au litige par une transaction, la juriduction saisie est compétente pour en ordonner l'exécution (Civ. 2ᵉ, 12 juin 1991 ; Bull II n° 183).

Remarque : La transaction ne doit surtout pas être confondue avec le compromis (voir n° 861).

De même, le juge peut, après avoir obtenu l'accord des parties, désigner une tierce personne pour procéder soit aux tentatives préalables de conciliation prescrites par la loi, sauf en matière de divorce et de séparation de corps, soit à une médiation en tout état de la procédure et y compris en référé, pour tenter de parvenir à un accord entre les parties.

> Les constatations du conciliateur ou du médiateur et les déclarations qu'ils recueillent ne peuvent être évoquées devant le juge saisi du litige qu'avec l'accord des parties. Elles ne peuvent être utilisées dans une autre instance.

En cas d'accord, les parties peuvent soumettre celui-ci à l'homologation du juge qui lui donne force exécutoire.

À défaut de règlement amiable, les adversaires soumettent leur litige soit à un ou plusieurs arbitres, soit à un juge de l'ordre judiciaire (section 1).

Toute personne mécontente d'une décision de l'administration peut saisir le juge administratif (section 2).

Figure I-20

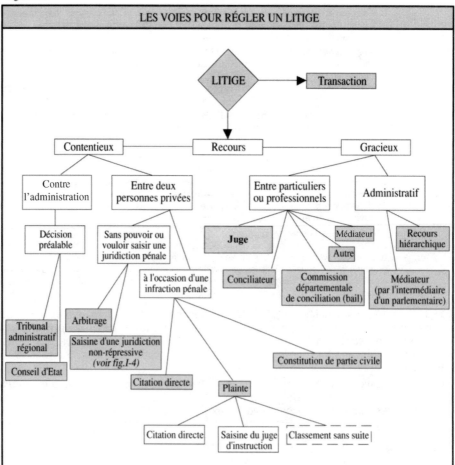

Section 1
Litiges entre particuliers

I.   Action en justice

A — CONDITIONS DE L'ACTION

294. Pour agir en justice, il faut cumulativement :

1° *un intérêt,* c'est-à-dire espérer un avantage d'ordre pécuniaire ou moral, par exemple une somme d'argent ou la publication d'une décision ;

2° *un intérêt né et actuel,* un intérêt simplement éventuel ne suffisant pas ;

3° *un intérêt personnel* (« nul ne plaide en France par procureur »). Mais l'action en justice est, parfois, réservée à certaines personnes en raison du droit invoqué, par exemple le législateur a réservé au seul incapable (ou son représentant), pour mieux assurer sa protection, le droit d'agir en nullité des actes qu'il a passés alors qu'il ne le devait pas.

C'est, en principe, la personne qui a intérêt à l'action qui a qualité pour agir. Elle peut, cependant, ne pas agir elle-même et charger un mandataire de le faire à sa place.

B — FORMES DE L'ACTION

295. L'action est le droit, pour l'auteur d'une prétention, d'être entendu sur le fond de celle-ci afin que le juge la dise bien ou mal fondée. C'est la **demande principale** dont le juge est saisi par le demandeur. À cette demande originaire peuvent s'adjoindre, sous certaines conditions, des **demandes incidentes** ou même **nouvelles.**

L'adversaire va opposer à cette demande soit une exception de procédure, soit une fin de non-recevoir, soit une défense au fond ; il peut aussi faire une demande reconventionnelle :

Constitue une *exception* de procédure tout moyen qui tend soit à faire déclarer la procédure irrégulière ou éteinte, soit à en suspendre le cours.

> Il existe quatre catégories d'exception :
> — les *exceptions d'incompétence*, le plaideur prétendant la juridiction saisie incompétente ;

— les *exceptions de litispendance et de connexité*, le litige ayant été porté devant deux juridictions de même degré également compétentes pour en connaître (litispendance), ou des affaires portées devant deux juridictions distinctes ayant un lien tel qu'il soit de l'intérêt d'une bonne justice de les faire instruire et juger ensemble (connexité) ;

— les *exceptions dilatoires*, l'une des parties jouissant d'un délai d'attente en vertu de la loi, par exemple l'héritier ayant un délai de trois mois pour faire inventaire puis de quarante jours pour délibérer, avant d'accepter ou de refuser une succession ;

— les *exceptions de nullité,* le plaideur invoquant la nullité d'un acte de procédure pour vice de forme ou irrégularité de fond.

Les exceptions doivent être soulevées avant toute fin de non-recevoir ou défense au fond, sinon elles deviennent irrecevables.

Constitue *une fin de non-recevoir* tout moyen qui tend à faire déclarer l'adversaire irrecevable en sa demande, sans examen au fond, pour défaut de droit d'agir, tel le défaut de qualité, le défaut d'intérêt, la prescription, le délai préfix, la chose jugée. Les fins de non-recevoir peuvent être soulevées pendant toute la durée de l'instance ; elles doivent l'être d'office par les tribunaux, c'est-à-dire sans que cela leur soit demandé, lorsqu'elles sont d'ordre public, telle l'absence d'ouverture d'une voie de recours.

Constitue *une défense au fond* tout moyen qui tend à faire rejeter comme non justifiée, après examen au fond du droit, la prétention de l'adversaire. Les défenses au fond peuvent être proposées pendant tout le déroulement de l'instance.

La *demande* dite « *reconventionnelle* » est la réplique du défendeur au demandeur, sa contre-attaque, telle une demande de dommages-intérêts pour procédure abusive.

En présence d'un procès dont la solution risque d'influencer leurs intérêts, les *tiers* peuvent attendre le jugement et l'attaquer par la voie de tierce-opposition s'il leur est défavorable. Plus fréquemment, ils feront une « *intervention* » volontaire ou forcée et deviendront des parties à l'instance en cours. Ainsi, de très nombreux procès commerciaux entraînent une cascade de *mises en cause,* par exemple le vendeur, poursuivi pour vice caché de sa marchandise, va « appeler en garantie » son propre fournisseur qui peut, lui-même, en faire autant.

C — EFFETS JURIDIQUES DE LA DEMANDE

295-1. La demande en justice a de nombreuses conséquences, notamment :

— elle saisit le juge qui doit se prononcer sur tout ce qui est demandé ; le juge qui refusera de juger, sous prétexte du silence, de l'obscurité ou de l'insuffisance de la loi, pourra être poursuivi pour *déni de justice* ;

— elle opère mise en demeure ;

— elle interrompt la prescription ;

— elle est transmissible aux ayants cause.

II. Compétence

(figures II-1 et IV-1)

296. Afin de déterminer la juridiction compétente pour connaître d'une action, il faut résoudre deux difficultés :

Il importe, d'abord, de rechercher celle dans les attributions de laquelle rentre le litige, en raison de sa nature ou de son importance (*compétence d'attribution* ou « ratione materiae »). S'agit-il d'un différend entre commerçants ou particuliers ? Porte-t-il sur plus ou moins de 7 600 € ? etc. Ce problème a été exposé aux n°s 73 et s., 94 et s.

Reste à savoir, parmi les différentes juridictions d'une même catégorie, quelle est celle qui est compétente quant au lieu (*compétence territoriale* ou « ratione loci »).

En principe, l'action doit être introduite devant le *tribunal dans le ressort duquel est domicilié le défendeur*. Mais ce principe comporte de très *nombreuses dérogations* impossibles à détailler ici :

— soit la loi attribue compétence à un autre tribunal que celui du domicile du défendeur, par exemple celui dans le ressort duquel est situé un immeuble pour toutes les actions réelles immobilières ou celui dans le ressort duquel le débiteur a son principal établissement en cas de procédure collective ;

— soit la loi prévoit que le demandeur a une option entre le tribunal du domicile du défendeur et une ou plusieurs autres juridictions. Par exemple, il peut choisir, en matière contractuelle, la juridiction du lieu de la livraison effective de la chose ou du lieu de l'exécution de la prestation de services ; en matière délictuelle, la juridiction du lieu de fait dommageable ou celle dans le ressort de laquelle le dommage a été subi.

Selon une jurisprudence constante, dite « des gares principales », lorsqu'il s'agit de sociétés importantes, possédant des succursales disséminées sur tout le territoire, les tribunaux des lieux où sont situées ces agences peuvent être compétents ; il faut pour cela que dans ces *succursales ou établissements principaux* il y ait une personne ayant le pouvoir d'engager la société à l'égard des tiers (Civ. 2e, 20 oct. 1965 : D. 1966 II 192).

Enfin, toute *clause qui,* directement ou indirectement, *déroge aux règles de compétence territoriale* est réputée non-écrite sauf si elle a été conclue entre des personnes ayant contracté en qualité de commerçant et si elle a été spécifiée de façon très apparente dans l'engagement de la partie à qui elle est opposée (Nouveau Code de procédure civile art. 48).

> Cette règle ne s'applique pas aux litiges internationaux (Paris 11 mars 1987 : BRDA 1987/12 p. 22).

III.   L'instance (mise en œuvre de l'action en justice)

297. La mise en œuvre de l'action en justice se fait par une suite d'actes de procédure allant de la demande en justice jusqu'au jugement. Ces actes sont soumis à des conditions de forme et de délai qu'il n'est pas possible d'évoquer ici. Ils doivent, aussi, répondre à un certain nombre de principes fondamentaux, que nous mentionnerons rapidement, avant de prendre un exemple de déroulement d'instance (ou procès).

A — PRINCIPES FONDAMENTAUX DE L'INSTANCE

Délimitation de l'instance par les parties
(Nouveau Code de procédure civile art. 1 à 12)

299. Selon le principe, dit « principe dispositif », les plaideurs ont la direction du procès, le juge devant rester neutre.

Ainsi, ce sont *les parties* qui *introduisent l'instance,* sauf les hypothèses exceptionnelles où la loi autorise le juge à se saisir d'office, c'est-à-dire à statuer sans que cela lui soit demandé par un plaideur (par exemple pour ordonner une astreinte, ouvrir une procédure de redressement judiciaire ou modifier une clause pénale).

En outre, les parties *conduisent l'instance,* c'est-à-dire choisissent librement les moyens sur lesquels elles entendent fonder leurs prétentions. Cependant, les juges, devant veiller au bon déroulement du procès, ont le pouvoir d'impartir des délais et d'ordonner les mesures nécessaires (sur le rôle du juge de la mise en état voir n° 305). Chaque partie doit apporter la preuve de ses prétentions.

L'*objet du litige* est déterminé par les prétentions respectives des plaideurs dans l'acte introductif d'instance, les conclusions qui le complètent et celles qui y répondent. Les juges doivent donc se prononcer sur tout ce qui est demandé mais seulement sur ce qui est demandé sans pouvoir modifier l'objet du litige dont ils sont saisis (interdiction de statuer « ultra petita »).

Ils doivent restituer leur exacte qualification aux faits et actes litigieux, sans s'arrêter à la dénomination proposée par les parties. Toutefois ils ne peuvent rectifier les qualifications choisies par les parties à l'acte considéré, même si elles sont inexactes, lorsque en vertu d'un accord exprès et pour les droits dont elles ont la libre disposition (les parties) les ont liés par les qualifications et points de droit auxquels elles entendent limiter le débat.

Principe du contradictoire
(Nouveau Code de procédure civile art. 14 à 17)

300. Chaque partie à l'instance doit être en mesure de discuter les prétentions, les arguments et les preuves de son adversaire. Ce *principe de loyauté* est dit « principe du contradictoire » ou encore *« respect des droits de la défense ».*

Ainsi, les parties doivent se faire connaître mutuellement en temps utile les moyens de fait sur lesquels elles fondent leurs prétentions, les éléments de preuve qu'elles produisent et les moyens de droit qu'elles invoquent, afin que chacun soit à même d'organiser sa défense.

> Les juges ne peuvent donc fonder leur décision sur des moyens de droit relevés d'office sans avoir, au préalable, invité les parties à présenter leurs observations.

Publicité des débats

(Nouveau Code de procédure civile art. 22)

301. Pour permettre — très théoriquement – au public de vérifier la loyauté des débats, ces derniers sont publics, sauf dans les cas où la loi exige ou permet qu'ils aient lieu en chambre du conseil, notamment, s'il doit résulter de leur publicité une atteinte à l'intimité de la vie privée, si toutes les parties le demandent ou s'il survient des désordres de nature à troubler la sérénité de la justice.

La loi 85-699 du 11 juillet 1985 autorise l'enregistrement intégral des débats présentant un intérêt historique. Ce document peut être librement consulté vingt ans après la clôture du procès ; il ne peut être librement reproduit et diffusé qu'au bout de cinquante ans.

Obligation de motivation

(Nouveau Code de procédure civile art. 455)

302. Un jugement doit, à peine de nullité, exposer succinctement les prétentions respectives des parties, leurs moyens et, sauf rares exceptions, être motivé par les juges pour permettre à la Cour de cassation d'exercer son contrôle.

Double degré de juridiction

303. Tout plaideur mécontent de la décision des premiers juges doit pouvoir faire *rejuger* son *affaire par une juridiction hiérarchiquement supérieure.* Tel est le principe du double degré de juridiction, exposé aux n⁰ˢ 85, 310 et 311-1.

Obligation de réserve des plaideurs

(Nouveau Code de procédure civile art. 24)

304. Les parties sont tenues de garder en tout le respect dû à la justice. Le juge peut, suivant la gravité des manquements, prononcer, même d'office, des injonctions, supprimer des écrits, les déclarer calomnieux, ordonner l'impression et l'affichage des jugements.

B — NOTIONS SUR LE DÉROULEMENT DE L'INSTANCE

305. Si les procédures suivies devant les diverses juridictions respectent toutes les mêmes principes fondamentaux, elles présentent cependant des variantes impossibles à décrire ici. Nous prendrons, comme exemple, les phases essentielles d'un procès se déroulant devant le tribunal de grande instance, juridiction de droit commun.

> Les personnes impliquées dans une action en justice et ne disposant que de faibles ressources peuvent bénéficier d'une *aide juridictionnelle*, c'est-à-dire d'une prise en charge totale ou partielle des frais de justice. On estime à 11,5 millions le nombre de foyers fiscaux concernés.

> La demande est adressée aux bureaux d'aide juridictionnelle, établis au siège de chaque tribunal de grande instance, qui peuvent recueillir tous renseignements sur la situation financière du requérant (auprès des administrations, des organismes de sécurité sociale et de gestion des prestations familiales, etc.). Ces bureaux ont un pouvoir d'appréciation sur l'octroi de l'aide en fonction du caractère recevable ou fondé de la demande ; ils peuvent donc refuser toute aide à des personnes présentant des demandes évidemment injustifiées, voire abusives.
>
> En 1999, 704 650 personnes ont été bénéficiaires de l'aide juridictionnelle (388 000 en 1992).
>
> L'avocat peut être choisi par le bénéficiaire ou sinon il est désigné d'office par le bâtonnier (commission d'office).
>
> L'aide juridictionnelle est complétée par une *aide à l'accès au droit* comprenant :
> — une *aide à la consultation* permettant à son bénéficiaire d'obtenir des informations sur l'étendue de ses droits et obligations, des conseils sur les moyens de faire valoir ses droits, une assistance en vue de l'établissement d'un acte juridique ;
> — une assistance au cours de procédures non juridictionnelles.

L'introduction de l'instance est faite par une **assignation,** acte d'huissier établi à l'initiative du demandeur et signifié au défendeur. Elle contient, notamment, l'indication du tribunal devant juger le litige, la constitution d'avocat du demandeur, les raisons et l'objet de la demande.

> Si l'huissier ne peut remettre l'assignation à la personne même ou à quelqu'un présent au domicile ou au gardien de l'immeuble ou à un voisin — ces trois dernières personnes n'étant pas tenues d'accepter — il doit déposer l'acte à la mairie de la commune du domicile du destinataire. Il doit ensuite laisser un avis de passage au domicile et aviser le défendeur par une lettre simple.

Le défendeur doit **constituer** un **avocat** qui le représentera, sinon il y a « **défaut faute de comparaître** » et il s'expose à ce qu'un jugement soit rendu contre lui sur les seuls éléments fournis par son adversaire (sur le jugement par défaut voir n° 310).

Le tribunal est saisi par la remise d'une copie de l'assignation au greffe. Cette remise doit être faite dans les quatre mois de l'assignation, à peine de caducité de celle-ci. Il y a donc **enrôlement de l'affaire** (inscription au répertoire général et constitution d'un dossier de l'affaire au greffe). Puis le président fixe le jour auquel l'affaire sera appelée.

> En cas d'urgence, il est possible d'utiliser la procédure dite « à jour fixe ». Le demandeur demande au président du tribunal l'autorisation d'assigner à jour fixe en exposant les motifs de l'urgence. Si le président accepte, il fixe un jour qui sera indiqué sur l'assignation. À la date fixée, le président s'assure qu'il s'est écoulé un temps suffisant depuis l'assignation pour que le défendeur ait pu préparer sa défense. Puis l'affaire est plaidée sur-le-champ, en l'état où elle se trouve, sauf si le président juge nécessaire de la renvoyer devant le juge de la mise en état.

En attendant cette date, les parties, par l'intermédiaire de leurs avocats, exposent leurs prétentions dans des « **conclusions** » et se communiquent leurs pièces.

Pour le demandeur l'assignation vaut conclusions, mais il peut compléter et affiner l'exposé des moyens dans des conclusions définitives. Le défendeur, en concluant, peut soulever des exceptions de procédure, opposer une fin de non-recevoir, faire valoir des défenses au fond, voire former une demande reconventionnelle.

Au jour fixé, l'affaire est appelée devant le président ; celui-ci confère de l'état de la cause avec les avocats présents (d'où le nom de l'audience dite d'« **appel des causes** »). Selon l'état d'avancement de l'affaire :
— **il renvoie à une audience** dont il fixe la date, les affaires qui, d'après les explications des avocats et au vu des conclusions échangées et des pièces communiquées, lui paraissent prêtes à être jugées sur le fond ;

— *il renvoie l'affaire pour instruction devant un juge de la mise en état.* Ce magistrat a de nombreuses attributions lui permettant de veiller au déroulement loyal de la procédure et de s'assurer que l'affaire sera effectivement en état d'être jugée. Le jour venu, il rend une ordonnance de clôture, après laquelle aucune conclusion ne peut être déposée ni aucune pièce produite aux débats à peine d'irrecevabilité prononcée d'office. L'affaire est alors renvoyée à une audience dont la date est fixée par le président. S'il estime que l'affaire le requiert, le président de la chambre peut charger le juge de la mise en état d'établir un rapport écrit ; exceptionnellement, il peut en charger un autre magistrat ou l'établir lui-même.

Vient alors *l'audience des plaidoiries.* Après lecture du rapport (s'il existe), l'avocat du demandeur puis du défendeur exposent oralement les prétentions de leurs clients (ils plaident).

Le ministère public n'est tenu d'assister à l'audience que dans les cas où il est partie principale... ou lorsque sa présence est rendue obligatoire par la loi. Dans tous les autres cas, il peut faire connaître son avis à la juridiction soit en lui adressant des conclusions écrites qui sont mises à la disposition des parties, soit oralement à l'audience.

Le président prononce alors la *clôture des débats.* Le tribunal délibère sur le champ ou se donne un délai de réflexion, plus ou moins long (mise en *délibéré*), puis rend son jugement.

> Le procès le plus long de l'histoire de France fut probablement celui qui opposa la corporation des tailleurs de Paris à celle des fripiers, pour fixer la démarcation entre le vieil habit et l'habit tout fait. Commencé en 1530, il n'était pas encore fini en 1776 quand Turgot supprima, pour peu de temps, les corporations.

IV.   Effets d'une décision de justice

306. Tout jugement, après un bref rappel des prétentions respectives des parties et de leurs moyens, doit contenir les *motifs* retenus par les magistrats (les « attendus » ou « considérants ») et un *dispositif* qui est la décision elle-même.

Ce dispositif exprime la solution retenue par les juges et, en même temps, toutes les dispositions accessoires telles que des condamnations :

— à des dommages-intérêts ;

— aux *dépens,* c'est-à-dire une partie des frais occasionnés par le procès ;

> La partie perdante est condamnée aux dépens, à moins que le juge, par décision motivée, n'en mette la totalité ou une fraction à la charge d'une autre partie (Civ. 2e, 10 février 1993 : Bull. II n° 55).

— à tout ou partie des *frais irrépétibles* (ceux qui ne sont pas compris dans les dépens, notamment les honoraires de plaidoirie de l'avocat) ;

> Le juge tient compte de l'équité ou de la situation économique de la partie condamnée. Il peut, même d'office, pour des raisons tirées des mêmes considérations, dire qu'il n'y a pas lieu à cette condamnation.

— à une astreinte ;

— à une amende civile en cas de procédure dilatoire ou abusive.

306-1. Le jugement, dès son prononcé, *dessaisit les juges* de la contestation qu'ils tranchent.

Toutefois, les magistrats ont le pouvoir de rétracter leur décision, c'est-à-dire de statuer à nouveau en fait et en droit, en cas d'opposition, de tierce-opposition ou de recours en révision.

Ils peuvent également l'interpréter ou la rectifier en cas d'erreurs matérielles, d'omission de statuer sur l'un des chefs de la demande ou, au contraire, s'ils se sont prononcés sur des questions non soulevées.

306-2. Le dispositif du jugement a *autorité de la chose jugée* dès le prononcé de la décision.

> Ceci ne s'applique ni aux jugements provisoires (ne tranchant pas le fond du procès), ni aux jugements avant dire droit (ordonnant une mesure d'instruction ou une mesure provisoire), ni aux ordonnances de référé (Com. 14 février 1989 : Bull. IV n° 65).

L'autorité de la chose jugée s'oppose à ce qu'un nouveau procès soit recommencé :
— sur le même objet,
— pour la même cause (fondement juridique),
— entre les mêmes personnes.

Ce principe, général et absolu, s'attache même aux décisions erronées (Civ. 1re, 22 juillet 1986, Bull. I n° 225) ; mais on peut contester la décision en exerçant une voie de recours.

L'autorité de chose jugée est dite « relative » car ceux qui n'ont été ni parties ni représentés à l'instance ne peuvent se voir opposer cette décision.

> Il existe cependant des exceptions ; notamment ont autorité à l'égard de tous les jugements annulant une situation juridique objective (société, association...), les décisions prononçant une procédure collective et les jugements rendus en matière d'appellation d'origine ou de nationalité française.

306-3. L'autorité de chose jugée au pénal s'étend aux motifs de la décision dès lors qu'ils sont le soutien nécessaire du dispositif (Com. 9 octobre 2001 : RJDA 2/02 n° 216).

307. Pour être *exécutoire,* le jugement doit à la fois :
— être *notifié,* c'est-à-dire porté à la connaissance du perdant. Cette notification est opérée par voie de signification (acte d'huissier) à moins que la loi n'en dispose autrement ;
— avoir *force de chose jugée,* c'est-à-dire n'être susceptible d'aucune voie de recours à effet suspensif (appel, opposition, pourvoi en cassation dans les cas exceptionnels visés n° 87) ou ne pas avoir fait l'objet d'un tel recours dans le délai.

> *Précisions.*
>
> 1° Les jugements rendus en premier ressort doivent avoir été notifiés pour passer en force de chose jugée.
>
> En revanche, les décisions en premier et en dernier ressort rendues contradictoirement et les arrêts d'appel rendus dans les mêmes conditions acquièrent force de chose jugée dès leur prononcé.
>
> 2° Un jugement est en principe exécutoire à partir du moment où il passe en force de chose jugée, à moins que le débiteur ne bénéficie d'un délai de grâce.

— être *revêtu de la formule exécutoire* (infra annexe 1), la copie du jugement muni de cette formule, dite « grosse » ou « copie exécutoire », étant délivrée, sous sa responsabilité, par le greffier.

Un *jugement* est dit « *irrévocable* » lorsque les délais des voies de recours exceptionnelles ont expiré ou qu'il a été fait usage de ces voies.

Remarque. Les praticiens parlent communément d'un « *jugement définitif* » pour désigner une décision qui n'est plus susceptible d'appel ou d'un pourvoi en cassation.

307-1. En principe, les jugements rendus à l'étranger, hors les États membres de l'UE, et qui concernent des droits patrimoniaux ne peuvent produire aucun effet en France, ni y être exécutés, si leur régularité n'a pas été vérifiée par une juridiction française.

L'action la plus fréquente pour conférer à de tels jugements étrangers l'autorité de chose jugée et la force exécutoire est la demande d'« exequatur ».

> Cette action est de la compétence exclusive du tribunal de grande instance siégeant à juge unique.

307-2. Les décisions de justice des juridictions d'un État membre de l'UE ou de l'AELE concernant les litiges en matière civile et commerciale ont, en principe, dans les autres États membres :

— autorité de la chose jugée, de plein droit ;

— vocation à y être mises à exécution, après y avoir été revêtues de la formule exécutoire sur requête de toute partie intéressée, la partie contre laquelle l'exécution est demandée ne pouvant former qu'un recours contre l'exequatur qui a été accordé.

> Font exception les litiges concernant :
> — l'état et la capacité des personnes physiques, les régimes matrimoniaux, les testaments et les successions ;
> — les procédures collectives de règlement des créanciers ;
> — la sécurité sociale ;
> — l'arbitrage.

V.   Voies de recours

308. Les voies de recours sont des moyens mis à la disposition des plaideurs pour obtenir un réexamen de leur affaire. Elles ne sont plus possibles si le perdant a acquiescé expressément (il le dit) ou tacitement au jugement.

> L'acquiescement à un jugement doit toujours être certain et résulter d'actes incompatibles avec la volonté d'interjeter appel (Civ. 2e, 20 juillet 1987 : Bull. II n° 167).

A — VOIES DE RECOURS USUELLES

Opposition
(Nouveau Code de procédure civile art. 571 et s.)

310. L'opposition est la voie de recours exercée contre les *jugements rendus « par défaut »*, c'est-à-dire insusceptibles d'appel, le défendeur n'ayant pas comparu et l'assignation ne lui ayant pas été remise « à lui-même » (à personne).

> L'ordonnance portant injonction de payer produit après l'apposition de la formule exécutoire tous les effets d'un jugement contradictoire, elle n'est donc pas susceptible d'opposition (Civ. 2e, 6 décembre 1991 : Bull. II n° 329).

Le jugement est *réputé contradictoire* – et donc insusceptible d'opposition — lorsqu'il est susceptible d'appel ou lorsque la citation a été délivrée à la personne du défendeur.

L'opposition a un effet suspensif et dévolutif, les mêmes juges devant statuer à nouveau en fait et en droit sur les seuls points jugés par défaut.

Elle doit être exercée dans le délai d'un mois à partir de la notification du jugement ; passé ce délai, l'opposition n'est plus possible (forclusion).

Celui qui se laisserait juger une seconde fois par défaut n'est pas admis à former une nouvelle opposition.

Appel
(Nouveau Code de procédure civile art. 542 et s.)

311. Voir n°s 85 et s.

Contredit
(Nouveau Code de procédure civile art. 80 et s.)

311-1. Lorsque les juges du premier degré se sont prononcés sur leur compétence sans statuer sur le fond du litige, leur décision ne peut être attaquée devant la cour d'appel que par la voie du contredit.

Le contredit, qui a effet suspensif, doit être formé dans les quinze jours du prononcé du jugement.

B — VOIES DE RECOURS EXCEPTIONNELLES

Tierce opposition
(Nouveau Code de procédure civile art. 582 et s.)

313. La tierce opposition permet à ceux qui n'ont été ni parties ni représentés à une procédure de demander au juge de modifier une décision qui les lèse ou menace de leur être préjudiciable.

Tout jugement est susceptible de tierce opposition, sauf exception légale (par exemple les arrêts de la Cour de cassation).

La tierce opposition doit, en principe, être exercée dans un délai de trente ans à partir de la décision, mais il existe de nombreuses exceptions, notamment en matière de procédure collective.

Elle ne rétracte ou réforme le jugement attaqué que sur les points préjudiciables aux tiers opposants ; mais la décision primitive conserve ses effets entre les parties, même sur ces points.

Recours en révision
(Nouveau Code de procédure civile art. 593 et s.)

314. Le recours en révision — extrêmement rare — tend à faire *rétracter un jugement entaché d'une erreur involontaire* pour l'une des causes visées à l'article 595 du nouveau Code de procédure civile (fraude de l'une des parties, faux témoignage, pièces fausses, etc.).

Ce recours doit être exercé devant les juges ayant ainsi statué, dans les deux mois qui suivent la découverte de la cause de révision.

Pourvoi en cassation
(Nouveau Code de procédure civile art. 604 et s.)

315. Voir n°s 87 et s.

Recours en réexamen
(Code de procédure pénale art. 626-1 et s.)

315-1. Le réexamen d'une décision pénale définitive peut être demandé au bénéfice de toute personne reconnue coupable d'une infraction lorsqu'il résulte d'un arrêt rendu par la Cour européenne des droits de l'homme que la condamnation a été prononcée en violation des dispositions de la convention de sauvegarde des droits de l'homme et des libertés fondamentales ou de ses protocoles additionnels, dès lors que, par sa nature et sa gravité, la violation constatée entraîne pour le condamné des conséquences dommageables auxquelles la « satisfaction équitable » allouée sur le fondement de l'article 41 de la convention ne pourrait mettre un terme.

> Sur ce recours voir les articles 626-2 et suivants du Code de procédure pénale introduits par la loi 2000-516 du 15 juin 2000.

Section 2
Litiges
avec les administrations publiques

316. L'administration peut être assignée en justice, mais elle jouit de nombreux privilèges.

1° Les décisions des autorités administratives sont immédiatement exécutoires même si elles font l'objet d'un recours contentieux qui en révèle ultérieurement l'illégalité *(privilège du préalable)*.

2° L'administration a le pouvoir de faire exécuter d'office ses décisions lorsqu'aucune action judiciaire n'est possible *(privilège de l'exécution d'office)* ; toutefois, elle ne peut porter atteinte, ainsi, à une liberté fondamentale ou à une propriété privée (voie de fait, voir n° 94).

3° *Les actes,* dits *de gouvernement,* relatifs aux rapports des pouvoirs publics et à leur fonctionnement ainsi qu'aux rapports diplomatiques (fondés sur des considérations d'opportunité politique) entre États ne peuvent être soumis à aucun juge.

4° Il n'y a *pas*, en principe, d'*exécution forcée* des décisions juridictionnelles *contre l'administration.* Toutefois, cette règle est atténuée par les mesures suivantes :

— les juges peuvent, si l'administration refuse de s'exécuter, la condamner à des dommages-intérêts ;

— lorsqu'une décision juridictionnelle, passée en force de chose jugée, a condamné une personne morale de droit public au paiement d'une somme d'argent fixée par la décision elle-même, cette somme doit être ordonnancée ou mandatée dans un délai de quatre mois à compter de la notification de cette décision. À défaut, s'il s'agit de l'État, le comptable assignataire doit, à la demande du créancier et sur présentation de la décision, procéder directement au paiement ; s'il s'agit d'une collectivité locale ou d'un établissement public, le représentant de l'État, sur présentation de la décision par le créancier, procède au mandatement d'office ;

— si une décision rendue par une juridiction administrative n'est pas exécutée, le Conseil d'État peut, même d'office, *prononcer une astreinte* contre toute personne morale de droit public pour assurer l'exécution de cette décision.

I.   Principaux recours contre les décisions de l'administration

A — RECOURS POUR EXCÈS DE POUVOIR

318. *Le recours pour excès de pouvoir est exercé contre un acte administratif qu'un particulier prétend illégal et dont il veut obtenir l'annulation.*
Pour être recevable, ce recours doit donc être exercé :

— contre un acte administratif portant décision exécutoire ;

— par une personne y ayant un intérêt direct et personnel ;

— dans un délai de deux mois, le ministère d'avocat n'étant pas obligatoire ;

— à défaut de tout autre recours possible.

Les motifs à annulation (dits « ouvertures ») sont très variés : incompétence de l'autorité administrative, illégalité de la décision, vice de forme.
Si ce recours aboutit, il entraîne l'annulation de l'acte.

B — RECOURS DE PLEINE JURIDICTION

319. À la différence du précédent, le *recours de pleine juridiction ne porte en principe que sur une situation juridique individuelle,* le requérant prétendant avoir droit à quelque chose de la part de l'administration (le plus souvent à la suite d'un contrat, ou parce qu'il se prétend victime d'un dommage dont l'administration serait responsable) ; ce recours ne profite donc qu'au demandeur.

Toutefois, à l'exception des litiges de travaux publics, l'administré doit avoir saisi préalablement l'administration d'une demande. Il ne peut, en effet, exercer un recours (« lier le contentieux ») que contre la décision rejetant sa demande explicitement ou implicitement (2 mois de silence faisant naître une décision implicite de rejet sauf exceptions).

> Toutes les autorités administratives (État, collectivités territoriales, établissements publics à caractère administratif, organismes de sécurité sociale et autres organismes chargés de la gestion d'un service public) doivent, lorsqu'elles sont saisies d'une demande ou d'une réclamation, en accuser réception sous peine d'inopposabilité des délais de recours à l'auteur de la demande ou de la réclamation. Si elles sont incompétentes pour statuer sur la demande, elles doivent l'adresser à l'autorité compétente ; le délai au terme duquel est susceptible d'intervenir une décision implicite de rejet court à compter de la date de réception de la demande par l'autorité initialement saisie (Loi 2000-321 du 12 avril 2000 art. 19 s.).

L'administration est responsable si elle a commis une faute. Elle est aussi responsable **sans faute** lorsqu'elle porte une atteinte anormale au principe d'égalité devant les charges publiques ou prend un risque faisant subir à une personne un dommage particulièrement grave.

> Ainsi jugé, par exemple, pour :
> — un arrêté municipal interdisant la traversée d'une commune et provoquant le tarissement de la quasi-totalité de la clientèle d'un relais routier spécialement aménagé pour l'accueil des chauffeurs routiers (CE 13 mai 1987, Aldebert : JCP 1988 II 20960 obs. B. Pacteau) ;
> — la fourniture de sang par les centres de transfusion sanguine (CE, ass., 26 mai 1995, 3 espèces : Rec. p. 221).

Si le tribunal fait droit à la requête, il annule la décision préalable et condamne l'administration à payer une somme qu'il détermine (ou renvoie à l'administration pour fixer l'indemnité), ou prend toute autre mesure utile (annulation d'une modification contractuelle, etc.).

C — AUTRES RECOURS

320. Il existe d'autres recours, essentiellement :

— des recours en annulation ne portant pas sur des actes administratifs (sinon il s'agirait d'un recours pour excès de pouvoir), par exemple le contentieux électoral ;

— le recours en interprétation, le tribunal devant dire le sens d'un acte administratif ;

— le recours en appréciation de la légalité ; un procès se déroulant devant une juridiction posant le problème de la légalité d'un acte administratif, le tribunal administratif doit simplement dire si l'acte est légal ou non, sans l'annuler.

II.   Procédure administrative

321. La procédure devant les juridictions administratives se différencie de celle qui est pratiquée devant les juridictions judiciaires ; notamment elle est :

— « **inquisitoriale** », c'est-à-dire dirigée par le juge, contrairement à la procédure judiciaire ; l'instruction des affaires est contradictoire ;

— *écrite* (la procédure privée étant davantage orale), les plaidoiries des avocats ne pouvant que commenter les *mémoires* écrits ;

Sur l'enregistrement audiovisuel voir n° 301.

— théoriquement rapide ; le contentieux relatif aux services publics devant être réglé rapidement, on ne retrouve pas certaines règles de la procédure privée.

321-1. Le Conseil d'État, les cours administratives d'appel et les tribunaux administratifs appliquent, pour l'essentiel, des règles de procédure identiques.

Le ministère d'avocat est obligatoire, sauf exceptions (notamment, le recours pour excès de pouvoir).

Devant le tribunal administratif, l'État est dispensé du ministère d'avocat, soit en demande, soit en défense, soit en intervention. Les recours et mémoires présentés au nom de l'État sont signés par le ministre intéressé. Toutefois, lorsque le litige, quelle que soit sa nature, est né de l'activité des administrations civiles de l'État dans le département ou la région, l'État est, sauf exception, représenté par le préfet.

Seuls les avocats à la Cour de cassation et au Conseil d'État peuvent agir devant le Conseil d'État et le Tribunal des conflits.

Le demandeur dépose une requête introductive d'instance pouvant être complétée par un « mémoire ampliatif » développant les conclusions.

Le défendeur fait un mémoire en défense auquel le demandeur peut apporter une « réplique » pouvant faire l'objet elle-même d'« observations nouvelles ».

À l'audience, un rapport oral est présenté par un membre de la juridiction, puis les avocats font leurs observations, enfin le commissaire du Gouvernement présente ses conclusions (sur le commissaire du Gouvernement voir n° 104-1).

La requête n'a pas d'effet suspensif sauf si la juridiction saisie ordonne le *sursis à exécution* lorsque l'exécution de la décision attaquée risque d'entraîner des conséquences difficilement réparables et que les moyens énoncés dans la requête paraissent sérieux en l'état de l'instruction.

321-2. Tous les jugements des tribunaux administratifs sont susceptibles d'appel devant les cours administratives d'appel ou le Conseil d'État, selon la nature des recours. Le Conseil d'État est juge de cassation des juridictions administratives statuant en dernier ressort, telles les cours administratives d'appel, la Cour des comptes, la Cour de discipline budgétaire et financière.

Chapitre II

La preuve

322. Prouver, c'est démontrer que quelque chose est vrai. Rien n'est plus important en matière juridique, car le juge ne rendra une décision exécutoire que s'il est convaincu de l'existence du droit contesté.

Section 1
Mécanismes généraux de la preuve juridique

I. Charge de la preuve

323. Chaque plaideur doit tenter de convaincre le juge du bien-fondé de ses prétentions. Mais que se passe-t-il lorsque le magistrat n'arrive pas à se forger ce que l'on dénomme son « intime conviction » — ce qui en pratique est, heureusement, assez rare – faute d'éléments emportant son adhésion ? Il ne peut pas refuser de rendre une solution au litige, car ce serait un « déni de justice ». Force lui est donc d'admettre que le doute préjudicie nécessairement à celui qui a la charge de la preuve (Soc. 15 oct. 1964 : Bull. IV n° 678).

En principe, ce fardeau pèse sur le demandeur. Mais la qualité de demandeur ou de défendeur, au regard de la preuve, ne saurait se confondre avec celle de demandeur ou de défendeur à l'instance ; il faut l'apprécier au regard de chaque allégation contestée. Supposons une personne (demandeur à l'instance) réclamant le remboursement d'une somme d'argent à une autre personne (défendeur à l'instance) ; si le débiteur, sans contester l'existence du prêt, prétend avoir déjà remboursé, bien que défendeur à l'instance, il lui incombe, cependant, de prouver l'existence de ce remboursement (il est demandeur au regard de la preuve).

Le législateur a parfois modifié ce mécanisme en créant ce que l'on dénomme des **« présomptions »**, désignant celui qui doit prouver et déterminant ainsi celui qui perd son procès s'il n'y parvient pas. Ainsi, l'article 2268 du Code civil, dont la jurisprudence a fait un principe général, admet que la bonne foi est présumée ; c'est donc celui qui se prévaut de la mauvaise foi de son adversaire qui doit en apporter la preuve et qui, s'il n'y parvient pas, succombe dans l'action judiciaire.

II. Objet de la preuve

324. Chaque partie doit *prouver les faits* nécessaires au succès de sa prétention.

Un plaideur n'a donc pas à prouver, en principe, l'existence des règles de droit — le juge étant censé les connaître — mais les événements (actes ou faits juridiques) qui en sont, en quelque sorte, les « détonateurs ». Par exception, le juge ne pouvant tout savoir, on admet qu'une partie doive cependant apporter la preuve du contenu d'un *droit étranger* ou d'un *usage,* éventuellement applicables.

> Cette preuve pèse sur la partie dont la prétention est soumise à la loi étrangère ou à l'usage et non sur celle qui l'invoque (Civ. 1re, 24 janv. 1984 : BRDA, 1984/8 p. 21).

> La preuve du contenu d'un droit étranger peut être faite par tous moyens (Civ. 1re, 21 juillet 1987 : Bull. I n° 240) ; sont notamment utilisés des avis, dits « certificats de coutume », fournis par des agents diplomatiques ou des jurisconsultes des pays concernés.

Toutefois, les parties ne doivent prouver que les éléments contestés. Tout argument invoqué par l'un des plaideurs, et qui n'est pas discuté par son adversaire, doit être tenu pour vrai.

325. Lorsque l'établissement du fait à prouver est trop malaisé, le législateur est, parfois, intervenu pour déplacer l'objet de la preuve en créant des *présomptions légales,* conséquences que la loi ou le magistrat tire d'un fait connu à un fait inconnu.

Il suffit, alors, d'établir d'autres faits, plus faciles à démontrer, pour que ce qui est à prouver soit, de par la volonté du législateur, considéré comme établi. Ainsi, pour démontrer la qualité de commerçant d'une personne physique, le droit se contente de la preuve de son inscription au registre du commerce et des sociétés.

> *Remarque.* Le terme « présomption » est donc particulièrement ambigu : la « présomption » de l'article 1349 du Code civil règle l'objet mais non la charge de la preuve ; à l'inverse, la « présomption » de l'article 2268 du Code civil règle la charge, mais non l'objet de la preuve.

Ces présomptions sont de deux ordres : *les présomptions simples* (ou réfragables) laissent au défendeur la possibilité de prouver que le fait contesté n'existe pas ; par exemple la concurrence déloyale présume nécessairement un préjudice, mais, s'agissant d'une présomption simple, l'auteur d'un acte de concurrence déloyale peut rapporter la preuve que ses agissements n'ont pas causé de dommage à la victime.

En revanche, les *présomptions absolues* (ou irréfragables) interdisent au défendeur d'apporter la preuve du contraire ; dans ce cas, le droit cherche moins à aider une partie à établir un fait contesté qu'à assurer un résultat auquel il entend parvenir, par exemple, rendre un employeur presque toujours responsable des fautes commises par ses salariés ou le gardien responsable du « fait » de la chose dont il a la garde.

Il est une *preuve* qui reste, malgré tout, très délicate à faire, c'est celle d'*un fait négatif* (l'absence de faute, par exemple). Il est alors nécessaire de démontrer l'existence d'un, ou mieux, de plusieurs faits positifs antithétiques de ce fait négatif. Ainsi, établir que la cessation des paiements d'une entreprise n'est due qu'à des circonstances économiques ou politiques totalement imprévisibles prouve qu'à l'origine de la procédure collective il n'y a pas faute de gestion du dirigeant.

III. Rôle du juge

326. Seul un juge (ou un arbitre) est compétent pour reconnaître un droit dont l'existence est contestée. Il doit être totalement *impartial* et ne peut statuer, par exemple, sur un litige relatif à un accident dont il a été le témoin.

Si le magistrat doit forger son *intime conviction* à partir des arguments échangés par les plaideurs, il ne joue pas, cependant, un rôle totalement passif. Il peut ordonner la production de documents et des mesures d'instruction.

La Cour de cassation contrôle l'appréciation des éléments de preuve effectuée par les juges du fond.

A — PRODUCTION D'ÉLÉMENTS DE PREUVE

327. Les juges du fond peuvent — mais ils n'y sont pas obligés —, à la requête de l'un des plaideurs, enjoindre à l'autre partie, voire à des tiers, de produire des éléments de preuve qu'ils détiennent, au besoin sous astreinte.

B — Mesures d'instruction

328. Des *mesures d'instruction* peuvent être ordonnées par les juges, à la demande de tout intéressé, lorsqu'il existe un motif légitime de conserver ou d'*établir* avant tout procès la *preuve de faits* dont pourrait dépendre la solution d'un litige. Les magistrats apprécient souverainement l'opportunité de le faire, mais ce ne peut être pour suppléer la carence d'une partie dans l'administration de la preuve.

En outre, les juges peuvent commettre toute personne de leur choix pour les éclairer par des constatations, par une consultation ou par une expertise sur une question de fait qui requiert les lumières d'un technicien.

> Le juge peut charger la personne qu'il commet de procéder à des *constatations ;* le constatant ne doit porter aucun avis sur les conséquences de fait ou de droit qui peuvent en résulter.
>
> Lorsqu'une question purement technique ne requiert pas d'investigations complexes, le juge peut charger la personne qu'il commet de lui fournir une simple *consultation*.
>
> *L'expertise* n'a lieu d'être ordonnée que dans les cas où des constatations ou une consultation ne pourraient suffire à éclairer le juge.

IV. Limites du droit à la preuve

328-1. Si essentielle que soit la recherche de la vérité, elle est soumise à certaines limites :

Tout d'abord, la production des preuves doit respecter le *principe du contradictoire* (voir n° 300).

Ainsi en est-il de la communication des pièces, de la comparution personnelle des plaideurs, de l'enquête, des constatations, de la consultation, et de l'expertise.

De même, les juges du fond ne peuvent, normalement, fonder leur décision sur des renseignements dont ils auraient eu personnellement connaissance, sans que les parties aient pu en discuter.

Ensuite, le droit à la preuve est exceptionnellement écarté lorsque d'autres intérêts, encore plus légitimes, l'imposent ; par exemple le respect de l'intimité de la vie privée interdit d'utiliser des enregistrements ou des photographies effectués dans un lieu privé à l'insu d'une personne.

Ainsi jugé que si l'employeur a le droit de contrôler et de surveiller l'activité de ses salariés pendant le temps de travail, tout enregistrement, quels qu'en soient les motifs, d'images ou de paroles à leur insu, constitue un mode de preuve illicite (Soc. 20 novembre 1991 : Bull. V n° 519).

Surtout, le **secret professionnel** est considéré comme un obstacle infranchissable, exception faite des instructions pénales ou fiscales.

L'article 226-13 du nouveau Code pénal soumet au secret professionnel toute personne dépositaire d'une information à caractère secret soit par état ou par profession, soit en raison d'une fonction ou d'une mission temporaire. Sont donc concernés, par exemple, les experts-comptables et comptables agréés, les avocats et tous les officiers publics et/ou ministériels.

En revanche, le **secret** dit « **des affaires** » ne peut s'opposer au prononcé de mesures d'instruction dès lors que le juge constate que les mesures qu'il ordonne procèdent d'un motif légitime et sont nécessaires à la protection des droits de la partie qui les a sollicitées (Civ. 2e, 7 janvier 1999 : RJDA 5/99 n° 626).

V.   Légalité de la preuve

A —   PRINCIPE DE LA PREUVE PAR ACTE ÉCRIT

330. Le principe de la preuve par acte écrit comporte deux volets :

1° Tout **acte juridique** portant sur une somme supérieure à 800 € doit être **prouvé par écrit** ; par définition, les parties ont cherché des conséquences juridiques ; il est donc logique de les astreindre à s'en préconstituer la preuve.

Remarques. Dans la langue juridique, **le mot acte a donc deux sens :** il sert, d'abord, à désigner un **mécanisme juridique** source de droits (« negotium ») : l'acte juridique, tel un contrat ou un testament.

Il est aussi employé au sens d'un **écrit** (« instrumentum ») **rédigé pour constater** ce « negotium ». Ainsi, parle-t-on d'un acte authentique ou d'un acte sous seing privé.

2° Les **inexactitudes** (preuve contre) **ou les omissions** (preuve outre) **que comporterait un écrit ne peuvent être établies par les parties que par un autre écrit,** l'aveu judiciaire ou le serment décisoire (sauf pour les actes authentiques), quelle que soit la somme concernée (même moins de 800 €), **sauf en cas de fraude.**

Sur l'aveu judiciaire et le serment décisoire voir nos 351 et 354.

330-1. Ces deux règles ne concernent que les auteurs de l'écrit et leurs ayants cause universels ou à titre universel. En revanche, elles ne s'appliquent pas aux tiers ; ces derniers peuvent donc, par exemple, contester la sincérité des énonciations contenues dans les actes qu'on leur oppose et ce par tous moyens (Civ. 3ᵉ, 17 avril 1991 : RJDA 6/91 n° 549).

> Les tiers peuvent donc démontrer par tout moyen l'existence d'une simulation, par exemple la fictivité d'un contrat de société.

En outre, ces deux **règles ne sont pas d'ordre public.** *Aussi peut-on,* par convention, **y déroger,** par exemple en exigeant toujours un écrit ou, au contraire, en autorisant les juges du fond à statuer en fonction de leur intime conviction. De même les tribunaux ne sauraient les relever sans que cela leur soit demandé.

B — EXCEPTIONS

331. L'obligation de préconstituer une preuve écrite et l'interdiction de prouver par tout moyen contre et outre un écrit sont écartées dans six hypothèses :

1° pour prouver un **fait juridique,** ses conséquences juridiques n'ayant pas été voulues ;

2° **entre commerçants pour les actes de commerce** effectués pour l'exercice et dans l'intérêt de leur commerce. (Civ. 1ʳᵉ, 2 mai 2001 : Bull. I n° 108) Toutefois, dans de nombreuses hypothèses, un écrit est obligatoire ; par exemple les effets de commerce doivent comporter des mentions déterminées et être rédigés par écrit ;

> S'agissant des actes mixtes, c'est-à-dire commerciaux pour une seule partie voir n° 449.

3° pour prouver un **contrat de fermage ou de métayage** (mise à disposition à titre onéreux d'un immeuble à usage agricole en vue de l'exploitation) ;

4° au cas d'*impossibilité de prouver par écrit* dans les hypothèses suivantes :
— l'*impossibilité de produire un acte écrit qui a existé* mais a été perdu dans un cas de force majeure ou par le fait d'un tiers (vol, par exemple), à l'exclusion de toute autre hypothèse ;
— l'*impossibilité d'établir un écrit* pour des raisons matérielles (par exemple en cas d'incendie ou de naufrage, de remise d'un véhicule dans un parking, etc.) ou morales.

> Cette impossibilité « morale » peut être due :
> — soit à des relations familiales, par exemple entre parents et enfants, frères et sœurs, conjoints ;
> — soit à des relations affectives, par exemple entre concubins ou fiancés ;
> — soit à des relations de subordination, par exemple entre un salarié et son employeur ;
> — soit à l'usage, par exemple entre un médecin ou un avocat et son client, entre marchands de bois et abatteurs d'arbres (Pau 12 novembre 1999 : JCP 1999 Actu. p. 600).

Les juges se réservent d'apprécier, cas par cas, si les circonstances ont bien rendu l'écrit impossible ;

5° si l'on a conservé une **copie** *fidèle et durable* d'un écrit dont l'original a été détruit ; cette disposition vise essentiellement le microfilm et la photocopie. Est réputée durable toute reproduction indélébile de l'original qui entraîne une modification irréversible du support (Code civil art. 1348, al. 2), par exemple le développement photographique aux sels d'argent ou l'impression au moyen de jets d'encre. Mais il est, en pratique, très délicat de s'assurer de la fidélité de la copie, falsifications et montages étant très aisés avec des photocopies ;

> Ainsi jugé qu'est une copie sincère et fidèle, au sens de l'article 1348 alinéa 2 du Code civil, une photocopie ne révélant aucune trace de falsification par montage de plusieurs

documents et dont les caractéristiques d'ordre général de l'écriture présentent de grandes similitudes avec celle de la personne concernée (Civ. 1re, 30 mai 2000 : RJDA 7-8/00 n° 819).

6° en présence d'un **commencement de preuve par écrit,** c'est-à-dire d'un document écrit, émanant de la personne contre qui on l'invoque, et rendant vraisemblable le fait allégué, par exemple de la correspondance ou un chèque ayant perdu toute valeur comme titre cambiaire.

> Le commencement de preuve par écrit peut émaner du mandataire de celui à qui on l'oppose (Civ. 1re, 28 juin 1989 : Bull. I n° 263).

Ce **commencement de preuve par écrit n'est pas, à lui seul, une preuve,** il doit être conforté par des modes de preuve qui, autrement, seraient irrecevables (témoignages ou présomptions de fait par exemple).

> Peuvent être considérées par le juge comme équivalant à un commencement de preuve par écrit, les déclarations faites par une partie lors de sa comparution personnelle, son refus de répondre ou son absence à la comparution.

> Dans certaines hypothèses le commencement de preuve par écrit n'est pas utilisable ; ainsi en l'absence de commencement d'exécution, l'existence d'un bail verbal ne peut pas être prouvée par témoins ou présomptions, alors même qu'il existerait un commencement de preuve par écrit (Civ. 3e, 18 mars 1987 : Bull. III n° 54).

Section 2
Modes de preuve

I. Preuve littérale ou preuve écrite

333. La preuve littérale, ou preuve par écrit, résulte d'une suite de lettres, de caractères, de chiffres ou de tous autres signes ou symboles dotés d'une signification intelligible, quels que soient leur support et leurs modalités de transmission (Code civil art. 1316).

Lorsque la loi n'a pas fixé d'autres principes, et à défaut de convention valable entre les parties, le juge règle les conflits de preuve littérale en déterminant par tous moyens le titre le plus vraisemblable, quel qu'en soit le support (Code civil art. 1316-2).

Tous le documents écrits n'ayant pas la même valeur probatoire, il faut distinguer entre les actes écrits, les documents électroniques et les autres supports papier.

A — ACTES ÉCRITS

334. La loi a prévu deux catégories d'actes : les actes authentiques et les actes sous seing privé.

> Il ne faut pas confondre ces actes instrumentaires avec l'opération juridique (« negotium ») qu'ils constatent.

En principe, le « negotium » et l'« instrumentum » sont indépendants l'un de l'autre (à l'exception des contrats solennels, voir n° 567). La nullité de l'acte probatoire n'atteint pas l'opération juridique elle-même qui devra, si cela est autorisé et si faire se peut, être prouvée autrement.

Actes authentiques
(Code civil art. 1317)

335. L'acte authentique est celui qui est *dressé* :

— par un *officier public :* certains officiers ministériels, les officiers d'état civil, les agents diplomatiques et consulaires, les officiers de police judiciaire, etc. ;

— *agissant dans ce qui est de sa compétence matérielle* (par exemple seul un notaire peut conférer l'authenticité aux actes faits par des particuliers) et *territoriale ;*

— en *respectant des formalités variables* selon les actes ; sont toujours requises la signature de l'officier public qui confère l'authenticité à l'acte et l'approbation des ratures et surcharges qui, à défaut, seraient nulles.

> Les actes authentiques les plus importants pour la vie des affaires sont les actes notariés. Ils sont soumis à des conditions de forme prévues par le décret 71-941 du 26 novembre 1971. En principe, il n'en existe qu'un original (la « minute »), conservé par le notaire pendant 100 ans. Seules des copies peuvent être délivrées : une « grosse », copie munie de la formule exécutoire, au créancier ; des « expéditions » (copies complètes) ou des « extraits » (copies partielles) aux intéressés et leurs ayants droit. Exceptionnellement l'acte est, parfois, dressé en « brevet », c'est-à-dire en un original remis à l'intéressé, par exemple une procuration.

L'acte authentique *fait foi jusqu'à inscription de faux* (procédure spéciale destinée à démontrer que l'acte authentique est un faux) des faits que l'officier public y a énoncé comme les ayant constatés ou accomplis lui-même ou comme s'étant passés en sa présence dans l'exercice de ses fonctions.

> Cette procédure, réglementée par les articles 303 et suivants du nouveau Code de procédure civile, est périlleuse pour le demandeur. En effet, s'il succombe, il s'expose à être condamné à des dommages-intérêts substantiels et à une amende civile de 1 500 €.

Les autres énonciations peuvent être combattues par la preuve contraire (Civ. 3°, 3 février 1993 : RJDA 4/93 n° 366).

Ainsi, dans un acte authentique, font foi jusqu'à inscription de faux, par exemple, les mentions relatives à la date, à la présence ou à l'absence des parties ; tel n'est pas le cas, en revanche, des mentions indiquant que le prix a été payé hors la vue et la comptabilité de l'officier public par la remise d'un chèque dont le créancier a donné bonne et valable quittance (clause dite « de quittance ») (Civ. 3°, 7 novembre 1990 : RJDA 2/91 n° 174) ; il en irait différemment en cas de paiement fait par l'intermédiaire de la comptabilité de l'officier public.

L'acte authentique a *date certaine* sans qu'il soit nécessaire de l'enregistrer.

L'acte authentique, nul pour incompétence de l'officier public ou pour défaut de forme, vaut comme acte sous seing privé s'il est signé par les parties (Code civil art. 1318).

335-1. Tout *contrat administratif établi par écrit* est *assimilable à un acte authentique :* il a date certaine et fait foi jusqu'à inscription de faux.

Actes sous seing privé

(Code civil art. 1325 s.)

336. Les actes sous seing (signature) privé *sont des actes écrits, établis par des particuliers et signés par eux, sans l'intervention d'un officier public.* Pour avoir force probante, ils doivent remplir certaines conditions de forme.

Conditions de forme des actes sous seing privé

337. Le seul élément indispensable est la *signature* de celui contre qui on l'invoque. L'acte sous seing privé peut même n'être qu'une simple signature, on parle alors de « blanc-seing ».

La signature, qu'elle soit manuscrite ou électronique, identifie celui qui l'appose et manifeste son consentement aux obligations qui résultent de l'acte (Code civil art. 1316-4).

337-1. La *signature électronique* est admise en vue d'assurer la perfection d'un acte sous deux conditions : le procédé d'identification utilisé doit être fiable et il doit garantir le lien de la signature avec l'acte auquel celle-ci s'attache ; la fiabilité du procédé est présumée, jusqu'à preuve contraire, lorsque la signature est créée, l'identité du signataire assurée et l'intégrité de l'acte garantie dans les trois conditions posées par le décret 2001-272 du 30 mars 2001.

1° La *signature* doit être « *sécurisée* », c'est-à-dire répondre aux conditions précitées et satisfaire aux exigences suivantes :

— être propre au signataire ;

— être créée par des moyens que le signataire puisse garder sous son contrôle exclusif ;

— garantir avec l'acte auquel elle s'attache un lien tel que toute modification ultérieure de l'acte soit détectable.

2° La signature doit être établie grâce à un *dispositif sécurisé de création* de signature électronique, c'est-à-dire un matériel ou un logiciel destiné à mettre en application les éléments propres au signataire, tels que des clés cryptographiques privées, garantissant, par des moyens techniques et des procédures appropriés, que les données de création de signature électronique :

— ne pourront pas être établies plus d'une fois et que leur confidentialité sera assurée,

— ne pourront pas être trouvées par déduction et que la signature électronique sera protégée contre toute falsification,

— pourront être protégées de manière satisfaisante par le signataire contre toute utilisation par des tiers.

En outre ce dispositif doit n'entraîner aucune altération du contenu de l'acte à signer et ne pas faire obstacle à ce que le signataire en ait une connaissance exacte avant de le signer. Enfin, il doit être certifié conforme à ces exigences soit par les services du Premier ministre chargés de la sécurité des systèmes d'information après une évaluation réalisée par des organismes agréés, soit par un organisme désigné à cet effet par un État membre de la Communauté européenne.

3° La signature doit être vérifiée par un *dispositif de vérification* reposant sur l'utilisation d'un document électronique attestant du lien entre les données de vérification de signature électronique et un signataire (certificat électronique), remplissant les conditions requises pour être qualifié.

> Pour les conditions requises pour la certification du dispositif de vérification et la qualification du certificat, voir les articles 5 et 6 du décret du 30 mars 2001.

338. Mais des conditions de forme supplémentaires doivent être respectées pour que l'acte puisse servir de preuve d'un contrat synallagmatique ou d'une promesse unilatérale :

1° *L'acte sous seing privé qui constate un contrat synallagmatique* (contrat dans lequel les parties s'obligent réciproquement les unes envers les autres, par exemple la vente ou le bail) doit être fait en *autant d'exemplaires originaux que de parties contractantes* (formalité dite « du double » quelque soit le nombre d'originaux nécessaires). Ainsi un contrat de vente conclu entre deux personnes exige deux actes originaux ; un contrat de société convenu entre douze associés nécessite douze actes originaux.

> En pratique, il est souvent nécessaire de faire encore plus d'originaux pour exécuter diverses formalités : enregistrement, publicité foncière, immatriculation au registre du commerce et des sociétés...

En outre, chaque acte original doit contenir la mention du nombre des exemplaires originaux.

Toutefois, on se contente d'un seul exemplaire de l'acte sous seing privé dans les trois hypothèses suivantes :
— l'une des parties a déjà exécuté ses obligations et la possession d'un original serait sans intérêt pour l'autre partie qui n'a plus de droit à faire valoir (Civ. 1re, 13 janvier 1993 : RJDA 4/93 n° 368) ;
— les deux parties sont convenues de confier cet exemplaire à un tiers, mandataire commun, pouvant jouir de leur confiance mutuelle ;
— l'acte constate un contrat commercial (Com., 25 avril 1968 : Bull. III n° 132).

> S'agissant des engagements commerciaux, il se peut cependant qu'un texte spécial impose le respect de la formalité « du double », voire exige encore plus d'originaux.

L'irrespect de ces conditions de forme n'entraîne pas la nullité du contrat synallagmatique qu'il constate (Civ. 3e, 13 février 1991 : RJDA 3/91 n° 260) ; l'acte perd sa qualité et dégénère en commencement de preuve par écrit (Civ. 3e, 4 décembre 1968 : Bull. III n° 523).

> L'inobservation de ces conditions de forme est donc sans conséquence lorsque la convention n'est pas contestée dans son existence ou son contenu ou lorsqu'elle a déjà été exécutée.

Précision. Contrairement à une opinion couramment répandue, dans un acte sous seing privé constatant un engagement synallagmatique, les signatures n'ont à être précédées :
— ni d'un « lu et approuvé » (formalité dépourvue de toute portée, voir infra),
— ni de la mention manuscrite de la somme à payer (formalité réservée aux engagements unilatéraux, voir infra) [Com. 3 mars 1987 : Bull. IV n° 63].

2° *L'acte sous seing privé qui constate un engagement unilatéral* à payer une somme d'argent ou à livrer un bien fongible doit comporter *la mention, écrite de la main de celui qui souscrit cet engagement, de la somme ou de la quantité en toutes lettres et en chiffres ;* en cas de différence, l'acte sous seing privé vaut pour la somme écrite en toutes lettres. Tel est le cas, par exemple, d'une reconnaissance de dette.

> *Précisions.* 1° Cette règle n'est requise que pour les engagements unilatéraux visés par le texte et n'est donc pas exigée pour les pouvoirs, autorisations, etc.

2° Elle ne s'applique pas entre commerçants (Com., 27 févr. 1979 : JCP 1979 IV 161).

3° L'omission de la mention manuscrite en chiffres ne prive pas l'acte de sa force probante dès lors qu'il comporte la mention de la somme en toutes lettres (Civ. 1re, 19 décembre 1995 : RJDA 5/96 n° 728).

4° Depuis la réforme apportée par la loi du 12 juillet 1980, *le « lu et approuvé »* est une formalité dépourvue de toute portée (Civ. 1re, 27 janvier 1993 : RJDA 4/93 n° 367).

L'irrespect de cette condition entraîne la **nullité de l'acte sous seing privé pouvant dégénérer en commencement de preuve par écrit** s'il en remplit les conditions, sans que cela affecte la validité de l'obligation.

Force probante des actes sous seing privé

339. Entre les parties :

Dans les rapports entre les parties, il faut distinguer entre la force probante de l'origine de l'acte (la foi due à l'écriture) et celle de son contenu (la foi due au contenu).

La foi due à l'écriture : L'acte sous seing privé fait foi de son origine jusqu'à dénégation (désaveu) d'écriture et de signature de celui à qui on l'oppose ; dans ce cas il appartient au juge de vérifier l'acte contesté à moins qu'il puisse statuer sans en tenir compte (Com., 2 février 1993 : Bull. IV n° 44).

> Il existe, pour cela, une procédure spéciale, avec recours à des experts, dite de « vérification d'écriture », réglementée par les articles 287 et suivants du nouveau Code de procédure civile.

La foi due au contenu : Si l'acte sous seing privé est reconnu comme n'étant pas un faux, ou s'il n'est pas contesté, il s'impose aux juges jusqu'à preuve du contraire. Mais cette preuve doit être rapportée par un autre écrit car, contre et outre un écrit, on ne prouve que par écrit.

340. Envers les tiers :

Lorsqu'il est opposé à des tiers (ceux qui ne sont ni les parties, ni leurs ayants cause universels ou à titre universel), l'acte sous seing privé ne peut avoir la même force probante qu'entre ceux qui l'ont fait ; sinon la tentation de frauder risquerait d'être trop forte. **Les tiers peuvent donc prouver contre et outre cet acte par tous moyens.**

En outre, la *date* d'établissement de l'acte n'est, en principe, opposable aux tiers de bonne foi que si elle est rendue « *certaine* » du fait :
— soit de l'enregistrement de l'acte,
— soit du décès de l'un des signataires,
— soit de la reprise de la substance de l'acte dans un acte authentique.

Mais ce principe comporte des *exceptions :* il est des actes sous seing privé dont la date est opposable aux tiers sans aucune formalité, ainsi le régime de la date certaine ne s'applique pas en matière commerciale (Com. 17 mars 1992 : RJDA 7/92 n° 787) ; il en est d'autres pour qui il faut remplir certaines formalités, telles la signification (par exemple en cas de cession de créance), ou l'inscription sur un registre (par exemple le gage automobile).

> En matière immobilière, l'opposabilité aux tiers suppose le respect des règles de publicité foncière ; en règle générale, seuls des actes authentiques peuvent être publiés.

B — ÉCRIT ÉLECTRONIQUE
(Code civil art. 1316-1)

340-1. L'écrit sous forme électronique est admis en preuve au même titre que les actes écrits, à deux conditions :
— la personne dont il émane peut être dûment identifiée ;
— cet écrit est établi et conservé dans des conditions de nature à en garantir l'intégrité.

> Sur la signature électronique voir n° 337-1.

C — AUTRES ÉCRITS

341. *Ces documents écrits* ne sont pas des « actes écrits » et ont une valeur probatoire variable. Il en existe une infinie variété et nous n'en retiendrons que quelques-uns :

Correspondance (lettres missives)

342. La correspondance jouit, en pratique judiciaire, d'un très grand crédit car elle est, le plus souvent, *volontaire et signée.*

Une lettre fait preuve *contre son auteur* si sa production en justice par le destinataire est possible, une lettre confidentielle ne pouvant être produite qu'avec l'accord de l'expéditeur.

Si elle porte une signature manuscrite, elle est un acte sous seing privé ; toutefois, pour pouvoir prouver un contrat synallagmatique ou un engagement unilatéral, elle doit respecter les règles visées au n° 338, le risque d'abus de signature étant important. À défaut, la correspondance a valeur d'aveu extrajudiciaire ou de commencement de preuve par écrit.

Une correspondance n'a *date certaine* envers les tiers que dans l'une des trois hypothèses précitées n° 340.

> La production de la photocopie d'une lettre ne suffit pas à prouver qu'elle a bien été envoyée (Com., 25 nov. 1986 : BRDA 1987/2 p. 23).

Livres comptables

344. Les livres comptables font toujours preuve contre le commerçant qui les tient ; toutefois, dans un litige entre commerçants à l'occasion d'un acte de commerce, ils peuvent servir de preuve en faveur de celui qui les tient régulièrement.

> Sur la communication des livres comptables voir n° 799.

Registres et papiers domestiques

345. Les registres et papiers domestiques sont les documents qu'une personne établit sans y être obligée ; ils peuvent être invoqués *contre celui qui les a tenus.*

Ils ont valeur de commencement de preuve par écrit, pourvu qu'ils en remplissent les conditions, ou, à défaut, de présomptions de fait.

Copies

346. Les copies sont les reproductions d'un écrit préexistant (l'original).

Si le document original subsiste, lui seul fait preuve et sa production en justice peut toujours être demandée.

Si l'original a disparu, il faut différencier quatre hypothèses :

— *les copies « fidèles et durables »* se suffisent à elles-mêmes ;

— *les copies d'actes authentiques conservés en minutes* ont une force probante variable, réglementée par l'article 1335 du Code civil ;

— les *copies d'actes sous seing privé* ont valeur d'écrit dès lors que leur intégrité et l'imputabilité de leur contenu aux auteurs désignés ont été vérifiées ou ne sont pas contestées (Com. 2 décembre 1997 : RJDA 2/98 n° 207) ; à défaut, elles valent comme commencement de preuve par écrit si elles en remplissent les conditions (par exemple, pour des doubles de factures obtenus à l'aide de papier carbone, voir Civ. 1re, 27 mai 1986, Bull. I n° 141) ;

— les *photocopies* ont une valeur dont l'appréciation relève du pouvoir souverain des juges du fond (Civ. 1re, 30 mai 2000 : RJDA 7-8/00 n° 819), par exemple la valeur d'une copie sincère et fidèle (n° 331, 5°) ou celle d'un commencement de preuve par écrit si leur conformité à l'original détruit n'est pas contestée (Civ. 1re, 14 février 1995 : JCP 1995 II 22402, note Y. Chartier).

Remarque. Le juge ne pouvant, en principe, relever d'office les règles relatives aux preuves, tant que l'adversaire ne réclame pas la production de l'original, la copie est suffisante.

Télécopies

347. Les télécopies sont les *copies* de documents graphiques *transmis à distance.* Elles ont valeur d'*écrit* dès lors que leur *intégrité* et l'*imputabilité de leur contenu* aux auteurs désignés ont été *vérifiées* ou ne sont pas contestées (Com. 2 décembre 1997 : RJDA 2/98 n° 207). En cas de contestation, leur valeur est souverainement appréciée par les juges du fond (Civ. 1re, 28 mars 2000 : JCP 2000 E p. 1569 note L. Leveneur).

II. Preuve testimoniale ou témoignage

348. La preuve testimoniale est celle qui résulte des déclarations faites, sous la foi du serment, devant le juge, par des personnes relatant ce qu'elles ont vu (témoignage « de visu ») ou entendu (témoignage « de auditu »). Le plus souvent, il s'agit d'un *témoignage direct,* mais il peut n'être qu'*indirect,* le témoin rapportant la déclaration d'une autre personne relatant ce qu'elle a elle-même constaté.

> Il ne faut pas confondre le témoignage indirect avec ce que l'on appelle la *preuve par « commune renommée »,* portant sur des « on-dit » dont la source et la teneur sont incontrôlables ; cette dernière n'est admise que dans des cas exceptionnels, à titre de sanction. Par exemple, si le tuteur n'a pas fait l'inventaire des biens de son pupille, lors de son entrée en fonction, le mineur est autorisé à faire la preuve de la valeur et de la consistance desdits biens par la commune renommée.

Lorsqu'il est recevable, le témoignage peut être écrit (les « attestations ») ou oral (recueilli par voie d'enquête).

Le témoignage est dangereux car, outre qu'il peut être volontairement faux (« Fol est qui se met en enquête car le plus souvent qui mieux abreuve mieux preuve », Loysel), il est toujours subjectif ; de plus, il est souvent effectué très longtemps après l'événement et présente un risque évident de déformation.

Le *juge n'est* donc *pas lié par un témoignage* et sa force probante est laissée à sa libre appréciation.

> Contrairement à une idée couramment répandue, un témoignage unique est recevable, même s'il appelle encore plus de prudence de la part des magistrats.

III.   Présomptions de fait

349. Les présomptions (de fait) permettent aux juges, *à partir de la constatation de certains faits,* d'en *déduire l'existence d'autres faits.*

> Sur les présomptions légales voir n°s 323 et 325.

Les indices pouvant servir de points de départ sont innombrables : l'attitude des parties lors de leur comparution personnelle, des documents tels des constats d'huissiers ou le cadastre (Civ. 3e, 20 déc. 1982 : Bull. III n° 259), etc.

Les présomptions sont *souverainement appréciées par les juges*, qui ne doivent les admettre que si elles sont *graves, précises et concordantes* et *dans les* seuls *cas où la loi admet la preuve testimoniale,* à moins que l'acte ne soit attaqué pour cause de fraude ou de dol (Civ. 3e, 2 octobre 1996 : RJDA 12/96 n° 1448).

IV.   Aveu de la partie

350. *L'aveu est la reconnaissance non équivoque par son auteur de la véracité d'un fait de nature à produire contre lui des conséquences juridiques* (Civ. 1re, 26 mai 1999, Bull. I n° 170) ; une déclaration portant sur des points de droit — et non de fait — ne peut valoir aveu. Il en existe deux catégories : l'aveu judiciaire et l'aveu extrajudiciaire.

A —   AVEU JUDICIAIRE
(Code civil art. 1356)

351. L'aveu judiciaire est la déclaration que fait en justice la partie ou son représentant.

Il fait pleine foi contre celui qui le fait, même si la preuve devait être rapportée par écrit.

Il *lie le juge* qui est tenu de se prononcer dans le sens de l'aveu.

Il *ne peut être divisé,* c'est-à-dire qu'il forme un tout dont il n'est pas possible d'extraire les seuls éléments favorables à l'une des parties.

Il *ne peut être révoqué,* à moins de prouver qu'il a été fait à la suite d'une erreur de fait ; il ne pourrait être révoqué sous prétexte d'une erreur de droit.

> Le défaut de comparution à l'audience n'équivaut pas à un aveu mais peut servir comme commencement de preuve par écrit (voir n° 331).
>
> L'aveu fait au cours d'une instance précédente et n'opposant pas les mêmes parties n'a pas le caractère d'un aveu judiciaire et n'en produit pas les effets (Civ. 1re, 9 mai 2001 : Bull. I n° 119).

B — AVEU EXTRAJUDICIAIRE

352. L'aveu extrajudiciaire est celui qui n'a pas été fait devant le juge compétent, au cours de l'instance. Selon la forme qu'il emprunte (acte écrit, témoignages, documents), il a la valeur d'une preuve littérale, testimoniale ou par présomptions.

V.   Serment

353. *Le serment est la déclaration solennelle d'un plaideur, faite devant le juge, affirmant le bien-fondé de sa prétention.*

> Le rôle du serment est, traditionnellement, justifié par son origine religieuse et par les sanctions édictées par le législateur en cas de faux serment.

Il en existe deux catégories : le serment décisoire et le serment supplétoire.

A — SERMENT DÉCISOIRE

(Code civil art. 1358 et s.)

354. Le serment décisoire est déféré par une partie à l'autre. C'est-à-dire qu'un plaideur, ne pouvant apporter la preuve requise, s'en remet à la conscience de son adversaire. Ce dernier, en prêtant le serment, gagne son procès ; s'il refuse, il le perd. Il peut, cependant, référer (retourner) le serment à celui qui le lui avait demandé. Si celui-ci le prête, il a gagné ; s'il se récuse, il a perdu.

Le serment ne peut être déféré (ou référé) que sur un fait personnel à la partie à laquelle on le défère (ou le réfère) ; il faut, en outre, que ce fait soit suffisamment pertinent « pour en faire dépendre le jugement de la cause » (Code civil article 1357), par exemple le versement d'une somme d'argent.

> Le serment déféré à une personne morale ne peut être prêté que par son représentant légal en exercice et non par la personne ayant commis le fait engageant la responsabilité du commettant (Com. 10 février 1987 : Bull. IV n° 41).

Il *ne peut être utilisé* pour prouver *contre* ce qu'un officier public a directement constaté dans *un acte authentique.*

Il *lie le juge* et lorsqu'il a été fait, le plaideur ayant perdu son procès ne peut démontrer qu'il s'agit d'un faux serment car il a pris le risque d'un parjure (Code civil article 1363) ; seul le ministère public peut exercer des poursuites pour faux.

B — SERMENT SUPPLÉTOIRE
(Code civil art. 1366 et s.)

355. Le serment supplétoire est *déféré par le juge* pour lui permettre de forger son intime conviction, si la demande n'est ni pleinement justifiée, ni totalement dénuée de preuves.
Ce serment déféré d'office par le juge à l'une des parties ne peut être référé par elle à l'autre.

Figure I-21

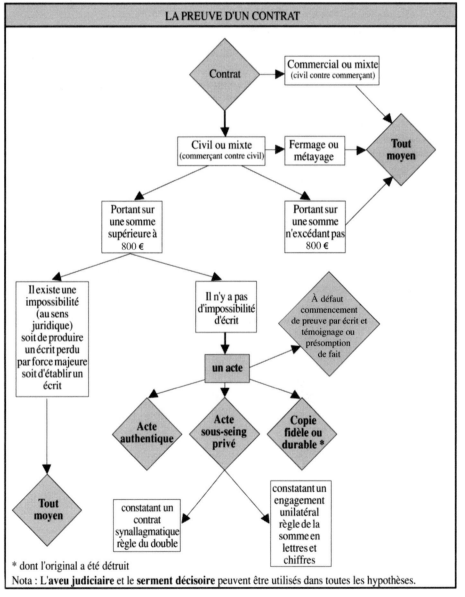

LA PREUVE D'UN CONTRAT

* dont l'original a été détruit

Nota : **L'aveu judiciaire** et le **serment décisoire** peuvent être utilisés dans toutes les hypothèses.

Telles sont donc les règles générales applicables à tous. Mais les affaires font aussi l'objet d'une législation complémentaire plus spécifique. Le droit réglemente les entreprises qui réalisent des activités économiques ou professionnelles ; il met également à leur disposition des techniques leur permettant de remplir leurs fonctions, c'est-à-dire l'ensemble des règles des échanges.

Toutefois, les affaires n'intéressent pas seulement les entreprises qui les font. Elles sont une part de la vie sociale et ne sauraient laisser indifférents tous les autres membres de la société. Elles doivent donc être intégrées à la vie collective et au fonctionnement général de l'économie. Cette fonction d'adéquation des affaires à la vie sociale, c'est encore le droit qui l'assume : il intègre la vie des affaires à la vie collective ; il discipline et équilibre les comportements, les oriente conformément à l'intérêt général de la collectivité et permet le contrôle social. Il en résulte un ensemble de règles qui font l'organisation générale des affaires.

Nous considérerons donc, tour à tour :

2e partie : les entreprises ;

3e partie : les techniques juridiques des échanges ;

4e partie : l'organisation des affaires.

Deuxième partie

Les entreprises

380. Les entreprises, voici un mot qui est au cœur de la vie politique, économique et sociale ! La vitalité, la force et la richesse d'un pays se mesurent aujourd'hui au rang de ses entreprises au sein des multiples classements internationaux, dressés chaque année par divers organismes ou différentes revues économiques.

Cette importance des *entreprises* tient à ce qu'elles sont les *cellules de base de la vie des affaires.* Quelles que soient, en effet, les divergences sur la finalité des entreprises, l'observation des faits enseigne que ce sont elles qui permettent l'exercice des activités économiques. Le droit en prend acte en donnant un statut à leur organisation (titre I) et en fixant des règles pour l'exercice de leur activité (titre II).

Titre I

L'organisation de l'entreprise

381. Actuellement, l'organisation de l'entreprise repose, en droit français, sur deux éléments : un *entrepreneur* qui prend l'initiative de se livrer à une activité économique (chapitre I) et un *personnel* qui exécute cette activité économique (chapitre II).

Chapitre I

L'entrepreneur

382. L'*entreprise* est une entité exerçant une *activité économique* (CJCE 23 avril 1991, Höfner et Elser, C 41/90 : Rec., I. 1979 ; Civ. 1re, 12 mars 2002, 3 décisions : D 2002 1199 obs. A. Lienhard). Mais l'entreprise représente une *notion économique* dépourvue de personnalité juridique ; en conséquence seul un entrepreneur peut se voir attribuer les droits ou être contraint d'assurer les obligations que l'activité d'une entreprise est susceptible d'engendrer. L'*entreprise est* donc *personnifiée par* emprunt du statut d'*un entrepreneur* dont il faut définir le rôle (section 1) et le statut (section 2).

> Pour la cour d'appel de Paris, « une entreprise au sens économique du terme [est] la réunion en un lieu unique de moyens matériels et humains, coordonnés et organisés en vue de la réalisation d'un objectif déterminé » (28 mai 1986 : D 1987 II 562, note C. Bolze).
>
> S'agissant du caractère autonome de l'entreprise par rapport à l'entrepreneur en comptabilité, voir n° 493.

Section 1
Rôle de l'entrepreneur

383. L'entrepreneur est celui qui prend l'initiative d'exercer une activité entrepreneuriale ; il doit réunir les moyens nécessaires à son action puis en conduire et diriger l'emploi. Mais, ce faisant, il encourt une responsabilité pour le cas où il serait source de dommages pour autrui. Ainsi, par rapport à l'organisation qu'est l'entreprise, l'entrepreneur remplit trois fonctions : la réunion des moyens, la direction, la responsabilité.

I.   Réunion des moyens

384. À ce titre, l'entrepreneur définit les moyens nécessaires en fonction de l'activité choisie et dote l'entreprise des capitaux nécessaires à la réunion de ces moyens.

A —   ANALYSE DES MOYENS

385. Ces moyens, très variables selon l'activité et la taille de l'entreprise, comprennent essentiellement des installations et des équipements.

Installations

386. Ce sont les locaux dans lesquels s'exerce l'activité de l'entreprise. Le droit les prend en compte de différentes façons :

D'abord, il s'assure de leur *existence* : l'entrepreneur commerçant doit, pour être immatriculé au registre du commerce et des sociétés, produire une pièce justificative, tel un bail ou une simple facture d'EDF, établissant la jouissance privative des locaux dans lesquels son activité sera exercée.

> Il est possible de domicilier plusieurs entreprises dans un même local, les entreprises concernées devant établir un contrat de domiciliation d'une durée minimale de trois mois, obligatoirement par écrit (sur les obligations pesant sur le domiciliataire et la personne domiciliée, voir le décret 85-1280 du 5 décembre 1985).

> Le créateur d'une entreprise peut en installer le siège dans son local d'habitation, ou dans celui du « représentant légal » (le futur gérant ou directeur général) pour une durée qui ne peut excéder deux ans. Cette faculté peut être utilisée nonobstant toutes dispositions légales ou contractuelles contraires (clauses des cahiers des charges des lotissements, des règlements de copropriété ou des baux).

Ensuite, il donne un *statut* aux installations en fonction de leur nature. Ainsi, distingue-t-il :

– l'endroit où sont prises les décisions relatives à la vie de l'entreprise (aménagement des structures, définition de la politique commerciale à suivre, etc.) ; c'est le lieu de la direction administrative et financière ou principal établissement, correspondant au domicile professionnel de l'entrepreneur (le siège social d'une société) ;

> Le siège social indiqué dans les statuts peut être fictif, c'est-à-dire ne pas correspondre au lieu où la société a réellement son centre d'activité juridique ; dans cette hypothèse, d'une part les tiers ont une option entre le siège statutaire et le siège réel, d'autre part la société ne peut pas opposer aux tiers le siège statutaire fictif (Code civil art. 1837).

– le ou les locaux où s'exerce l'activité de production ou de vente, c'est-à-dire le ou les lieux d'*exploitation.* Dans les petites et moyennes entreprises, le lieu d'exploitation est souvent celui de la direction. Mais, dès que l'entreprise acquiert de l'importance, plusieurs lieux d'exploitation peuvent être créés en divers endroits : *établissements secondaires, succursales* ou *agences.*

> Les « **établissements** » sont des unités techniques de production sans rapport avec la clientèle : usines, dépôts, etc. Ils doivent être inscrits au registre du commerce et des

sociétés ; ils sont aussi la cellule de base au sein de laquelle est organisée la représentation du personnel (délégués du personnel, comité d'établissement, sections syndicales).

Les « **succursales** » ou « **agences** » sont des unités jouissant d'une certaine autonomie d'exploitation et dirigées par un fondé de pouvoir habilité à engager l'entrepreneur à l'égard des tiers (par exemple les agences bancaires). Elles sont soumises aux mêmes règles que les établissements et font, en outre, l'objet d'une publicité particulière en cas de vente ou de nantissement du fonds de commerce. Elles servent aussi à fixer la compétence territoriale du tribunal : les affaires traitées par elles peuvent être portées par les demandeurs devant le tribunal du lieu où est installée la succursale, bien que le domicile de l'entrepreneur soit situé en un autre lieu (voir n° 296).

Équipements

387. Au sens large de ce mot, les équipements couvrent tout ce qui sert au fonctionnement de l'entreprise : le *matériel, les matières premières,* et les *marchandises.* Le droit établit diverses prescriptions à leur sujet : il interdit ce qui risque de porter atteinte à la sécurité ou à la santé des consommateurs ; il atteste de la qualité par le biais des labels et certificats de qualification et permet à l'acheteur de faire des comparaisons en encourageant la normalisation ; il fixe l'appréhension de ces biens par la comptabilité ; il prévoit les conditions dans lesquelles ils peuvent servir à garantir un crédit.

Mais les équipements comprennent aussi d'autres éléments occupant une place importante dans le droit des affaires et utilisés pour la fabrication ou la commercialisation des produits. Ce sont les inventions (protégées par les brevets), les tours de main (ou « know-how »), les dessins et modèles, les marques de fabrique ou de commerce. Le droit les prend en compte surtout pour assurer la protection de ceux qui les ont créés ou qui en sont les légitimes propriétaires ; il leur donne un statut appelé *« propriété industrielle ».*

B — DOTATION EN CAPITAL

388. Pour réunir les équipements et les installations nécessaires à l'exercice de son activité, l'entrepreneur met de l'argent ou des biens à la disposition de l'entreprise. Techniquement, il dote l'entreprise d'un capital et elle lui en devient redevable.

> C'est pourquoi le capital figure au passif du bilan.

Les fonds correspondant à ce capital sont généralement utilisés à des **achats** de terrains nus, d'immeubles bâtis, de matériels, de marchandises, etc. Ces achats obéissent au régime juridique fixé par les articles 1582 à 1688 du Code civil ; des règles particulières doivent être observées lorsqu'ils portent sur certains biens, tels les immeubles, les droits de propriété industrielle ou les fonds de commerce.

389. Toutefois, pour éviter d'engager un trop gros capital, l'entrepreneur peut, non pas acheter, mais *louer* les moyens qui lui sont nécessaires ; ceci est très fréquent pour les terres et les locaux d'exploitation, à tel point que des règles spéciales ont dû protéger l'entrepreneur qui prend à bail un immeuble pour l'exercice de son activité. C'est le régime dit des *baux ruraux* et des *baux commerciaux.*

Sa caractéristique primordiale est le droit au renouvellement du bail dont bénéficie le locataire (ou preneur) : en matière agricole, ce renouvellement ne peut lui être refusé que pour permettre au bailleur, ou à certains membres de sa famille, d'exploiter les terres ; en matière commerciale, il peut toujours lui être refusé mais, sauf en quelques cas déterminés, le propriétaire (ou bailleur) doit alors verser une indemnité dite « indemnité d'éviction » ; cet « achat de l'éviction », traité au n° 646, a reçu le nom de « *propriété commerciale* ».

La prise à bail de meubles se développe aussi : les ordinateurs et les véhicules industriels sont souvent loués ; il est aussi fréquent de prendre licence d'un brevet ou d'une marque, ce qui équivaut pratiquement pour ces biens à une location.

390. Pour faciliter le financement des acquisitions d'immeubles, de fonds de commerce, de fonds artisanaux et de matériel, il est possible de recourir au *crédit-bail*. Par ce contrat l'entrepreneur reste locataire pour toute la durée du bail, mais, à la fin de celui-ci, il a le droit de se porter acquéreur de l'immeuble ou du matériel loué et ce moyennant une somme généralement peu importante.

II.   Direction de l'entreprise

391. L'entrepreneur assume la direction de l'entreprise. Dans les petites ou moyennes entreprises, il remplit lui-même cette fonction ; dans les grandes entreprises, il confie cette tâche à des spécialistes en gestion qui agissent en son nom et pour son compte.

Le propre de la direction, encore appelée « management » dans la langue des affaires, est de définir la stratégie à suivre, de rechercher la meilleure productivité et la meilleure rentabilité, de dominer la masse des informations pour prendre des décisions. Parmi ces informations, les *données juridiques* ont une place importante car elles conditionnent la sécurité des opérations effectuées par l'entreprise ; de plus en plus, les « managers » en sont conscients et s'inquiètent des conséquences juridiques de leurs décisions, au point que certains d'entre eux excluent toutes celles qui n'auraient pas fait l'objet d'un avis favorable de la part des juristes qui les assistent.

Mais certaines données juridiques jouent un rôle plus direct dans la gestion, dans la mesure où elles pèsent sur l'orientation même des affaires. Elles se manifestent, tantôt comme des contraintes, tantôt comme des incitations.

A _   CONTRAINTES

392. Elles prennent la forme de prohibitions, de contrôles ou de charges fiscales qui retirent à l'entrepreneur sa liberté de décision ou, à tout le moins, la limitent.

Prohibitions

393. Les prohibitions, multiples et diverses, tendent, aujourd'hui, à se raréfier.

Ainsi, les prix des biens, produits et services sont déterminés librement par le jeu de la concurrence.

Toutefois, des décrets en Conseil d'État peuvent les réglementer lorsque, soit en raison de situations de monopole ou de difficultés durables d'approvisionnement, soit en raison de dispositions législatives ou réglementaires, la concurrence par les prix est limitée. De surcroît, le gouvernement peut prendre, par décret en Conseil d'État, des mesures destinées à lutter contre les hausses excessives de prix en cas de situation de crise, de circonstances exceptionnelles, de calamité publique ou de situation manifestement anormale du marché dans un secteur déterminé.

Les prix à la production des produits agricoles doivent respecter les règles du Marché commun. Chaque année, le Conseil de l'Union européenne fixe un prix directeur (« prix d'objectif » ou « prix indicatif ») et une fourchette de prix (prix plancher et prix plafond), au-delà ou en deçà desquels sont mis en œuvre des mécanismes d'intervention : achat ou revente par les organismes d'intervention communautaires (Feoga) ou nationaux (les offices).

Contrôles

394. La politique économique et financière des entreprises est, pour une large part, soumise au contrôle des pouvoirs publics qui, bien souvent, subordonnent à une autorisation préalable de leur part le droit de procéder à telle ou telle opération.

Contrôles à finalité économique

Dans le domaine économique, les contrôles portent principalement sur les points suivants :

1° Régime des implantations

395. La politique d'aménagement du territoire a conduit à poser des règles ayant pour objet d'orienter l'implantation des entreprises. Ainsi l'extension ou le changement d'utilisation de locaux servant à des activités industrielles, commerciales ou professionnelles peut être soumis à autorisation ; tel est le cas en région parisienne. Plus généralement, les *SCT* (schémas de cohérence territoriale) et les *PLU* (plans locaux d'urbanisme) fixent les règles générales et les servitudes d'utilisation des sols ; ils délimitent les zones urbaines et les zones naturelles ou agricoles et forestières ; ils définissent les règles d'implantation des constructions. Ils s'imposent tant aux administrés qu'à l'administration ; en principe, ils ne peuvent faire l'objet que d'adaptations mineures.

Inversement, des avantages sont accordés aux entreprises qui acceptent de s'installer dans certaines régions défavorisées : exonérations fiscales, aides financières sous forme de bonification d'intérêts, de prêts à des conditions plus favorables que celles du taux moyen des obligations, de primes, etc.

> Les entreprises participant au commerce international (notamment les banques) ont tendance à localiser certaines de leurs activités dans des « paradis » fiscaux, sociaux et financiers ; on parle, alors, d'entreprises « offshore ».

En outre sont soumis à une autorisation d'exploitation commerciale les projets ayant notamment pour objet :
– la création d'un *magasin de commerce de détail* ou d'un *ensemble commercial*, d'une surface de vente supérieure à *300 mètres carrés ;*
– l'extension de la surface de vente d'un magasin de commerce de détail ou d'un ensemble commercial ayant déjà atteint le seuil de 300 mètres carrés ou devant le dépasser par la réalisation du projet ;

– tout changement de secteur d'activité d'un commerce d'une surface de vente supérieure à 2 000 mètres carrés, ce seuil étant ramené à 300 mètres carrés lorsque l'activité nouvelle du magasin est à prédominance alimentaire ;

Précisions.

1° Les demandes portant sur la création d'un magasin de commerce de détail ou d'un ensemble commercial d'une surface de vente supérieure à 6 000 mètres carrés doivent faire l'objet d'une enquête publique spécifique.

2° La surface de vente des magasins de commerce de détail s'entend des espaces affectés à la circulation de la clientèle pour effectuer ses achats, à l'exposition des marchandises proposées à la vente, au paiement des marchandises, et à la circulation du personnel pour présenter les marchandises à la vente.

3° Sont regardés comme faisant partie d'un même ensemble commercial, qu'ils soient ou non situés dans des bâtiments distincts et qu'une même personne en soit ou non le propriétaire ou l'exploitant, les magasins qui sont réunis sur un même site et qui :
– soit ont été conçus dans le cadre d'une même opération d'aménagement foncier, que celle-ci soit réalisée en une ou plusieurs tranches ;
– soit bénéficient d'aménagements conçus pour permettre à une même clientèle l'accès des divers établissements ;
– soit font l'objet d'une gestion commune de certains éléments de leur exploitation, notamment par la création de services collectifs ou l'utilisation habituelle de pratiques et de publicités commerciales communes ;
– soit sont réunis par une structure juridique commune, contrôlée directement ou indirectement par au moins un associé, exerçant sur elle une influence notable ou ayant un dirigeant de droit ou de fait commun.

4° Les superficies occupées par les pharmacies ne sont pas prises en compte pour les créations comme pour les extensions.

– la création ou l'extension de toute installation de distribution au détail de carburants, annexée à un magasin de commerce de détail ou à un ensemble commercial d'une surface de vente supérieure à 300 mètres carrés ;
– la construction, l'extension ou la transformation d'immeubles existants entraînant la constitution d'établissements hôteliers d'une capacité supérieure à 30 chambres (50 en Île-de-France).

L'autorisation est délivrée par la *commission départementale d'équipement commerciale* (CDEC) qui statue, dans un délai de quatre mois, en prenant en considération notamment :
– l'offre et la demande globales pour chaque secteur d'activité dans la zone de chalandise concernée ;
– la densité d'équipement en moyennes et grandes surfaces dans cette zone ;
– l'effet potentiel du projet sur l'appareil commercial et artisanal de cette zone et des agglomérations concernées ainsi que sur l'équilibre souhaitable entre les différentes formes de commerce ;
– l'impact éventuel du projet en termes d'emplois salariés et non salariés ;
– les conditions d'exercice de la concurrence au sein du commerce et de l'artisanat.

Pour cela elle doit se référer aux travaux de l'observatoire départemental d'équipement commercial chargé d'établir, par commune, un inventaire des magasins.
S'agissant de la création ou de l'extension d'un ensemble de salles de cinéma comportant plus de 800 places (2 000 places si l'exploitation dure depuis au moins 5 ans) ou devant le dépasser par la réalisation du projet, l'autorisation est délivrée par la commission départementale d'équipement cinématographique.

À l'initiative du préfet, de deux membres de la commission ou du demandeur, la décision de la commission départementale peut faire l'objet d'un recours auprès de la Commission nationale d'équipement commercial (CNEC).

La commission nationale se compose de :
– un membre du Conseil d'État désigné par le vice-président du Conseil d'État, président ;
– un membre de la Cour des comptes désigné par le premier président de la Cour des comptes ;
– un membre de l'inspection générale des finances désigné par le chef de ce service ;
– un membre du corps des inspecteurs généraux de l'équipement désigné par le vice-président du conseil général des Ponts et Chaussées ;
– quatre personnalités désignées pour leur compétence en matière de distribution, de consommation, d'aménagement du territoire ou d'emploi, à raison d'une par le président du Sénat, une par le président de l'Assemblée nationale, une par le ministre chargé du commerce et une par le ministre chargé de l'emploi.

En 1997, les CDEC ont autorisé 1 183 projets, dont 16 ont donné lieu à un appel auprès de la Commission nationale, et en ont refusé 305, dont 253 ont fait l'objet d'un appel. La Commission nationale a autorisé 152 projets refusés au niveau départemental.

L'Observatoire national du commerce analyse les décisions prises par la Commission nationale et les commissions départementales d'équipement commercial et examine l'évolution des formes et modes de commerce, ainsi que celle du parc des équipements commerciaux ; il présente au ministre chargé du commerce toute recommandation qu'il juge utile et donne son avis sur toute question qui lui est soumise par ce ministre.

2° Régime des matières premières

395-1. L'approvisionnement en matières premières peut être soumis à contingentement en cas de pénurie. Cette procédure est susceptible d'apparaître à l'occasion de chaque crise grave.

3° Régime des relations financières avec l'étranger

395-2. Les exportations et les importations de *produits* sont en principe libres ; toutefois, des autorisations, appelées ici « *licences* », à l'exportation ou à l'importation, sont nécessaires pour quelques produits en raison de leur importance et de leur nature (certains produits chimiques, par exemple) et peuvent être imposées en cas de nécessité (pénurie, excès de production intérieure, etc.), exception faite des relations entre États membres de l'UE.

En principe, les *investissements* directs réalisés en France par des étrangers sont *libres.* Toutefois, ils peuvent être soumis à autorisation préalable, pour assurer la défense des intérêts nationaux, ou interdits s'ils sont de nature à mettre en cause l'ordre public, la sécurité publique, ou la santé publique (Code monétaire et financier art. L 151-1 s.).

Les personnes physiques doivent déclarer à l'administration des douanes les sommes, titres ou valeurs qu'elles transfèrent à l'étranger sans l'intermédiaire d'un établissement de crédit lorsqu'ils excèdent 7 600 €.

4° Régime de la concurrence entre entreprises

395-3. Voir nᵒˢ 642 et s.

5° Régime des concentrations d'entreprises

395-4. Voir n° 643-3.

6° Qualification professionnelle

395-5. Quels que soient le statut juridique et les caractéristiques d'une entreprise, un certain nombre d'activités, compte tenu de leur complexité et des risques qu'elles peuvent présenter pour la santé ou la sécurité des personnes, ne peuvent être exercées que par une personne justifiant d'une qualification professionnelle ou sous son contrôle effectif et permanent.

Tel est le cas, par exemple, de :
- la consultation juridique,
- l'entretien et la réparation des véhicules et des machines,
- la construction, l'entretien et la réparation des bâtiments,
- la mise en place, l'entretien et la réparation des réseaux et des équipements utilisant les fluides, ainsi que des matériels et équipements destinés à l'alimentation en gaz, au chauffage des immeubles et aux installations électriques,
- la préparation ou la fabrication de produits frais de boulangerie, pâtisserie, boucherie, charcuterie et poissonnerie,
- la coiffure, etc.

Contrôles à finalité sociale

396. Certaines mesures de contrôle sont fondées sur l'*intérêt social.* Elles tendent à éviter que la gestion des entreprises soit source de fraude, nuise aux consommateurs ou porte atteinte à la salubrité publique.

1° Lutte contre les fraudes et protection des consommateurs

Elle résulte de multiples textes concernant, par exemple :

- la répression des *fraudes* et tromperies dans les ventes de denrées alimentaires et agricoles, de marchandises et dans les prestations de services (Code de la consommation art. L 213-1 s.) ;

- la répression de la *publicité mensongère ou trompeuse*, c'est-à-dire comportant des allégations, indications ou présentations fausses ou de nature à induire en erreur un « consommateur moyen » (Code de la consommation art. L 121-1 et s.), la publicité simplement emphatique étant autorisée (Crim. 5 avril 1990 : BRDA 1990/14 p. 9) ;

> *La publicité comparative* met en comparaison des biens ou services en identifiant, implicitement ou explicitement, un concurrent ou des biens ou services offerts par un concurrent. Elle n'est licite que si (Code de la consommation art. L. 121-8) :
>
> 1° elle n'est pas trompeuse ou de nature à induire en erreur ;
>
> 2° elle porte sur des biens ou services répondant aux mêmes besoins ou ayant le même objectif ;
>
> 3° elle compare objectivement une ou plusieurs caractéristiques essentielles, pertinentes, vérifiables et représentatives de ces biens ou services, dont le prix peut faire partie.
>
> En outre, la publicité comparative ne peut (Code de la consommation art. L. 121-9) :
>
> 1° tirer indûment profit de la notoriété attachée à une marque, à un nom commercial, à d'autres signes distinctifs d'un concurrent ou à l'appellation d'origine ainsi qu'à l'indication géographique protégée d'un produit concurrent ;
>
> 2° entraîner le discrédit ou le dénigrement des marques, noms commerciaux, autres signes distinctifs, biens, services, activité ou situation d'un concurrent ;
>
> 3° engendrer de confusion entre l'annonceur et un concurrent ou entre les marques, noms commerciaux, autres signes distinctifs, biens ou services de l'annonceur et ceux d'un concurrent ;
>
> 4° présenter des biens ou des services comme une imitation ou une reproduction d'un bien ou d'un service bénéficiant d'une marque ou d'un nom commercial protégé.
>
> Pour les produits bénéficiant d'une appellation d'origine ou d'une indication géographique protégée, la comparaison n'est autorisée qu'entre des produits bénéficiant chacun de la même appellation ou de la même indication (Code de la consommation art. L. 121-10).
>
> Dans la vie des affaires, la protection des entreprises est surtout assurée par la sanction de la *concurrence déloyale* (art. 1382 du Code civil). Celle-ci, en matière de publicité, prend notamment les formes suivantes : imitation de la publicité d'autrui, dénigrement, marque d'appel, etc.

Les opérations publicitaires réalisées par voie d'écrit et tendant à faire naître l'espérance d'un gain attribué à chacun des participants sont réglementées par les articles L 121-36 et suivants du Code de la consommation.

– la répression des *fraudes fiscales* ;

– la répression des *spéculations sur la crédulité publique :* réglementation des ventes sous forme de soldes, braderies, liquidations ou déballage ; des ventes à prime (n° 642-4) ; des ventes à domicile (n° 552-2) ; des ventes à crédit (n° 552-1) ; interdiction des ventes jumelées à des consommateurs (n° 642-5) ; interdiction des ventes « à la boule de neige » (proposer des marchandises à un acheteur en lui demandant d'effectuer lui-même un certain nombre de ventes de façon à lui faire espérer obtenir ces marchandises gratuitement ou à un prix très inférieur à leur valeur) et des « chaînes » faisant espérer des gains financiers ; interdiction des loteries commerciales (sauf si elles ne sont pas conditionnées par un achat et n'entraînent aucun débours à la charge des participants), etc.

Sur ces règles consulter le « Mémento Concurrence - Consommation » Éd. Lefebvre.

– la réglementation des ventes en magasin d'usine ;

La dénomination de magasin ou de dépôt d'usine ne peut être utilisée que par les producteurs vendant directement au public la partie de leur production non écoulée dans le circuit de distribution ou faisant l'objet de retour. Ces ventes directes concernent exclusivement les productions de la saison antérieure de commercialisation, ce qui justifie une vente à prix minoré.

– le contrôle des instruments de mesure, etc. ;

– l'interdiction d'opposer un *refus de vente ou de prestation de services* à un consommateur sauf motif légitime, telle une demande anormale :

– l'interdiction d'*imposer un caractère minimal au prix* de revente d'un produit ou d'un bien, au prix d'une prestation de services ou à une marge commerciale ; en revanche, la pratique des prix conseillés est licite si elle ne dissimule pas un prix imposé ;

– *l'emploi obligatoire de la langue française* dans la désignation, l'offre, la présentation, la publicité écrite ou parlée, le mode d'emploi ou d'utilisation, l'étendue ou les conditions de garantie d'un bien ou d'un service, à tous les stades du commerce ;

– l'obligation d'informer le consommateur sur les prix par voie de marquage, d'étiquetage, d'affichage ou par tout autre procédé approprié.

396-1. En outre, les produits et les services doivent, dans des conditions normales d'utilisation ou dans d'autres conditions raisonnablement prévisibles par le professionnel, présenter la sécurité à laquelle on peut légitimement s'attendre et ne pas porter atteinte à la *santé des personnes*. Si tel n'est pas le cas, les pouvoirs publics peuvent interdire les produits et services ou ordonner soit leur mise en conformité avec les règles de sécurité, soit la diffusion de mises en garde, soit un remboursement total ou partiel.

Quatre organismes publics sont chargés d'assurer une veille sanitaire et de garantir la sécurité sanitaire des produits destinés à l'homme :
– l'Institut de veille sanitaire ;
– le Comité national de la sécurité sanitaire ;
– l'Agence française de sécurité sanitaire des aliments ;
– l'Agence française de sécurité sanitaire des produits de santé.
En outre, la Commission de la sécurité des consommateurs est chargée d'émettre des avis et de proposer toute mesure de nature à améliorer la prévention des risques en matière de sécurité des produits ou des services. Composée de personnalités indépendantes, la commission recense les causes d'accident auxquels sont exposés dans leur vie privée les utilisateurs de biens et de services, sa compétence ne s'étendant ni aux accidents de la route, ni à ceux du travail ; elle propose ensuite des mesures préventives aux pouvoirs publics et aux professionnels, tout en contribuant à l'information du public.

396-2. De plus :
– les associations de consommateurs agréées à cet effet peuvent agir en justice pour la défense de l'intérêt collectif des consommateurs (voir n° 644) ;
– les entreprises sont incitées à faire des efforts en faveur de la qualité par le biais de la normalisation, la certification et des labels (voir n°s 641-1 et s.) ;
– Les consommateurs sont protégés contre les clauses abusives (voir n° 561-2).

2° Défense de la salubrité publique

396-3. Les préoccupations d'hygiène, de sécurité et de lutte contre la pollution sont anciennes, la première réglementation sur les établissements dangereux, incommodes et insalubres remontant à 1917. Ces normes se sont considérablement développées et l'on constate aujourd'hui un foisonnement de textes législatifs et réglementaires ; les dispositions les plus importantes sont la directive européenne du 24 juin 1982, dite « directive Seveso », et les articles du Code de l'environnement relatifs aux *installations classées* pour la protection de l'environnement établissant une distinction entre les installations soumises à autorisation et celles qui ne sont soumises qu'à une déclaration, en fonction de la gravité de leurs dangers et inconvénients.

> Cette loi concerne, en France, environ 450 000 établissements industriels ou agricoles dont 50 000 sont soumis à autorisation.

En outre, les activités bruyantes ou engendrant des vibrations de nature à présenter des dangers, à causer un trouble excessif aux personnes, à nuire à leur santé ou à porter atteinte à l'environnement, exercées dans des entreprises ne figurant pas à la nomenclature des installations classées, peuvent être soumises à autorisation (Code de l'environnement art. L 571-1 s.).

Charges fiscales

397. La gestion des entreprises doit être sans cesse conduite avec le souci des incidences fiscales des décisions à prendre (sur les rapports entre la fiscalité et le régime juridique des affaires, voir n°s 804 et s.).

B — INCITATIONS

398. Les incitations sont essentiellement des stimulants financiers accordés par les pouvoirs publics en contrepartie du respect par les entreprises de certaines orientations définies notamment par la *planification* économique et l'aménagement du territoire au niveau national ou régional. La gamme de ces stimulants est très large : prêts consentis à des taux avantageux, subventions (bonifications d'intérêts ou de prêts, versement de primes), *avantages fiscaux* (dégrèvements, amortissements accélérés, aides à l'investissement).

L'octroi de ces stimulants dépend, le plus souvent, d'un *agrément*.

III. Responsabilité de l'entrepreneur

399. C'est l'entrepreneur personne morale – et non le dirigeant de l'entreprise – qui est responsable des préjudices *causés par l'activité de l'entreprise :* accidents provoqués par les salariés, par les véhicules de l'entreprise ou résultant des produits fabriqués ou mis en circulation *(obligation de sécurité* et *garantie des vices cachés).*

> L'obligation de *garantir les vices cachés* est subordonnée à quatre conditions (Code civil art. 1641 et 1648) :
> - le vice doit rendre la chose *impropre à l'usage* auquel elle est destinée ;
> - le vice doit être *ignoré de l'acheteur* lors de l'achat ;
> - le vice doit être *antérieur au transfert de propriété ;*
> - l'acheteur doit agir dans *un bref délai depuis la découverte du vice.*
>
> Si ces conditions sont réunies, le vendeur doit restituer tout ou partie du prix payé par l'acheteur et, s'il est de mauvaise foi (il connaissait le vice lors de la vente ou, en tant que professionnel, était présumé le connaître), il lui faut indemniser l'acheteur de la totalité du préjudice subi (par exemple, pour un véhicule, l'utilisation d'un autre moyen de transport).
>
> Lorsque le défaut du bien vendu constitue à la fois un *vice caché et* un *défaut de conformité,* seule l'action en garantie des vices cachés peut être exercée (Cass. 3e civ. 1er octobre 1997 n° 1371 : RJDA 12/97 n° 1476). De même, en cas de concours entre l'action en garantie des *vices cachés et* l'action en nullité pour *erreur* sur les qualités substantielles du bien vendu, la Cour de cassation a fait prévaloir la première sur la seconde, estimant que l'action en garantie constitue l'unique fondement de l'action de l'acheteur (Cass. 1re civ. 14 mai 1996 n° 955 : RJDA 10/96 n° 1177 ; Cass. 3e civ. 7 juin 2000 n° 894, précité).
>
> En revanche, la troisième chambre civile refuse d'exclure l'action en annulation pour dol lorsque le bien est affecté d'un vice caché que le vendeur a dissimulé à l'acheteur (Civ. 3e, 10 avril 2002 : RJDA 8-9/02 n° 875). En effet, le dol et l'action en garantie ne recouvrent pas le même domaine : à la différence de l'erreur, du défaut de conformité et du vice caché, le dol ne porte pas seulement sur les caractéristiques du bien vendu mais suppose des manœuvres.
>
> L'intérêt pour l'acheteur d'invoquer le dol est que la prescription de l'action en nullité est de cinq ans à compter de la découverte du dol (C. civ. art. 1304), alors que l'action en garantie des vices cachés doit être exercée dans un bref délai (C. civ. art. 1648).

Le dirigeant de l'entreprise n'encourt de responsabilité personnelle à l'égard des tiers que s'il a commis une faute séparable de ses fonctions.

C'est aussi l'entrepreneur personne morale – et non le dirigeant de l'entreprise – qui est civilement responsable des dommages *subis par les salariés dans l'exécution de leur contrat de travail, sauf* s'ils ont commis une *faute intentionnelle* (acte ou omission volontaire révélant l'intention de nuire) ; en cas d'accident de travail ou de maladie professionnelle, la responsabilité de la sécurité sociale est substituée à celle de l'employeur, sauf si ce dernier a commis une faute intentionnelle ou inexcusable.

> L'Assemblée plénière de la Cour de cassation a défini la *faute inexcusable* comme une « faute d'une exceptionnelle gravité, dérivant d'un acte ou d'une omission volontaire, de la conscience que devait avoir son auteur du danger qui pouvait en résulter et de l'absence de toute cause justificative » (18 juillet 1980 : Bull. n° 5) [comparer, pour les accidents de circulation, n° 260].

399-1. C'est encore l'entrepreneur personne morale qui est responsable pénalement, dans les cas prévus par la loi ou un règlement, des infractions commises, pour son compte, par ses organes ou représentants (Code pénal art. 121-2, al. 1). Toutefois, cette responsabilité n'exclut pas celle des personnes physiques auteurs ou complices des mêmes faits.

399-2. Le dirigeant de l'entreprise est *fiscalement* responsable du paiement des impositions et pénalités de son entreprise dans le cas où il a rendu impossible leur recouvrement par des manœuvres frauduleuses ou par l'inobservation de manière grave et répétée des obligations fiscales.

399-3 Enfin, le dirigeant peut être rendu responsable *financièrement* des conséquences de sa gestion au cas de redressement ou de liquidation judiciaires de l'entreprise.

Section 2

Statut de l'entrepreneur

I.   Entrepreneur personne morale

401. L'entrepreneur personne morale est au premier chef une société. On ne parle même pratiquement que des sociétés – ce qui explique que le mécanisme de la personnalité morale et la terminologie employée à son sujet soient largement dominés par le schéma de la société – mais l'association, le groupement d'intérêt économique, l'établissement public industriel et commercial sont aussi des personnes morales que l'on rencontre dans les affaires.

II.   Entrepreneur individuel

402. L'entrepreneur individuel est celui qui fait des affaires en son nom personnel et pour son propre compte. (Il y a, en France, aujourd'hui, environ 1 800 000 entreprises individuelles.) Le plus souvent, c'est *une personne physique* qui agit seule. Il arrive cependant que des affaires soient réalisées conjointement par plusieurs personnes physiques sans que cette action commune donne naissance à une personne morale ; il en est ainsi lorsque plusieurs personnes achètent en indivision les biens nécessaires à une entreprise et les font fructifier ensemble ou encore lorsque plusieurs personnes, sans créer une société régulière, se comportent, généralement sans trop s'en rendre compte, comme des associés : elles se trouvent alors dans la situation dite d'associés de fait.

> Ces hypothèses d'entreprises en indivision ou en société créée de fait se rencontrent souvent, en pratique, lorsque des amis, des parents, des époux, des concubins, exercent ensemble une activité sans songer à l'organiser juridiquement. Le problème de la qualification juridique de leurs rapports se pose généralement en période de crise lorsque les intéressés, ne s'entendant plus, envisagent de se séparer et doivent apurer leurs comptes, ou lorsque, leurs affaires allant mal, ils sont poursuivis devant les tribunaux par des créanciers.
>
> Les associés d'une société créée de fait sont responsables des dettes vis-à-vis des tiers, et ce avec solidarité si la société créée de fait a un objet commercial (art. 1872-1 et 1873 du Code civil).

403. *Situation juridique de l'entrepreneur individuel.* L'activité de l'entrepreneur individuel suit le sort général du patrimoine de cette personne ; elle ne jouit pas d'un statut spécial. On dit, en termes juridiques, qu'elle ne constitue *pas* un *patrimoine d'affectation*. En conséquence :

1° La totalité du patrimoine de l'entrepreneur individuel répond des dettes que ce dernier contracte pour le fonctionnement de son entreprise.

Réciproquement, les actifs de l'entreprise répondent des dettes que l'entrepreneur contracte pour tous ses besoins, mêmes s'ils sont sans rapport avec le fonctionnement de l'entreprise.

2° Les bénéfices réalisés par l'entreprise font directement partie du revenu de l'entrepreneur individuel et sont soumis à l'impôt progressif sur le revenu ; ils ne sont pas, comme ceux des sociétés, soumis à un impôt spécial.

3° L'activité d'entrepreneur individuel confère, au regard de la sécurité sociale, la qualité de travailleur indépendant ; il s'ensuit un régime particulier, différent de celui dont bénéficient les salariés.

4° Le décès de l'entrepreneur individuel provoque la paralysie de la plupart des moyens de paiement et entraîne la révocation des mandats qu'il a pu donner.

> On doit noter, toutefois, qu'un traitement particulier est réservé à l'activité de l'entrepreneur individuel à l'occasion de sa succession : une entreprise (agricole, commerciale, industrielle, ou artisanale) constituant une unité économique, dont l'importance n'exclut pas un caractère familial, peut être mise dans le lot d'un seul héritier, à charge pour lui d'indemniser les autres (*l'attribution préférentielle,* art. 832 du Code civil). L'entreprise forme ainsi un ensemble qui échappe au partage, à la différence du reste du patrimoine.

L'absence d'autonomie patrimoniale de l'activité de l'entrepreneur se révèle fâcheuse, notamment parce qu'elle est la cause principale de la multiplication du nombre de sociétés. Elle pousse, en effet, celui qui veut bénéficier du régime fiscal et social des salariés, et qui croit – le plus souvent à tort – pouvoir mettre la partie de son patrimoine non affectée aux affaires à l'abri du risque financier, à constituer une société à responsabilité limitée ou une société par actions.

Pour éviter la constitution de ces sociétés de façade, il est demandé, régulièrement, mais sans succès, la mise au point d'un statut de l'entreprise unipersonnelle, dont la caractéristique serait de limiter l'engagement financier de l'entrepreneur à la valeur des biens mis par ce dernier à la disposition de l'exploitation. Le législateur l'a encore refusé en 1985, et a encouragé la constitution de nouvelles sociétés en autorisant la société à responsabilité limitée et la société par actions simplifiée ne comprenant qu'un seul associé.

Chapitre II

Le personnel

I. Les salariés

404. Le personnel de l'entreprise est constitué de ceux que le droit qualifie de **salariés.** Ces personnes fournissent un travail conformément aux instructions de l'entrepreneur et reçoivent de lui, en échange, une rémunération. La caractéristique essentielle de ce rapport de droit, appelé **contrat de travail,** est la **subordination** du salarié à l'entrepreneur – ici dénommé employeur – qui dirige son activité. Ce n'est que si cette subordination hiérarchique, dite **« juridique »,** existe que le travailleur peut être considéré comme lié à l'entrepreneur par un contrat de travail.

> En conséquence, les directeurs généraux de sociétés anonymes ou les gérants de sociétés à responsabilité limitée ne sont pas des salariés puisqu'ils donnent des ordres au nom de la personne morale qu'ils représentent et n'en reçoivent de personne.

> Toutefois, ces personnes peuvent, sous certaines conditions, bénéficier des avantages fiscaux et de certains avantages sociaux des salariés, voire cumuler leur mandat social avec un véritable contrat de travail.

Le statut du salarié est très protecteur : congés payés, affiliation au régime général de la sécurité sociale, maintien du contrat de travail en cas de changement d'entrepreneur et surtout, clef de voûte de la protection, droit à des indemnités en cas de licenciement.

Il est donc **particulièrement recherché** et nombreuses sont les personnes qui prétendent que les relations qu'elles entretiennent avec un entrepreneur correspondent à un contrat de travail. Les tribunaux doivent trancher le conflit en recherchant s'il existe ou non un lien de subordination entre le prétendu salarié et l'entrepreneur pour le compte duquel il agit.

> Ce mouvement a conduit à accorder la protection des salariés à certaines personnes *qui sont économiquement dans une situation de dépendance.* Bénéficient ainsi des dispositions du Code du travail, les personnes dont la profession consiste essentiellement, soit à vendre des marchandises de toute nature qui leur sont *fournies exclusivement* ou presque exclusivement *par une seule entreprise* industrielle ou commerciale, soit à recueillir les commandes ou à recevoir des objets à traiter, manutentionner ou transporter, pour le compte d'une seule entreprise industrielle ou commerciale, lorsque ces personnes exercent leur profession dans un *local fourni ou agréé* par cette entreprise et aux conditions et *prix imposés* par ladite entreprise (Code du travail art. L 781-1 2e). Mais il ne s'agit pas de « salariés » liés par un contrat de travail ; dans leurs rapports avec les tiers et dans leurs relations commerciales avec leurs contractants, ces personnes sont – et restent – des commerçants.

II. Place du personnel dans l'entreprise

405. Le rôle du personnel dans la gestion de l'entreprise fait l'objet d'un débat. Le droit positif prévoit les dispositions suivantes :

1° Le personnel est représenté par des délégués du personnel (entreprises de plus de 10 salariés), des comités d'entreprise (entreprises d'au moins 50 salariés) ou des comités de groupe, des sections syndicales d'entreprise (sans conditions d'effectifs).

La loi 82-689 du 4 août 1982, dite « Loi Auroux », reconnaît aux salariés un droit à l'*expression directe et collective* sur le contenu et l'organisation de leur travail ainsi que la définition et la mise en œuvre d'actions destinées à améliorer les conditions de travail dans l'entreprise (les opinions émises dans le cadre de ce droit ne pouvant motiver une sanction ou un licenciement).

Le comité d'entreprise assure une expression collective des salariés permettant la prise en compte de leurs intérêts dans les décisions relatives à la gestion et à l'évolution économique et financière de l'entreprise, à l'organisation du travail, à la formation professionnelle et aux techniques de production. Il doit recevoir un certain nombre d'informations du chef d'entreprise et être consulté sur toute question intéressant l'organisation, la gestion et la marche générale de l'entreprise, notamment sur les mesures de nature à affecter le volume ou la structure des effectifs, la durée du travail et les conditions d'emploi. Cette consultation doit être préalable à toute prise de décision sur ces questions. Il dispose également du droit d'alerte (voir n° 706).

2° Le personnel des entreprises employant habituellement plus de cent salariés, quelles que soient leur activité et leur forme juridique, a un droit dans les bénéfices (*participation* aux fruits de l'expansion de l'entreprise).

En outre, les salariés du secteur privé peuvent, sous certaines réserves, souscrire ou acheter, à des conditions avantageuses, des actions de la société qui les emploie (stock options).

3° Dans les sociétés anonymes du « secteur public » (tel que défini par l'article premier de la loi 83-675 du 26 juillet 1983), un certain nombre de représentants des salariés doivent obligatoirement être nommés, avec voix délibérative, au conseil d'administration ou au conseil de surveillance.

4° Dans les sociétés anonymes du « secteur privé », le comité d'entreprise doit être représenté aux séances des conseils d'administration ou des conseils de surveillance avec voix consultative. Ses représentants ont droit aux mêmes documents que ceux qui sont remis aux membres de ces conseils à l'occasion de leurs réunions, mais ils peuvent seulement soumettre les vœux du comité aux conseils qui doivent donner un avis motivé sur ces vœux. En outre, ces sociétés anonymes peuvent prévoir dans leurs statuts que des représentants élus par le personnel salarié siégeront avec voix délibérative au sein de leur conseil d'administration ou de leur conseil de surveillance. Elles y sont fortement incitées lorsque les salariés détiennent au moins 3 % de leur capital social.

En tout état de cause, le comité d'entreprise peut demander en justice la désignation d'un mandataire chargé de convoquer l'assemblée générale des actionnaires en cas d'urgence. Il peut également requérir l'inscription de projets de résolutions à l'ordre du jour des assemblées. En outre, deux membres du comité peuvent assister aux assemblées générales ; ils doivent, à leur demande, être entendus lors de toute délibération requérant l'unanimité des associés.

5° Dans toutes les entreprises relevant de la législation sur les comités d'entreprise (essentiellement les entreprises industrielles et commerciales) et dont l'effectif habituel est d'au moins 300 salariés, un *bilan social* doit être établi et soumis annuellement au comité d'entreprise.

> Le bilan social récapitule les principales données chiffrées permettant d'apprécier la situation de l'entreprise dans le domaine social, d'enregistrer les réalisations effectuées et de mesurer les changements intervenus au cours de l'année écoulée et des deux années précédentes.

Titre II

L'encadrement juridique de l'action des entreprises

Chapitre I
Actes de commerce — actes mixtes — actes civils

Section 1

Actes de commerce

415. Les actes de commerce sont ceux qui sont énumérés dans les articles L 110-1 et L 110-2 du Code de commerce et ceux à qui les tribunaux ont reconnu cette qualification.

Ce sont, le plus souvent, des actes d'entremise avec intention spéculative.

Achat pour revendre

418. L'achat pour revendre est l'acte de commerce par excellence, le type même de l'acte d'entremise fait dans un but spéculatif. Il suppose trois éléments :

1° *Un achat.*

L'achat est, au sens strict, l'acquisition de la propriété d'une chose moyennant le versement d'un prix. Par extension, on considère comme un achat, au sens de l'achat pour revendre, *toute acquisition de propriété à titre onéreux,* c'est-à-dire impliquant une contrepartie même si celle-ci n'est pas un prix, par exemple un échange. En revanche, il n'y a pas acte de commerce si l'acquisition n'est pas faite à titre onéreux, tel est le cas de l'agriculteur vendant ses produits car il ne les a pas achetés.

2° *Un achat de biens meubles ou immeubles.*

3° *L'intention de revendre.*

L'intention de revendre doit exister *au moment de l'achat* et il importe peu que, par la suite, la revente ne se produise pas effectivement.

Elle doit être inspirée par le *désir de réaliser un bénéfice,* quel que soit le résultat, positif ou négatif, de l'opération. Ainsi, l'achat d'un bien pour placer une somme d'argent n'est pas un acte de commerce, même si une revente intervient ; de même, une société coopérative qui achète des objets pour les revendre à ses membres à prix coûtant ne fait pas d'acte de commerce parce qu'elle ne poursuit pas un but spéculatif.

La revente doit être envisagée *à titre principal :* si l'objet a été acheté pour être vendu accessoirement à une opération civile, celle-ci imprime à cet achat un caractère civil en vertu de la règle selon laquelle l'accessoire suit le principal.
Enfin l'intention de revendre doit porter sur l'*objet acheté.* Mais il n'est pas nécessaire que l'objet revendu soit tel que lorsqu'il a été acquis : il peut avoir été travaillé ; toutefois, l'achat d'un terrain en vue d'édifier un ou plusieurs bâtiments et de les vendre en bloc ou par locaux est un acte civil (Code de commerce art. L 110-1, 2e).

> Ainsi, les sociétés civiles de construction échappent à la commercialité. La solution est cependant moins sûre pour ceux qui animent les opérations de construction et que l'on appelle promoteurs immobiliers, car ils peuvent apparaître comme des agents d'affaires ou des intermédiaires.

Banque ou change

419. *Les opérations de banque* sont très variées et cette diversité s'accentue sans cesse car les banques cherchent à rendre des services nouveaux pour attirer ou conserver une clientèle ; elles comprennent nécessairement la réception de fonds du public, les opérations de crédit, ainsi que la mise à la disposition de la clientèle ou la gestion de moyens de paiement (Code monétaire et financier art. L 311-1).

L'opération de change consiste soit à échanger des billets ou monnaies libellés en devises différentes, soit à accepter en échange d'espèces délivrées un règlement par un autre moyen de paiement libellé dans une devise différente.

Remarque : La Cour de cassation estime que toute opération de banque ou de change est acte de commerce car elle implique, implicitement mais nécessairement, un esprit spéculatif (Com. 24 janvier 1984 : Bull. IV n° 27).

Courtage

420. Le courtage est l'acte par lequel un intermédiaire, appelé courtier, met en relation deux personnes qui souhaitent conclure en sens opposé un même contrat : par exemple, l'une veut vendre un objet et l'autre acheter ce même objet. Le courtier ne conclut pas le contrat pour les parties ; il se borne à les rapprocher.

> L'activité, économiquement comparable à celle du courtier, exercée par un VRP ou un agent commercial n'est pas commerciale, car, juridiquement, l'un et l'autre n'agissent pas pour leur compte mais pour le compte de l'entrepreneur qu'ils représentent.

Le courtage peut porter sur toute opération économique : vente, assurance, transport, affrètement, etc.

> Le courtage matrimonial est, lui aussi, un acte de commerce.

Opération d'intermédiaire sur immeubles et fonds de commerce

421. Toute opération d'intermédiaire pour l'achat, la souscription ou la vente de fonds de commerce, d'immeubles, d'actions ou de parts de sociétés immobilières est un acte de commerce.

Commerce maritime

422. Les actes du commerce maritime sont énumérés par l'article L 110-2 du Code de commerce. On peut les regrouper en trois catégories.

Achats-ventes de navires (bâtiments de mer) et de bateaux (bâtiments de rivière).

La commercialité de ces actes s'apprécie comme celle de l'achat pour revendre visé à l'article L 110-1 du Code de commerce (voir n° 418) ;

> Est aussi commercial l'achat fait pour exploiter commercialement un bâtiment. En revanche, ne constitue pas un acte de commerce l'achat d'un yacht par un commerçant pour son agrément (Aix-en-Provence 8 juillet 1947 : D. 1947 II 456).

Expéditions maritimes et achats-ventes d'accessoires.

En principe, sont commerciales toutes les expéditions affrontant les périls de la mer : le transport maritime (encore appelé commerce maritime) ou la pêche en mer pratiquée, à titre professionnel, à bord d'un navire et en vue de la commercialisation des produits (Loi 97-1051 du 18 novembre 1997 art. 14). Échappent, toutefois, à la commercialité la navigation de plaisance (Com. 2 décembre 1965 : D. 1966 II 501, note R. Rodière) et la pêche à pied qui constitue une activité agricole.

Les achats-ventes d'accessoires portant sur les appareils nécessaires à la navigation (« agrès » ou « apparaux ») ou les provisions de bouche (« avitaillements ») sont commerciaux s'ils sont faits en vue d'une expédition maritime commerciale. Le mareyage, c'est-à-dire le premier achat des produits de la pêche maritime destinés à la consommation humaine en vue de leur commercialisation, est commercial (Loi 97-1051, art. 35).

Contrats maritimes.

On peut appeler ainsi les différents contrats énumérés par l'article L 110-2 et se rapportant au commerce de mer. Ce sont :

– le contrat d'*affrètement,* c'est-à-dire la prise en location d'un navire pour une expédition (affrètement au voyage) ou pour un certain temps (affrètement à temps) ;

> Il fut à l'origine le seul contrat par lequel on utilisait un navire. Aujourd'hui, on emploie aussi, très couramment, le contrat de transport aux termes duquel une marchandise est remise à l'exploitant d'un navire (armateur) pour être acheminée d'un point à un autre selon un horaire préfixé.

– le contrat *d'emprunt,* commercial s'il est fait en vue du commerce maritime ;

– le contrat d'*assurance maritime,* à primes fixes ou à caractère mutuel ;

– le contrat d'*engagement des marins,* acte de commerce pour des raisons historiques.

> Cependant, les « contestations relatives au contrat d'engagement entre armateurs et marins » sont de la compétence du tribunal d'instance (art. R. 321-6, 5e, du Code de l'organisation judiciaire).

Cautionnement dans l'intérêt de la caution

422-1. Les tribunaux considèrent que tout cautionnement, même donné par un non-commerçant, est acte de commerce dès que *la caution a agi dans un intérêt personnel* de nature patrimoniale. Tel est notamment le cas d'une personne garantissant les dettes d'une société dont elle est le dirigeant (Com. 29 janvier 1991 : RJDA 6/91 n° 518).

> Jugé, en revanche, que ne suffit pas à établir l'intérêt personnel de la caution :
> – la qualité d'associé non dirigeant (Paris 17 mai 1983 : BRDA 1983/14 p. 18) ;
> – la communauté de biens, pour un conjoint consentant un prêt à la société gérée par son conjoint (Civ. 1re, 9 décembre 1992 : Bull. I n° 306).

> Le cautionnement donné par un commerçant pour les besoins de son commerce est acte de commerce par accessoire.

Cession de contrôle d'une société commerciale

422-2. L'achat ou la vente de parts ou d'actions d'une société commerciale est un acte civil (Com. 5 décembre 1966 : D. 1967 II 409, note Schmidt).

> En revanche, la souscription de parts ou d'actions d'une société commerciale – c'est-à-dire l'acte par lequel une personne s'engage à faire partie de la société en y effectuant un apport – est acte de commerce.

Toutefois, la cession de parts ou d'actions est acte de commerce si elle a pour objet ou pour effet d'assurer à l'acquéreur le *contrôle* de la société concernée (Com. 24 novembre 1992 : RJDA 2/93 n° 124).

> Tel est le cas, par exemple, d'une convention de cession de parts de SARL portant sur 65 % du capital et prévoyant le remplacement du gérant en fonction par l'acquéreur (Paris 14 janvier 1988, BRDA 1988/6 p. 18).

Est pareillement acte de commerce la convention qui a pour objet l'*organisation de la société commerciale* en transférant son contrôle ou en en garantissant le maintien à son titulaire (Com. 26 mars 1996 : RJDA 7/96 n° 931).

Signature d'une lettre de change

422-3. Toute signature apposée sur une lettre de change constitue un acte de commerce quelles que soient la nature, commerciale ou civile, de la créance qu'il s'agit de payer et la qualité du signataire.

> Mais un contrat n'est pas réputé commercial du seul fait que le paiement doit se faire par traites acceptées (Alger 19 novembre 1952 : D 1954 II 541, note Chauveau).

Toutefois, les signatures apposées sur les autres effets de commerce (billets à ordre ou chèques) ne sont commerciales que si ces titres se rapportent à des paiements commerciaux (exécution d'obligations commerciales) ou sont données par des commerçants pour les besoins de leur commerce (commercialité par accessoire).

Actes de certaines entreprises

423. Un certain nombre d'activités sont commerciales si elles sont réalisées en « entreprise », c'est-à-dire, au sens de l'article L 110-1 du Code de commerce, en respectant les conditions suivantes :

– il existe une **organisation,** c'est-à-dire la réunion de moyens de production en vue d'un résultat déterminé ;

– cette organisation a pour but l'exercice d'une **activité,** c'est-à-dire est en état d'offre permanente au public ;

– l'entrepreneur travaille **pour son propre compte** et à ses risques ;

– l'entrepreneur utilise les services d'un **personnel** qui l'assiste dans l'exercice de son activité ; toutefois, cette dernière condition, souvent exigée, n'est pas déterminante pour les tribunaux.

Mines

424. L'exploitation est dite minière lorsqu'elle porte sur les **gisements énumérés dans l'article 2 du Code minier** (houille, hydrocarbures liquides ou gazeux, mines de fer, de cuivre, d'or, d'uranium, de sels de sodium ou de potassium, etc.) ou les **gîtes géothermiques,** au sein de la terre, dont on peut extraire de l'énergie sous forme thermique, notamment par l'intermédiaire des eaux chaudes et vapeurs souterraines qu'ils contiennent (Code minier art. 3).

Seules ces exploitations sont commerciales ; il s'ensuit que les autres activités d'extraction sont civiles, par exemple l'exploitation des carrières, des tourbières et des sablières.

Manufacture

425. Est, juridiquement, qualifiée de manufacture la transformation, plus ou moins profonde, **d'objets pour les rendre aptes aux besoins des consommateurs.**

Cette qualité doit donc être reconnue à la plupart des activités industrielles : transformation (métallurgie, mécanique, construction électrique, industrie chimique, industrie alimentaire, textile, bois, etc.), fourniture d'énergie (électricité, gaz, eau, pétrole, etc.), construction (matériaux, bâtiments, travaux publics, etc.).

Fourniture

427. La fourniture est l'engagement de livrer des produits ou de rendre des services pendant une période donnée.

En ce qui concerne les produits, il y a fourniture non seulement lorsqu'ils sont achetés pour être revendus, mais aussi lorsqu'ils sont élaborés par le fournisseur lui-même, tel est le cas en particulier de l'énergie : électricité, chauffage, air comprimé, gaz, etc. Toutefois, les entreprises de distribution d'eau sont considérées comme civiles, en vertu d'une jurisprudence constante, de même que celles qui fournissent des matières extraites du sol autres que les produits dits miniers.

En matière de services, les fournitures augmentent et se diversifient sans cesse : entreprises hôtelières, de manutention, de publicité, d'ingénierie, d'organisateur conseil (Com. 18 janvier 1966, D. 1966 II 358), etc.

Location de meubles

428. Les locations de meubles sont fort nombreuses et très importantes : location de remorques, d'automobiles, de wagons, d'ordinateurs, d'équipements industriels, etc.

> La loi ne visant que les meubles, la location d'immeubles est un acte civil et ce même si l'immeuble est loué meublé, car la location des meubles meublants n'est alors qu'un accessoire (Paris 24 février 1877 : D. P. 1878 V 10).

Intermédiaire

429. L'intermédiaire s'entremet dans la circulation des produits et des services pour aider des entreprises à exercer leur activité. Tel est le cas du commissionnaire et de l'agent d'affaires.

Le *commissionnaire* effectue des opérations sous sa responsabilité et en son nom propre pour le compte d'une autre personne dite « commettant ». Son activité se distingue du courtage car il est lui-même partie au contrat, et du mandat car il agit en son nom personnel et non pas au nom d'autrui.

La commission est très répandue dans la vie des affaires : commissionnaire de transport, commissionnaire en fruits et légumes, etc.

L'*agent d'affaires* est celui qui offre ses services pour faciliter ou gérer les affaires d'autrui, par exemple un agent de voyages. Parmi les opérations qu'englobe cette large définition, il en est qui sont déjà commerciales en tant qu'opérations de courtage ou d'intermédiaire sur immeubles et fonds de commerce.

Mais l'agent d'affaires peut effectuer beaucoup d'autres tâches : opérer des recouvrements pour le compte de créanciers, gérer des immeubles, procurer des renseignements sur les entreprises, etc. La plupart des activités exercées par les agents d'affaires sont réglementées ; tel est le cas, par exemple, des intermédiaires en ventes d'immeubles ou de fonds de commerce, des agents artistiques (imprésarios ou managers), etc.

Transport

430. Le transporteur est celui qui se charge d'assurer le déplacement de personnes ou de marchandises d'un lieu à un autre. S'il n'effectue pas le transport lui-même, se contentant de rechercher un transporteur, il est alors commissionnaire de transport.

Tous les transports sont commerciaux, quel que soit le mode utilisé (Code de commerce art. L 110-1 pour les transports par terre et par eau, art. L 110-2 pour le transport par mer, Code de l'aviation civile et commerciale art. L 321-1, pour le transport aérien).

> La commercialité n'existe cependant que si :
> 1° il y a véritable entreprise ; ainsi le chauffeur de taxi, propriétaire du seul véhicule qu'il conduit, est un artisan (Com. 4 décembre 1968, D. 1969 II 200) ;
> 2° l'activité essentielle est le déplacement ; ainsi les entreprises d'auto-école ou d'école de voile ne sont pas commerciales, car elles n'ont pas pour but de déplacer l'élève d'un point à un autre, mais de lui apprendre à conduire (trib. com. Roanne 24 mars 1954 : D. 1954 II 531).

Vente à l'encan

431. La vente à l'encan est la mise en *vente publique,* généralement aux enchères, dans un local qui s'y trouve affecté, d'objets remis à cet effet par des vendeurs.

Spectacles publics

432. Les spectacles publics sont ceux qui ont pour objet de distraire le public, moyennant une rétribution, par un spectacle ou une manifestation quelconque : théâtre, concert, cinéma, cirque, spectacles forains, spectacles sportifs, conférences, etc.

Édition

433. L'édition est réputée commerciale par les tribunaux par assimilation aux spectacles publics, comme intervenant dans la circulation des œuvres de l'esprit : livres, disques, cassettes, films, vidéos, etc.

Assurance

434. L'assurance consiste à couvrir un risque, c'est-à-dire à verser une somme d'argent pour compenser, en tout ou partie, les conséquences d'un événement dit sinistre. Seules les assurances maritimes sont expressément déclarées commerciales par l'article L 110-2 du Code de commerce ; les tribunaux ont étendu cette commercialité aux entreprises d'assurances terrestres et ensuite aux entreprises d'assurances aériennes.

Toutefois, ne sont commerciales que les entreprises d'assurances à but spéculatif.

Actes des sociétés commerciales

437. Les actes faits par les sociétés commerciales visées par les articles L 210-1 et suivants du Code de commerce (SA, SAS, SCA, SARL, SNC, SCS) sont des actes de commerce s'ils ont été conclus pour les besoins de leur activité et entrent dans leur objet social (Com. 10 mars 1998 : RJDA 8-9/98 n° 992).

> De même, l'acte constitutif de la société commerciale (le contrat de société) est commercial.

Il existe, toutefois, *une exception :* les actes constitutifs ou translatifs de droits réels immobiliers sont civils, exception faite de l'achat pour revendre d'immeuble (Civ. 3ᵉ, 14 juin 1989 : Bull. III n° 141).

> En revanche, les locations d'immeubles, même si elles sont accessoires à l'objet social, sont actes de commerce (Paris 22 avril 1950 : G. P. 1950 II 367).

Actes des établissements publics à caractère industriel et commercial

438. Les actes accomplis par ces personnes morales sont traités comme des actes de commerce, sous les réserves abordées aux nᵒˢ 933 et s.

Actes d'un commerçant pour les besoins de son commerce

439. Les actes civils effectués par un commerçant pour les besoins de son activité professionnelle sont actes de commerce par accessoire.

Qualité de commerçant

441. Pour qu'un acte civil par nature soit traité comme un acte de commerce, il faut qu'il soit fait par une personne ayant la qualité de commerçant ; cette qualité est déterminée selon les règles visées aux n°s 884 et s.

Acte fait pour les besoins du commerce

442. L'acte doit être rattaché à l'activité commerciale. Ainsi un commerçant achetant du mobilier de bureau fait un acte de commerce ; en revanche l'achat d'un mobilier de salon reste un acte civil.

La preuve de ce lien avec le commerce est considérablement facilitée par le fait que les tribunaux ont reconnu l'existence d'une *présomption de commercialité pour tous les actes faits par un commerçant.* Mais il ne s'agit que d'une présomption simple et elle peut être détruite par la preuve contraire ; c'est donc au commerçant, prétendant que l'acte n'est pas fait pour les besoins de son commerce, de le prouver.

444. En principe, tous *les contrats* conclus par un commerçant pour les besoins de son commerce sont des actes de commerce par accessoire, sauf ceux qui constituent ou transmettent des droits réels immobiliers (Civ. 3e, 14 juin 1989 : Bull. III n° 141).

Les *obligations nées de faits juridiques* accomplis par des commerçants dans l'exercice de leur commerce, sont, elles aussi, commerciales ; tel est le cas, par exemple, des faits ou actes de concurrence déloyale entraînant pour le commerçant le versement d'une indemnité.

Actes d'un non-commerçant dans le but d'exercer un commerce

446. En principe, les actes accomplis par des non-commerçants sont des actes civils. Toutefois, les tribunaux considèrent comme actes de commerce les actes accomplis par un **non-commerçant** lorsqu'ils sont passés *dans le but d'exercer un commerce* et qu'ils *sont indispensables à l'exercice de celui-ci* (Com. 13 mai 1997 : Bull. IV n° 139).

> Ainsi jugé pour l'achat d'un fonds de commerce en vue de son exploitation (Com. 15 octobre 1968 : Bull. IV n° 269) ou pour le prêt lié à cet achat (Civ. 1re, 12 novembre 1986 : GP 1986 pano. p. 274).
>
> Jugé, en revanche, que tel n'est pas le cas du prêt souscrit par l'épouse d'un commerçant pour le financement d'un fonds de commerce dès lors qu'elle ne l'exploite pas personnellement (Com. 13 mai 1997 : Bull. IV n° 139).

Actes accessoires à un autre acte de commerce

447. Tout acte accessoire à un acte de commerce par nature est commercial par accessoire, même s'il est fait par un non-commerçant, par exemple un chèque signé par un non-commerçant pour régler une dette commerciale.

Section 2
Actes mixtes

Définition des actes mixtes

448. Seule la lettre de change est acte de commerce entre toutes personnes. Tous les autres actes ne sont *de commerce qu'au regard de celui qui remplit les conditions de la commercialité.* Ainsi, l'achat ou la vente n'est un acte de commerce que pour celui qui a l'intention de spéculer ; pareillement, l'opération de crédit n'est acte de commerce que pour celui qui recherche à cette occasion un bénéfice. En revanche celui qui, en concluant la même opération, ne cherche qu'à satisfaire ses besoins sans intention de profit fait un acte civil. Un tel acte, *commercial pour l'une des parties et civil pour l'autre,* est réputé *mixte*.

Régime des actes mixtes

449. L'acte mixte *est soumis à une application dualiste* des règles *chaque fois que cela est possible* ; sont appliquées les règles civiles à la personne pour qui l'acte est civil et les règles commerciales à celle pour qui il est commercial.

Ce *régime dualiste* se rencontre notamment :

– pour *la preuve* qui doit être faite selon les formes civiles, envers celui pour qui l'acte est civil (Civ. 1re, 2 mai 2001 : Bull. I n° 108) ; elle est libre contre l'autre partie (Soc. 5 mars 1992 : RJDA 5/92, n° 540) ;

– pour la *compétence juridictionnelle :* celui pour qui l'acte est civil peut choisir de porter le litige soit devant les tribunaux d'instance ou de grande instance, selon son montant, soit devant le tribunal de commerce ; celui pour qui l'acte est commercial doit assigner l'autre partie devant les juridictions civiles (voir figure II.1).

> Une *clause attributive de compétence à la juridiction commerciale* est inopposable à un défendeur non commerçant (Com. 10 juin 1997, Bull. IV n° 185).

Voir n° 296 et figure IV-1.

Mais il y a d'autres règles pour lesquelles la distribution est impossible. On applique alors un *régime unique.*

Ce régime unique peut être *commercial ;* tel est le cas, par exemple, pour la *prescription* qui est décennale (10 ans) si elle n'est pas soumise à des prescriptions spéciales plus courtes.

Il peut, au contraire, être *civil ;* par exemple, l'inventuelle nullité de la clause compromissoire est opposable par toutes les parties.

Figure II-1

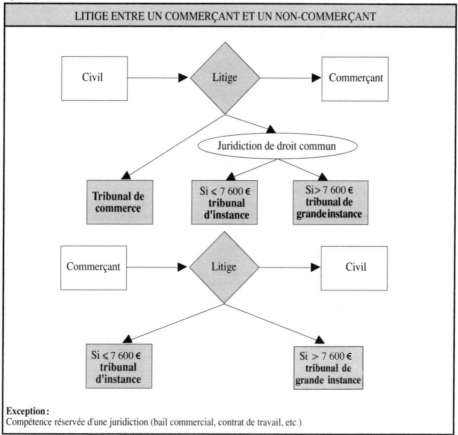

Section 3

Actes civils

450. Les activités civiles sont toutes celles qui ne sont pas commerciales.

Sont donc, en principe, civils tous les actes ne constituant pas une entremise dans la circulation des richesses avec une intention spéculative. Dans certains cas, cette condition ne fait aucun doute : par exemple pour l'agriculteur produisant sans intermédiaire.

Dans d'autres hypothèses, elle est moins sûre : par exemple l'architecte s'interpose, avec l'intention d'en retirer un profit, entre le maître d'œuvre qui veut faire construire et les entrepreneurs de construction ; pourtant, l'architecte fait un acte civil comme l'agriculteur. Cette solution ne se justifie pas rationnellement ; elle s'explique seulement par la tradition. En effet, il y a des actes que l'on répugne à faire entrer dans la commercialité, car l'on se refuse à admettre qu'ils sont marqués, au même titre que les achats pour reventes, par un esprit spéculatif.

La liste des activités civiles est ainsi la résultante de la rationalité juridique et de la tradition.

Agriculture

452. Sont réputées agricoles toutes les activités correspondant à la maîtrise et à l'exploitation d'un cycle biologique de caractère végétal ou animal et constituant une ou plusieurs étapes nécessaires au déroulement de ce cyle, ainsi que les activités exercées par un exploitant agricole qui sont dans le prolongement de l'acte de production ou qui ont pour support l'exploitation.

Les activités agricoles ainsi définies ont un caractère civil (Code rural art. L 311-1).

Principe

453. Les activités agricoles sont civiles, que l'exploitant soit un propriétaire, un fermier (bail dit « à ferme », le fermier exploitant pour son propre compte) ou un métayer (bail dit « à portion de fruits », le propriétaire et le métayer participant aux bénéfices ou aux produits, mais aussi aux pertes).

> Si l'activité agricole est exercée par une société régie par les articles L 210-1 et suivants du Code de commerce, elle devient commerciale.

Peu importe la nature des produits, qu'ils soient :

– tirés du sol, tels des céréales, des légumes, des fruits, le sel provenant des marais salants (et non le sel gemme rangé dans la catégorie de l'exploitation des mines et donc soumis au commerce), le bois des forêts, etc. ;

– obtenus avec le concours du sol, par exemple les produits d'un *élevage* quel qu'il soit ;

– voire le résultat d'une activité de culture marine (Loi 97-1051 du 18 novembre 1997 art. 40).

Peu importe aussi le degré d'industrialisation de l'exploitation agricole ; les grandes entreprises agricoles fonctionnent avec un équipement comparable à celui d'une industrie transformatrice, elles ont néanmoins une activité réputée civile.

Difficultés d'application

454. Elles se rencontrent lorsque l'agriculteur transforme ses produits ou les commercialise, voire étend ses activités au tourisme.

1° Transformation des produits agricoles

L'activité reste en principe civile même en cas de transformation des produits agricoles, par exemple celle du raisin en vin, du lait en fromage, etc. Mais il faut que la *transformation* soit *dans le prolongement de l'acte de production ;* sinon l'exploitation devient commerciale, tel est le cas si l'agriculteur transforme plus de produits achetés que de produits provenant de son exploitation agricole.

2° Commercialisation des produits agricoles

L'agriculteur qui vend ses produits à l'aide de procédés commerciaux (publicité, représentants) ne fait pas acte de commerce, s'il vend sa propre production ou n'achète des produits extérieurs à son exploitation qu'en petites quantités. S'il achète à d'autres exploitants des quantités trop importantes par rapport à celles qu'il produit, il devient commerçant car il a une activité d'achat pour la revente.

3° Exploitation touristique

L'agriculteur qui, à côté de son exploitation, effectue des actes de commerce liés au tourisme (location de chevaux, rodéo, week-end à la ferme pour apprendre à préparer des spécialités régionales, crêperie, etc.) devient commerçant si ces activités ne peuvent être réputées accessoires à l'exploitation agricole ou avoir pour support l'exploitation.

> L'entraînement de chevaux de course n'est pas une activité agricole. Il s'agit, toutefois, d'une activité civile (n° 457, 6e).

Extraction

455. En principe, celui qui vend les produits qu'il extrait du sol fait un acte civil. Cependant, les articles 2 et 3 du Code minier rendent commerciale l'exploitation des gisements énumérés dans ces textes (voir n° 424).

N'est donc civile que l'exploitation des carrières, tourbières, sablières, des sources thermales et minérales (et non des gîtes géothermiques). Toutefois, comme en matière agricole, si les actes de transformation des matériaux extraits du sol deviennent trop importants, il y a commercialité.

Par extension, on considère comme civile la vente des poissons d'eau douce par les pêcheurs ; en revanche, la vente des poissons pêchés en mer est commerciale si elle est le résultat d'une expédition maritime.

Activités intellectuelles

456. L'auteur qui exploite l'une de ses œuvres fait un acte civil ; cela vaut pour toutes les œuvres de l'esprit :

– les *œuvres littéraires et artistiques,* que l'auteur vende lui-même ses travaux ou cède le droit de les exploiter à un éditeur ; mais l'éditeur qui s'entremet avec intention spéculative fait, lui, acte de commerce ;

– les *œuvres cinématographiques ;* l'auteur d'un film qui le projette ou le fait projeter a une activité civile ; en revanche, la production du film est une activité commerciale ;

– les *brevets ou les marques ;* la vente d'un brevet d'invention ou d'une marque est un acte civil ;

– les *activités de recherche ;* la recherche est civile quand elle donne lieu à une activité purement intellectuelle ; elle est commerciale quand elle implique, en plus du travail intellectuel, l'utilisation d'installations industrielles, l'emploi de nombreux salariés, la construction de matériels importants car il y a, alors, entreprise de manufacture.

Activités libérales

457. L'activité libérale consiste en la fourniture d'un travail intellectuel par une personne à qui celui qui demande le service fait une grande confiance. C'est une activité de production de l'esprit, dite « libérale » parce qu'à l'origine elle fut exercée par des hommes « libres », c'est-à-dire des personnes n'ayant pas besoin de travailler pour assurer leur subsistance. Cette activité a un caractère civil dès lors qu'elle est principale, même si sa réalisation suppose l'achat de produits ensuite revendus ou la spéculation sur le travail d'autrui, c'est-à-dire l'emploi de collaborateurs salariés. Cette règle vaut pour les activités suivantes :

1° Activités juridiques

Ont une activité civile les avocats, les avoués, les officiers ministériels et les commissaires aux comptes. Leur activité devient commerciale dès lors que la fourniture de services matériels devient plus importante que la prestation de services intellectuels ou s'il y a des actes de courtage à titre professionnel et habituel (Com. 13 décembre 1983, Bull. IV n° 348).

2° Experts-comptables et conseillers techniques

La tenue des comptabilités et les divers avis donnés par des techniciens (informatique, gestion, etc.) sont des actes civils s'ils ne caractérisent pas une fourniture ou une agence d'affaires.

3° Activités médicales

Le *médecin* a une activité civile ; toutefois, il devient commerçant s'il crée une clinique, alors même, semble-t-il, qu'il n'y reçoit que les malades qu'il soigne personnellement.

Le *chirurgien-dentiste* et le *vétérinaire* ont une activité civile en soignant leurs clients ; ils deviennent commerçants s'ils tirent une trop grande part de leurs revenus de la vente de produits (médicaments, etc.).

Les *pharmaciens* ne font d'actes civils que s'ils exploitent leur diplôme dans des activités d'analyse ou de laboratoire. Ils font, en revanche, des actes de commerce s'ils tiennent une officine de pharmacie (achats pour revendre).

4° Architectes

Les architectes font des actes civils dans leurs tâches d'élaboration de plans et de surveillance de l'exécution. Toutefois, ils sont commerçants s'ils se présentent comme entrepreneurs de construction.

5° Activités d'enseignement

L'activité d'enseignement est civile, car il s'agit d'une tâche intellectuelle. Elle le reste même si l'enseignant procure à ses élèves différentes fournitures accessoires à l'activité d'enseignement : recrutement de professeurs, fourniture de logement et de nourriture. Mais si l'enseignant apporte des fournitures sans finalité éducative, il accomplit alors des actes de commerce à titre professionnel.

6° Entraîneurs de chevaux

L'entraînement de chevaux est une activité civile, car c'est une prestation de savoir-faire. En pratique, l'entraîneur est amené à prendre les chevaux en pension ; toutefois, les fournitures de nourriture, de logement et d'entretien sont considérées comme accessoires à sa profession (Paris 22 janvier 1981 : GP 1981 I som. 147).

Actes sur immeubles

Promotion immobilière

458. L'achat de terrains en vue de la revente après construction est un acte civil. Cette activité étant assurée par ceux que l'on appelle des promoteurs immobiliers, on en déduit généralement que la promotion immobilière est une activité civile, bien que les promoteurs aient une activité d'agents d'affaires et d'intermédiaires en matière immobilière qui, elle, est commerciale.

Location d'immeubles

459. La location d'immeubles est un acte civil.

Location isolée de meubles

459-1. La location de meubles (par exemple la licence de brevet d'invention) est un acte civil si elle n'est pas exercée en entreprise.

Artisanat

460. La qualité d'artisan est indépendante de la définition administrative de l'artisanat retenue pour l'immatriculation au répertoire des métiers (décret 98-247 du 2 avril 1998) (Rouen 10 octobre 1991 : RJDA 11/91 n° 960).

> Le secteur des métiers concerne donc autant les artisans que les petits commerçants.

L'artisan est, pour les tribunaux, celui qui remplit les conditions suivantes :

1° Il accomplit un *travail manuel.*

> La reconnaissance d'un travail manuel est aléatoire : ainsi, les tribunaux estiment que les chirurgiens-dentistes, les sculpteurs et les peintres ne sont pas des artisans, car leur travail manuel est complètement absorbé par leur travail intellectuel ; en revanche, ils considèrent que le photographe est un artisan, l'exécution de la prise de vue primant la réflexion sur les conditions d'intervention.

2° Il travaille personnellement et n'emploie que *peu ou pas de personnel.*

> Les tribunaux attachent une grande importance à ce critère, tout en se refusant à fixer un chiffre ayant valeur absolue. Un coupeur et un ou plusieurs ouvriers peuvent suffire à faire perdre la qualité d'artisan à un tailleur (Soc. 1er mars 1946 : D. 1946 II 223). Quatre ou cinq ouvrières peuvent ne pas empêcher une modiste de demeurer un artisan (Com. 12 mai 1969 : Bull. IV n° 159) mais interdisent à un maçon de se prévaloir de cette qualité (Com. 11 juillet 1984 : Bull. IV n° 199). Toutefois, une dizaine de personnes constituerait manifestement une main-d'œuvre trop nombreuse (Aix-en-Provence 23 octobre 1979 : Bull. Aix 1979/4 p. 67 n° 306) car la part personnelle de travaux d'exécution que doit assumer l'artisan disparaîtrait.

Remarque : Une opinion, communément répandue, voudrait qu'une personne conserve sa qualité d'artisan en employant jusqu'à dix salariés, plafond retenu pour l'immatriculation au *répertoire des métiers.* Mais il s'agit là d'un *critère purement administratif,* inapplicable à la détermination de la qualité juridique d'artisan ; comme le précise la loi 96-603 du 5 juillet 1996, une immatriculation au répertoire des métiers n'est pas exclusive d'une immatriculation au registre du commerce et des sociétés.

3° Il n'utilise *pas de machines* trop nombreuses ou trop onéreuses.

> À défaut, il ne serait plus réputé avoir un travail manuel ; ainsi, a-t-il fallu attendre 1968 pour que la Cour de cassation reconnaisse la qualité d'artisan au chauffeur de taxi (Com. 4 décembre 1968 : D 1969 II 200).

4° *Il ne spécule pas* sur les matériaux achetés au fur et à mesure des besoins.

> Il est souvent malaisé d'apprécier la part respective du travail manuel et des fournitures ; les solutions des tribunaux dépendent donc largement des circonstances d'espèce.

5° Il *vend lui-même* le produit de son travail.

6° Il exerce son métier de manière permanente et *il travaille pour son compte.*

Remarque : Le conjoint de l'artisan, inscrit comme collaborateur au répertoire des métiers, jouit des mêmes avantages que le conjoint collaborateur du commerçant inscrit, ès qualités, au registre du commerce et des sociétés.

Actes des entreprises d'économie sociale (coopératives, associations et mutuelles)

461. Les groupements coopératifs, appelés couramment « *coopératives* », exercent des activités économiques avec une intention particulière : celle de rendre service à leurs membres sans chercher à prélever sur eux un profit. Pour cela, ils sont amenés à accomplir des actes d'intermédiaire ; ils achètent à des tiers et revendent à leurs membres en faisant souvent un bénéfice. Cette situation ne leur confère cependant pas le caractère commercial car ils agissent sans intention spéculative en restituant à leurs membres sous forme de ristournes les produits réalisés.

Toutefois, il est important de noter que la coopérative fait acte de commerce dans deux cas :

– si elle prend la forme d'une société commerciale, car la commercialité par la forme l'emporte alors sur le caractère civil de l'action coopérative ; toutefois, les sociétés coopératives agricoles ne sont jamais commerciales par la forme : la loi leur donne un statut autonome qui rend inutile l'emploi des formes commerciales de société (elles ne sont ni des sociétés civiles, ni des sociétés commerciales) ;

– si la coopérative ne réserve pas ses services exclusivement à ses membres et en fait profiter des tiers : l'idée de service aux coopérateurs s'estompe alors ; il en est ainsi même pour une coopérative agricole (Paris 13 avril 1970 : GP 1970 II, somm. 41).

461-1. Les associations ont, comme les coopératives, une activité civile puisque, ne pouvant pas partager leurs excédents entre leurs membres, elles sont considérées ne pas avoir d'intention spéculative.

Elles conservent ce caractère, même lorsqu'elles achètent des produits pour les revendre ensuite à leurs adhérents, si elles ne prélèvent que le prix de revient augmenté des frais de gestion (Soc. 28 octobre 1958 : Bull. IV n° 1131).

Les associations deviennent commerçantes lorsqu'elles font des actes de commerce habituels au point de primer leur objet statutaire non commercial (Com. 12 février 1985 : Bull. IV n° 59). Toutefois, la qualité de commerçant attribuée à une association ne lui permet pas de jouir des prérogatives qui y sont attachées, mais lui impose seulement d'en subir les contraintes.

461-2. Les sociétés d'assurance mutuelle sont des sociétés civiles dont les opérations n'ont pas de caractère commercial car elles n'ont pas de but spéculatif, même si l'assuré est commerçant et a contracté dans l'intérêt de son commerce (Aix-en-Provence 17 novembre 1976 : Bull. Aix 1976/4 n° 338 p. 39).

Cependant, les assurances maritimes à caractère mutuel sont réputées commerciales par les tribunaux, en raison de la généralité des termes de l'article L 110-2 du Code de commerce.

Actes des représentants d'autrui

462. Toute personne qui accomplit des actes d'entremise en vue d'en tirer un profit ne fait pas d'acte de commerce si elle agit au nom et pour le compte d'une autre personne. Les éléments de la commercialité doivent alors être appréciés non pas par rapport à elle mais chez la personne représentée (employeur ou mandant).

Cette règle joue en pratique spécialement à l'égard de ceux qui se livrent à une activité de « représentation commerciale », c'est-à-dire de représentation de produits ou services d'une entreprise auprès du public : gérants de succursale, représentants de commerce, agents commerciaux (Com. 24 octobre 1995, 2 espèces : RJDA 1/96 n° 39 et n° 40). Il en est de même pour les dirigeants de sociétés commerciales.

Actes accessoires

463. Les actes de commerce par nature, accessoires à une activité civile, sont traités comme des actes civils s'ils remplissent les trois conditions suivantes :

1° *L'activité principale* est *civile,* c'est-à-dire l'une de celles qui sont énumérées nᵒˢ 452 s.

2° *L'acte se rattache à l'exercice de cette activité,* tel l'achat de matériaux par un sculpteur ou un artisan. En revanche, le directeur d'un centre d'équitation organisant des randonnées et promenades avec logement et pension complète devient un commerçant car son activité n'est pas déployée dans le cadre d'une école d'équitation et n'a pas une finalité éducative, l'hébergement n'étant pas considéré comme accessoire à l'activité d'enseignement (Com. 17 octobre 1977 : Bull. IV n° 228).

3° L'*acte constitue un appoint* de l'activité civile ; si les actes de commerce deviennent trop importants par rapport aux actes civils, ils conservent leur qualité ; voire, s'ils prennent une part prépondérante, c'est l'activité civile qui devient commerciale par accessoire.

> Il en est ainsi, en vertu d'une jurisprudence constante, pour l'agriculteur qui commercialise plus de produits qu'il n'en récolte sur son exploitation, pour le médecin qui exploite une clinique, pour le photographe qui consacre l'essentiel de son activité à la vente de matériel et au développement des photographies, etc.

Chapitre II
Les règles générales d'exercice des activités économiques

Section 1
Liberté du commerce

I. Liberté d'entreprendre une activité

A — PRINCIPE

476. Le principe de liberté d'entreprendre a été proclamé, pour le commerce et l'industrie, par la loi des 2 et 17 mars 1791, connue sous le nom de « décret d'Allarde », et complété par le décret des 14 et 17 juin 1791, dit « loi le Chapelier », prohibant le régime des corporations. Mais *il vaut pour toutes les activités économiques et a valeur constitutionnelle* (Cons. const. 12 janvier 2002, n° 2001-455 DC : JO 18 janvier p. 1053).

Pouvoirs du législateur

477. *La liberté d'entreprendre* ayant valeur constitutionnelle s'impose au législateur. Toutefois, ce dernier peut lui apporter des limitations liées à des exigences constitutionnelles ou justifiées par l'intérêt général, à la condition qu'il n'en résulte pas d'atteintes disproportionnées au regard de l'objectif poursuivi (Cons. const. 27 novembre 2001 n° 2001-451 DC : JO 1er décembre p. 19112).

La loi peut donc ériger une activité pour tout ou partie en monopole d'État, nationaliser telle entreprise ou interdire totalement ce qui pourrait troubler l'ordre public (vente de stupéfiants, de jouets dangereux, etc.).

La loi peut aussi réglementer, si ceci est justifié, une profession. Pour s'assurer du respect de cette réglementation, elle peut exiger :

– soit une déclaration préalable : par exemple, pour l'ouverture de débits de boissons ou de certaines installations classées pour la protection de l'environnement, pour la publication d'un journal ou d'un périodique ;

– soit une autorisation préalable (sous forme d'accord, d'agrément, d'approbation, de carte professionnelle, de licence, de permis, etc.) : tel est le cas, par exemple, des magasins de grande surface, de certaines installations classées pour la protection de l'environnement, de l'ouverture d'une carrière, d'une officine de pharmacie ou d'un laboratoire d'analyses médicales, etc.

Mais une loi ne saurait apporter de restrictions arbitraires ou abusives à telle ou telle activité économique à peine d'être censurée par le Conseil constitutionnel.

> Toutefois, le Conseil constitutionnel n'a pas un pouvoir général d'appréciation et de décision de même nature que celui du Parlement ; il ne saurait rechercher si les objectifs que s'est assignés le législateur auraient pu être atteints par d'autres voies, dès lors que les modalités retenues par la loi ne sont pas manifestement inappropriées à l'objectif visé (Cons. const. 27 juillet 2000 : JO 2 août p. 11 922).

Pouvoirs des autorités réglementaires

478. En revanche, les *autorités investies du pouvoir réglementaire ne peuvent ni concurrencer une entreprise privée, ni restreindre la liberté* des particuliers d'entreprendre telle ou telle activité économique.

En premier lieu, une activité relevant du secteur concurrentiel ne peut pas être exercée par une personne publique. Toutefois, une collectivité territoriale peut ériger en service public une activité économique si l'initiative privée est défaillante alors qu'il y a lieu de satisfaire un intérêt public local (solution constante depuis CE 30 mai 1930, Chambre syndicale du commerce en détail de Nevers : S 1931 III 73) [théorie dite du « *socialisme municipal* »].

> Dans l'appréciation de cette condition, le Conseil d'État se montre très libéral. Ainsi a-t-il admis la création par des municipalités d'un camping, d'un théâtre de verdure, d'un garage de voitures comportant un service de lavage et de petites réparations, d'un service de consultations juridiques gratuites ou d'un cabinet dentaire municipal ouvert à toute la population.
>
> Cette jurisprudence a été expressément confirmée par le Code général des collectivités territoriales autorisant les collectivités territoriales à intervenir en matière économique sous réserve du respect de la liberté du commerce et de l'industrie.
>
> Les collectivités territoriales peuvent exercer ces activités en régie, créer pour ce faire des sociétés d'économie mixte locales ou en confier la gestion à une personne privée (délégation de service public ou marché public).

En second lieu, elles n'ont le pouvoir *de prendre des textes relatifs à l'exercice des activités économiques, que pour* :

– *assurer la protection de l'ordre public* : par exemple pour faire respecter des exigences de salubrité et d'hygiène publique ;

> Ainsi jugé qu'un arrêté municipal peut mettre fin à un commerce ambulant présentant d'importantes nuisances, notamment à raison du bruit nocturne, des odeurs et des détritus provoqués par cette activité et ayant donné lieu à plusieurs plaintes de la part de la population (CE 8 décembre 1989, ville de Brest c/Mme Laurent : JCP 1990 IV 56).

– *assurer une gestion satisfaisante du domaine public.* Par exemple, un maire peut délimiter par arrêté la liste des voies dans lesquelles le commerce non sédentaire est autorisé et, de ce fait, exclure certaines rues très fréquentées en vue de préserver leur aspect et leur bonne tenue générale (CE 20 mars 1985 : BRDA 1985/20 p. 9).

> Le fait pour l'administration de tolérer, pendant une longue période, que des commerçants occupent sans titre des emplacements sur les trottoirs d'une commune pour y disposer des étalages, ne confère aucun droit à ces commerçants (CE 24 mai 1995 : RJDA 1/96 n° 36).

Toutefois, les autorités compétentes ne peuvent exercer ces pouvoirs qu'à des fins d'intérêt général, sous peine d'illégalité de leurs règlements. Le juge administratif censure donc toute disposition inspirée par des motifs étrangers à celles-ci et, en particulier, celles qui tendent à favoriser les commerçants locaux au détriment des professionnels non sédentaires (CE 15 mars 1996 : RJDA 12/96 n° 1455).

> Ainsi jugé qu'est illicite :
> – un arrêt municipal interdisant toute vente par colportage, général et absolu, un maire ne pouvant, dans le cadre des pouvoirs de police qui lui sont conférés, restreindre la liberté du commerce et de l'industrie que dans certains lieux et à certaines périodes (Crim. 9 mars 1988 : Bull. n° 120) ;
> – un arrêté municipal décidant le transfert d'un marché hebdomadaire sur un nouvel emplacement dès lors que ce tranfert avait pour objet, non pas de remédier aux difficultés de circulation de la commune, mais de protéger les intérêts des commerçants sédentaires (CE 23 avril 1997 : RJDA 10/97 n° 1184).

Pouvoirs des organisations professionnelles

479 *Les organisations professionnelles n'ont pas le droit de limiter l'accès à la profession* (Civ. 1re, 21 mai 1950 : Bull. I n° 93). Mais la loi les charge parfois de surveiller cet accès. Tel est le cas, par exemple, des activités de bourse, d'assurance et de toutes les professions libérales organisées en ordre professionnel (organisme doté de prérogatives de puissance publique dont les principales concernent l'inscription au tableau et le contrôle disciplinaire).

> Les membres d'une profession organisée en ordre professionnel ne peuvent pas refuser de payer leur cotisation à cet ordre, quelles que soient les prises de position de cet ordre (Ass. plén. 7 novembre 1986 : Bull. n° 12).

B — APPLICATION AUX ÉTRANGERS

Ressortissants d'un État membre de la Communauté européenne ou d'un État partie à l'accord sur l'Espace économique européen

480. Les entrepreneurs de tout État membre de la Communauté européenne ou d'un État partie à l'accord sur l'Espace économique européen jouissent dans les autres

États membres de la liberté d'établissement, de la liberté des prestations de services et de la liberté des échanges de marchandises.

La *liberté d'établissement* permet aux entrepreneurs de l'un de ces États d'exercer librement des activités non salariées sur le territoire d'un autre de ces États et d'y créer une entreprise (Traité de Rome modifié art. 43).

> Le ressortissant de l'un de ces États qui s'établit dans un autre des États doit y être traité comme un national de cet État. En France il est donc dispensé de « carte » et bénéficie du droit au renouvellement du bail commercial.

La *liberté des prestations de services* permet aux ressortissants de l'un de ces États de réaliser librement des prestations de services dans les autres États (Traité de Rome modifié art. 49).

La *liberté des échanges* permet aux entreprises ressortissantes de l'un de ces États d'exporter en France leurs produits ou leurs services – et réciproquement pour les entreprises françaises dans ces États – sous le régime des règles dites de libre circulation des marchandises (Traité de Rome modifié art. 28 à 30) et de la libre concurrence.

La *liberté de circulation des personnes* rend effectives les libertés précédentes.

Ressortissants des vallées d'Andorre, de la principauté de Monaco et de la république populaire d'Algérie

480-1. Les Andorrans, Monégasques et Algériens sont dispensés de « carte » à la suite de conventions internationales.

Ressortissants des autres États

481. Pour exercer en France une *activité industrielle, commerciale ou artisanale* (ou être associé d'une société en nom collectif ou commandité d'une société en commandite simple ou par actions), les ressortissants des autres États doivent posséder :

– soit une *« carte de résident »* délivrée, sous certaines conditions, aux étrangers séjournant en France depuis au moins trois ans et leur permettant d'exercer sur l'ensemble du territoire métropolitain la profession de leur choix (Ordonnance 45-2658 du 2 novembre 1945 modifiée art. 17) ;

– soit un titre de séjour délivré au titre du *regroupement familial* (Ordonnance 45-2658 modifiée art. 30 bis) ;

– soit une *« carte de séjour temporaire » et une carte d'identité de commerçant étranger* (Code de commerce art. L 122-1).

Remarque : Ces cartes sont exigées aussi des dirigeants de sociétés commerciales ou de groupements d'intérêt économique, des directeurs de succursales ou d'agences et des agents commerciaux.

> Ces cartes sont requises même lorsque l'étranger est le ressortissant d'un pays avec lequel la France a signé une convention permettant le libre exercice du commerce aux nationaux de ce pays (Crim. 22 janvier 1963, D. 1963 II 330).

Toutefois, la possession de ces cartes n'est pas suffisante pour permettre l'exercice du commerce. Trois autres conditions sont requises :

– d'abord la *réciprocité :* aux termes du décret-loi du 17 juin 1938, un étranger ne peut exercer le commerce en France que si, dans son pays, un Français peut être commerçant dans les mêmes conditions ; en pratique, cette condition est généralement remplie, car la France a conclu des traités de réciprocité avec la plupart des États ;

– ensuite, ne pas enfreindre *certaines dispositions spéciales* interdisant l'accès de certaines professions aux étrangers, par exemple celle de pharmacien ;

– enfin, l'étranger doit être *capable* d'exercer cette activité, cette capacité étant déterminée par sa loi nationale.

Lorsqu'un étranger exerce régulièrement le commerce en France, il a, en principe, les mêmes droits qu'un commerçant français. Cependant, il subit quelques restrictions, par exemple il n'est ni électeur ni éligible aux chambres de commerce et aux tribunaux de commerce ; par ailleurs, il n'a pas droit au renouvellement des baux commerciaux, sauf conventions internationales contraires. En revanche, il est tenu de remplir des obligations envers le fisc et la sécurité sociale.

Si l'étranger fait le commerce sans y être régulièrement autorisé, il encourt des sanctions pénales.

II.   Liberté d'exercer une activité

A — ACTIVITÉS COMMERCIALES

483. En principe chacun est libre d'exercer l'activité de son choix. Mais certaines professions impliquent de satisfaire à des exigences particulières prescrites par le législateur ; en outre, il existe diverses restrictions.

Incapacités

483-1. Voir n°s 141 et s.

Incompatibilités

484. Les incompatibilités ont pour objet *d'éviter le cumul d'une activité commerciale avec une autre profession* lorsque l'on estime que cela pourrait être néfaste, soit parce que, pense-t-on, certaines professions doivent être tenues à l'abri de l'esprit de négoce et de spéculation, soit parce que l'exercice simultané de deux activités nuit à leur qualité.

L'exercice d'une activité commerciale est ainsi incompatible avec notamment celle de fonctionnaire, d'avocat, d'expert-comptable, de commissaire aux comptes, d'officier ministériel et d'architecte ; en outre les parlementaires ne peuvent pas être entrepreneurs ou dirigeants de sociétés dans certains secteurs de l'économie énumérés par la loi organique 72-64 du 24 janvier 1972.

Ceux qui, au mépris des incompatibilités qui les frappent, font néanmoins le commerce, sont traités comme des commerçants et s'exposent à être l'objet d'une procédure collective.

Ainsi jugé qu'un fonctionnaire, qui a pris un fonds de commerce en location-gérance, malgré l'incompatibilité entre la qualité de fonctionnaire et celle de commerçant, ne peut invoquer cette incompatibilité pour se soustraire à ses obligations contractuelles (Com. 30 janvier 1996 : Bull. IV n° 30).

Ils encourent une sanction disciplinaire ou professionnelle (révocation du fonctionnaire, destitution de l'officier ministériel, etc.) et parfois des sanctions pénales.

Interdictions (ou déchéances)

Interdictions générales

486. Ces interdictions, ou déchéances, tendent à faire régner un minimum de moralité dans la vie des affaires, le législateur refusant le droit d'exercer certaines activités commerciales à ceux qui ont fait déjà preuve d'indignité.

1° La *loi* 47-1635 *du 30 août 1947,* « relative à l'assainissement des professions commerciales et industrielles », interdit l'exercice du commerce, directement ou par personne interposée, pour son compte ou pour le compte d'autrui, aux officiers ministériels destitués et aux personnes qui ont subi certaines condamnations pénales (pour crime ou à au moins trois mois d'emprisonnement sans sursis pour les délits énumérés à l'article 1 de la loi) ; elle les prive aussi du droit de diriger une société commerciale.

Cette sanction n'est pas automatique et le juge pénal peut relever le condamné de l'interdiction résultant de sa condamnation, soit dans le jugement même de condamnation, soit ultérieurement à la demande de l'intéressé (Code pénal art. 132-21).

La violation de cette interdiction, dont la durée est fixée par les tribunaux, constitue une infraction pénale ; en cas de récidive, la confiscation du fonds de commerce peut être prononcée.

2° Le prononcé de *la faillite personnelle* entraîne interdiction de diriger, gérer ou administrer tant une entreprise commerciale ou artisanale que toute personne morale ayant une activité économique.

Sans prononcer la faillite personnelle, le tribunal peut néanmoins ordonner la même interdiction ou la limiter à une ou plusieurs entreprises.

Ces interdictions ont une *durée fixée par le tribunal* de commerce (minimum 5 ans) et il y a une possibilité de relèvement avant l'expiration de cette durée.

3° *Certains délits fiscaux* peuvent être sanctionnés, à titre de peine complémentaire, d'une *interdiction temporaire* d'exercer, directement ou par personne interposée, pour son compte ou le compte d'autrui, toute profession commerciale, industrielle ou libérale (loi de finances du 29 décembre 1977).

Celui qui viole ces interdictions encourt les sanctions pénales d'emprisonnement et d'amende visées par ces textes. Mais il est traité comme un commerçant et s'expose à être l'objet d'une procédure collective.

Interdictions spéciales

487. Ces interdictions sont multiples. Elles tirent leur origine de la réglementation propre à certaines activités professionnelles, ou de certaines infractions ; par exemple un tribunal peut ordonner la fermeture provisoire ou définitive de toute entreprise dont l'un des dirigeants est condamné pour usure (Code de la consommation art. L 313-5).

B — ACTIVITÉS CIVILES

488. Les activités civiles font l'objet d'une réglementation plus ou moins sévère. Celles qui ont été le plus largement réglementées sont les activités agricoles et les activités libérales.

Activités agricoles

489. Le législateur a défini les objectifs de sa politique agricole, en liaison avec la politique agricole commune et la préférence communautaire, dans des lois d'orientation agricole, la plus récente étant celle du 9 juillet 1999. Pour cela, il a posé des règles très précises visant tant à maintenir ou à renforcer la protection du locataire qu'à permettre le contrôle des structures des exploitations agricoles, que ce soit pour les installations, les réunions d'exploitations ou les concentrations de surfaces (les « cumuls »).

En vue de régulariser la production agricole, certaines cultures sont soumises soit à autorisation (plantation de vignes, par exemple), soit à des « quotas » dont le dépassement est sanctionné par une pénalisation (production laitière) ou une baisse de la valeur d'acquisition (betteraves, par exemple).

En outre, certaines activités agricoles sont, dans un souci de protection de l'ordre public, sujettes à contrôle : tel est le cas, par exemple, des activités de pépiniériste, de fournisseur de semences de céréales, d'insémination artificielle, etc.

Activités libérales

490. L'accès aux professions libérales est strictement réglementé. Les conditions varient selon les activités : avocats, médecins, architectes, experts-comptables, etc. Sans entrer dans le détail de ces réglementations, on doit retenir qu'elles ont pour objet de vérifier l'aptitude professionnelle et l'honorabilité de l'intéressé.

Section 2
Comptabilisation des résultats de l'activité

492. Les agents économiques en relation avec une entreprise, de manière continue (détenteurs de capitaux, salariés) ou de manière discontinue (fournisseurs, clients, établissements de crédit, administration...), éprouvent constamment le besoin d'obtenir, dans de multiples domaines, des renseignements à la fois qualitatifs et quantitatifs, sur la situation de cette entreprise. L'une des techniques mises en œuvre pour parvenir à cette connaissance est la comptabilité. Celle-ci a une mission d'information consistant à collecter, recenser, classer et traiter toutes les opérations, exprimées sous forme monétaire, qu'effectue une entreprise. Ces opérations ou « flux quantitatifs » constituent ce que l'on dénomme, en termes de l'art, « les *faits comptables* » ; ils ont pour origine des *« pièces comptables »* (factures, quittances, primes, remises de chèques...) indispensables car elles représentent l'élément de preuve de l'enregistrement comptable.

Nous aborderons donc, tour à tour, la technique comptable et la réglementation de la comptabilité.

I.   Technique comptable

493. La comptabilité a un double but :

– *évaluer le patrimoine de l'entreprise* (et non celui de ses propriétaires), c'est-à-dire la valeur nette de ce qu'elle possède (biens meubles, immeubles, stocks, créances), moins ce qu'elle doit ;

> La comptabilité est un secteur où, à la différence du droit, l'entreprise a une existence autonome par rapport à l'entrepreneur qui l'anime. En effet, la comptabilité est le reflet de l'activité de l'entreprise ; elle prend en compte même ce que fait l'entrepreneur pour elle. C'est pourquoi, en comptabilité, l'entrepreneur est traité comme une personne distincte de l'entreprise ; il est rangé dans les écritures sur le même plan que toute personne, acheteur ou vendeur par exemple, qui a une relation juridique avec l'entreprise ;

– *évaluer le résultat généré par l'activité* de l'entreprise au cours d'une période.

Toutefois, ce simple recensement se révèle insuffisant pour une appréciation complète de la situation de l'entreprise. C'est la raison pour laquelle, à partir de la comptabilité générale, ont été mis en place plusieurs outils de gestion (tels le contrôle de gestion, la gestion budgétaire, la gestion financière), dont les objectifs sont à la fois rétrospectifs (analyser les résultats dégagés) et prospectifs (prévoir les résultats futurs).

Cependant, ces outils reposant sur la comptabilité générale, il faut en présenter les documents de synthèse avant de préciser comment ils sont obtenus grâce à des documents intermédiaires.

A —   DOCUMENTS COMPTABLES DE SYNTHÈSE

494. Deux documents comptables de synthèse doivent être présentés chaque année : le bilan et le compte de résultat.

Bilan (voir annexe 2)

495. *Le bilan est la description, en valeur, de la situation patrimoniale d'une entreprise à un moment donné.* Toute entreprise devant dresser un bilan par an, *« l'exercice comptable »* est le laps de temps qui sépare la présentation de deux bilans (généralement l'année civile, 1er janvier-31 décembre).

Le bilan se présente sous la forme d'un tableau composé de deux colonnes : à gauche l'actif ; à droite le passif. Il repose sur une idée de « *balance* » (d'équilibre), le total de l'actif devant être toujours égal à celui du passif.

Deux conceptions, l'une juridique, l'autre économique, permettent de définir ce que sont l'actif et le passif et expliquent, aussi, pourquoi ces deux colonnes du bilan sont nécessairement égales.

Conception juridique de l'actif et du passif

496. *Au passif figurent* les *moyens de financement* nécessaires au fonctionnement de l'entreprise, c'est-à-dire les apports (constituant le capital) et les bénéfices mis en réserve chaque année, ainsi que les prêts d'argent à l'entreprise. L'*actif répertorie les moyens d'activité* de l'entreprise pouvant être des biens corporels ou incorporels, des créances exigibles ou non encore échues.

Il y a donc forcément un équilibre entre actif et passif car tout financement – c'est-à-dire tout apport monétaire – a permis la constitution de moyens d'activité (permettant à l'entreprise de fonctionner) ou, si l'on préfère, la constitution des moyens d'activité n'a pu se faire que grâce à un financement déterminé.

Conception économique de l'actif et du passif

497. Dans cette optique, on prend en considération *les ressources* dont dispose l'entreprise et les utilisations qu'elle fait de ces moyens *(les emplois)*.

Ainsi, le passif comprend les ressources propres (capital et réserves), les ressources empruntées (dettes) et les ressources générées (les profits, car l'entreprise les doit à son ou ses propriétaires). À l'actif, en revanche, on trouve des emplois permanents (achats d'équipements dits « investissements »), des emplois « cycliques » (stocks et créances), des emplois « immédiats » (disponibilités).

L'équilibre actif-passif s'explique alors par le fait que les ressources ont donné naissance à des emplois ou, si l'on veut, que les emplois n'ont pu être réalisés que grâce à des ressources déterminées.

Une telle *analyse,* dite *statique,* de l'équilibre permet également de comprendre l'*analyse* dite *dynamique,* selon laquelle si chaque opération réalisée par l'entreprise conduit à la détermination d'un nouvel équilibre, en aucun cas elle n'en provoque la rupture. En effet, le *principe de la comptabilité en partie double,* appliqué en France, est tel que tout flux monétaire traversant une entreprise doit être analysé en une ou plusieurs ressources et un ou plusieurs emplois de montants globalement égaux. Par exemple, le règlement par chèque bancaire d'un client de l'entreprise s'analyse comme une ressource (augmentation du compte en banque) et comme un emploi (diminution de la créance sur le client). Cependant, l'assimilation ressources-passif et emplois-actif ne s'applique plus au niveau de la variation des éléments du bilan : *les ressources correspondent* alors *à l'origine du flux et les emplois à sa conséquence.* Par exemple, si d'un point de vue statique l'argent en caisse constitue un emploi (à l'actif) et la dette envers un fournisseur une ressource (au passif), d'un point de vue dynamique, lors d'un règlement de 1 000 francs en espèces à un fournisseur, la ressource de 1 000 francs provient des disponibilités en caisse et permet un emploi de 1 000 francs sous la forme du paiement au fournisseur.

Compte de résultat (voir annexe 3)

498. L'activité de toute entreprise se traduit par la mise en évidence d'un résultat, enrichissement ou appauvrissement, qui apparaît dans le compte de résultat.

Résultat : profits moins pertes

499. Cette première conception du résultat trouve sa source dans un élargissement des notions d'emplois et de ressources que nous venons de décrire.

En effet, on peut décomposer les emplois en deux catégories : réversibles et irréversibles. Les *emplois réversibles* sont les emplois à caractère temporaire qui transitent dans l'entreprise pendant un temps plus ou moins long, tout en modifiant son patrimoine (par exemple, une créance) ; ils constituent les divers éléments de l'*actif du bilan* de l'entreprise. En revanche les *emplois irréversibles* sont ceux qui ont un caractère définitif, c'est-à-dire les biens et services consommés rapidement (par exemple, un loyer) : ils constituent pour l'entreprise des *pertes* (dites consommations intermédiaires).

Quant aux ressources, elles se décomposent en ressources externes et en ressources internes. Les *ressources externes* sont apportées à l'entreprise par ses propriétaires ou par des tiers et permettent son financement (par exemple, un prêt bancaire ou un compte courant d'associé). Elles constituent les différents éléments du *passif du bilan* de l'entreprise. Les *ressources internes* sont constituées par l'enrichissement généré par l'entreprise sous forme de *profits.*

Le résultat est donc la différence entre les profits et les pertes et non la différence entre les recettes et les dépenses. Le découpage de l'activité continue de l'entreprise en des enregistrements discontinus au cours d'exercices comptables annuels rend cette distinction primordiale : la comptabilité générale n'est pas une comptabilité d'encaissement financier (encaissement et décaissement), mais une comptabilité de gestion (produits et charges). En principe, il n'y a guère de différence entre ces deux approches comptables, car la réception et l'envoi de factures, par exemple, coïncident généralement avec leur règlement. Toutefois, il existe deux exceptions d'importance expliquant pourquoi le résultat comptable et le résultat financier ne sont pas équivalents :

– des pertes et des profits et les décaissements et encaissements correspondants peuvent ne pas être constatés lors du même exercice comptable, tel est le cas d'une facture d'électricité reçue après l'arrêté des comptes ;

– d'autres pertes ou profits sont seulement « calculés » (voir n° 500).

Cette méthode de calcul du résultat présente cependant l'inconvénient d'être trop globale et de ne pas permettre une analyse de l'activité de l'entreprise. Aussi a-t-on mis au point une technique plus approfondie de mesure du résultat par la différence entre les produits et les charges.

Résultat : produits moins charges

500. Les *charges* correspondent aux emplois irréversibles (définitifs) et concernent l'ensemble des opérations d'un exercice ayant conduit à un appauvrissement. Elles comprennent des charges *réellement dépensées* (par exemple, consommation de matières, de main-d'œuvre, de services...).

> Afin de ne pas être obligé de rechercher lors de chaque vente le prix d'achat des biens vendus, les achats sont enregistrés au prix d'achat comme charges et les ventes au prix de vente comme produits. La marge commerciale est ainsi calculée globalement et les stocks sont tenus selon la méthode de l'inventaire intermittent. En outre, il faut tenir compte de la variation du stock entre le début et la fin de l'exercice : un stock initial supérieur au stock final est une consommation pour l'entreprise, donc une charge. La situation inverse est traitée comme un produit.

Mais elles incluent aussi des *charges* simplement *« calculées »* (dépréciations définitives de certains investissements dites *« amortissements » ;* dépréciations provisoires d'autres éléments d'actif dites *« provisions »*...).

Les *produits* correspondent aux ressources internes engendrées et concernent l'ensemble des opérations d'un exercice ayant conduit à un *enrichissement.* Ils comprennent des produits réellement *encaissés* (par exemple, des ventes de marchandises pour les entreprises commerciales, la production vendue pour les entreprises industrielles...) et des produits simplement *« calculés »* (reprise de dépréciation antérieurement constatée...).

501. Le bilan et le compte de résultat permettent de comprendre le rôle de la comptabilité. Mais ils sont insuffisants pour saisir son fonctionnement. Ce dernier passe par l'utilisation des « comptes », qui sont des documents intermédiaires indispensables pour l'établissement du bilan et du compte de résultat.

B — DOCUMENTS COMPTABLES INTERMÉDIAIRES

Rôle du compte

503. L'utilisation du compte a pour but essentiel de faciliter la tenue de la comptabilité, aussi bien pour dresser le bilan, en permettant le passage du bilan initial au bilan final, que pour décomposer les éléments constitutifs du résultat.

Du bilan initial au bilan final

504. Toute opération comptabilisée par l'entreprise modifie, sans le rompre, l'équilibre du bilan : un nouveau bilan peut donc être dressé après chaque écriture. Mais une telle procédure est inapplicable car une entreprise réalisant des milliers d'opérations par jour devrait dresser des milliers de bilans par jour. Les comptables ont alors créé une mémoire, « le compte », qui est une rubrique enregistrant l'évolution de chaque poste du bilan.

Le compte enregistre les mouvements en valeur des postes du bilan dans deux colonnes, le *débit* et le *crédit.* Ces deux termes *n'ont d'autre signification que, respectivement, gauche et droite.* On peut expliquer la manière dont s'opère l'enregistrement dans les comptes de trois manières complémentaires.

La conception économique dite *statique* implique que les mouvements qui provoquent l'augmentation d'un emploi (poste actif du bilan) sont, *par pure convention,* enregistrés au débit du compte concerné et ceux qui provoquent la diminution correspondante au crédit. A contrario, les mouvements qui provoquent l'augmentation d'une ressource (poste de passif du bilan) sont enregistrés au crédit et ceux qui provoquent une diminution au débit.

La conception économique dite *dynamique* entraîne que toute ressource d'une opération se traduit par une inscription au crédit du compte correspondant alors que tout emploi se traduit par une inscription au débit.

La conception *mécanique* qui découle de ces deux approches économiques s'énonce ainsi : *les comptes augmentent du côté où les postes qu'ils représentent sont inscrits dans le bilan et diminuent du côté inverse.* Par exemple, une acquisition de matériel pour 100 000 euros, avec un paiement comptant de 60 000 euros, s'enregistre ainsi : le compte (d'actif) matériel augmente, donc est débité de 100 000 euros, le compte (d'actif) banque diminue, donc est crédité de 60 000 euros et le compte (de passif) fournisseurs augmente, donc est crédité de 40 000 euros.

Quelle que soit l'approche retenue, la règle comptable fondamentale est que tout enregistrement débiteur (créditeur) est nécessairement équilibré par un ou plusieurs enregistrements créditeurs (débiteurs) de montant globalement équivalent.

Le passage d'un bilan de début d'exercice à un bilan de fin d'exercice requiert donc trois étapes :

– la reprise dans les comptes de tous les soldes initiaux des postes du bilan,

– l'enregistrement de toutes les opérations de l'exercice,

– la détermination de tous les soldes finaux des comptes pour constituer le bilan final.

Le processus est quelque peu différent pour les comptes enregistrant le résultat.

Décomposition du résultat

505. Comme nous l'avons dit, le résultat envisagé sous sa forme produits moins charges n'est qu'une décomposition dont le but est de permettre une analyse de ce résultat. Cette subdivision n'est donc qu'une opération purement technique, et les comptes de gestion se comportent très exactement comme les comptes de pertes et de profits qu'ils représentent. Ainsi, les comptes de charges sont débités et leur solde est toujours débiteur et les comptes de produits sont crédités et leur solde est toujours créditeur.

Comme le résultat d'une entreprise concerne un exercice, au début de l'exercice il n'y a aucun résultat et les comptes de gestion n'existent donc pas encore. Ils sont créés au fur et à mesure de leur utilisation. En fin d'exercice, ils sont soldés dans le compte de résultat afin d'être synthétisés en un seul compte (pour les ramener à leur situation première). Le compte de résultat est lui-même soldé dans le bilan.

Le Plan comptable général fournit la liste des comptes que les entreprises doivent utiliser.

Principaux comptes

506. Le Plan comptable fixe un cadre général aux entreprises. Les comptes proposés sont classés par nature. Ils sont regroupés en classes numérotées de 1 à 7 :

• Comptes de bilan :
– classe 1 : comptes de capitaux ;
– classe 2 : comptes d'immobilisation ;
– classe 3 : comptes de stocks et d'en-cours ;
– classe 4 : comptes de tiers ;
– classe 5 : comptes financiers.

• Comptes de gestion :
– classe 6 : comptes de charges ;
– classe 7 : comptes de produits.

Chaque classe est divisée en comptes, puis en comptes divisionnaires, enfin en sous-comptes.

On trouvera en annexe des modèles de bilan (annexe 2) et de comptes de résultat (annexe 3).

II.   Réglementation de la comptabilité

A — OBLIGATION DE TENIR UNE COMPTABILITÉ
(Code de commerce art. L 123-12)

508. Cette obligation est imposée aux commerçants personnes physiques, aux sociétés commerciales et aux GIE.

Elle pèse aussi sur les personnes morales de droit privé non commerçantes *ayant une activité économique* qui dépassent, à la clôture de leur exercice social, deux au moins des trois seuils suivants :
– un bilan (somme des montants nets des éléments d'actif) de 1 550 000 € ;
– un montant hors taxe du chiffre d'affaires ou des ressources de 3 100 000 € ;
– un nombre moyen de salariés de 50.

> Ces dispositions, dont l'inobservation est sanctionnée pénalement, visent notamment les *sociétés civiles* et les *associations* ayant une « *activité économique* ».

B — OBLIGATIONS RELATIVES À LA TENUE DE LA COMPTABILITÉ

Documents comptables

510. Les personnes visées au n° 508 doivent enregistrer chronologiquement leurs opérations, faire un inventaire au moins une fois tous les douze mois et établir, à la clôture de l'exercice, des comptes annuels comprenant le bilan, le compte de résultat et une annexe (Code de commerce art. L 123-12).

> Par dérogation, les personnes assujetties au régime d'imposition des micro-entreprises doivent simplement tenir un registre des achats et un livre-journal des recettes, appuyés de toutes pièces justificatives (Code de commerce art. L 123-28).

Toute personne physique ou morale soumise à l'obligation légale d'établir des documents comptables doit respecter les règlements du Comité de la réglementation comptable (Loi 98-261 du 6 avril 1998 art. 1).

> Ces règlements sont publiés au Journal officiel de la République française après homologation par arrêtés conjoints du ministre chargé de l'économie, du garde des Sceaux, ministre de la justice, et du ministre chargé du budget.

Livres comptables obligatoires
(Code de commerce art. 123-22)

511. Ces livres permettent l'enregistrement comptable des mouvements affectant le patrimoine de l'entreprise :

Le *« livre journal »* enregistre les opérations de l'entreprise, jour par jour et opération par opération ; toutefois, les opérations de même nature réalisées en un même lieu et au cours d'une même journée peuvent être récapitulées dans un article justificatif unique.

Les écritures du livre journal sont portées sur le *« grand livre »* et ventilées selon le Plan comptable.

Ces deux livres doivent être détaillés en autant de journaux ou *livres auxiliaires* que les besoins du commerce l'exigent (par exemple, journal des achats, journal des ventes, journal de trésorerie, etc.), les écritures portées sur ces livres auxiliaires devant être centralisées au moins une fois par mois sur le livre journal et le grand livre.

L'*inventaire,* qui doit être fait au moins une fois tous les douze mois, permet de contrôler l'existence et la valeur des éléments actifs et passifs du patrimoine de l'entreprise.

512. Tous ces documents comptables doivent être établis *en euros et en langue française*.

Les documents comptables relatifs à l'enregistrement des opérations et à l'inventaire doivent être établis *sans blanc ni altération* d'aucune sorte.

Le *livre journal et le livre d'inventaire* peuvent, à la demande de l'intéressé, être *cotés et paraphés* par le greffier du tribunal de commerce ou, le cas échéant, du tribunal de grande instance statuant en matière commerciale.

> Ces livres peuvent valablement prendre la forme de registres à feuillets mobiles, éventuellement cotés et paraphés en original sur chaque feuillet, chaque liasse délivrée recevant un numéro d'identification répertorié par le greffier sur un registre spécial pour permettre les contrôles nécessaires.
>
> Toutefois, des *documents informatiques écrits* (édités sur un support papier) peuvent tenir lieu de livre journal et de livre d'inventaire. Ces documents doivent alors être identifiés, numérotés et datés dès leur établissement par des moyens offrant toute garantie en matière de preuve.

Aucune formalité particulière n'est imposée pour la tenue du grand livre (3e livre obligatoire).

Les documents comptables et les pièces justificatives doivent être *conservés pendant dix ans* :

> Dix ans est le délai de prescription de droit commun en matière commerciale et le délai de prescription de certaines taxes fiscales.

Comptes annuels obligatoires
(Code de commerce art. L 123-12 et s.)

513. Au vu des enregistrements comptables et de l'inventaire, les personnes visées au n° 508 sont obligées de tenir, à la clôture de l'exercice, un bilan, un compte de résultat et une annexe qui « forment un tout indissociable » :

1° Le *bilan* décrit séparément les éléments actifs et passifs de l'entreprise et fait apparaître, de façon distincte, les capitaux propres (infra annexe 2).

Les capitaux propres sont la somme algébrique des apports, des écarts de réévaluation, des bénéfices autres que ceux pour lesquels une décision de distribution est intervenue, des pertes, des subventions d'investissement et des provisions réglementées.

2° Le *compte de résultat* récapitule les produits et les charges de l'exercice, sans qu'il soit tenu compte de leur date d'encaissement ou de paiement. Il fait apparaître, par différence après déduction des amortissements et des provisions, le bénéfice ou la perte de l'exercice (infra annexe 3).

3° L'*annexe* complète et commente l'information donnée par le bilan et le compte de résultat.

Sur le contenu de l'annexe, voir les articles 24 et suivants du décret 83-1020 et la recommandation du Conseil national de la comptabilité du 24 janvier 1986. En font notamment partie :
– l'état des cautionnements, avals et garanties donnés par une société ;
– l'état des sûretés consenties par elle ;
– le tableau des filiales et participations, prévu dans le plan comptable général.

514. En outre, les sociétés commerciales, les GIE, les personnes morales de droit privé non commerçantes ayant une activité économique qui, à la clôture de leur exercice social, auront employé plus de 300 salariés ou auront réalisé un chiffre d'affaires net égal ou supérieur à 18 millions d'euros, doivent établir :

1° Dans les quatre mois de l'ouverture de l'exercice :
– le *tableau de financement* pour l'exercice écoulé ;
– le *plan de financement* et le *compte de résultat prévisionnels* de l'exercice en cours ;
– la *situation de l'actif réalisable et disponible* (valeurs d'exploitation exclues) *et du passif exigible* du second semestre de l'exercice écoulé.

2° Dans les quatre mois de la clôture du premier semestre de l'exercice :
– la situation de l'actif réalisable et disponible et du passif exigible de ce premier semestre ;
– une révision du compte de résultat prévisionnel.

Ces documents auxquels le conseil d'administration, le directoire ou les gérants, doivent joindre un *rapport* complétant et commentant les informations chiffrées qu'ils contiennent, sont *communiqués aux commissaires aux comptes,* au *comité d'entreprise* et, s'il en existe, au conseil de surveillance.

515. Ces comptes doivent, outre ce qui a déjà été dit au n° 512, respecter sept prescriptions :
– être *réguliers,* c'est-à-dire conformes aux règles et procédures en vigueur ;
– être *sincères,* c'est-à-dire tenus de bonne foi en fonction de la connaissance que les responsables des comptes doivent avoir des opérations de l'entreprise ;
– être *prudents,* c'est-à-dire apprécier raisonnablement les faits ;

Même en cas d'absence ou d'insuffisance du bénéfice, il doit être procédé aux amortissements et provisions nécessaires.
Il doit être tenu compte des risques et des pertes intervenus au cours de l'exercice ou d'un exercice antérieur, même s'ils sont connus entre la date de la clôture de l'exercice et celle de l'établissement des comptes.

– *donner une image fidèle* du patrimoine, de la situation financière et du résultat de l'entreprise ;

L'image fidèle n'est pas une image économiquement exacte mais celle qui résulte de l'application fidèle des principes comptables. En conséquence, lorsque l'application d'une prescription comptable ne suffit pas pour donner cette image fidèle, des informations complémentaires doivent être fournies dans l'annexe.

En outre, si dans un cas exceptionnel, l'application d'une prescription comptable se révèle impropre à donner une telle image, il doit y être dérogé ; cette dérogation est mentionnée à l'annexe et dûment motivée, avec l'indication de son influence sur le patrimoine, la situation financière et le résultat de l'entreprise.

– respecter le principe dit « de *continuité de l'entreprise* », c'est-à-dire que, pour l'établissement des comptes, l'entreprise est présumée poursuivre ses activités ;

– respecter le principe dit « de *fixité* » ;

À moins qu'un changement exceptionnel n'intervienne dans la situation du commerçant, personne physique ou morale, la présentation des comptes annuels comme les méthodes d'évaluation retenues ne peuvent être modifiées d'un exercice à l'autre. Si des modifications interviennent, elles sont décrites et justifiées dans l'annexe.

– évaluer les biens selon la méthode dite « *des coûts historiques* ».

À leur date d'entrée dans le patrimoine de l'entreprise, les biens acquis à titre onéreux sont enregistrés à leur coût d'acquisition, les biens acquis à titre gratuit à leur valeur vénale et les biens produits à leurs coûts de production.

Pour les éléments d'actif immobilisé, les valeurs retenues dans l'inventaire doivent, s'il y a lieu, tenir compte des plans d'amortissement. Si la valeur d'un élément de l'actif devient inférieure à sa valeur nette comptable, cette dernière est ramenée à la valeur d'inventaire à la clôture de l'exercice, que la dépréciation soit définitive ou non.

Les biens fongibles sont évalués soit à leur coût moyen pondéré d'acquisition ou de production, soit en considérant que le premier bien sorti est le premier bien entré.

La plus-value constatée entre la valeur d'inventaire d'un bien et sa valeur d'entrée n'est pas comptabilisée. S'il est procédé à une réévaluation de l'ensemble des immobilisations corporelles et financières, l'écart de réévaluation entre la valeur actuelle et la valeur nette comptable ne peut être utilisé à compenser les pertes ; il est inscrit distinctement au passif du bilan.

515-1. Les sociétés commerciales et les établissements publics industriels et commerciaux, contrôlant de manière exclusive ou conjointe une ou plusieurs autres entreprises ou exerçant une influence notable sur celles-ci, doivent également *consolider leurs comptes,* c'est-à-dire présenter en une structure unique les comptes du groupe, lorsque l'ensemble dépasse, pendant deux exercices successifs, deux des trois critères suivants : un bilan de 15 millions d'euros, un montant net du chiffre d'affaires de 30 millions d'euros et un nombre moyen de salariés permanents de 250.

Le *contrôle exclusif* par une société résulte :
– soit de la détention directe ou indirecte de la majorité des droits de vote dans une autre entreprise,
– soit de la désignation, pendant deux exercices successifs, de la majorité des membres des organes d'administration, de direction ou de surveillance d'une autre entreprise,
– soit du droit d'exercer une influence dominante sur une entreprise en vertu d'un contrat ou de clauses statutaires lorsque le droit applicable le permet et que la société dominante est actionnaire ou associée de cette entreprise.

Le *contrôle conjoint* est le partage du contrôle d'une entreprise exploitée en commun par un nombre limité d'associés ou d'actionnaires, de sorte que les décisions résultent de leur accord [ceci concerne surtout les filiales communes et les sociétés en participation].

L'*influence notable* sur la gestion et la politique financière d'une entreprise est présumée lorsqu'une société dispose, directement ou indirectement, d'une fraction au moins égale au cinquième des droits de vote de cette entreprise (Code de commerce art. L 233-16).

Comme les comptes sociaux, les comptes consolidés comprennent un bilan et un compte de résultat consolidés ainsi qu'une annexe formant « un tout indissociable ».

Les règles décrites au n° 515 leur sont applicables.

515-2. Les sociétés anonymes, les sociétés en commandite par actions, les sociétés à responsabilité limitée et les sociétés en nom collectif dont tous les associés sont des sociétés à responsabilité limitée ou des sociétés par actions doivent *publier leurs comptes*.

Comptables

516. Dès qu'elles ont quelque importance, les entreprises emploient des comptables salariés. Cependant, même dans ce cas, elles ont souvent recours aux conseils de professionnels spécialisés et indépendants, *les experts-comptables*.

Est *expert-comptable* (ou réviseur comptable) celui qui fait profession habituelle de *réviser* et d'apprécier *les comptabilités* des entreprises et des organismes auxquels il n'est pas lié par un contrat de travail.

Seuls les experts-comptables régulièrement inscrits à un tableau de l'ordre des experts-comptables et des comptables agréés peuvent exécuter, en leur propre nom et sous leur responsabilité, ces travaux de révision et d'appréciation des comptes. Par ailleurs, seuls les experts-comptables inscrits (à condition que cette activité revête pour ces derniers un caractère accessoire) peuvent habituellement tenir et redresser les comptabilités des entreprises et organismes auxquels ils ne sont pas liés par un contrat de travail. Ces professionnels ont un *devoir de conseil* envers leurs clients (Civ. 1re 3 juin 1986 : Bull. I n° 150).

Les personnes qui exécutent habituellement les travaux réservés aux experts-comptables sans qu'existe un contrat de travail entre elles et ceux qui ont recours à leurs services se rendent coupables d'*exercice illégal de la profession d'expert-comptable* et s'exposent à des sanctions pénales.

L'activité d'expert-comptable constitue une profession libérale ; elle est donc exercée en toute indépendance.

517. En outre, l'intervention d'un commissaire aux comptes est *obligatoire* dans :

1° les *sociétés par actions* (sociétés anonymes, sociétés en commandite par actions et sociétés par actions simplifiées) ;

2° les autres sociétés commerciales et les établissements publics industriels et commerciaux qui, à la clôture d'un exercice, auront dépassé deux au moins des trois seuils suivants :

– un bilan (somme des montants nets des éléments d'actif) de 1 550 000 € ;

– un montant hors taxes du chiffre d'affaires de 3 100 000 € ;

– un nombre moyen de salariés de 50 ;

3° les GIE émettant des obligations ou employant au moins 100 salariés ;

4° les personnes morales de droit privé non commerçantes ayant une activité économique, tenues d'établir un bilan, un compte de résultat et une annexe (voir n° 508).

Les sociétés anonymes tenues de publier des comptes consolidés (voir n° 515-1) sont obligées de désigner au moins deux commissaires aux comptes.

Les commisaires aux comptes ont trois attributions :

– *certifier* que les comptes annuels sont réguliers et sincères et donnent une image fidèle du résultat des opérations de l'exercice écoulé ainsi que de la situation financière et du patrimoine de la société à la fin de cet exercice ;

– *informer* les dirigeants, les associés et le comité d'entreprise ;

– *révéler au procureur de la République* les faits délictueux dont ils ont eu connaissance dans leur mission.

Ils opèrent à toute époque de l'année les vérifications et contrôles nécessaires pour mener à bien leur mission.

Section 3

Développement de l'activité

518. Tout entrepreneur doit sans cesse développer son entreprise pour la maintenir en position concurrentielle. Pour ce faire, il est souvent amené, aujourd'hui, à se rapprocher d'une ou plusieurs autres entreprises.

> Il existe de nombreux organismes susceptibles d'aider au choix d'un partenaire, par exemple :
> – Le Bureau de rapprochement des entreprises (BRE) (ou « Bureau des mariages ») rattaché à l'une des directions générales de la Commission européenne ;
> – l'Agence nationale pour la création d'entreprises ;
> – des bureaux de rapprochement des entreprises (BRE) situés dans la plupart des chambres de commerce et d'industrie ;
> – les services spécialisés de beaucoup de banques.

Ceci entraîne la constitution d'un groupe de sociétés.

A — RAPPROCHEMENT D'ENTREPRISES

518-1. Deux ou plusieurs entreprises désireuses d'accroître leur compétitivité ou leur productivité peuvent conclure entre elles :
– des accords de sous-traitance ;
– des accords de coopération commerciale, tels des accords de distribution ou de fourniture d'équipement ;
– des accords de coopération technique, tels des accords de recherche en commun ou d'assistance technique.

Leur coopération peut aussi porter sur des opérations financières ; elle peut prendre l'une des formes suivantes :

1° Location-gérance

519. Une entreprise en prend une autre en location-gérance avant, éventuellement, de prendre une participation ou de fusionner.

2° Prise de participation ou de contrôle

520. La prise de *participation* suppose la volonté de créer des liens durables avec la société dont les parts ou actions sont souscrites ou achetées et d'exercer sur cette société une certaine influence dans le but d'en tirer un avantage d'ordre économique.

La prise de **contrôle** répond à l'intention d'exercer une influence déterminante sur la gestion d'une autre société.

> Une société est considérée comme en contrôlant une autre (Code de commerce art. L 233-3) :
>
> – lorsqu'elle détient directement ou indirectement une fraction du capital lui conférant la majorité des droits de vote dans les assemblées générales de cette société,
>
> – lorsqu'elle dispose seule de la majorité des droits de vote dans cette société en vertu d'un accord conclu avec d'autres associés ou actionnaires et qui n'est pas contraire à l'intérêt de la société,
>
> – lorsqu'elle détermine en fait, par les droits de vote dont elle dispose, les décisions dans les assemblées générales de cette société.
>
> Elle est présumée exercer ce contrôle lorsqu'elle dispose, directement ou indirectement, d'une fraction des droits de vote supérieure à 40 % et qu'aucun autre associé ou actionnaire ne détient directement ou indirectement une fraction supérieure à la sienne.
>
> La prise de contrôle est un acte de commerce par nature.

Remarque. Les articles L 233-1 et L 233-2 du Code de commerce donnent aux termes de « participation » et de « filiale » un sens étroit, fonction exclusive du pourcentage détenu par une société dans une autre, abstraction faite de l'intention ayant motivé l'acquisition et des pouvoirs réels de la société participante ; au sens de ces articles : il y a *« participation »* lorsqu'une société détient de 10 à 50 % du capital d'une autre société et est réputée *« filiale »* toute société dont plus de la moitié du capital appartient à une autre entreprise.

521. Ces opérations peuvent se réaliser *de gré à gré* ou sous la forme d'une *offre publique d'achat* (OPA) *ou d'échange* (OPE).

> L'OPA ou l'OPE consiste, pour une société, à faire savoir aux actionnaires d'une autre société qu'elle est prête, sous le contrôle du Conseil des marchés financiers et de la COB (Commission des opérations de bourse), à acheter leurs actions à un prix supérieur au cours de Bourse, en leur remettant soit des espèces (OPA), soit d'autres titres (OPE).
>
> Une OPA ou une OPE n'est recevable que si elle porte sur la totalité des titres conférant immédiatement ou à terme accès au capital ou aux droits de vote de la société cible. Elle est obligatoire dès qu'une personne vient à détenir plus du tiers des titres de capital ou plus du tiers de droits de vote d'une société française dont les titres sont admis aux négociations sur un marché réglementé ; elle est de même obligatoire lorsqu'une personne, détenant entre le tiers et la moitié du nombre total des titres de capital ou des droits de vote, augmente, en moins d'un an, sa participation d'au moins 2 % du nombre total des titres de capital ou des droits de vote de la société.
>
> Les actionnaires minoritaires peuvent exiger le rachat de leurs titres par les majoritaires lorsque ceux-ci détiennent 95 % des droits de vote d'une société cotée (offre publique de retrait, OPR).
>
> Cette offre publique de retrait s'impose également en cas de transformation de la société en société en commandite par actions. Enfin, elle peut être mise en œuvre lorsque le groupe majoritaire envisage de procéder à une modification significative des statuts ou de l'activité de la société.

3° Apport partiel d'actif

522. Une société fait apport d'une partie de ses actifs à une autre société (existante ou nouvelle) et reçoit, en échange, les actions ou parts sociales émises par la société bénéficiaire.

4° Fusion et scission

523. La réunion de deux sociétés peut s'opérer par voie de fusion ou de scission :

La *fusion* est la transmission du patrimoine d'une ou plusieurs sociétés à une société existante ou à une société nouvelle qu'elles constituent.

> La « fusion-absorption » est beaucoup plus fréquente que la fusion par création d'une société nouvelle.

La *scission* est la transmission du patrimoine d'une société à deux ou plusieurs sociétés soit déjà existantes, soit nouvelles.

Figure II-2

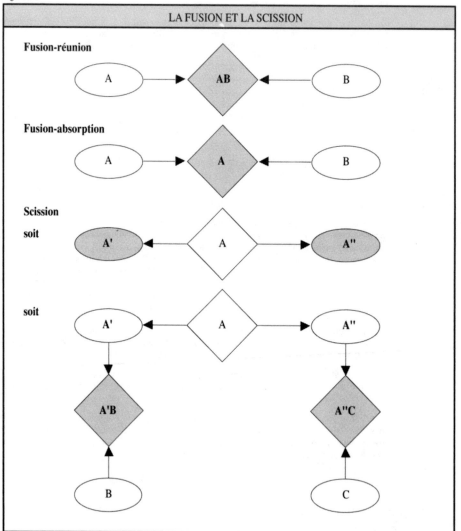

5° Société de sociétés

524. Deux ou plusieurs entreprises peuvent, en vue d'une action commune déterminée ou pour obtenir certains services, constituer :
– soit une filiale commune (« joint venture ») exerçant l'activité que les sociétés mères lui confient,
– soit une société de services communs ou un groupement d'intérêt économique.

B — GROUPES DE SOCIÉTÉS

527. Un groupe de sociétés est constitué de plusieurs entreprises ayant chacune leur existence juridique propre mais toutes unies à une même société, dite *société mère* ou *holding,* qui les tient sous sa dépendance et fait prévaloir une unité de décision.
Lorsque cette société mère a de nombreuses filiales dans plusieurs pays étrangers, on dit qu'elle est une société (ou un groupe) multinationale ou transnationale.

> D'une façon générale, les entreprises multinationales comprennent des sociétés et autres entités, à capital privé, public ou mixte, établies dans des pays différents et liées de telle manière qu'une ou plusieurs d'entre elles sont en mesure d'exercer une influence importante sur les activités des autres et, en particulier, de partager connaissances et ressources avec elles. Le degré d'autonomie de chaque entité par rapport aux autres est très variable d'une entreprise multinationale à l'autre, selon la nature des liens qui unissent ces entités et les domaines d'activité (« Principes directeurs à l'intention des entreprises multinationales » de l'OCDE, art. 8).

Mais, juridiquement, cette société n'est pas citoyenne du monde ; elle a la nationalité du pays où son siège est installé et il en est de même pour chaque filiale.
528. Les rapports nés du groupe sont soumis à quelques règles spéciales, notamment :
Le groupe doit publier des *comptes consolidés* ;
Toute personne physique ou morale qui vient à posséder directement ou indirectement plus de 5 %, 10 %, 20 %, 33,33 %, 50 % ou 66,66 % des actions ou des droits de vote d'une société ayant son siège sur le territoire français, dont les actions sont admises aux négociations sur un marché réglementé, doit *informer* cette société, dans les quinze jours du franchissement de chacun de ces seuils, du *nombre total d'actions* de celle-ci qu'elle possède.
Elle doit aussi en informer le Conseil des marchés financiers dans un délai de cinq jours de bourse à compter du franchissement du seuil et cette information doit être portée à la connaissance du public.
Le franchissement des seuils de 10 % et 20 % oblige à faire un déclaration d'intention sur les objectifs poursuivis dans les douze mois à venir ; le franchissement du seuil de 33,33 % oblige à déposer une offre publique d'achat ou d'échange visant à détenir la totalité des titres de capital ou des droits de vote de la société émettrice.
Les *participations réciproques* (ou croisées) entre sociétés dont l'une au moins est une société par actions sont interdites au-delà de 10 % : une société anonyme A ne peut donc posséder des actions d'une société B, si B possède déjà 10 % de son capital.
En outre, lorsqu'une société assure son propre contrôle par l'intermédiaire d'une ou plusieurs autres sociétés dont elle détient elle-même indirectement le contrôle, elle est privée du droit de vote attaché à ces actions dites d'« autocontrôle ».

Si l'une des sociétés d'un groupe a des difficultés financières, les tribunaux n'hésitent pas à mettre à la charge des autres membres du groupe, en particulier de la société mère, le paiement du passif de cette société, bien que juridiquement il y ait deux personnes morales distinctes, s'ils peuvent établir que la gestion de la société en difficulté a été faite non pas dans son intérêt exclusif mais dans celui du groupe : c'est la règle dite de la *confusion des patrimoines.*

Sur le contrôle des concentrations, voir n° 643-3.

Troisième partie :

Les techniques juridiques des échanges

540. L'objectif d'une entreprise est de mettre sur le marché un produit ou un service en vue de le vendre. Pour cela, elle doit d'abord se procurer le produit ou se mettre en état de rendre le service. À cet effet, de multiples opérations sont à exécuter. Il lui faut engager du personnel apte à réaliser les tâches appropriées, acquérir les matières premières ou les marchandises nécessaires, acheter ou louer des installations ou des équipements, parfois confier à d'autres des travaux qu'elle ne peut pas ou ne veut pas exécuter elle-même, assurer des transports, etc. L'ensemble de ces opérations constitue ce que l'on appelle les tâches de *production* et est satisfait par différentes *techniques juridiques*, permettant de prendre les *engagements* appropriés aux objectifs recherchés (titre I).

Ensuite, l'entreprise doit agir pour que la présentation du produit ou du service sur le marché soit la plus efficace possible. Il lui faut alors rechercher des moyens optimaux de publicité pour attirer la clientèle, installer des locaux de vente, recruter des vendeurs, etc. ; ce sont les opérations dites de *commercialisation* (titre II).

Mais ce n'est pas tout. Pour acheter, louer, transporter, employer, l'entrepreneur doit, c'est une évidence, payer ceux qui vendent, donnent en location, transportent, travaillent pour lui. Or, il ne dispose pas toujours de l'argent nécessaire. Les dépenses de recherche, de production et de commercialisation doivent souvent être payées alors que les recettes tirées des ventes réalisées par l'entreprise ne sont pas encore encaissées. L'entrepreneur doit trouver dans son patrimoine les fonds nécessaires ou, à défaut, les chercher ailleurs. Dans cette dernière hypothèse, de loin la plus fréquente, les actes de *financement* revêtent donc une importance particulière (titre III).

Si tout était pour le mieux dans le meilleur des mondes, le cycle des actes de l'entreprise serait bouclé : avec l'argent qu'il possède ou que l'on met à sa disposition, l'entrepreneur paie les dépenses d'exploitation de l'entreprise ; il rembourse ses créanciers et se rémunère ensuite à l'aide des recettes procurées par les ventes. Mais une action humaine ne se déroule pas toujours conformément aux prévisions de son auteur. Nul ne peut exclure l'éventualité d'un événement contrariant ces projets et causant un dommage : par exemple l'incendie des installations, des atteintes à la santé des acheteurs de produits, le défaut de paiement d'un client. C'est pourquoi l'entrepreneur conclut des *assurances* (titre IV).

Titre I

Les techniques juridiques d'engagement

Les contrats (chapitre I).
Les titres (chapitre II).
Les comptes courants (chapitre III).

Chapitre I

Les contrats

542. Les contrats sont très nombreux dans la vie des affaires puisque la plupart des actes d'exploitation passent par eux. Bien que très variés (section 1), ils sont cependant soumis à un même régime de base (section 2).

Section 1
Tableau des différents contrats

543. Les contrats s'ordonnent dans la vie des affaires autour de deux fonctions essentielles : la fourniture de biens et la prestation de services. À chacune de ces fonctions correspond un contrat fondamental dont dérivent des variantes spécialisées.

I.   Contrats de fourniture de biens

543-1. La fourniture d'un bien résulte d'un transfert de sa propriété ou de sa jouissance.

A — TRANSFERT DE LA PROPRIÉTÉ

544. Le transfert de la propriété peut provenir d'un contrat de vente ou d'échange.

– Le contrat de **vente** est celui par lequel l'un s'oblige à transférer la propriété d'un bien et l'autre à le payer ; à partir des règles de base de ce contrat figurant dans le Code civil (art. 1582 à 1701) ont été élaborés des régimes adaptés aux différentes fournitures, telle la cession de clientèle.

– Le contrat d'**échange** est celui par lequel les parties se donnent respectivement une chose pour une autre.

B — TRANSFERT DE LA JOUISSANCE

544-1. Le transfert de la jouissance peut résulter d'un contrat de bail ou de prêt.

Le contrat de **bail** (ou de louage) est celui par lequel l'une des parties s'oblige à faire jouir l'autre d'une chose pendant un certain temps, et moyennant un certain prix que celle-ci s'oblige à lui payer. Le régime de base de ce contrat, fixé par les articles 1708 à 1788 du Code civil, est complété par des règles particulières en fonction de la nature de la chose louée : par exemple le bail rural ou le bail commercial.

Le **prêt** peut être **à usage** (ou « commodat »), l'emprunteur se servant de l'objet emprunté et devant le restituer en bon état, ou **de consommation,** l'emprunteur restituant une même quantité de choses de la même qualité. Autour du prêt se greffent différents contrats garantissant le remboursement d'une somme prêtée, tels le contrat d'hypothèque sur les immeubles, le contrat de gage ou nantissement sur les meubles, le cautionnement.

II.   Contrats de prestation de services

545. Les contrats de prestation de services sont ceux par lesquels une personne s'engage à exécuter une tâche déterminée au profit d'une autre personne, moyennant un prix déterminé. Il en existe deux catégories.

Le **contrat de travail** est celui dans lequel l'exécutant, dit salarié, est subordonné dans l'accomplissement de sa tâche au bénéficiaire, dit employeur, qui dirige son travail et lui donne des ordres.

Le **contrat d'entreprise** est celui dans lequel l'exécutant, dit « entrepreneur », est libre d'organiser lui-même les modalités d'accomplissement de ce qui lui est demandé ; il ne reçoit pas d'ordres du bénéficiaire, dit « maître d'œuvre » ou « donneur d'ordres », dans l'exécution de son travail. Ce contrat s'applique à toutes sortes de prestations : construction d'immeubles, fabrication d'objets divers, exécution de travaux de réparation ou de transformation. Parfois, vu sa spécificité, il est doté d'un régime spécial : par exemple la prestation de transport est réglementée sous le nom de **contrat de transport,** la prestation de conservation d'une chose sous le nom de **dépôt** ou de **séquestre**, celle d'accomplissement d'actes juridiques sous le nom de **mandat** ou de **commission**, celle de rapprochement des parties sous le nom de **courtage.**

Section 2
Caractéristiques essentielles du régime du contrat

546. Quelle que soit la diversité des contrats, ils sont tous soumis à un même régime de base fixé par les articles 1101 et suivants du Code civil.

I. Négociation des contrats

547. De nombreux contrats se concluent sans être discutés, une entreprise proposant un contrat auquel sa clientèle adhère (*contrat* dit « *d'adhésion* »). Tel est le cas des ventes courantes pour lesquelles sont établies par les vendeurs des « conditions générales de vente » ; il en est fréquemment de même pour les assurances, les transports, les prestations des banques.

Mais il y a des contrats moins usuels (*contrats* dits *« de gré à gré »)* supposant une longue mise au point (« pourparlers »). Cette phase est particulièrement importante car elle commande la conclusion du contrat et, par suite, son succès ou son échec ; au point de vue juridique, elle appelle trois observations.

1° *La liberté contractuelle.* Le principe essentiel du droit en matière contractuelle est la liberté. En conséquence tout *ce qui n'est pas expressément interdit est permis ;* l'interdiction ne peut résulter que d'une règle qualifiée d'*ordre public* soit par la loi, soit par les juges, par exemple l'une de celles qui tendent à protéger la libre concurrence, la sécurité des consommateurs et la salubrité publique.

2° *La loyauté des négociations.* Les négociateurs, alors même qu'aucun lien de droit n'est encore noué, doivent veiller à agir de bonne foi les uns envers les autres. La méconnaissance de cette règle de conduite peut constituer une faute précontractuelle génératrice de responsabilité civile délictuelle ; tel est le cas de fourniture de renseignements erronés, d'insuffisance de renseignements ou de manque de considération des intérêts du partenaire.

> Ainsi jugé, par exemple, pour :
> – un franchiseur envers un franchisé potentiel en surestimant le chiffre d'affaires prévisionnel et en taisant les difficultés conjoncturelles à affronter (Com. 4 décembre 1990 : RJDA 2/91 n° 108) ;
> – un actionnaire ayant engagé des pourparlers avec une société pour lui céder ses actions et qui, tout en maintenant les négociations en cours et sans en avertir son partenaire, cède lesdites actions à un tiers (Paris 13 mai 1988 : BRDA 1989/12 p. 17).

Les tribunaux font ainsi peser sur tout vendeur, même non professionnel, une obligation particulière d'*information précontractuelle* (Civ. 3ᵉ, 30 juin 1992 : Bull. II n° 238).

> Jugé ainsi que tout vendeur d'un matériel doit, afin que la vente soit conclue en connaissance de cause, s'informer des besoins de son acheteur et informer ensuite celui-ci des contraintes techniques du matériel et de l'aptitude de ce dernier à atteindre le but recherché (Com. 1ᵉʳ décembre 1992 : Bull. civ. IV n° 391). À l'égard de l'acheteur professionnel, cette obligation d'information n'existe, toutefois, que dans la mesure où sa compétence ne lui donne pas les moyens d'apprécier la portée exacte des caractéristiques du matériel (Civ. 1ʳᵉ 3 juin 1998 : BRDA 98-12 p. 10).

En outre, tout professionnel vendeur de biens ou prestataire de services doit, avant la conclusion du contrat, mettre le consommateur en mesure de connaître les caractéristiques essentielles du bien ou du service.

> Le professionnel vendeur de biens meubles doit aussi indiquer au consommateur la période pendant laquelle il est prévisible que les pièces indispensables à l'utilisation du bien seront disponibles sur le marché.

Chaque partie à des négociations peut y mettre un terme tant que le contrat ne s'est pas formé par l'acceptation pure et simple d'une offre. Toutefois, l'auteur de la rupture engage sa responsabilité délictuelle si cette rupture revêt un caractère abusif et brutal (Com. 22 avril 1997 : RJDA 8-9/1997 n° 996) ; l'appréciation de ce caractère relève du pouvoir souverain des juges du fond qui prennent en considération notamment le caractère acceptable des propositions réciproques (Com. 9 mars 1999 : RJDA 5/99 n° 591).

> A ainsi été jugé abusive une rupture intervenue à un moment où les pourparlers étaient avancés à un tel point que l'une des parties avait légitimement pu croire que l'autre allait conclure, ce qui l'avait incitée à effectuer certaines dépenses (Riom 10 juin 1992 : RJDA 10/92 n° 893).
>
> L'auteur d'une rupture abusive de pourparlers intervenue au bout de quatre ans a ainsi été condamné à payer 610 000 € de dommages-intérêts à une société qui avait immobilisé en pure perte son procédé breveté pendant quatre ans sans pouvoir négocier avec un autre partenaire pendant cette période et avait divulgué son savoir-faire (Com. 7 avril 1998 : RJDA 8-9/98 n° 937).

3° *La qualification juridique.* Les négociateurs doivent veiller à qualifier correctement leur contrat, c'est-à-dire à le placer sous le régime juridique qui lui convient tels la vente, le louage, l'entreprise ou la société.

Toutefois, ce sont les obligations nées du contrat qui déterminent ce régime et *le juge est libre* – sauf convention des parties non contraire à l'ordre public prévoyant expressément de le lier – *de rétablir la qualification.*

Ainsi est-il particulièrement important de déterminer si un *contrat* a un caractère *administratif* car il est alors soumis à un régime particulier : il peut emporter exécution forcée s'il a été signé par un représentant de l'État ; en outre, s'il est fait par écrit, il a date certaine ; enfin son contentieux relève des juridictions administratives.

> La qualification « administrative » ou de « droit privé » d'une convention ne dépend pas de celle qui a été retenue par les parties (Civ. 1re, 24 mars 1987 : Bull. I n° 110).
>
> Est administratif tout contrat :
>
> – soit conclu entre deux personnes publiques, sauf s'il ne fait naître entre les parties que des rapports de droit privé (Civ. 1re 16 mars 1999 : RJDA 6/99 n° 661) ;
>
> – soit faisant participer le contractant d'une personne publique à l'exécution d'un service public (Trib. confl. 5 juillet 1999, Commune de Sauve : RJDA 12/99 n° 1322, 1re espèce) ;
>
> – soit conclu entre une personne publique et une personne privée, et comportant une clause qui diffère par sa nature de celles qui peuvent être stipulées dans un contrat analogue entre particuliers (clause exorbitante du droit commun) (Trib. confl. 5 juillet 1999, Commune de Sauve : RJDA 12/99 n° 1322, 1re espèce) ;
>
> – soit passé en application du Code des marchés publics (Loi 2001-1168 du 11 décembre 2001 art. 2) ;
>
> – soit de marché de travaux publics.

Les contractants peuvent enfin créer de toutes pièces, sous réserve de ne pas enfreindre l'ordre public, un *contrat de type nouveau* qui, tant qu'une qualification ne lui est pas donnée par la loi ou par les tribunaux, est « *dit contrat innommé* » (par opposition aux contrats nommés, qui sont reconnus par la loi ou les tribunaux sous une dénomination particulière, tels la vente, le louage, la société, la concession, etc.).

548. Il est fréquent, surtout à l'occasion d'opérations complexes nécessitant la mise en œuvre de capitaux importants, que les pourparlers soient longs ; les parties peuvent alors, avant même d'avoir réglé l'ensemble des questions que soulève leur future collaboration, manifester leur commune intention de parvenir à un accord en concluant un accord de principe ou, si leurs pourparlers sont plus avancés, une promesse de contrat.

Il y a **accord de principe** lorsque les parties s'obligent à négocier ultérieurement un contrat déterminé. Mais leur engagement ne porte que sur ce point ; tous les autres éléments constitutifs du contrat restent en suspens ; l'accord de principe n'est donc que l'affirmation d'un engagement de négocier. Il a force obligatoire, et, si l'une des parties se refuse à l'appliquer, l'autre peut obtenir réparation du dommage qui en résulte pour elle par l'allocation de dommages-intérêts.

> Constitue ainsi un accord de principe la correspondance adressée par un organisme de crédit à un emprunteur et précisant : « Nous avons examiné favorablement votre demande de prêt... Vous recevrez une offre » (Crim. 10 juin 1987 : Bull. n° 241).

548-1. La **promesse de contrat** est un **véritable contrat** obligeant les parties à conclure, en général dans un délai fixé, un contrat déterminé dont les éléments sont déjà définis.

Elle est dite « **unilatérale** » si l'une des parties (le promettant) s'engage à maintenir l'offre pendant un certain délai, l'autre (**le bénéficiaire**) **ayant une option discrétionnaire** : décider de contracter ou non à l'issue de ce délai. En contrepartie, il est souvent stipulé qu'une somme, dite « **indemnité d'immobilisation** », restera acquise au promettant en cas de défaut de réalisation du contrat ; cette somme constitue le prix de l'exclusivité consentie au bénéficiaire de la promesse (Civ. 1re, 5 décembre 1995 : RJDA 4/96 n° 477) et n'est donc pas une clause pénale (sur cette notion, voir n° 605).

En cas de rétractation du promettant, le bénéficiaire ne peut pas obtenir l'exécution forcée de la promesse (Civ. 3e, 26 juin 1996 : RJDA 7/96 n° 905). Après la levée de l'option, la promesse devient synallagmatique et vaut contrat, le promettant ne pouvant plus se rétracter.

> En vertu de l'article 1840 A du Code général des impôts, est nulle toute promesse unilatérale de vente d'un immeuble ou d'un fonds de commerce qui n'a pas été constatée par un acte authentique ou un acte sous seing privé enregistré dans le délai de dix jours à compter de la date de son acceptation par le bénéficiaire.

548-2. Remarque : Il ne faut pas confondre la promesse de contrat avec le **pacte de préférence.**

Par un pacte de préférence, le promettant ne s'oblige pas à conclure un contrat déterminé mais il s'engage, s'il décide de contracter, à le faire avec le bénéficiaire du pacte ; le promettant doit donc notifier au bénéficiaire toute offre d'un tiers pour lui permettre d'exercer son droit de préférence ou d'y renoncer (Civ. 1re, 16 juillet 1985 : Bull. I n° 224). Le pacte de préférence constitue une créance de nature personnelle (Civ. 3e, 24 mars 1999 : RJDA 5/99 n° 536) ; il n'engage donc que le constituant, et son inexécution ne peut entraîner que l'allocation de dommages-intérêts, sans que le bénéficiaire du pacte puisse être substitué au tiers acquéreur avec lequel le promettant aurait contracté (Civ. 3e, 30 avril 1997 : RJDA 6/97 n° 761).

Toutefois, les tribunaux annulent tout contrat passé par le promettant en cas de concert frauduleux, lorsque l'acquéreur a eu connaissance non seulement de la clause instituant le pacte de préférence mais également de l'intention du bénéficiaire de s'en prévaloir (Civ. 3e, 10 février 1999 : RJDA 4/99 n° 392).

548-3. Le **contrat** est l'acte par lequel les parties s'engagent définitivement à assumer certaines obligations déterminées. Il a force obligatoire.

II.   Conditions de validité du contrat

A __   CONDITIONS DE FOND
(Code civil art. 1108)

550. Quatre conditions sont essentielles pour la validité d'un contrat :
– le consentement de la partie qui s'oblige ;
– sa capacité de contracter ;
– un objet certain qui forme la matière de l'engagement ;
– une cause licite dans l'obligation.

Consentement

551. Tout contrat suppose la rencontre de deux consentements non viciés.

Rencontre des consentements

552. *Il n'y a pas de contrat sans l'accord des volontés* des contractants (l'offre et l'acceptation). En principe, *chacun est libre de contracter ou non*, réserve faite de ce qui a été indiqué n° 396 sur le refus de vente ou de prestation de services à un consommateur ; toutefois, certains contrats sont obligatoires, par exemple l'assurance pour les véhicules terrestres à moteur, les engins de remontée mécanique ou la responsabilité civile des chasseurs.

De même, *chacun est libre de choisir son contractant,* sous réserve d'hypothèses particulières comme le droit de préemption ou le pacte de préférence.

L'offre peut être pure et simple, tel un devis (Com. 1er octobre 1991 : RJDA 6/92 n° 551) ; elle peut aussi être sujette à confirmation.

> Cette dernière stipulation donne à l'offrant le temps nécessaire pour étudier le sérieux et la crédibilité de l'acceptant ; toutefois, elle permet à ce dernier de révoquer son acceptation tant qu'il n'a pas été lui-même accepté (Com. 6 mars 1990 : Bull. IV n° 74).

Une offre peut être rétractée si elle n'a pas été acceptée, à condition que se soit écoulé le délai prévu pour l'acceptation, fixé par l'offre elle-même (délai « exprès », par exemple « valable jusqu'au... ») ou souverainement apprécié par les juges du fond (délai « raisonnable »).

> Ainsi jugé que le délai raisonnable est expiré 18 mois après la parution d'une annonce concernant la vente de pavillons (Versailles 28 février 1992 : RJDA 5/92 n° 524).

L'offre devient caduque à la suite du décès de l'offrant (Civ. 3e, 10 mai 1989 : Bull. III n° 109). Il en va toutefois différemment lorsque l'auteur de l'offre s'est engagé à la maintenir pendant un certain délai, ce qui lie les ayants droit du défunt (Civ. 3e, 10 décembre 1997 : RJDA 4/98 n° 402).

L'acceptation peut être expresse ou tacite, résultant de faits ou d'actes qui l'impliquent telle l'exécution du contrat en connaissance de cause (Com. 25 juin 1991 : Bull. I n° 234).

En principe, *en droit, qui ne dit mot ne consent pas* (Civ. 1re, 16 avril 1996, RJDA 7/96 n° 873) ; toutefois, le silence vaut, à lui seul, acceptation :
– entre commerçants en relation d'affaires habituelle (Com. 24 octobre 1995 : RJDA 1/96 n° 39) ;
– en cas de « tacite reconduction ».

> La tacite reconduction n'entraîne pas prorogation du contrat primitif mais donne naissance à un nouveau contrat (Com. 13 mars 1990 : Bull. IV n° 77).

Les *conditions générales de vente* (ou d'achat), imprimées fréquemment sur les documents des entreprises, ne sont applicables que si elles peuvent être réputées acceptées, fût-ce tacitement, par le partenaire à qui on prétend les opposer. Il en est ainsi, notamment, lorsqu'il les connaissait avant la conclusion du contrat et n'a élevé aucune protestation (Com. 17 octobre 1961 : D. 1962 II 106) ou lorsqu'il a apposé sa signature sous une mention imprimée précisant qu'il reconnaît en avoir pris connaissance (Civ. 1re, 3 décembre 1991 : Bull. I n° 342).

> Jugé, en revanche, que n'est pas opposable à un contractant la clause figurant au verso du contrat signé au recto et imprimée de façon peu apparente à la fin d'un texte dense et écrit en petits caractères, difficilement lisible pour un lecteur moyen, alors même qu'une clause liminaire figurant au recto déclare que le contractant a pris connaissance des conditions générales et particulières figurant au recto et au verso de l'acte (Aix-en-Provence 22 janvier 1992 : JCP 1992 IV n° 1585).

> Lorsque deux clauses figurant sur des documents contractuels émanant respectivement d'un acheteur et d'un vendeur sont inconciliables, elles s'annulent (Com. 20 novembre 1984 : Bull. IV n° 313).

De même, les clauses figurant sur un *avis public* ne sont opposables à un contractant que si l'on peut démontrer qu'il en a eu connaissance et les a acceptées, fût-ce tacitement (Civ. 19 mai 1992 : Bull. I n° 146).

> En l'espèce il a été jugé qu'une clause limitative de responsabilité figurant sur un panneau placé dans le hall d'entrée d'une clinique ne peut être opposée à une cliente faute de pouvoir prouver que son attention a été attirée sur la consultation de cet avis dont la lecture est toujours susceptible d'échapper.

Lorsque le *contrat* est conclu *par correspondance* (lettre, télex, téléphone, connexion télématique), les tribunaux considèrent, en général, que le contrat s'est formé dès l'émission de l'acceptation (Com. 7 janvier 1981 : Bull. IV n° 14). Néanmoins, l'offre ou l'acceptation peuvent être révoquées tant que le destinataire n'en a pas reçu communication (Civ. 1re, 21 décembre 1960 : D. 1961 II 417, note Ph. Malaurie).

552-1. Un *consommateur,* ou un professionnel contractant pour des besoins autres que son activité professionnelle, peut bénéficier d'un *délai de réflexion* ou de *rétractation.* Tel est le cas notamment pour les contrats suivants :

1° *Achat à crédit :* Tout acheteur d'un immeuble à usage d'habitation (ou à usage professionnel et d'habitation), ou d'un meuble d'une valeur n'excédant pas 21 500 €, ayant besoin, pour réaliser cette opération, d'un crédit de plus de trois mois octroyé par une personne octroyant de manière habituelle des prêts (organisme de crédit, vendeur lui-même) doit recevoir une *offre préalable de prêt.*

S'agissant d'un immeuble, l'emprunteur doit *attendre au moins dix jours avant d'accepter* l'offre reçue qui reste valable trente jours ; le délai de réflexion varie donc, selon la volonté de l'acheteur, entre dix et trente jours.

S'agissant d'un meuble, il dispose d'un délai de *sept jours pour se rétracter*, à compter de l'acceptation de l'offre préalable (valable quinze jours) ; ce délai est prorogé jusqu'au premier jour ouvrable suivant lorsqu'il expire un samedi, un dimanche ou un jour férié, lorsque, par une demande expresse, rédigée, datée et signée de sa main, il a sollicité la livraison immédiate du bien, le délai de rétractation expire à la date de la livraison sans pouvoir ni excéder sept jours ni être inférieur à trois jours.

Le contrat de vente devient définitif dès que le contrat de crédit est définitivement conclu.

2° *Démarchage à domicile.* Tout consommateur ou assimilé, personne physique, démarché à son domicile, à sa résidence ou sur son lieu de travail, même à sa demande, pour se voir proposer l'achat, la vente, la location, la location-vente ou la location avec option d'achat de biens ou la fourniture de services, dispose d'un délai de *sept jours* à compter de la commande ou de l'engagement d'achat pour y *renoncer* par lettre recommandée avec accusé de réception, sauf exceptions. Ce *délai* est *irréductible* même en cas de demande expresse pour un achat à crédit effectué à domicile.

> Il en va de même du démarchage dans les lieux non destinés à la commercialisation du bien ou du service proposés et notamment de l'organisation par un commerçant, ou à son profit, de réunions ou d'excursions afin de réaliser les opérations définies ci-dessus, d'invitations à se rendre sur le lieu de vente par téléphone ou publipostage (Crim. 18 septembre 1995, Bull. n° 271).

> Le jour de la signature de l'acte n'entre pas dans la computation du délai, qui doit comporter sept jours et expire donc le septième jour qui suit celui de la signature (Civ. 1re, 6 février 1996 : RJDA 5/96, n° 713). En outre ce délai est prorogé jusqu'au premier jour ouvrable suivant lorsqu'il expire un samedi, un dimanche ou un jour férié ou chômé.

> Le non-respect par un professionnel de la règle d'ordre public suivant laquelle il est interdit d'obtenir d'un client démarché à son domicile une contrepartie ou un engagement quelconque avant l'expiration du délai de réflexion est sanctionné, en application de l'article 6 du Code civil, par la nullité du contrat (Crim. 7 octobre 1998 : BRDA 98/20, p. 13).

> Ne sont pas soumises à la réglementation du démarchage à domicile les ventes ou prestations de service qui ont un rapport direct avec les activités exercées dans le cadre d'une exploitation agricole, industrielle, commerciale ou artisanale ; ce rapport direct existe dès lors que le contrat conclu par le professionnel est destiné à lui permettre d'accroître les profits tirés de son activité existante ou de créer une activité professionnelle complémentaire.

3° *Achat à distance.* Tout consommateur achetant un bien ou un service à distance (imprimé, bon de commande, catalogue, téléphone, internet, télécopie, télévision, etc.) bénéficie d'une protection particulière sauf pour les contrats portant sur des services financiers, des biens immobiliers à l'exception de la location, des prestations liées aux voyages et aux loisirs fournies à une date ou à une périodicité déterminée, ainsi que les ventes aux enchères publiques.

Il doit recevoir *avant la commande*, outre le prix et les caractéristiques essentielles du bien ou du service, un certain nombre d'informations visées à l'article L 121-18 du Code de la consommation. Ces informations doivent être confirmées au plus tard au moment de la livraison.

Le consommateur dispose d'un délai de *sept jours francs pour se rétracter* à compter de la réception des biens ou de l'acceptation de l'offre de services. Il doit alors être remboursé dans un délai maximum de trente jours mais il supporte des frais de retour.

Toutefois, la rétractation n'est pas possible pour certains contrats visés à l'article L 121-20-2 du Code de la consommation : fourniture de biens personnalisés ou sur mesure, de journaux, de périodiques ou de magazines, de denrées alimentaires, services en ligne, etc.

> Sur le calcul des jours francs voir figure I-2 page 33.
> Ce délai est prorogé jusqu'au premier jour ouvrable suivant lorsqu'il expire un samedi, un dimanche ou un jour férié ou chômé.

4° Achat d'un logement personnel. Tout **acquéreur d'un logement**, pour ses besoins personnels ou familiaux, ne bénéficiant pas des dispositions visées au n° 552-1 dispose d'un délai de réflexion de sept jours avant de pouvoir signer un acte authentique de vente immobilière et d'un délai de rétractation de sept jours après la signature d'un acte sous seing privé ayant pour objet l'acquisition du bien (Code de la construction et de l'habitation, art. L 271-1 modifié).

5° Assurance-vie. Le souscripteur d'une assurance-vie a un délai de renonciation de trente jours à compter du premier versement de la prime.

6° Transaction à la suite d'un accident de la route. La victime d'un **accident de circulation** peut, par lettre recommandée avec demande d'avis de réception, dénoncer la **transaction** conclue avec l'assureur garantissant la responsabilité civile dans les quinze jours de sa conclusion.

Vices du consentement
(Code civil art. 1109 et s.).

553. Le consentement est vicié s'il a été donné par erreur, ou par violence ou surpris par dol.

Ces trois vices peuvent entraîner la nullité du contrat (nullité relative) s'ils ont été **déterminants** au moment de la formation du contrat, c'est-à-dire si l'on peut démontrer que, sans eux, il n'y aurait pas eu de contrat.

> Les **personnes morales,** notamment les sociétés, expriment leur consentement par des représentants qui sont des personnes physiques sur qui ces vices peuvent avoir effet.

Erreur

554. L'erreur est une représentation inexacte de la réalité. Elle vicie le consentement si elle porte sur l'un des éléments suivants :
– la **substance** soit des obligations nées du contrat (erreur sur la nature du contrat), soit des choses sur lesquelles porte cet accord (erreur sur la matière : placage au lieu de bois massif, par exemple) ;
– une **qualité substantielle,** c'est-à-dire essentielle, par exemple l'état du bien vendu, sa commodité d'utilisation ou le coût résultant de cette utilisation (CA Versailles 3 février 2000 : RJDA 5/00 n° 502) ;

> A ainsi été jugé qu'était vicié le consentement de personnes ayant acquis la quasi-totalité du capital d'une société en ignorant que, quelques semaines avant la cession, cette société avait vendu le fonds de commerce dont l'exploitation était l'objet social même et qui constituait l'essentiel de ses actifs (Com. 1er octobre 1991 : RJDA 11/91 n° 930).

– la **personne** du contractant tant dans son identité que dans ses qualités personnelles (compétence, solvabilité, etc.) ; mais cette erreur ne joue que dans les contrats conclus « intuitu personae », c'est-à-dire en fonction de la personnalité de l'autre partie (par exemple une donation ou un contrat d'entreprise).

> Ainsi jugé pour une personne ayant cru contracter avec une agence commerciale d'expérience alors qu'en réalité sous le nom « agence » se dissimulait une personne physique débutant son activité professionnelle (Saint-Denis de la Réunion 6 octobre 1989 : JCP 1990 II 21504, note E. Putman).

Sur l'information précontractuelle du contractant, voir n° 547.

554-1. L'**erreur** ne peut pas être invoquée si elle est **inexcusable,** c'est-à-dire si elle résulte d'une faute de celui qui l'allègue (Com. 13 janvier 1998 : RJDA 6/98 n° 671).

> Ainsi jugé qu'ont commis une erreur inexcusable :
> – un architecte achetant un terrain sans vérifier le contenu du plan d'urbanisme (Civ. 1re, 2 mars 1964 : Bull. I n° 122) ;
> – une société recrutant un directeur sans procéder à des investigations qui lui auraient permis de découvrir que cette personne venait de déposer le bilan d'une autre société, dont il était le représentant légal, aussitôt mise en liquidation (Soc. 3 juillet 1990 : Bull. V n° 329) ;
> – une personne prenant en location-gérance un fonds de commerce sans avoir eu connaissance de la comptabilité, ni s'être rendue sur place pour vérifier les possibilités réelles du fonds de commerce (Com. 11 février 1992 : RJDA 5/92 n° 423).

En outre, les tribunaux ne tiennent pas compte de l'erreur *si elle* n'*affecte* que :
– *un motif* de l'un des contractants, sauf s'il porte sur l'objet même du contrat ou si les parties ont été d'accord pour en faire la condition de leur accord (Com. 14 décembre 1977 : Bull. IV n° 293) ;

> Ainsi jugé que l'absence de satisfaction du motif de l'acheteur, à savoir la recherche d'avantages d'ordre fiscal, alors même que ce motif était connu du vendeur, ne pouvait pas entraîner l'annulation du contrat, faute d'une stipulation expresse qui aurait fait entrer ce motif dans le champ contractuel en l'érigeant en condition de ce contrat (Civ. 1re, 13 février 2001 : Bull. I n° 31).

– *la valeur* ou la rentabilité de l'objet de l'obligation, en cas d'appréciation économique erronée à partir de données exactes (Com. 11 février 1992 : RJDA 5/92 n° 423) ;

> Cette erreur serait admise si elle était la conséquence de données inexactes.

– *les qualités accessoires* d'une chose par opposition à ses qualités substantielles.

Violence

555. La *violence est une menace* qui fait *craindre un mal matériel ou moral.*
Peu importe qu'elle émane du contractant, d'un tiers ou des événements (violence économique).

> La menace de l'exercice d'un droit (par exemple la menace de poursuites par un créancier) n'est pas de la violence, sauf si elle est utilisée abusivement, par exemple pour obtenir un avantage hors de proportion avec l'engagement primitif.

Elle entraîne la nullité de la convention si elle est déterminante ; la crainte doit être telle que sans elle le contrat n'aurait pas été conclu (Civ. 3e, 13 janvier 1999 : RJDA 3/99 n° 252).

Dol

556. Le *dol* est le vice frappant un consentement donné par suite de *manœuvres de l'autre partie.*

Le dol résulte donc de manœuvres ou de mensonges ; mais il peut aussi être constitué par le silence gardé par une partie dissimulant volontairement un fait qui, s'il avait été connu de l'autre, l'aurait empêché de contracter (dol par réticence) ;

> Tel est le cas, par exemple, de :
> – la présentation de documents comptables, délibérément inexacts ou faux, à l'acquéreur de droits sociaux ignorant la situation précaire de la société (Com. 5 décembre 2000 : RJDA 3/01 n° 323) ;

– l'omission par une banque de révéler à des personnes se portant caution d'une autre personne que la situation de ce débiteur est lourdement obérée (Civ. 1re, 26 novembre 1991 : Bull. I n° 331) ;

– le défaut d'information par les vendeurs d'une maison d'habitation sur l'absence d'alimentation en eau potable, même si cette maison est située en zone rurale (Civ. 3e, 10 février 1999 : RJDA 4/99 n° 395).

Jugé, en revanche, que ne commet pas de dol un acheteur gardant le silence sur la valeur du bien acquis dès lors qu'aucune obligation d'information sur le prix réel ne pèse sur lui (Civ. 1re, 3 mai 2000 : Bull. n° 131).

La réticence dolosive rend toujours excusable l'erreur provoquée (Civ. 3e, 21 février 2001 : Bull. III n° 20).

Le dol s'apprécie « in concreto », c'est-à-dire en considération de la personne qui en est victime.

A ainsi été rejetée la demande en annulation formée par un acquéreur qui, compte tenu de son expérience d'homme d'affaires, ne pouvait pas se méprendre sur la situation de la société dont il avait acquis les parts sociales (Cass. com., 2 juillet 1996 : RJDA 12/96 n° 142).

En revanche, ne peut constituer un dol, même lorsqu'elle provoque une erreur :

– la hâblerie permise (exagération sans gravité des qualités de la chose), par exemple les prévisions d'un franchiseur, trop optimistes par rapport aux résultats obtenus mais n'ayant pas été faites volontairement et faussement pour entraîner l'adhésion des candidats (Paris, 26 mars 1992 : RJDA 6/92 n° 576) ;

– la négligence ou l'omission involontaire d'un renseignement (Com. 11 février 1992 : RJDA 5/92 n° 423).

Pour être cause de nullité, il faut, en principe, que le dol subi par un contractant *émane de l'autre contractant.*

556-1. Remarque. Le Code civil ne sanctionne le dol en tant que vice du consentement que par la nullité du contrat ; toutefois, le dol est également une faute précontractuelle engageant la responsabilité délictuelle de son auteur. Aussi la victime du dol peut, à son choix, faire réparer son préjudice soit par l'annulation du contrat et, s'il y a lieu, par l'attribution de dommages-intérêts, soit simplement par une indemnisation pécuniaire qui peut prendre la forme de la restitution de l'excès de prix qu'elle a été conduite à verser (Com. 27 mai 1997 : BRDA 97-13 p. 7).

L'action en nullité et l'action en responsabilité délictuelle sont distinctes ; la renonciation à la première n'empêche pas la victime du dol d'exercer la seconde (Com. 4 octobre 1988 : Bull. IV n° 265).

Capacité

557. Les *personnes morales* ne doivent conclure que des actes entrant dans leur sphère d'activité (objet social) à peine de nullité absolue *(principe de spécialité).* Toutefois, les sociétés par actions et les sociétés à responsabilité limitée sont engagées par les actes de leurs dirigeants, même excédant l'objet social.

Sur l'incapacité des *personnes physiques*, mineures ou majeures, voir n°s 141 à 157.

Objet (des obligations nées) du contrat
(Code civil art. 1126 s.)

558. L'objet (des obligations nées) du contrat est ce à quoi le débiteur s'engage. Ce peut être :

– *faire quelque chose :* accomplir un acte positif, par exemple une prestation de services (contrat d'entreprise ou contrat de travail) ;

– *ne pas faire quelque chose :* par exemple respecter un secret. En pratique, cet engagement est le plus souvent l'accessoire d'une autre obligation ; tel est le cas notamment de l'obligation de non-concurrence pesant sur un salarié ou le vendeur d'un fonds de commerce ;

> Pour être valable, une clause de non-concurrence doit ne pas être disproportionnée au regard de l'objet du contrat et ne pas empêcher celui qui s'engage d'exercer une activité, faute de quoi elle porterait atteinte au principe de liberté de commerce ou du travail (Com. 4 juin 2002 : BRDA 14/02 n° 9). Lorsqu'elle pèse sur un salarié, elle doit remplir les quatre conditions suivantes (Soc. 10 juillet 2002, 3 décisions) :
>
> 1° être indispensable à la protection des intérêts légitimes de l'entreprise ;
> 2° être limitée dans le temps et dans l'espace ;
> 3° tenir compte des spécificités de l'emploi du salarié ;
> 4° comporter l'obligation pour l'employeur de verser au salarié une contrepartie financière.
>
> S'agissant des agents commerciaux voir n° 638.
>
> S'agissant des fonds de commerce voir n° 662.

– *« donner »* quelque chose, *c'est-à-dire en transférer la propriété (faire une « dation »),* tel est l'objet des obligations nées d'un contrat de vente ou d'échange.

> Toutefois, cette obligation n'a pratiquement pas d'existence individualisée, car elle s'exécute d'elle-même en conséquence soit de l'échange des consentements (voir n° 189), soit de la réalisation de la condition à laquelle le transfert de propriété est subordonné (voir n° 189-1).

Remarque : Celui qui se déclare « disposé à faire tout ce qui est en son pouvoir » ne contracte aucune obligation (Com. 26 février 1991 : RJDA 6/91 n° 458).

Conditions de l'objet

Existence de l'objet

560. Une obligation est sans objet lorsque le débiteur s'est engagé soit à fournir un bien qui n'existe pas, soit à accomplir un fait absolument impossible ; il en va de même s'il s'est dégagé de toute responsabilité en cas d'inexécution du contrat.

> Par exemple, une société avait concédé à une autre société le droit de mettre en œuvre de quelque façon que ce soit le programme, les documents d'exécution, le système et le savoir-faire relatifs à une méthode d'enseignement de la sténographie. Or, les conclusions de deux experts, commis à cet effet, établirent qu'il y avait impossibilité pour quiconque d'arriver au résultat garanti par le contrat. La cour d'appel de Paris a donc admis que l'objet était impossible et a annulé le contrat (26 avril 1984 : BRDA 1984/12 p. 19).

Mais l'objet n'a pas besoin d'exister matériellement lors de la conclusion du contrat ; il suffit qu'il existe à la date prévue de l'exécution de l'obligation *(chose future).*

> Toutefois, les *pactes sur succession future* sont expressément interdits par l'article 1130, alinéa 2, du Code civil.

Licéité de l'objet

561. L'objet de l'obligation ne doit pas être contraire à l'*ordre public.* Ainsi, un certain nombre de biens ne peuvent faire l'objet d'un contrat car ils sont considérés comme *hors* du *commerce* juridique, par exemple :
– le corps humain, ses éléments et ses produits ;
– le nom de famille à l'exception du nom commercial ;

– les biens du domaine public ou tombés dans le domaine public (par exemple un brevet, vingt ans après son dépôt) ;
– les biens soumis au monopole de l'État dans un intérêt de service public ;
– les produits susceptibles de porter atteinte à la sécurité des consommateurs et dont la vente est interdite par les pouvoirs publics.

561-1. Est aussi illicite tout *prêt* conventionnel *usuraire,* c'est-à-dire consenti à un taux effectif global excédant, au moment où il est consenti, de plus du tiers le taux effectif moyen pratiqué au cours du trimestre précédent par les établissements de crédit pour des opérations de même nature comportant des risques analogues (Code de la consommation, art. L 313-3). Ces taux sont calculés par la Banque de France et publiés au Journal officiel ainsi que les seuils de l'usure correspondants servant de référence pour le trimestre suivant.

> Un *taux effectif global* comprend tous les frais auxquels s'expose celui qui ne peut pas payer au comptant avec son argent : le taux d'intérêt conventionnel et les frais, commissions ou rémunérations de toute nature, directs ou indirects qui y sont liés.

Un prêt usuraire n'est pas nul mais entraîne l'imputation des perceptions excessives sur les intérêts normaux échus et subsidiairement sur le capital de la créance ; en outre, l'usurier s'expose à un emprisonnement de deux ans et/ou une amende de 45 000 €.

Remarque : Le défaut de mention du taux effectif global dans un prêt d'argent n'entraîne pas la nullité du contrat mais seulement celle de la convention d'intérêt. Il convient, dans ce cas, de n'appliquer que le taux d'intérêt légal à compter de la date du prêt (Com. 4 mai 1993 : BRDA 1993/10 p. 13).

561-2. Les *clauses abusives* sont réputées non écrites.

> Le contrat reste applicable dans toutes ses dispositions autres que celles jugées abusives s'il peut subsister sans lesdites clauses.

Sont abusives les clauses qui, dans les contrats conclus entre professionnels et non-professionnels ou consommateurs, ont pour objet ou pour effet de créer, au détriment du non-professionnel ou du consommateur, un *déséquilibre significatif* entre les droits et les obligations des parties au contrat.

> 1° L'appréciation du caractère abusif des clauses ne porte ni sur la définition de l'objet principal du contrat, ni sur l'adéquation du prix ou de la rémunération au bien vendu ou au service offert, si la clause est rédigée de façon claire et compréhensible.

> 2° Des décrets en Conseil d'État, pris après avis de la commission des clauses abusives, peuvent déterminer des types de clauses qui doivent être regardées comme abusives.

> 3° A ainsi été jugée abusive la clause d'un contrat d'enseignement prévoyant le versement de la totalité du prix quel que soit le motif de l'annulation de la convention, une telle clause procurant à l'école un avantage excessif en imposant à l'élève le paiement des frais de scolarité, même en cas d'inexécution du contrat imputable à l'établissement ou causé par un cas fortuit ou de force majeure (Civ. 1re 10 février 1998 : RJDA 6/98 n° 803).

> 4° Cette protection bénéficie exclusivement aux personnes physiques et ne saurait donc être invoquée par les personnes morales (CJCE 22 novembre 2001, 541 et 542/99, Cape SNC : RJDA 2/02 n° 207).

Détermination de l'objet

562. L'objet de l'obligation doit être *déterminé*. Il peut aussi n'être que déterminable à partir d'éléments sérieux, précis et objectifs ne dépendant pas de l'arbitraire de l'un des contractants (Com. 21 février 1995 : RJDA 7/95 n° 803).

Toutefois, l'indétermination du prix dans une convention à exécution successive ou échelonnée n'est pas, sauf disposition légale particulière, sanctionnée par la nullité, l'abus dans la fixation du prix ne donnant lieu qu'à la résiliation ou à des indemnisations (Ass. plén. 1er décembre 1995, 4 espèces : RJDA 1/96 n° 6).

> En l'absence d'indication contraire, la TVA est supportée par la partie qui en est redevable selon la loi fiscale ; par suite lorsque le contrat mentionne un prix sans indication de TVA, ce prix est présumé comprendre le montant de la taxe due sur l'opération en cause (Com. 27 juin 1989 : BRDA 1989/17 p. 13).

Durée de l'objet

562-1. Les contractants ne peuvent pas s'engager pour une durée perpétuelle, à peine de nullité du contrat (Com. 3 novembre 1992 : RJDA 4/93 n° 292).

Défaut d'équivalence des objets

563. La disproportion de valeur entre les prestations promises dans un contrat, dite « lésion », n'est pas un vice général des conventions.

La *rescision* (anéantissement ou rééquilibrage du contrat par versement d'un complément de valeur) pour lésion n'est admise que :

– pour certains actes passés soit par un mineur (voir n° 142), soit par un majeur sous sauvegarde de justice ou sous curatelle (voir n°s 155 et 156) ;

– pour *certains contrats,* notamment la vente d'immeubles (voir n° 192), la vente d'engrais (pour l'acheteur lésé de plus du quart, loi du 8 juillet 1907), le sauvetage maritime si « les conditions convenues ne sont pas équitables » (Loi n° 67-545 du 7 juillet 1967, art. 15), la cession du droit d'exploitation en matière littéraire et artistique lorsque l'auteur a subi un préjudice de plus des sept douzièmes (Code de la propriété intellectuelle art. L 131-5) ;

> La lésion n'est jamais admise dans les *contrats aléatoires* (où l'équivalent consiste dans la chance de gain ou de perte pour chacune des parties, d'après un événement incertain) par exemple une vente moyennant versement d'une rente viagère. Le contrat qui n'est pas aléatoire est dit « commutatif ».

– pour le *partage* lorsque l'un des cohéritiers établit, à son préjudice, une lésion de plus du quart (Code civil art. 887).

Cause

(Code civil art. 1131 s.)

564. La cause (des obligations nées) du contrat est le *motif déterminant du contractant* (« à cause de quoi » s'engage-t-il ?). Elle a un double aspect.

1° Elle désigne la *contrepartie* en considération de laquelle une obligation est assumée (la *cause de l'obligation*) ; par exemple, dans tout contrat de vente, l'acheteur s'oblige à verser une somme d'argent parce que le vendeur s'engage à lui transférer la propriété d'un bien. Dans cette conception objective, la cause est *invariable* pour une catégorie donnée de contrats.

2° Elle désigne aussi le *motif déterminant* à l'origine de la décision de contracter (la *cause du contrat*). Essentiellement *subjectif*, ce motif varie pour chaque contrat : pourquoi acheter cet objet et non un autre, pourquoi effectuer un apport à telle société ou à telle autre ?

La cause doit remplir deux conditions : exister et être licite.

Existence de la cause

565. La cause dont l'existence est requise est la *contrepartie* de l'obligation. Elle est un des éléments constitutifs du contrat ; son absence est sanctionnée par la nullité, que cette cause n'ait jamais existé, ou qu'elle ait cessé d'exister au moment où l'engagement a été pris ; tel est le cas, par exemple, de l'obligation de verser une somme d'argent en contrepartie d'un logiciel inutilisable (Versailles 14 mai 1992 : RJDA 12/92 n° 1114) ou d'une franchise sans transmission d'un savoir-faire ni fourniture d'une assistance (Com. 30 janvier 1996 : RJDA 6/96 n° 776).

Licéité de la cause

566. La cause dont la licéité est requise est le *motif déterminant* ; elle est donc illicite lorsque le mobile des contractants est prohibé par la loi, ou contraire aux bonnes mœurs ou à l'ordre public.

> Les bonnes mœurs correspondent au minimum de moralité que les tribunaux estiment indispensable pour toute vie en société.

Sont ainsi annulables, pour cause illicite, un contrat de vente de matériel d'occultisme pour permettre l'exercice du métier de devin, cette activité constituant une infraction pénale (Civ. 1re, 12 juillet 1989 : Bull. I n° 293), ou l'adhésion auprès d'une agence matrimoniale souscrite par une personne encore mariée (Dijon 22 mars 1996 : Bull. Inf. C. cass. 1996 n° 842).

Un contrat peut être annulé pour cause illicite ou immorale, même lorsque l'une des parties n'a pas eu connaissance du caractère illicite ou immoral du motif déterminant de la conclusion du contrat (Civ. 1re, 7 octobre 1998 : RJDA 11/98 n° 1181).

B — ABSENCE DE CONDITION DE FORME

567. En vertu du *principe* dit *du consensualisme,* il est de règle, en droit français, que le contrat est validement formé par l'échange des consentements sans qu'il soit nécessaire de le constater par écrit.

Font exception les *contrats dits solennels devant être faits par écrit à peine de nullité.* La forme alors exigée peut être :

– soit un *acte authentique* : tel est le cas, par exemple, pour la donation (sauf pour les donations indirectes et le don manuel), le contrat de mariage, la constitution d'hypothèque immobilière, la vente d'immeuble, etc. ;

Précision : L'acte authentique requis pour la validité d'un contrat ne peut pas être un document électronique.

– soit un *acte sous seing privé* : notamment pour la convention de compte de dépôt (bancaire), la cession ou la licence d'un brevet d'invention, ou d'une marque, la constitution d'hypothèque maritime ou aérienne, la convention collective de travail ou le contrat de bail de locaux à usage d'habitation.

Remarque. Le législateur impose, de plus en plus fréquemment, à peine de nullité, la rédaction non pas de tout le contrat mais de *certaines clauses* particulièrement dangereuses ou de certaines mentions informatives. Tel est le cas, notamment, en matière d'offre préalable de crédit, de clause attributive de juridiction, de clause compromissoire ou de clause de réserve de propriété.

568. Hors ces hypothèses où l'écrit est requis à peine de nullité, il est cependant fréquent et conseillé d'en établir un, soit :
– pour prouver le contrat (voir figure I-22) ;
– pour permettre son enregistrement ;
– pour rendre le contrat opposable aux tiers après publication.

C — NULLITÉ POUR DÉFAUT D'UNE CONDITION DE VALIDITÉ DES CONTRATS

569. La sanction de l'irrespect des conditions de validité du contrat est la nullité ; celle-ci peut être relative ou absolue.

Figure III-1

CAUSES DE NULLITÉ D'UN CONTRAT			
Causes de nullité		Nullité relative	Nullité absolue
Consentement	Absence		●
	Vice	●	
Incapacité	Personne morale agissant en dehors de son objet social		●
	Personne physique mineure ou majeure protégée	●	
Objet de l'obligation (pris isolément)	Inexistence		●
	Indétermination		●
	Illicéité	● Ordre public de protection	● Ordre public de direction
Objet (lésion ou défaut d'équivalence)		● « Rescision »	
Cause de l'obligation	Absence		●
	Illicéité	● Ordre public de protection	● Ordre public de direction
Défaut d'écrit (contrat solennel)			●

La *nullité* dite *relative* a sa source dans la violation des règles protégeant un intérêt particulier et la nullité dite *absolue* dans l'irrespect de règles d'intérêt général.

Cependant, la nullité relative et la nullité absolue ont des effets identiques, la différence résidant dans leur mise en œuvre.

Différence dans la mise en œuvre des nullités

Personnes pouvant agir en nullité

571. La *nullité relative* ne peut être invoquée que par la personne dont la loi a voulu assurer la protection, par exemple l'incapable ou la victime d'un vice du consentement. Cette personne peut renoncer à agir en nullité (confirmer) expressément ou tacitement. La confirmation tacite suppose que l'intéressé connaisse la cause de nullité et que sa renonciation n'en soit pas affectée ; tel est le cas, par exemple, d'une personne exécutant, en toute connaissance de cause, un contrat dont il aurait pu demander la nullité.

La *nullité absolue* peut être invoquée par toute personne y ayant intérêt, et notamment les deux contractants.

> Le ministère public peut agir pour la défense de l'ordre public à l'occasion des faits qui portent atteinte à celui-ci (Nouveau Code de procédure civile art. 243).

La nullité absolue n'est pas susceptible de confirmation (Civ. 1re, 3 mars 1993 : Bull. I n° 95).

Délais pour agir en nullité
(Code civil art. 1304 et 2262)

572. L'*action en nullité* relative se prescrit en cinq ans ; l'action en nullité absolue se prescrit en trente ans.

> Le point de départ du délai est le jour de la conclusion du contrat litigieux. Toutefois, en cas de vice du consentement, le délai de cinq ans ne court que du jour où l'erreur ou le dol ont été découverts, ou du jour où la violence a cessé. De même, en cas d'incapacité, le délai ne court que du jour où cette incapacité a pris fin : majorité ou émancipation pour le mineur, jour où il en a eu connaissance alors qu'il était en situation de le refaire valablement pour le majeur.

> De très nombreuses nullités font exception à ces principes généraux. Par exemple, l'action en rescision pour cause de lésion d'une vente d'immeuble se prescrit en deux ans, l'action en nullité d'une société se prescrit en trois ans, etc.

L'*exception de nullité*, opposée à une demande d'exécution du contrat, est imprescriptible et perpétuelle quelle que soit la cause de nullité. Toutefois, elle ne peut être soulevée que par le défendeur à l'action en justice (Civ. 3e , 15 décembre 1999 : Bull. III n° 242) ; en outre, elle ne peut jouer que pour faire échec à la demande d'exécution d'un contrat qui n'a pas encore été exécuté (Civ. 1re, 6 novembre 2001 : RJDA 3/02 n° 226).

Effets de toute nullité

573. En règle générale, la nullité atteint l'ensemble du contrat ; toutefois, *si seule une clause de ce contrat est nulle* et si elle n'est pas essentielle (si elle n'est pas la cause de l'engagement), les juges anéantissent cette seule clause.

Principe

574. Le *contrat nul est censé n'avoir jamais existé* et les parties doivent être remises dans l'état où elles se trouvaient auparavant. Par exemple, en cas d'annulation d'un contrat de vente, le vendeur doit restituer le prix reçu et l'acheteur la chose acquise ; c'est ce que l'on dénomme la *« répétition »* des prestations fournies.

> La question de savoir si le vendeur est tenu de verser une indemnité pour l'usage qu'il a pu faire du bien avant l'annulation de la vente ne reçoit pas une réponse identique de la part des différentes chambres de la Cour de cassation. La première chambre civile refuse au vendeur le bénéfice d'une indemnité correspondant au profit qu'a tiré l'acquéreur de l'utilisation du bien (Civ. 1re 2 juin 1987 : Bull. I n° 183), sauf si cet usage a entraîné une dépréciation de celui-ci (Civ. 1re 4 octobre 1988 : Bull. I n° 274). La troisième chambre civile a au contraire affirmé que l'acquéreur d'un immeuble dont la vente a été résolue doit payer une indemnité d'occupation au vendeur (Civ. 3e 21 janvier 1998 : RJDA 4/98 n° 412). La chambre commerciale de la Cour de cassation considère, quant à elle, que le préjudice résultant de l'utilisation de la chose peut être réparé sur le fondement de la théorie de l'enrichissement sans cause (Com. 15 mars 1988 : Bull. IV n° 105) ; toutefois, le vendeur perd cette faculté s'il est l'auteur des manœuvres dolosives ayant entraîné l'annulation de la vente (Com. 19 mai 1998 : BRDA 98-12 p. 6).

Exceptions

575. Il est souvent impossible de ne pas tenir compte de la situation de fait ayant existé entre la conclusion du contrat et son annulation. Aussi le principe de l'anéantissement rétroactif comporte-t-il de nombreuses exceptions tant dans les rapports entre parties contractantes qu'envers les tiers.

Entre les parties contractantes

576. *La répétition est exclue ou limitée* dans un certain nombre d'hypothèses.

1° Il arrive qu'*un contractant ne puisse restituer ce qu'il a reçu,* par exemple un locataire ne peut rendre la jouissance d'un local dans le passé ; dans cette hypothèse, l'autre partie doit être indemnisée mais ne peut tirer avantage du contrat annulé. Ainsi, lorsque à la suite de l'annulation d'une vente, la restitution du bien vendu ne peut avoir lieu en nature, elle a alors lieu par équivalent et consiste dans le versement par l'acheteur d'une somme égale non au prix convenu – ce qui reviendrait à exécuter le contrat nul – mais à la valeur du bien au jour de la vente, c'est-à-dire à son prix de revient ; la somme due par le contractant exclut donc tout bénéfice pour l'autre partie (Civ. 1re, 16 mars 1999 : RJDA 5/99 n° 510).

2° *Le possesseur de bonne foi* garde les fruits de la chose à restituer.

3° *Les incapables* ne doivent restituer que ce qui « a tourné à leur profit » (emploi utile) ; si un incapable vend une chose 1 500 € et dilapide les trois quarts de cette somme, il n'est tenu de rendre que les 375 € lui restant.

4° En cas d'annulation d'un *contrat immoral*, les parties, si leur immoralité est de même intensité, ne peuvent obtenir la répétition des prestations qu'elles ont exécutées.

> Cette règle est souvent exprimée sous la forme suivante « in pari causa turpidinis cessat repetitio » ou « nemo auditur propriam turpidinem suam allegans » (nul ne peut être entendu en alléguant sa propre turpitude).

À l'égard des tiers

577. *En principe, la nullité réfléchit sur les tiers :* si une vente est nulle, la revente par l'acquéreur, avant le prononcé de la nullité, devrait être également annulée. En effet, faute d'avoir acquis la propriété de la chose (rétroactivité de la nullité), l'acquéreur n'a pu la transmettre à une autre personne.

Cependant, la rétroactivité de l'annulation comporte deux *exceptions* :

– *les actes d'administration* demeurent ; par exemple, un bail consenti à un locataire de bonne foi par l'acquéreur d'une chose dont le titre est nul reste opposable au propriétaire primitif ;

– les tiers peuvent être protégés par *la prescription acquisitive* en matière mobilière ou immobilière (voir nos 222, 225 et 225-1).

III.   Effets des contrats

A —   EFFETS DES CONTRATS EN CAS D'EXÉCUTION

Force obligatoire des contrats

580. Les contrats « *tiennent lieu de loi* » aux parties contractantes ; ils doivent donc être exécutés par chaque contractant. Toutefois, leur force obligatoire ne s'applique qu'à *ce que les parties ont réellement voulu.* Un problème risque donc d'apparaître :

– si ce qui a été apparemment voulu n'est pas ce sur quoi les contractants se sont réellement accordés ;

– si ce qui a été voulu n'est pas clair et s'il faut interpréter le contrat ;

– si, la dépréciation monétaire produisant un déséquilibre entre les obligations, l'une ou l'autre des parties contractantes désire révoquer ou réviser le contrat.

Simulation

581. La *simulation* est un procédé juridique consistant à *créer une fausse apparence* afin de *dissimuler la réalité.* Il y a donc un acte apparent (dit « *acte ostensible* »), contredit totalement ou partiellement par un acte secret (dit « *contre-lettre* »).

> Remarque : L'acte réel (ou contre-lettre) est donc contemporain de l'acte apparent ; tout acte ostensible modifiant ultérieurement les conditions d'un contrat antérieur serait un nouveau contrat mettant fin au premier, dit « *avenant* », et non une contre-lettre.

La simulation peut porter sur tous les éléments d'un contrat, que ce soit sur les parties elles-mêmes (le « prête-nom ») ou sur l'objet des obligations (par exemple sur le prix : le « dessous-de-table »).

1° *Entre les parties contractantes,* c'est *la contre-lettre* qui *prévaut.* Toutefois, aux termes de l'article 1840 du Code général des impôts, est nulle toute contre-lettre ayant pour objet, notamment, une augmentation du prix stipulé dans le traité de cession d'un office ministériel et toute convention ayant pour but de dissimuler une partie du prix d'une vente d'immeuble ou d'une cession de fonds de commerce ou de clientèle ou d'une cession d'un droit à un bail ; dans cette hypothèse, la nullité n'atteint que la contre-lettre sans qu'il y ait lieu de rechercher s'il y a, ou non, indivisibilité entre l'acte apparent et cette contre-lettre (Ch. mixte 12 juin 1981 : D. 1981 II 413, concl. J. Cabannes).

En outre, la contre-lettre et l'acte ostensible sont tous deux nuls en cas de donation déguisée ou réalisée par interposition de personnes soit entre époux, soit au profit d'un donataire incapable de recevoir à titre gratuit.

2° Les *ayants cause à titre particulier et les créanciers chirographaires* des parties contractantes ont *une option* discrétionnaire : s'en tenir à l'acte apparent ou se prévaloir de la contre-lettre (action en déclaration de simulation).

> Par exemple, une femme mariée sous le régime de la séparation des biens avait acquis la plus grande partie du capital d'une SARL. Or, il avait été établi, après expertise ordonnée par le tribunal saisi par un créancier du mari d'une action en simulation de cette souscription, que l'épouse ne justifiait ni de revenus personnels ni de la propriété des lingots d'or qu'elle déclarait avoir vendus pour se procurer des fonds.
> La preuve de la simulation ayant été ainsi apportée, le mari a été déclaré être, à l'égard du créancier demandeur, le véritable titulaire des parts de la SARL (Civ. 1re, 14 juin 1983 : BRDA, 1983/21 p. 8).

En *cas de conflit,* les tribunaux donnent la *préférence* aux créanciers qui invoquent l'*acte apparent.*

Interprétation des contrats
(Code civil art. 1156 et s.)

582. Lorsque les parties ne sont pas d'accord sur la portée de leurs obligations – ce qui arrive très fréquemment – il appartient aux juges d'interpréter le contrat. Pour cela, ils doivent **rechercher** quelle a été *la commune intention* des parties contractantes, plutôt que de s'arrêter au sens littéral des termes ; en outre, les juges doivent, dans la mesure du possible, *faire produire effet à toutes les clauses du contrat* et, dans le doute, interpréter la convention en faveur du débiteur.

> Les clauses des contrats proposés par les professionnels aux consommateurs ou aux non-professionnels s'interprètent en cas de doute dans le sens le plus favorable aux consommateurs ou aux non-professionnels.

Cette interprétation relève du *pouvoir souverain des juges du fond*. Toutefois, ces derniers ne peuvent interpréter un contrat que si des clauses sont obscures ou ambiguës ; ils ne peuvent pas modifier des clauses claires et précises, sous prétexte d'interprétation, car ce serait les dénaturer.

582-1. Remarque : Sous couvert d'interprétation de la commune intention des parties, la jurisprudence a parfois créé, en pure équité, des obligations à la charge de l'un des cocontractants, par exemple l'obligation de sécurité ou l'obligation de renseignement pesant sur le professionnel envers un profane.

Révocation des contrats
(Code civil art. 1134, al. 2)

Révocation par consentement mutuel

583. Les parties peuvent toujours, par accord unanime, révoquer un contrat ; toutefois, elles ne peuvent pas le faire rétroactivement en préjudiciant aux intérêts d'un tiers de bonne foi.

Révocation pour causes légales

584. La loi prévoit la révocation dans trois cas :

– la *résolution* examinée n° 597 ;

– pour les contrats à *durée indéterminée*, révocables à la demande de l'un des contractants à condition de ne pas abuser de ce droit en accordant un préavis à l'autre partie conformément aux stipulations du contrat ou aux usages de la profession (Com. 14 décembre 1993 : RJDA 5/94 n° 486) ;

> Ainsi, pour le Code de commerce il y a rupture brutale de relations commerciales établies lorsque l'auteur de la rupture n'a pas respecté un préavis tenant compte à la fois de (art. L 442-6, I, 5e) :
> – la durée de la relation commerciale ;
> – la durée minimale de préavis déterminée, en référence aux usages commerciaux, par des accords interprofessionnels, ou, à défaut de tels accords, fixée par arrêté ministériel.
>
> Ainsi, un fabricant de tricots ne peut aviser son concessionnaire, quelques jours avant la présentation d'une collection d'été, que cette collection ne lui sera pas confiée (Com. 8 avril 1986 : Bull. IV n° 58).
>
> *Remarque :* Un engagement dont le terme est fixé par un événement certain, dont la date de réalisation, indépendante de la volonté des parties, est inconnue, n'est pas à durée indéterminée (Soc. 28 octobre 1992 : Bull. V n° 521).

– pour les contrats de *mandat*, le mandataire étant révocable à la discrétion du mandant (« ad nutum ») [Code civil art. 2003] ; toutefois, un *mandat d'intérêt commun ne peut être révoqué*, sans versement d'indemnité, *qu'en application d'une clause du contrat* ou pour *motif légitime.*

> Constitue un tel motif légitime, par exemple, la chute du montant des ventes réalisées par l'entreprise mandataire à la suite de la désorganisation de ses services commerciaux (Com. 26 janvier 1988 : BRDA 1988/5 p. 14), ou la réorganisation par le mandant de son système de distribution (Civ. 1re, 21 juin 1988 : BRDA 1988/20 p. 8).

Révision des contrats

585. Tout contrat dont les effets s'échelonnent dans le temps risque, en raison des circonstances économiques, de devenir déséquilibré.

> *Remarque :* Il ne faut surtout pas confondre ce problème d'imprévision avec la lésion où le déséquilibre existe dès la conclusion du contrat (voir n° 562).

En *principe*, « dans aucun cas, il n'appartient aux tribunaux, quelque équitable que puisse leur paraître leur décision, de prendre en considération le temps et les circonstances pour modifier les conventions des parties et substituer des clauses nouvelles à celles qui ont été librement acceptées par les contractants » (solution constante depuis Civ. 6 mars 1876, Canal de Craponne : DP 1876 I 193).

Mais ce principe de prohibition comporte des *exceptions* légales, jurisprudentielles et conventionnelles :

– certaines *lois* générales ou spéciales permettent la révision, par exemple en matière de rentes viagères, de droits d'auteur ou de baux ;

– les *tribunaux* admettent la révision des contrats administratifs, des cessions d'offices ministériels et du montant des honoraires dus aux membres d'une profession libérale (médecins, experts-comptables, etc.) [Civ. 1re, 3 juin 1986 : Bull. I n° 150] ;

– les contractants peuvent insérer dans leurs contrats des *clauses de révision* (dites, dans les contrats internationaux, clauses de « hardship »), jouant dès lors que les conditions économiques prévues par la clause sont réunies. Ils peuvent aussi stipuler des clauses d'*indexation* (dites « d'échelle mobile »), modifiant les obligations par le jeu d'indices énumérés dans le contrat et soumises aux règles suivantes.

• L'indexation est libre pour les *paiements internationaux* provoquant un mouvement de flux et de reflux au-delà des frontières, c'est-à-dire une sortie de valeurs de France et une entrée de valeurs en France provenant d'un pays étranger (Civ. 1re, 15 juin 1983 : JCP 1984 II 20123, note J.-Ph. Lévy).

• Pour les *paiements* qui ne sont *pas internationaux,* l'ordonnance n° 58-1374 du 30 décembre 1958 prévoit que l'on ne peut *jamais indexer* une obligation *sur le SMIC, ni sur le niveau général des prix ou des salaires.* En outre, elle impose que *l'indice retenu* soit *en relation directe avec l'objet du contrat ou l'activité de l'une des parties.* Ainsi est-il licite d'indexer le prix de vente d'un fonds de garage sur le salaire horaire d'un ouvrier mécanicien.

> Dans un contrat purement interne la fixation d'une créance en monnaie étrangère constitue une indexation déguisée (Civ. 1re, 11 octobre 1989 : Bull. I n° 311).

Si l'indice retenu est prohibé ou ne remplit pas les conditions requises, la clause d'indexation est annulable (nullité absolue, Com. 3 novembre 1988 : BRDA 1988/23 p. 6) sans que cela entraîne l'anéantissement du contrat, sauf si cette clause en est un élément essentiel.

> Les juges du fond peuvent toutefois substituer à un indice annulé un indice admis par la loi si, par interprétation souveraine du contrat, ils retiennent que la volonté des contractants a porté sur le principe de l'indexation, le choix de l'indice n'en constituant qu'une application (Civ. 3e, 22 juillet 1987 : Bull. IV n° 151).

Effet relatif des contrats

Contrats conclus pour les parties elles-mêmes

587. Sont liés par le contrat :

– les *parties contractantes* présentes ou représentées ;

– leurs *ayants cause universels ou à titre universel,* sauf si le contrat est stipulé intransmissible ou s'il est conclu « intuitu personae », par exemple la société en nom collectif.

588. Les *ayants cause à titre particulier* des parties contractantes ne sont liés par les contrats passés par leurs auteurs et relatifs aux biens transmis que dans les conditions suivantes :

1° les contrats ayant pour objet des droits réels ne leur sont opposables que s'ils ont été publiés avant le transfert ;

2° les contrats ayant pour objet des droits personnels ne leur sont opposables que dans des hypothèses particulières : par exemple, l'acquéreur d'un immeuble est tenu par les baux authentiques, ou dont la date est certaine, passés par son vendeur ; la vente d'une entreprise entraîne le transfert des contrats de travail en cours à l'acquéreur.

589. Les *créanciers chirographaires* :

– peuvent, par le biais de l'action oblique, exercer les droits et actions de l'un de leurs débiteurs s'il est négligent ;

– peuvent rendre inopposable à leur égard tout acte frauduleux de leur débiteur insolvable (action paulienne).

589-1. Les *tiers* (toutes les autres personnes) sont étrangers au contrat passé et ne deviennent ni créanciers ni débiteurs des obligations qui en sont nées. Toutefois, ils peuvent invoquer à leur profit, comme un fait juridique, la situation créée par ce contrat (Com. 22 octobre 1991 : RJDA 1/92 n° 6).

Mais ils ne peuvent se prévaloir de l'inexécution d'un contrat que si elle s'accompagne d'un fait générateur de responsabilité délictuelle. Si le dommage n'a pour cause que l'inexécution du contrat, les tiers ne peuvent le reprocher aux parties (Com. 19 mai 1992 : RJDA 8-9/92 n° 802).

Contrats conclus pour autrui

590. La *stipulation pour autrui* est le mécanisme par lequel une personne, appelée stipulant, stipule d'une autre personne, dénommée promettant, que ce dernier exécutera une prestation ou transférera un bien à un tiers, dit tiers bénéficiaire. Tel est le cas de l'assurance-vie, le stipulant étant l'assuré et le promettant la compagnie d'assurances.

Entre stipulant et promettant, il y a un contrat ; le tiers bénéficiaire a un droit direct contre le promettant. Le stipulant peut toujours révoquer la stipulation, tant qu'elle n'a pas été acceptée par le bénéficiaire.

591. *Remarque :* La *promesse de porte-fort* consiste à promettre à son cocontractant qu'une autre personne, appelée le tiers, ratifiera une convention et l'exécutera. Le tiers est libre de ratifier ou non ce contrat. S'il le fait, il est tenu rétroactivement par le contrat à compter de sa conclusion et le porte-fort est dégagé de sa promesse. À défaut de ratification, le bénéficiaire ne peut pas contraindre le porte-fort à exécuter la promesse, mais il peut lui réclamer des dommages-intérêts.

B — EFFETS DES CONTRATS EN CAS D'INEXÉCUTION

592. L'inexécution d'un contrat a des effets différents selon qu'elle est due à la force majeure ou non (figure III-2).

L'inexécution du contrat est due à la force majeure (théorie des risques)

593. Si l'un des contractants est dans l'impossibilité de s'exécuter par suite d'un cas de force majeure, l'autre partie est-elle, ou non, libérée de son obligation ? Par exemple, si un immeuble donné à bail est ravagé par un incendie présentant les caractères de la force majeure, le locataire doit-il continuer à verser les loyers ? Il faut *savoir qui supporte les risques.*

> Remarque : Dans les contrats à exécution successive, lorsque la force majeure ne génère qu'un empêchement momentané, l'exécution de l'obligation est seulement suspendue.

Une fois l'empêchement disparu, le contrat reprend son cours (CA Versailles, 30 avril 1998 : BRDA 98-15/16 p. 4).

La réponse est très simple et *repose sur l'idée de cause*. Dans un contrat synallagmatique, chacun ne s'engage que pour obtenir de son contractant l'exécution d'une obligation. Si elle est impossible, l'obligation du débiteur n'a plus de contrepartie et, faute d'être causée, elle est anéantie. Ainsi :

1° *dans un contrat non translatif de propriété,* les risques pèsent toujours sur celui qui est dans l'impossibilité de s'exécuter ; par exemple, le bailleur d'un immeuble, détruit par force majeure, ne peut demander le paiement des loyers devenus sans contrepartie ;

Figure III-2

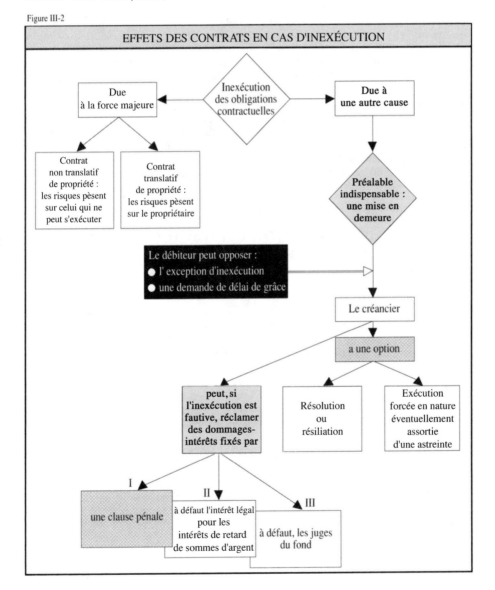

EFFETS DES CONTRATS EN CAS D'INEXÉCUTION

2° *dans un contrat translatif de propriété,* il faut regarder si, au moment de la perte de la chose, la propriété a déjà été transférée. Si l'acquéreur est déjà devenu propriétaire, son obligation est causée et il supporte les risques. En revanche, le vendeur qui n'a pas encore accompli son obligation de donner supporte les risques, l'obligation de l'acheteur étant dépourvue de cause.

Toutefois, ces règles ne sont pas d'ordre public et il est possible, par contrat, d'y déroger soit en dissociant le transfert de la propriété de celui des risques, soit en anticipant ou en retardant la charge des risques.

> La clause d'expédition « franco », contenue dans une vente, ne concerne que les frais de transport, et la marchandise voyage aux risques de celui à qui elle appartient (Com. 20 mai 1986 : Bull. IV n° 98).

En outre, lorsque la chose devenue la propriété de l'acquéreur, qui en supporte donc les risques, est encore entre les mains du vendeur, une mise en demeure de livrer lui transfère les risques. Toutefois, l'acheteur continue à supporter les risques si le vendeur peut démontrer que la chose eût également péri entre ses mains, par exemple par suite d'un incendie ou d'une inondation s'étendant à tout un quartier d'une ville.

593-1. *Remarque (clause force majeure) :* Les contractants peuvent prévoir que, même s'il n'en présente pas toutes les caractéristiques, tel ou tel événement constituera un cas de force majeure ; ils peuvent de même aménager les conséquences attachées à cette notion : suspension temporaire du contrat, partage des conséquences dommageables selon des critères préétablis ou laissés à l'appréciation d'un arbitre, etc. À l'inverse, ils peuvent aussi écarter le caractère exonératoire de la force majeure.

L'inexécution du contrat n'est pas due à la force majeure

Mise en demeure

594. Lorsque l'un des cocontractants ne remplit pas ses obligations, son *créancier doit* d'abord le *mettre en demeure,* c'est-à-dire le *mettre en retard.* À défaut, il est présumé lui accorder un délai pour s'exécuter et ne peut donc demander ni l'exécution forcée du contrat, ni sa résolution, ni l'allocation de dommages-intérêts.

> Lorsque l'objet de l'obligation du débiteur est la livraison d'une chose dont la propriété a déjà été transférée, la mise en demeure transfère les risques au débiteur.

Toutefois, cette formalité n'est pas nécessaire :
– si une loi ou un règlement édicte une dispense, par exemple pour l'apport en société ;
– si le contrat prévoit que la simple survenance de l'échéance vaut mise en demeure sans aucune autre formalité (clause dite « de dispense de mise en demeure ») ;
– en cas d'irrespect d'une obligation de ne pas faire ;
– si l'obligation doit être remplie dans un délai déterminé que le débiteur a laissé passer ; tel est le cas, par exemple, de l'obligation de l'acheteur d'un terrain dans un lotissement devant obtenir un permis de construire dans l'année de la vente et terminer les travaux dans les trois ans de cette obtention, sous peine de résiliation de la vente (Civ. 3ᵉ, 29 octobre 1986 : BRDA 1987/5 p. 12) ;
– lorsque le débiteur a rendu, par son fait, l'exécution de l'obligation impossible, par exemple un traiteur ne venant pas le jour convenu.

594-1. La mise en demeure se fait par une sommation (acte d'huissier) ou par un acte équivalent, par exemple une citation en justice, ou une lettre missive dès lors qu'il en ressort une interpellation suffisante.

Option du créancier

595. Une fois qu'il a mis en demeure son débiteur, *le créancier dispose d'une option* :
– soit **contraindre** son débiteur *à l'exécution en nature*, sauf si elle est impossible, en demandant au juge un titre exécutoire assorti éventuellement d'une astreinte ;
– soit demander au juge de *résoudre ou résilier le contrat.*
Cette option n'appartient pas au débiteur, qui ne peut échapper à l'exécution de son obligation en obligeant le créancier à recevoir des dommages-intérêts.

595-1. Toutefois, *l'un des contractants peut refuser d'exécuter son obligation* tant que son cocontractant ne s'acquitte pas de la sienne. Par exemple, l'acquéreur d'une chose peut refuser de la payer tant que la propriété ne lui en a pas été transférée. C'est l'*exception d'inexécution,* soumise aux trois conditions suivantes :
– les obligations doivent provenir d'un même contrat synallagmatique ;
– celui qui l'invoque doit se prévaloir d'une inexécution suffisamment grave de la part de son cocontractant (Civ. 1ʳᵉ, 19 octobre 1999 : RJDA 12/99 n° 1290) ;

> Ainsi jugé pour un médecin ayant passé outre une mise en demeure de respecter son obligation contractuelle d'exercice exclusif de sa profession dans une clinique et ayant gravement manqué à ses obligations de médecin anesthésiste, y compris en compromettant la santé des patients (Civ. 1ʳᵉ, 13 octobre 1998 : RJDA 1/99 n° 12).

– celui qui l'invoque ne doit pas être tenu d'exécuter le premier ; par exemple, un vendeur à crédit ne peut pas refuser de livrer une chose, faute d'être intégralement payé.
L'exception d'inexécution a un effet immédiat qui est le blocage de l'exécution. Mais ce n'est qu'une *situation temporaire,* un moyen, souvent efficace, de contraindre l'autre contractant à s'exécuter.

595-2. En outre, les juges du fond peuvent, compte tenu de la situation du débiteur et en considération des besoins du créancier, dans la limite de deux années, reporter ou échelonner le paiement des sommes dues *(délai de grâce).* Cette décision suspend les procédures d'exécution engagées par le créancier ; les majorations d'intérêt ou les pénalités encourues pour retard cessent d'être dues. Toute stipulation contraire à ces dispositions est réputée non écrite.

> La décision relève du pouvoir discrétionnaire des juges du fond (Civ. 1ʳᵉ, 5 juillet 1988 : Bull. I n° 216).
>
> Ce délai n'est pas cumulable avec les mesures décrites au n° 718-2 (Civ. 1ʳᵉ, 16 décembre 1992 : Bull. I n° 317).

Toutefois, ce délai de grâce ne peut jamais être octroyé :
– s'il s'agit d'une dette fiscale ;
– s'il s'agit d'une dette salariale (Soc. 18 novembre 1992 : Bull. V n° 555) ;
– si la dette est matérialisée dans une lettre de change ou un billet à ordre ;
– si le débiteur fait déjà l'objet d'une procédure collective ;
– si une clause résolutoire est déjà réalisée (Civ. 3ᵉ, 27 mars 1991 : RJDA 5/91 n° 392).

Figure III-3

ANÉANTISSEMENT D'UN CONTRAT				
	Vice dans la conclusion du contrat	Défaut d'exécution du contrat	Anéantissement rétroactif	Anéantissement pour l'avenir
Annulation	●			●
Rescision	● Lésion			●
Résolution		●	●	
Résiliation		●		●

Exécution forcée en nature

596. En principe, le débiteur peut être condamné à exécuter la prestation qu'il a promise. Toutefois, l'inexécution, même non fautive, des obligations de faire ou de ne pas faire, se résout en dommages-intérêts ; en effet on ne peut contraindre par la force quelqu'un à faire ou à ne pas faire quelque chose. Mais le créancier peut être autorisé à faire exécuter l'obligation aux frais du débiteur ; ce dernier peut même être condamné à faire l'avance des sommes nécessaires à cette exécution.

Résolution pour inexécution

597. *La résolution est l'anéantissement d'un contrat* comportant des engagements réciproques des parties, *en cas d'inexécution* par l'une d'entre elles de ses obligations, quel que soit le motif l'ayant empêché de remplir ses engagements (Com. 9 mars 1999 : RJDA 6/99 n° 643) ; si la rétroactivité n'est pas concevable en pratique (hypothèse d'une obligation de faire par exemple), l'anéantissement ne vaut que pour l'avenir, on parle alors de « *résiliation* ».

Cependant, si l'inexécution est due à un cas de force majeure, il ne s'agit plus d'un problème de résolution mais de l'application de la théorie des risques, traitée n° 593.

La résolution, comme la résiliation, suppose la réunion des *trois conditions* suivantes.

1° *Il doit s'agir d'un contrat synallagmatique.* Toutefois, la résolution n'est autorisée ni pour la rente viagère en cas de défaut de paiement de la rente, ni pour la cession d'un office ministériel (car le successeur a été agréé), ni pour le partage avec soulte, en raison des droits qui ont pu être acquis par des tiers.

2° L'*inexécution* de ses obligations par l'une des parties doit être *totale* ou, si elle est *partielle*, porter sur une *obligation déterminante* de la conclusion du contrat (Com., 2 juillet 1996 : RJDA 12/96 n° 1469).

> Jugé, en revanche, que la résolution d'une vente n'est pas justifiée lorsque le pourcentage de marchandises viciées n'excède pas 5 % (Com., 3 novembre 1992 : RJDA 4/93 n° 297).

3° *L'intervention du juge :* le prononcé de la résolution est facultatif pour les tribunaux qui peuvent préférer accorder un délai de grâce ou maintenir le contrat en condamnant le débiteur défaillant au paiement de dommages-intérêts.

Les juges sont également souverains pour apprécier si la résolution du contrat doit être totale ou partielle, selon que le contrat forme un tout indivisible ou non (Civ. 1re 13 janvier 1987 : Bull. I n° 11).

Il existe, toutefois, des *exceptions* à la nécessaire intervention des juges et la résolution est automatique :

– si l'acheteur n'exécute pas son obligation de retirement (prendre livraison des objets) dans le délai convenu ;

– en cas de dépassement, dans un contrat passé entre un professionnel et un consommateur, de la date fixée pour la livraison d'un bien ou la prestation de services de plus de sept jours.

> La dénonciation du contrat s'opère par lettre recommandée avec accusé de réception ; le contrat est considéré comme rompu à la réception de la lettre si la livraison n'est pas intervenue ou si la prestation n'est pas exécutée entre l'envoi et la réception de cette lettre. Ce droit doit être exercé dans un délai de soixante jours ouvrés à compter de la date prévue pour l'exécution du contrat.
>
> *Remarque :* Dans tout contrat ayant pour objet la vente d'un bien meuble ou la fourniture d'une prestation de services à un consommateur, le professionnel doit, lorsque la livraison du bien ou la fourniture de la prestation n'est pas immédiate et si le prix convenu excède certains seuils, indiquer la date limite à laquelle il s'engage à livrer le bien ou à exécuter la prestation.

– en cas d'urgence, les juges admettent que l'un des contractants puisse résilier le contrat, sous réserve d'un contrôle ultérieur de leur part ; ainsi, un salarié investi d'une mission de sécurité, ayant déserté sans motif ni préavis son poste, pourra être immédiatement licencié et remplacé par une personne plus consciencieuse ;

– si une *clause résolutoire expresse* prévoit que le défaut d'exécution de l'une des obligations entraîne « *de plein droit* » la résolution du contrat. Toutefois, cette résolution ne peut pas résulter du seul fait de l'ouverture d'une procédure de redressement judiciaire ou de la constatation de l'état de cessation des paiements de l'une des parties (Com. 2 mars 1993 : Bull. IV n° 87).

> Les tribunaux voient avec défaveur ces clauses qui limitent leurs pouvoirs. Aussi ont-ils tendance à les minimiser. Pour être efficace, la clause doit être exprimée de manière non équivoque, notamment en précisant que la résolution opérera « de plein droit ».
>
> Une clause résolutoire n'est pas une clause pénale et doit être appliquée sans qu'il soit nécessaire de rechercher si cette sanction est proportionnée ou non à la gravité de la faute (Civ. 3e, 20 juillet 1989 : Bull. III n° 172).
>
> Il est en outre possible de prévoir que la résolution opérera sans sommation ni aucune autre formalité (dispense de mise en demeure).

597-1. En cas de résolution, le contrat est privé de toute efficacité juridique tant pour le passé que pour l'avenir (pour l'avenir seulement en cas de résiliation). En conséquence aucune clause du contrat ne peut recevoir application, peu important qu'elle ait justement pour vocation de s'appliquer à l'expiration des relations contractuelles (Civ. 1re, 6 mars 1996 : RJDA 7/96 n° 882).

Responsabilité contractuelle

598. Lorsque l'inexécution du débiteur est fautive et qu'elle cause un préjudice au créancier, ce dernier peut prétendre à des dommages-intérêts.

Inexécution fautive

Inexécution d'une obligation de résultat

600. Le débiteur peut s'obliger à parvenir à un résultat convenu : verser une somme d'argent, transporter des marchandises, etc.

> Les obligations de donner et de ne pas faire sont des obligations de résultat. Les obligations de faire sont, selon les cas, des obligations de résultat ou de moyens.

Le fait que le résultat ne soit pas atteint emporte à la fois **présomption de faute** et **présomption de causalité entre la faute et le dommage** (Civ. 1re, 21 octobre 1997 : RJDA 1/98 n° 47). Ces présomptions ne tombent que devant la force majeure, le fait d'un tiers ou la faute de la victime s'ils sont la cause unique du dommage. Le débiteur ne peut s'exonérer en prouvant seulement n'avoir pas commis de faute (Civ. 1re, 9 juin 1993 : Bull. I n° 209), sauf exceptions (par exemple, pour le garagiste chargé de réparer une automobile, Com. 26 avril 2000 : BRDA 11/00 p. 6).

Inexécution d'une obligation de moyens

601. Le débiteur peut ne s'engager qu'à utiliser tous les moyens possibles pour procurer une prestation à son créancier, sans garantir le résultat. Il s'agit alors d'une obligation de moyens, par exemple celle qui pèse sur un dépositaire (Com. 22 novembre 1988 : BRDA 1988/23 p. 14), un médecin (Civ. 1re, 28 juin 1989 : Bull. I n° 266) ou un organisateur de spectacles en ce qui concerne la sécurité des spectateurs (Civ. 1re, 29 novembre 1989 : BRDA 1990/5 p. 5), etc.

> Le chirurgien-dentiste est tenu d'une simple obligation de moyens pour les soins qu'il prodigue et d'une obligation de résultat comme fournisseur de prothèse (Civ. 1re, 17 octobre 1995 : RJDA 1/96 n° 14).

Puisque le débiteur n'a pas promis un résultat, il n'est pas possible de présumer sa faute en cas d'inexécution de l'obligation ; il faut donc que le créancier démontre qu'il n'a pas apporté à l'exécution de l'obligation « tous les soins d'un bon père de famille », c'est-à-dire qu'il ne s'est pas comporté comme l'aurait fait un professionnel moyennement raisonnable et raisonnablement moyen (droit à l'erreur mais non à la négligence).

> Ainsi jugé qu'un parc zoologique proposant à ses visiteurs la vue d'éléphants évoluant à très courte distance des voitures et dans un milieu naturel contenant des pierres commet une faute en ne prenant pas de précautions suffisantes, compte tenu de l'adresse et de la force de ces animaux, pour éviter qu'ils jettent une pierre contre une voiture (Civ. 1re, 30 mars 1993 : Bull. I n° 134).

Aménagement conventionnel de la responsabilité contractuelle

602. Les **clauses de non-responsabilité** suppriment toute responsabilité du débiteur en cas d'inexécution ou de mauvaise exécution de son obligation de moyens ou de résultat. Elles sont, **en principe, valides** (Civ. 1re, 19 janvier 1982 : JCP 1984 II 20215, obs. F. Chabas). Cependant, elles sont **sans effet :**

– lorsqu'elles portent sur l'**obligation essentielle** du contrat ;

– en cas de **faute intentionnelle** ;

– en cas de *faute dolosive* lorsque le débiteur, de propos délibéré, se refuse à exécuter ses obligations contractuelles, même si ce refus n'est pas dicté par l'intention de nuire ;

– en cas de *faute lourde* caractérisée par une négligence d'une extrême gravité confinant à la faute dolosive et dénotant l'inaptitude du débiteur de l'obligation à accomplir la mission contractuelle qu'il a acceptée (Com. 17 novembre 1992 : Bull. IV n° 366) ;

> Commet ainsi une faute lourde par exemple :
> – le conducteur d'un camion effectuant un transport exceptionnel et n'ayant pas vérifié si son chargement, très élevé, pouvait passer sous la voûte d'un pont d'une autoroute en construction, alors que le chantier surplombait la route et qu'il était prévisible que la hauteur libre au-dessus de la chaussée pouvait varier (Com. 20 mai 1986 : Bull. IV n° 97) ;
> – une entreprise de publicité ayant omis le numéro de téléphone de l'annonceur dans une annonce publicitaire insérée dans l'édition professionnelle de l'annuaire du téléphone (Com. 9 mai 1990 : Bull. IV n° 142) ;
> – une entreprise de transport utilisant un engin de levage manifestement inadapté (Com. 13 novembre 1990 : RJDA 91/2 n° 89).

– dans *certaines hypothèses prévues par la loi,* notamment pour :
• les contrats conclus dans le cadre d'une activité professionnelle avec un non-professionnel ou un consommateur ;
• les salariés ne pouvant renoncer par avance au droit de demander des dommages-intérêts en cas de licenciement ;
• les constructeurs d'un ouvrage et les fabricants de matériaux ;
• les transporteurs terrestres, maritimes, aériens ;
• les hôteliers pour les objets qui leur sont personnellement confiés.

603. Les *clauses limitatives de responsabilité* sont celles qui, tout en laissant subsister la responsabilité du débiteur, plafonnent le montant des dommages-intérêts éventuellement dus ou diminuent les délais d'exercice de l'action en responsabilité.

> Les clauses relatives à l'étendue de l'obligation sont traditionnellement assimilées à des clauses limitatives de responsabilité ; tel est le cas, par exemple, de la clause prévoyant que le débiteur ne sera pas responsable des événements qu'il n'a pu surmonter malgré une « diligence raisonnable » (« due diligence »).

Ces clauses sont *efficaces, sauf* :

– lorsqu'elles portent sur l'*obligation essentielle* du contrat (Com. 22 octobre 1996 : RJDA 1/97 n° 6) ;

> Ainsi jugé, en l'espèce, s'agissant de la clause d'un contrat de transport limitant l'indemnisation en cas de retard de livraison, dès lors qu'elle contredit la portée de l'engagement pris par le transporteur qui, spécialiste du transport rapide garantissant la fiabilité et la célérité de son service, a souscrit pour obligation essentielle de livrer les plis confiés dans un délai déterminé.

– en cas de *faute intentionnelle* ;
– en cas de *faute dolosive* (n° 602) ;
– en cas de *faute lourde* (n° 602) ;

> Commet *ainsi* une faute lourde excluant l'application de la clause limitant sa responsabilité, le transporteur :
> – qui abandonne quelques instants son véhicule, portières ouvertes, et s'y fait voler des sacoches confiées par une banque, tout en sachant qu'elles peuvent contenir des valeurs, chèques et documents importants (Com. 31 mars 1992 : RJDA 6/92 n° 556) ;
> – qui laisse un véhicule chargé sans surveillance en stationnement sur la voie publique pendant la nuit (Com. 15 décembre 1992 : RJDA 4/93 n° 317) ;

– qui conserve un colis douze jours avant de l'expédier sans pouvoir expliquer la cause de ce retard (transport aérien) (Ass. plén., 30 juin 1998 : RJDA 11/98 n° 1224).

En revanche, ne commet pas une telle faute le transporteur qui laisse son véhicule en stationnement :

– fermé et équipé d'un dispositif antivol, sans surveillance, pendant 80 minutes, sur un parc de stationnement privé (Com. 16 novembre 1993 : RJDA 4/94, n° 398) ;

– de nuit, quelques heures, dans une gare routière dont les entrées et sorties sont surveillées en permanence, les colis volés étant placés dans la remorque à l'intérieur de bacs fermés à clé et les cambrioleurs ayant dû se livrer à diverses effractions avant de pouvoir s'approprier les marchandises (Com. 14 juin 1994 : RJDA 12/94 n° 1286).

– si la loi les interdit ;

– si la loi fixe impérativement le plafond de la responsabilité, par exemple en cas de marchandises perdues ou endommagées lors d'un transport maritime.

Lien de causalité

603-1. La responsabilité de l'auteur d'une faute n'est engagée que s'il y a un lien de causalité entre cette faute et le préjudice invoqué par la victime (Com. 4 décembre 1990 : RJDA 2/91 n° 90).

L'*inexécution d'une obligation de résultat* emporte à la fois présomption de faute et **présomption de causalité** entre la prestation fournie et le dommage invoqué (Civ. 1re, 21 octobre 1997 : RJDA 1/98 n° 47).

Dommages-intérêts

604. La responsabilité contractuelle entraîne la condamnation au versement de dommages-intérêts ; des sommes d'argent peuvent être prévues par le contrat (clause pénale), à défaut elles sont fixées par la loi ou laissées à l'appréciation des juges.

Clause pénale

605. La clause pénale est celle par laquelle *une personne,* pour assurer l'exécution d'une convention, *s'engage* à quelque chose *en cas d'inexécution.*

Tel est le cas d'une clause fixant une indemnité contractuelle de licenciement (Soc. 27 novembre 1986 : BRDA 1986/24, p. 23).

Tel n'est pas le cas, en revanche, des clauses fixant une indemnité en dehors de toute notion d'inexécution :

– dans l'intérêt du débiteur de l'obligation lui laissant le choix de poursuivre le contrat ou d'y mettre fin avant terme en versant une somme convenue (faculté de *dédit*) (Com. 14 octobre 1997 : RJDA 1/98 n° 14) ;

– en contrepartie d'une obligation de non-concurrence (Soc. 17 octobre 1984 : Bull. V n° 385) ;

– en cas de remboursement anticipé d'un prêt (Civ. 1re, 7 octobre 1992 : Bull. I n° 245) ;

– en cas de non-réalisation d'une condition suspensive (Civ. 3e, 9 juin 1994 : RJDA 10/94 n° 1004).

Cette clause est parfaitement licite, sauf dans de rares hypothèses où la loi la prohibe, voire plafonne son montant ; par exemple l'article L 122-42 du Code du travail interdit, pour les obligations des salariés quant à leur travail, « les amendes ou autres sanctions pécuniaires », toute stipulation contraire étant réputée non écrite.

En outre, la clause pénale n'est pas soumise aux dispositions des textes réprimant l'usure (Com. 22 février 1977 : Bull. IV n° 58).

606. Le *créancier ne peut pas demander des dommages-intérêts d'un montant supérieur* à celui qui est fixé par la clause, *sauf si cette somme est manifestement dérisoire* par rapport au préjudice subi, apprécié par le juge au jour où il statue.

> Ainsi jugé qu'est manifestement dérisoire une pénalité d'environ 7,5 € par jour de retard mise à la charge d'un constructeur de maisons individuelles et destinée à « couvrir l'ensemble des sujétions consécutives au retard de livraison » (Versailles 7 février 2000 : RJDA 6/00 n° 632).

Le débiteur ne peut pas non plus *obtenir* des tribunaux *une réduction de la pénalité, excepté :*

– *si elle est manifestement excessive* par rapport au préjudice éprouvé par le créancier ; pour apprécier ce caractère excessif le juge doit se placer au jour où il statue et non pas à la date de la conclusion du contrat ou à celle de l'exigibilité de cette pénalité (Civ. 1re 10 mars 1998 : RJDA 6/98 n° 683) ;

> Ainsi a-t-il été jugé qu'il n'y avait pas lieu de modifier le jeu de la clause d'un contrat de crédit-bail prévoyant que tout loyer impayé serait majoré d'une indemnité de 1,50 % par mois de retard (Paris, 11 mars 1987 : BRDA 1987/8 p. 22). Constitue, en revanche, une pénalité excessive la clause d'un bail à usage d'habitation prévoyant le versement par le preneur, s'il se maintient indûment dans les lieux à la cessation de la location, d'une indemnité d'occupation par jour de retard égale à deux fois le loyer quotidien (Paris, 23 mai 1989 : BRDA 1990/1 p. 13).
>
> Le juge qui constate que le bénéficiaire de la clause n'a subi aucun préjudice, du fait de l'inexécution du contrat dans lequel une clause pénale est insérée, peut valablement en réduire le montant à un euro (Civ. 1re, 12 octobre 1983 : BRDA 1984/5 p. 12).

– *en cas d'exécution partielle de l'obligation par le débiteur*, sauf si les parties ont elles-mêmes prévu une diminution de la peine convenue, au prorata de l'intérêt que l'exécution partielle du contrat a procuré au créancier (Com. 5 novembre 1981 : Bull. IV n° 380).

Remarque : Les tribunaux peuvent *modifier* le montant de la clause pénale lorsqu'il est par trop insuffisant ou excessif, même *d'office* (c'est-à-dire sans que cela leur soit demandé) ; ce pouvoir est reconnu aux juges, que l'obligation soit partiellement ou totalement inexécutée.

Dommages-intérêts fixés par la loi

607. Lorsque le débiteur est en retard dans l'exécution d'une *obligation de somme d'argent*, en l'absence de clause pénale, des intérêts au *taux légal* sont dus à dater de la mise en demeure, sans que le créancier ait besoin de prouver son préjudice (Code civil art. 1153).

Le taux de l'intérêt légal est, en toute matière, fixé par décret pour la durée de l'année civile (4,26 % pour l'année 2002, à comparer à 2,74 % pour l'année 2000).

> Il est égal, pour l'année considérée, à la moyenne arithmétique des douze dernières moyennes mensuelles des taux de rendement actuariel des adjudications de bons du Trésor à taux fixe à treize semaines.

En cas de condamnation, ce taux légal est majoré de cinq points à l'expiration d'un délai de deux mois depuis le jour où la décision de justice a été notifiée (Civ. 2e, 4 avril 2002 : Bull. inf. C. cass. n° 628).

> Toutefois, le juge de l'exécution peut, à la demande du débiteur ou du créancier, et en considération de la situation du débiteur, exonérer celui-ci de cette majoration ou en réduire le montant.

Ce taux d'intérêt légal est donc à la fois un taux plancher et un taux plafond, si aucune clause pénale n'a été stipulée. Cependant, si le créancier a subi un *préjudice indépendant du retard* (grave manque de trésorerie, par exemple), il peut obtenir des *dommages-intérêts distincts* des intérêts moratoires en cas de mauvaise foi de son débiteur.

Dommages-intérêts laissés à l'appréciation des juges du fond
(Code civil art. 1150 et 1151)

608. À défaut de clause pénale et s'il ne s'agit pas d'un retard apporté au paiement d'une somme d'argent, les dommages-intérêts sont fixés par les juges du fond. Ces derniers disposent d'un large pouvoir d'appréciation avec deux limites.

1° Limite au *préjudice prévisible*. Par exemple, en cas de perte de marchandises transportées, le transporteur ne doit indemniser que la valeur de marchandises habituellement transportées, sauf si l'expéditeur a déclaré une valeur supérieure ; ainsi un papetier qui s'est fait livrer une « tour de blanchiment » ne peut réclamer à la SNCF, déclarée responsable des avaries en cours de transport, la réparation de son préjudice industriel, car la SNCF ne pouvait en aucun cas imaginer l'économie procurée par l'emploi d'un tel engin (Com. 6 janvier 1970 : Bull. IV n° 6).

Cette limite est écartée en cas de faute lourde ou dolosive.

> Ainsi jugé, par exemple, pour :
>
> – un déménageur ayant laissé son véhicule chargé de mobilier sans surveillance en stationnement sur la voie publique durant la nuit (Com. 15 décembre 1992 : RJDA 4/93 n° 317) ;
> – un contractant s'étant refusé, de façon délibérée, à exécuter ses obligations (Com. 19 janvier 1993 : RJDA 5/93 n° 382).

2° Limite au *préjudice direct*. Le débiteur n'est tenu d'indemniser que le préjudice qui est la suite immédiate et directe de l'inexécution du contrat. N'est donc pas indemnisable, par exemple, la perte d'une possibilité de classement favorable à un concours annuel organisé par une compagnie d'assurances entre des courtiers (Com. 30 juin 1969 : Bull. IV n° 249). En revanche, l'acheteur de marchandises non conformes à la commande peut réclamer, outre des intérêts moratoires, le remboursement des agios bancaires liés aux frais supplémentaires résultant de ce défaut de conformité (Com. 17 mars 1987 : BRDA 1987/9 p. 15).

Chapitre II

Les titres

610. Les engagements pris dans les contrats ne lient que les parties contractantes. Or ils sont souvent affectés d'un terme et les créanciers peuvent vouloir en tirer un parti immédiat ; par exemple, celui qui attend un paiement dans trois mois peut souhaiter disposer tout de suite de cette somme ; de même, celui qui confie des marchandises à transporter, pour un trajet d'un à deux mois, peut vouloir aussitôt l'argent correspondant à leur valeur. Il a donc fallu trouver un mécanisme juridique permettant d'effectuer des opérations sur les engagements contractuels en offrant, par exemple, le paiement du prix ou la remise de la marchandise à des personnes acceptant d'attendre l'échéance. À cet effet, on a eu l'idée de constater ces engagements dans des titres donnant à leur titulaire le droit d'obtenir l'exécution de la prestation à l'échéance.

> Le mot « titre » désigne, à la fois, un écrit comportant les mentions créatrices d'un droit et le droit, dont bénéficie celui (bénéficiaire) qui peut se prévaloir de cet écrit, d'obtenir l'exécution de la promesse (généralement de payer une somme d'argent à une date déterminée) de la part du signataire dudit écrit.

Cette idée est née dans les foires du Moyen Âge avec la lettre de change, titre qui permet à son bénéficiaire d'obtenir d'une personne désignée le paiement d'une somme d'argent. Par la suite, elle a été étendue à d'autres titres, appelés « connaissements », qui donnent à leur titulaire le droit d'obtenir d'un transporteur maritime la remise de la marchandise transportée. Depuis, les applications de ce mécanisme se sont développées (section 2). Il s'ensuit que tous les titres n'ont pas un régime identique. Cependant, un point les unit : ils sont tous fondés sur la même technique juridique, celle de la *négociabilité* (section 1) ; c'est pourquoi l'on parle de titres négociables.

Section 1

Les titres négociables

611. Il n'existe pas de définition légale du titre négociable. Celle-ci s'induit des différentes applications de cette notion, notamment de la lettre de change.

En l'état actuel de la législation sur la lettre de change et des solutions retenues par les tribunaux à propos des différents titres reconnus négociables, il apparaît que l'on doit tenir pour négociable tout *titre qui, en raison de sa forme et par le seul effet de sa forme, est constitutif du droit conféré à celui qui en est le titulaire.*

> Cette règle est dite règle de la « négociabilité ». Ce terme ne doit pas être confondu avec celui de « négociations » qui est utilisé pour désigner les transactions en bourse.

La transmission de ces titres s'opère, selon leur forme, avec un formalisme très réduit, voire sans aucune formalité ; en outre la sécurité juridique des titres est accrue par le jeu de la règle dite de « l'inopposabilité des exceptions » (voir n° 614).

> Le régime des titres négociables s'oppose donc à celui décrit n° 278 s'agissant de la cession de la créance, utilisée lorsque l'engagement n'est pas constaté dans un titre négociable.

I. Formes et modes de transmission des titres négociables

Titre au porteur

612. Le titre au porteur constate un engagement (de payer par exemple) au profit du porteur ; celui qui a le titre entre les mains peut obtenir l'exécution. Il en est ainsi même lorsque le titre ne mentionne pas expressément l'indication « au porteur » (Com. 13 octobre 1975 : GP 1975 II Panorama 284). En effet, dès l'instant où un titre constate un engagement sans désigner un bénéficiaire, il est au porteur et ce, même s'il comporte une clause « à ordre » (infra).

Ce titre se transmet par *remise de la main à la main* (la *« tradition »*). C'est donc celui qui a le titre dans les mains qui a le droit d'obtenir l'exécution.

Toutefois, les *valeurs mobilières* au porteur ne peuvent être représentées que par une inscription dans un compte ouvert au nom de leur propriétaire ; elles *se transmettent par virement de compte à compte.*

> Seules les valeurs mobilières émises par les sociétés cotées ou assimilées peuvent revêtir la forme de titre au porteur.

Titre à ordre

612-1. Le titre à ordre est caractérisé par la présence des mots « à ordre » et constate un engagement à l'ordre d'une personne dénommée : par exemple, « payer à l'ordre de Monsieur X... ». Monsieur X... peut ainsi demander à être payé lui-même ou donner l'ordre de payer à l'ordre d'une autre personne.

Il se transmet par *endossement* : le titulaire du titre mentionne au dos du titre la formule « payer à l'ordre de Monsieur Z... » et signe. L'endossement est dit « en blanc » lorsqu'il ne désigne pas de bénéficiaire et le titre devient, pratiquement, un titre au porteur : celui qui l'a entre les mains peut très bien le transmettre à une autre personne tout simplement en le lui remettant.

Titre nominatif

613. Le titre nominatif permet à son émetteur de connaître l'identité du propriétaire car il prend la forme d'une inscription dans un compte ouvert au nom de son titulaire chez l'émetteur.

Il se transmet par virement de compte à compte.

Remarque

613-1. Dans les rapports entre les parties, la transmission de la propriété du titre s'opère par le seul effet de la convention de cession (Com. 24 janvier 1989 : Bull. IV n° 39).

II. Inopposabilité au porteur de bonne foi des exceptions extérieures au titre

614. Cette règle a été expressément affirmée par la loi à propos de la lettre de change (voir figure III-4). C'est pourquoi l'on parle parfois d'inopposabilité des exceptions extracambiaires, la lettre de change étant aussi appelée « titre cambiaire ». Mais les tribunaux l'ont étendue, par analogie, à tous les titres négociables.

Le sens de la règle. se fixe à partir de l'exégèse de la formule :

1° *Inopposabilité.* C'est l'impossibilité de faire valoir à l'égard d'une personne déterminée un moyen donné ; ici le moyen paralysé est l'exception.

2° *Exception.* Par exception on désigne le moyen avancé pour refuser d'exécuter une obligation ; par exemple, lorsqu'un créancier demande à son débiteur de le payer, celui-ci invoque une exception chaque fois qu'il prétend ne pas être obligé de payer.

L'exception peut être fondée :
– soit sur la nullité de l'engagement en raison, par exemple, d'un vice du consentement ou d'une indétermination de l'objet ;
– soit sur l'extinction de l'engagement, par exemple la dette étant prescrite ou se compensant avec une créance réciproque.

3° *Exception extérieure au titre.* Le titre traduit en forme négociable un engagement préexistant, par exemple celui de payer une somme d'argent ou de remettre une marchandise. Dès lors, pour refuser de payer ou de remettre la marchandise, le débiteur peut arguer de deux sortes d'exceptions : celles qui prennent appui dans l'acte juridique à l'origine de l'engagement et celles qui prennent naissance dans le titre lui-même (par exemple, une absence de signature).

Celui qui prend le titre ne peut pas connaître les exceptions qui n'y sont pas apparentes ; si ce titre ne reproduit rien du contrat dont il constate la créance, toutes les exceptions qui résultent du contrat ne sauraient être opposées au porteur sans le surprendre. Pour que ce dernier ait confiance dans le titre, il faut donc que toutes les exceptions dont il ne peut pas avoir connaissance en le lisant lui soient inopposables.

En revanche, les irrégularités dans la forme du titre sont visibles à l'œil nu ; chacun en lisant le titre est en mesure de s'en apercevoir. Dès lors, il n'y a pas de raison d'interdire au débiteur de se prévaloir d'une irrégularité formelle pour ne pas s'exécuter (par exemple un défaut de signature, Com. 7 février 1983 : GP 1983 II Panorama 188 ; ou de date, Com. 3 avril 1984 : Bull. IV n° 123) : tant pis pour celui qui est imprudent et qui ne lit pas le titre attentivement.

En définitive, l'inopposabilité des exceptions extérieures au titre, c'est l'*impossibilité pour le débiteur de l'engagement constaté dans le titre négociable d'opposer au porteur du titre un moyen de défense qui n'apparaît pas à la lecture du titre.*

Toutefois, la règle connaît *deux limites :* l'exception d'*incapacité* peut toujours être invoquée par le signataire incapable à l'encontre de tout porteur. Il en est de même de l'exception de *faux* par celui dont la signature a été imitée, les tribunaux estimant que l'incapacité et la fraude excluent tout engagement (Civ. 31 juillet 1893 : D 1895 I 137).

Mais cela ne veut pas dire que l'inopposabilité aura concrètement toujours la même portée dans tous les cas. Parfois, l'exclusion des exceptions nées du contrat est totale parce que le titre ne permet pas d'avoir la moindre idée de ce contrat : dans ce cas, on dit, pour montrer l'indépendance de l'engagement né du titre avec l'engagement que celui-ci constate, que le titre est abstrait ; l'exemple le plus parfait en est la lettre de change. D'autres fois, l'exclusion est plus limitée parce que le titre contient la reproduction du contrat ou s'y réfère expressément ; par exemple, le connaissement reproduit le contrat de transport ; dans ce cas, les exceptions non apparentes seront en nombre limité.

S'agissant des polices d'assurance, qui peuvent être des titres négociables, la loi a prévu une exception à la règle de droit commun ; en effet, l'assureur peut opposer au porteur de la police ou au tiers qui en invoque le bénéfice les exceptions opposables au souscripteur originaire ; par exemple, si l'assuré est redevable de primes échues, l'assureur peut exercer un droit de rétention, en garantie de ses primes, sur l'indemnité due à la victime (Civ. 1re, 28 janvier 1985 : Bull. I n° 29).

4° *Porteur de bonne foi.* D'une façon générale, le *porteur du titre est celui qui peut demander l'exécution de l'engagement.*

> Cependant, la terminologie est plus complexe. Dans les titres à ordre, le porteur est aussi appelé « bénéficiaire » ou « preneur » s'il a été le premier à recevoir le titre ; il est désigné sous le nom d'« endossataire » s'il a reçu le titre après un endossement. Dans les titres nominatifs, le porteur est appelé titulaire. Dans les titres au porteur, le porteur est naturellement toujours désigné sous le nom de « porteur ».

Quel que soit le nom qu'on lui donne, le titulaire du titre ne peut prétendre à l'inopposabilité des exceptions extérieures au titre que s'il est de bonne foi, c'est-à-dire si, au moment où il prend le titre, il *ignore ces exceptions* ; en conséquence, il est de mauvaise foi s'il prend un titre en sachant que le débiteur désigné dans ce titre a le moyen de faire valoir une exception contre celui qui lui remet le titre car, ce faisant, il agit sciemment au détriment du débiteur (Com. 31 janvier 1984 : Bull. IV n° 46) ; il en est de même s'il a conscience de causer un dommage au débiteur (Com. 4 novembre 1982 : Bull. IV n° 330).

Ainsi, en escomptant une lettre de change au profit du tireur, son client, dont elle connaissait la situation financière désespérée, une banque n'a cherché qu'à réduire le montant du découvert de celui-ci et, ayant agi sciemment au détriment du débiteur cambiaire, est de mauvaise foi (Com. 23 février 1988 : Bull IV n° 80).

Figure III-4

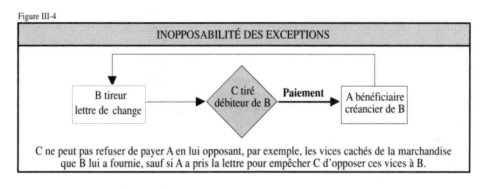

INOPPOSABILITÉ DES EXCEPTIONS

C ne peut pas refuser de payer A en lui opposant, par exemple, les vices cachés de la marchandise que B lui a fournie, sauf si A a pris la lettre pour empêcher C d'opposer ces vices à B.

Section 2

Applications des titres négociables

I. Engagements de payer

Effets de commerce

616. Ce sont des titres à ordre qui constatent l'engagement d'une personne à payer une somme d'argent déterminée à une date précise. On en compte quatre.

1° Lettre de change ou traite

La traite se présente sous la forme d'un ordre de payer une somme déterminée, à une échéance indiquée, donné par une personne à une autre au profit d'une troisième. Le donneur d'ordre s'appelle « tireur » ; le destinataire de l'ordre est le « tiré » ; le bénéficiaire est dit « bénéficiaire » ou « preneur ». Environ 150 millions de traites sont émises chaque année en France (voir figure III-4).

La lettre de change relevé (LCR) est une traite dont la circulation n'est pas assurée par voie matérielle mais par voie informatique : après saisie informatique des données figurant sur le titre papier d'origine, les remises de LCR sont acheminées par la banque vers la station SIT (Système interbancaire de télécompensation), sous forme de messages bancaires ; la présentation au SIT vaut présentation au paiement, au sens de l'article L 511-26, du Code de commerce. La banque du tiré édite alors un document papier visant la lettre de change à payer et les données de celle-ci, qu'elle transmet à son client, le tiré. En cas de défaut de paiement, l'impayé est retourné à la banque du tireur en suivant un circuit informatique analogue et inverse. La remise de la LCR à la banque entraîne l'obligation pour elle de présenter l'effet au paiement, sa responsabilité étant engagée en cas de présentation tardive (CA Rouen, 12 février 1998 : BRDA 98/14 p. 8).

2° Billet à ordre

Le billet à ordre est l'engagement pris par une personne de payer une somme déterminée à l'ordre d'une autre, à une échéance précise. Celui qui s'engage est dit le « souscripteur » ; l'autre est appelé « bénéficiaire » ou « preneur ».

Le règlement par billet à ordre n'est permis au débiteur que s'il a été **expressément prévu par les parties et mentionné sur la facture** (Code de commerce art. L 512-8). Toutefois, cette exigence ne concerne que les rapports entre le créancier et le débiteur et ne constitue pas une condition de validité du titre (Com. 12 février 1991 : RJDA 6/91 n° 510) ; elle ne peut, en conséquence, être opposée au tiers porteur de bonne foi du billet à ordre.

3° Warrant

Le warrant est un billet à ordre qui constate l'engagement de payer une somme d'argent, garanti par une marchandise ; le warrant permet de prélever le prix indiqué dans le titre sur le montant de la vente des marchandises offertes en garantie.

> Est également dénommé warrant un **titre coté en Bourse auquel est attaché** un droit d'option. Ce droit porte sur un instrument financier déterminé que l'on appelle le sous-jacent ou support du warrant. Il confère au détenteur du warrant, pendant une période déterminée, la possibilité mais non l'obligation d'acheter (call warrant) ou de vendre (put warrant) le sous-jacent à un prix fixé lors de l'émission. Par exemple un call warrant sur les actions d'une société dont le prix d'exercice est de 50 € permet d'acheter ces actions au cours de 50 € quel que soit leur cours en Bourse au moment de l'exercice du warrant.

4° Chèque

Le chèque est un titre qui se présente comme une lettre de change mais, d'une part, il est toujours payable immédiatement (on dit « à vue »), d'autre part, le tiré ne peut être qu'un banquier. Un chèque est émis au moment où le tireur s'en dessaisit au profit du bénéficiaire (Com. 16 juin 1992 : RJDA 11/92 n° 1049).

Un chèque est un instrument de paiement que le bénéficiaire peut faire encaisser même dans le cas où il lui a été remis à titre de garantie (Com. 17 novembre 1998 : RJDA 1/99 n° 92).

> Tout établissement de crédit sur lequel est tiré un chèque sans provision et qui ne souhaite pas accorder un découvert au titulaire du compte doit mettre en œuvre une **procédure d'interdiction bancaire**.
>
> Cet établissement doit préalablement informer le titulaire du compte, par tout moyen approprié, des conséquences du défaut de provision. En outre les frais qu'il peut percevoir à l'occasion du rejet d'un chèque d'un montant inférieur à 50 € pour défaut ou insuffisance de provision sont plafonnés à 30 €.
>
> Le tireur du chèque sans provision peut, à tout moment, recouvrer le droit d'émettre des chèques sous une double condition :
>
> 1° avoir réglé tous les chèques impayés,
>
> 2° avoir payé au Trésor public une pénalité libératoire (amende civile) de 22 € par tranche de 150 €.
>
> Cette pénalité n'est pas due pour le premier incident intervenu au cours des douze derniers mois et régularisé dans les deux mois. Elle est, en revanche, doublée à partir du quatrième incident survenu au cours de la même période.
>
> Faute de régularisation, **l'interdiction dure cinq ans** à compter de l'injonction.

À défaut de paiement du chèque dans le délai de deux mois à compter de sa présentation ou de constitution de la provision dans le même délai, la banque adresse un **certificat de non-paiement** au porteur du chèque qui en fait la demande. La signification de ce certificat à l'émetteur du chèque par un huissier vaut commandement de payer. S'il n'a pas reçu une justification du paiement dans un délai de quinze jours à compter de la signification, l'huissier délivre un titre exécutoire ouvrant au porteur l'ensemble des voies de recouvrement et notamment la possibilité de pratiquer des saisies.

Un tireur ne peut faire opposition au paiement d'un chèque qu'en cas de perte, de vol, d'utilisation frauduleuse du chèque, de redressement ou de liquidation judiciaires du porteur (Code monétaire et financier art. L 131-35).

Il doit immédiatement confirmer son opposition par écrit, quel que soit le support de cet écrit.

616-1. *Précisions.* 1° Pour les tribunaux, les établissements de crédit ne peuvent retarder ou avancer la date d'inscription en compte des créances, sauf si un certain temps est nécessaire pour procéder à l'encaissement, par exemple pour respecter le délai imposé pour les opérations de compensation entre les banques (Com. 6 avril 1993 : BRDA 93/8 p. 1) (condamnation du système dit des *dates de valeur*).

2° Les **bons de caisse** sont des billets à ordre ou au porteur émis en contrepartie d'un prêt par un établissement de crédit ou une société commerciale ayant déjà dressé trois bilans.

3° Les banques, pour réduire le coût de traitement des effets de commerce papier, privilégient désormais :
– l'apparition de **formes parallèles** se substituant aux supports « papier » traditionnels : LCR et virements automatisés (notamment pour le paiement des salaires) ;
– l'émergence de **nouveaux instruments :** l'avis de prélèvement, le titre interbancaire de paiement (TIP) et surtout les **cartes bancaires** qui ont pour caractéristique commune de permettre des communications interbancaires en n'utilisant que des enregistrements informatiques.

Les *cartes de paiement* doivent remplir les deux conditions suivantes (Code monétaire et financier art. L 132-1) :
– être émises soit par un établissement de crédit soit par l'une des institutions financières énumérées à l'article L 518-1 du Code monétaire et financier (Trésor public, Banque de France, services financiers de La Poste, Caisse des dépôts, etc.) ;
– permettre à leur titulaire de retirer ou de transférer des fonds.
Sont donc exclues les cartes émises par les entreprises pour le paiement des biens ou services qu'elles rendent.
Les *cartes de retrait*, émises par les mêmes organismes, permettent exclusivement à leurs titulaires de retirer des fonds.

L'ordre de paiement donné au moyen d'une carte de paiement est irrévocable ; il ne peut y être fait opposition qu'en cas de perte, de vol ou d'utilisation frauduleuse de la carte ou des données liées à son utilisation, de redressement ou de liquidation judiciaires du bénéficiaire.

En cas de perte ou de vol, le titulaire supporte les débits effectués avant qu'il ait fait opposition dans la limite d'un plafond qui ne peut pas dépasser 275 € (150 € le 1er janvier 2003). Ce plafond ne joue pas en cas « de négligence constituant une faute lourde » ou si le titulaire n'a pas fait opposition dans les meilleurs délais compte tenu de ses habitudes d'utilisation de la carte. Le contrat peut prévoir un délai de mise en opposition au-delà duquel le titulaire est privé du bénéfice du plafond ; ce délai ne peut pas être inférieur à deux jours francs après la perte ou le vol.

La responsabilité du titulaire de la carte n'est pas engagée si un paiement contesté a été effectué :
– frauduleusement, à distance, sans utilisation physique de la carte ;
– avec une carte contrefaite alors que le titulaire était, au moment de l'opération contestée, en possession physique de la carte.

Billets au porteur

616-2. Les billets au porteur sont des titres par lesquels un débiteur s'engage à payer une somme déterminée à une personne, quelle qu'elle soit, qui en sera porteur.

Les billets au porteur se transmettent par tradition (remise de la main à la main) ; ils ne peuvent pas être à vue.

Titres de créances négociables

616-3. Les titres de créances négociables sont des titres émis au gré de l'émetteur, négociables sur un marché réglementé ou de gré à gré, qui représentent chacun un droit de créance pour une durée déterminée.

Ils sont stipulés au porteur et inscrits en compte tenu par un intermédiaire habilité.

1° Certificats de dépôt

Les certificats de dépôt sont des titres de créances négociables, d'une durée inférieure ou égale à deux ans, émis soit par des établissements de crédit recevant des dépôts à vue ou à moins de deux ans, soit par la Caisse des dépôts et consignations.

2° Billets de trésorerie

Les billets de trésorerie sont des titres de créances négociables, d'une durée inférieure ou égale à un an, ayant un montant unitaire au moins égal à la contre-valeur de 150 000 €. Ils sont émis par :

– des établissements de crédit non établis en France,
– des sociétés par actions ayant un capital libéré d'au moins 225 000 €,
– des groupements d'intérêt économique ou des sociétés en nom collectif composés exclusivement de sociétés par actions ayant un capital libéré d'au moins 225 000 €.

Ils doivent avoir fait l'objet d'une notation préalable par une agence de notation du risque.

Avec cet instrument l'émetteur bénéficie d'un moyen de financement à court terme en s'affranchissant de la tutelle des banques ; pour le souscripteur il s'agit d'un moyen de placement liquide et sûr.

3° Bons à moyen terme négociables

Les bons à moyen terme négociables sont des titres de créances négociables, d'une durée supérieure à un an, ayant un montant unitaire au moins égal à la contre-valeur de 150 000 €. Ils sont émis par des établissements de crédit ou des entreprises pouvant émettre des billets de trésorerie.

Ils doivent avoir fait l'objet d'une notation préalable par une agence de notation du risque.

Valeurs mobilières

617. Les valeurs mobilières sont des titres émis par des personnes morales publiques ou privées, transmissibles par inscription en compte, qui confèrent des droits identiques par catégorie et donnent accès, directement ou indirectement, à une quotité du capital de la personne morale émettrice ou à un droit de créance général sur son patrimoine. Sont également des valeurs mobilières les parts de fonds communs de placement et de fonds communs de créances (Code monétaire et financier art. L 211-2).

Les *actions* représentent une fraction du capital social et constatent les droits des associés dans la société.

Les *certificats d'investissement* résultent d'un fractionnement des droits attachés aux actions et correspondent aux droits pécuniaires (droit aux dividendes, aux réserves et aux bonis de liquidation), l'ensemble des autres droits, notamment le droit de vote, étant représenté par des certificats de droit de vote.

Les *bons de souscription autonomes* (non rattachés à une autre valeur mobilière) donnent le droit de souscrire une quote-part du capital (actions ou certificats d'investissement) de la société émettrice.

Les *obligations*, les *titres participatifs* et les *titres subordonnés à durée indéterminée* (TSDI) sont des titres de créances sur des sociétés qui s'engagent à verser un intérêt pendant la durée du prêt et à rembourser à l'échéance le montant des sommes avancées.

Outre les valeurs mobilières dites « simples » (actions, certificats d'investissement, obligations et titres participatifs), il existe sur le marché des *valeurs dites « complexes »* ou « *hybrides* » : obligations convertibles en actions, obligations avec bons de souscription d'actions. La pratique ayant imaginé de nouvelles valeurs mobilières complexes (par exemple, les titres subordonnés à durée indéterminée avec bons de souscription de titres participatifs), le législateur a fixé un certain nombre de principes fondamentaux à respecter pour toute émission de valeur mobilière donnant droit par conversion, échange, remboursement, présentation d'un bon ou de toute autre manière, à l'attribution à tout moment ou à date fixe de titres qui, à cet effet, sont ou seront émis en représentation d'une quotité du capital de la société émettrice. Notamment toute clause permettant ou prévoyant la conversion ou la transformation d'actions ou de certificats d'investissement en valeurs mobilières représentatives de créances est nulle ; par exemple il est interdit d'émettre des actions convertibles en obligations alors que l'inverse est licite.

Sur les *fonds communs de placement ou les fonds communs de créances,* voir n° 220.

Titres à ordre civils

618. Ce sont des titres à ordre qui constatent, comme les billets à ordre, l'engagement de payer une somme d'argent. Mais ils ne se présentent pas avec les mentions exigées par la loi pour les billets à ordre ; de ce fait, ils n'obéissent pas en tous points au régime des billets à ordre défini dans le Code de commerce. Ils sont néanmoins soumis aux effets de la négociabilité : la transmission par endossement et l'inopposabilité au porteur de bonne foi des exceptions extérieures au titre (Civ. 1er juillet 1931 : D 1932 I 15).

II.   Remise d'une marchandise

620. Le titre le plus connu permettant de constater un engagement de remettre une marchandise sous forme négociable est le *connaissement.* C'est un titre à ordre ou au porteur qui constate l'engagement d'un transporteur maritime de remettre la marchandise transportée au porteur du connaissement.

En dehors du connaissement, on affirme couramment que les autres documents de transport (lettre de voiture ou récépissé pour les transports routiers notamment) ne sont pas des titres négociables. Pourtant, la Cour de cassation a admis, de longue date, que l'adjonction de la clause à ordre à une lettre de voiture de transport terrestre rendait cette lettre de voiture négociable (Cass. 12 janvier 1847 : D 1847 I 59).

III.   Liberté de création des titres négociables

621. Il est de principe, en droit français, que tout ce qui n'est pas prohibé est autorisé. Dès lors, en interdisant aux sociétés n'y ayant pas été autorisées par la loi d'émettre des titres négociables, à peine de nullité des titres émis, le législateur considère, implicitement mais nécessairement, que l'emploi de ces formes est, en principe, libre et que, partant, la création des titres négociables est libre. Sinon pourquoi aurait-il pris soin de l'interdire dans cette hypothèse précise ?

Ainsi, la nouvelle version des « Règles et usances relatives au crédit documentaire », prévoit, en son article 25, que tout document de transport peut être un titre négociable sauf stipulation contraire.

Il suffit donc d'adopter l'une des formes décrites au n° 612 pour créer un titre négociable.

Chapitre III

Les comptes courants

622. Les engagements nés de contrats sont parfois portés dans des comptes afin de constater, sous forme chiffrée, les opérations réalisées. S'il s'agit de comptes d'enregistrement, les inscriptions sont de simples mécanismes comptables qui traduisent en forme synoptique les créances et les dettes.

En revanche, s'il s'agit de « comptes courants », en plus de l'enregistrement comptable, de nouvelles relations juridiques sont créées entre les parties (appelées « correspondants »). Les comptes courants sont, en effet, des *comptes ouverts, après accord des parties, pour enregistrer les créances et les dettes nées de leurs relations d'affaires en vue de ne procéder qu'à des règlements périodiques par compensation.* Ils servent à éviter des règlements individuels, opération par opération ; ils sont donc très utiles entre personnes en relations suivies d'affaires, traitant entre elles de manière fréquente un nombre appréciable d'opérations de même nature.

> *Remarque :* Les banques ont l'habitude de classer les comptes et leurs clients en deux grandes catégories : les « comptes de chèques » (ou « comptes de dépôt »), sans lien avec l'activité professionnelle de leur titulaire, et les « comptes courants » qui sont tous des comptes professionnels, mais seulement dans la mesure où ils concernent des commerçants, des artisans et des agriculteurs, à l'exclusion des membres des professions libérales.
>
> Il arrive aussi fréquemment que des associés, pour permettre à la société de faire face à des besoins de trésorerie momentanés, consentent à la société des avances ou des prêts, enregistrés en comptabilité sous un compte de passif qualifié de « compte courant ».
>
> Ces deux types de comptes ne sont pas soumis aux règles des comptes courants tels que définis et étudiés ci-après.

I.   Conditions d'existence d'un compte courant

623. Le compte courant se crée sans formalités. Mais il faut la réunion des trois éléments suivants.

1° *Le consentement réciproque des parties.* Le compte courant ne peut exister que si chacune des parties l'a accepté.

2° *L'existence des remises.* Il faut que les parties liées par le compte courant effectuent des remises et, pour cela, qu'elles inscrivent en compte les créances résultant des opérations qu'elles font entre elles. Les créances inscrites deviennent des « articles » de crédit et de débit.

3° *La réciprocité et l'enchevêtrement des remises.* Chacune des parties doit avoir successivement la qualité de « récepteur » et de « remettant ». Si les remises ne doivent être faites que d'un seul côté, il n'y a pas compte courant.

> Le contrat de compte courant est caractérisé par la possibilité de remises réciproques s'incorporant dans un solde pouvant, dans la commune intention des parties, varier alternativement au profit de l'une ou de l'autre (Com. 17 décembre 1991 : RJDA 1/92 n° 60).

II.　Effets d'un compte courant

Absence de novation de la créance primitive

625. Contrairement à une idée répandue, l'inscription d'une dette dans un article de compte courant n'emporte pas novation, car la remise en compte courant ne fait pas naître immédiatement une créance nouvelle ; c'est le solde du compte qui fixe, ultérieurement, les droits des parties (Com. 12 mai 1987 : Bull. IV n° 112). Ainsi, les sûretés et les exceptions attachées à la créance contractuelle ne tombent pas.

Néanmoins, les tribunaux jugent qu'une prescription nouvelle relative au droit de demander le solde du compte courant s'applique à compter du jour de la clôture du compte, et qu'elle est de trente ans ou de dix ans selon que le compte courant fonctionne entre des non-commerçants ou entre des commerçants pour les besoins de leur commerce (ou encore entre des commerçants et des non-commerçants).

Indivisibilité des remises

626. Il est en principe impossible, sans le consentement des deux parties, d'extraire du compte un article déterminé. Le créancier ne peut plus réclamer au débiteur le paiement d'une créance contractuelle qui a été portée au compte.

Capitalisation des intérêts du compte

626-1. La capitalisation des intérêts des sommes portées dans un compte courant se produit de plein droit à chaque arrêté périodique par fusion dans le solde résultant de cet arrêté de compte (Com. 22 mai 1991 : Bull IV n° 168).

> À la clôture du compte, le solde ne peut produire des intérêts qu'au taux légal sauf accord entre les parties pour maintenir le taux conventionnel (Com. 10 janvier 1989 : BRDA 1989/5 p. 13).

627. Remarque : À la lumière des explications précédentes, il apparaît qu'*un même engagement né dans la vie des affaires peut revêtir successivement trois régimes juridiques distincts* qui se superposent et, parfois, se neutralisent les uns les autres. À l'origine, l'engagement prend sa source dans un **contrat,** accord de volontés créateur d'obligations, par exemple l'une des parties a l'obligation de vendre (transférer la propriété) et l'autre celle d'acheter (prendre livraison et payer le prix). Le paiement du prix ne pouvant pas toujours être fait immédiatement par l'acheteur, le vendeur obtient souvent de celui-ci qu'il accepte de s'engager dans un titre en promettant le paiement au bénéficiaire de ce titre. Généralement, le titre est une **lettre de change** que le vendeur tire sur l'acheteur, qu'il lui fait accepter et qu'il remet à un banquier ; ce dernier en devient le bénéficiaire et verse immédiatement au vendeur le montant du titre (opération appelée « escompte »), déduction faite d'une somme (« agio ») représentant le service rendu et les intérêts à courir jusqu'à l'échéance.

Cependant, tout n'est pas terminé si le vendeur et l'acheteur ont des relations suivies d'affaires et s'ils sont convenus de porter leurs créances et leurs dettes réciproques dans un **compte courant.** La somme à payer sera alors inscrite dans le compte courant fonctionnant entre l'acheteur et le vendeur ; dès lors, les règles propres au compte courant viendront s'ajouter à celles nées du contrat et à celles nées du titre. Comme on l'a vu, le titre ayant une vie totalement indépendante, l'existence du compte courant ne l'influencera pas en principe. En revanche, l'engagement contractuel se trouvera affecté par l'incorporation de la somme à payer dans le compte.

Cette superposition d'engagements soumis à des régimes juridiques différents est l'une des principales originalités de la vie et du droit des affaires. C'est elle qui permet en réalité le fonctionnement des affaires, notamment les opérations de commercialisation, de financement et de garantie.

Titre II

Les techniques juridiques de commercialisation

630. La commercialisation est l'action tendant à attacher une clientèle à l'entreprise. Elle s'accomplit en deux phases : la conquête de la clientèle (chapitre I) et son appropriation (chapitre II). La technique juridique apporte les instruments nécessaires à l'accomplissement de chacune de ces opérations.

Chapitre I

La conquête de la clientèle

631. La conquête de la clientèle est d'abord l'affaire des entreprises qui ont un besoin vital de vendre leurs produits ou leurs services. Mais cette action ne peut laisser indifférents ni les pouvoirs publics, car ils surveillent la qualité et le prix des produits, ni les clients, car ils défendent leurs intérêts de consommateurs. La technique juridique de conquête de la clientèle est ainsi la résultante de ces trois actions distinctes.

Section 1
Action des entreprises

632. L'entreprise doit sans cesse trouver de nouveaux acheteurs. Pour cela, elle doit se préoccuper des trois éléments de la vente : les lieux de vente, les vendeurs, et la concurrence.

I.   Lieux de vente

A —   LIEUX DE VENTE EN GROS

634. Les ventes qui portent sur des lots importants de marchandises, et, très souvent, sur des marchandises importées ou exportées, peuvent être réalisées dans l'un des lieux suivants.

1° Marchés

Ce sont des emplacements réservés où les vendeurs offrent leurs produits, tels les marchés d'intérêt national (MIN), spécialement affectés à la vente des fruits et légumes.

2° Foires et salons

Les foires et salons sont des manifestations commerciales constituées par le groupement périodique d'exposants présentant des échantillons de produits ou de services.

> Les *foires* regroupent des exposants de marchandises ou services divers.
>
> Les *salons* sont consacrés plus spécialement à une catégorie déterminée de produits ou de services.

Leur organisation nécessite l'obtention d'autorisations administratives.

> Sur cette réglementation, consulter le Mémento Concurrence, consommation, précité, nos 2000 et s.

3° Bourses de commerce

Les bourses de commerce sont des lieux de vente de produits déterminés selon un mécanisme particulier qui facilite la concentration des offres et des demandes.

Les ventes conclues portent le nom de « marchés de bourse ». Elles se font au comptant sur la base d'échantillons, les marchandises étant déposées dans des entrepôts publics appelés magasins généraux (infra).

Les *marchés à terme réglementés* sont passés entre des entrepreneurs cherchant à se procurer des quantités importantes de marchandises, ou à se protéger contre des risques de fluctuation des cours et des spéculateurs jouant sur les différences de cours.

> Aujourd'hui, dans les différentes bourses du monde pratiquant des marchés à terme (essentiellement à Chicago [Chicago Board of trade et Chicago mercantile exchange], New York, Londres, Winnipeg, Sydney, São Paulo, Hong Kong et Paris), sont cotés environ soixante produits (du café au jus d'orange concentré en passant par le blé, le maïs, le soja, le cacao, le coton, le cuivre, le poulet congelé, le contreplaqué, les œufs, et même les porcs vivants, le bétail sur pied, etc.).

Ces opérations à terme sont très importantes dans la vie des affaires : les spéculateurs y cherchent un bénéfice et les vendeurs de marchandises y voient la possibilité de se protéger contre le risque (non assurable) de fluctuation des cours, en prenant sur le marché boursier une position inverse de celle du marché de la marchandise, afin de neutraliser le mouvement des prix par deux opérations contraires.

> Supposons une vente de café conclue à 100 € l'unité, livrable en T + 4. L'entrepreneur va acheter, aujourd'hui, en bourse, un contrat à terme (T + 4) au cours de 110.
>
> Si les prix ont monté (à T + 4, le prix au comptant est de 140), l'entrepreneur achète 140 ce qu'il a vendu 100 et fait donc une perte de 40. Mais il va vendre à 150 le contrat acheté 110 et fait donc un gain en bourse de 40. Il réalise donc une opération « blanche » (aux coûts près).
>
> Si les prix ont baissé (à T + 4, le prix au comptant n'est que de 60), l'entrepreneur achète 60 ce qu'il a vendu 100 et fait donc un gain de 40. Toutefois, il ne va vendre que 70 le contrat acheté en Bourse à 110 et il fait, sur ce marché, une perte de 40 compensée par son gain.

Ces différentes ventes en bourse se dénouent par le règlement de différences entre le prix d'achat et le prix de vente auprès d'un organisme de liquidation (à Paris, Euronext - Paris).

Les marchés boursiers sont éminemment spéculatifs ; les cours subissent parfois d'amples variations qui entraînent des pertes cuisantes pour les opérateurs qui n'ont pas pris la position favorable.

Pour éliminer les spéculations abusives, sont exigés des *« deposits »,* c'est-à-dire des garanties financières de l'ordre de 3 % de la valeur des contrats.

4° Magasins généraux

Ce sont des entrepôts où des marchandises peuvent être déposées. Fréquemment gérés par les chambres de commerce selon une réglementation propre, ils sont souvent utilisés pour permettre la mise en gage des marchandises : le déposant reçoit un *récépissé* qui atteste le dépôt et un *warrant* qui permet par endossement de donner la marchandise en gage à un créancier. Le magasin général assure la garde des marchandises et, au besoin, organise la vente lorsque le porteur du warrant demande l'exécution de son gage.

B — LIEUX DE VENTE AU DÉTAIL

635. Les ventes au détail sont les ventes à la clientèle des consommateurs. On rencontre ces ventes principalement en quatre lieux.

1° Marchés municipaux

Ils fonctionnent sous la responsabilité des communes.

2° Magasins des vendeurs

Ces magasins se présentent soit isolément, soit rassemblés. Dans ce deuxième cas, ils forment ce que l'on appelle aujourd'hui un *centre commercial* soumis aux règles suivantes :

– leur *implantation* est sévèrement réglementée (voir n° 395) ;

– les commerçants individuels peuvent se regrouper en *magasins collectifs de commerçants indépendants* et bénéficier de services communs permis par leur installation en un même lieu : chauffage, éclairage, publicité, etc.

> Ces magasins doivent être exploités sous forme de GIE ou de sociétés coopératives de commerçants détaillants, et un règlement intérieur détermine les règles de la politique commerciale commune (jours et heures d'ouverture, animation, aménagement de la concurrence, etc.).

3° Voie publique

Il faut une autorisation pour vendre sur la voie publique ; tel est le cas, par exemple, des ventes de journaux, des ventes de forains, des ventes dites par « camion-bazar » (ou au « laisser-sur-place »), des ventes ambulantes.

4° Domicile de l'acheteur

De plus en plus, l'acheteur est sollicité à son domicile. Cette pratique risque souvent de l'abuser, car le consommateur résiste moins aux pressions du vendeur chez lui que dans un magasin. C'est pourquoi le législateur a dû intervenir :

– d'une part, le Code de la consommation réglemente le *démarchage* et la *vente à domicile* ou *à distance.* Pour l'essentiel, cette loi donne à l'acheteur un délai de réflexion de sept jours pour se dédire (voir nos 552-1 et s.) ;

– d'autre part, l'article R 635-2 du nouveau Code pénal punit la pratique dite des *envois forcés* consistant à envoyer, sans demande préalable, un objet quelconque accompagné d'une correspondance indiquant au destinataire qu'il peut soit garder l'objet contre versement d'un prix fixé, soit le renvoyer, même si ce renvoi peut être fait sans frais pour le destinataire.

II.   Vendeurs

636. Les agents de la vente interviennent dans la distribution des produits et services sous des formes variables. À chacune de ces formes correspond un statut juridique spécifique dont l'élément essentiel est l'étendue de la protection accordée à ces agents si l'entreprise décide de se passer de leurs services.

A _ AGENTS DE L'ENTREPRISE

637. Certains agents sont sédentaires : les *gérants de succursales ;* ils sont salariés ou mandataires de l'entrepreneur selon qu'ils lui sont, ou non, juridiquement subordonnés.

D'autres sont non sédentaires : les représentants de commerce, dits voyageurs-représentants-placiers (*VRP*). Ils visitent et développent, pour le compte d'une ou de plusieurs entreprises, la clientèle appartenant à ces entreprises. Ils peuvent être salariés ou mandataires.

> Une personne dont l'activité se limite à la vente au « laisser-sur-place » n'effectue ni prospection ni recherche de clientèle et ne saurait prétendre à la qualité de VRP.

S'ils exercent la profession de représentant de commerce à titre exclusif et constant, ne réalisent pas d'opérations commerciales à titre personnel, ont un contrat de travail spécifiant la nature des prestations de service ou des marchandises offertes à la vente, la région ou la catégorie des clients à visiter, le taux des rémunérations, ils sont salariés **statutaires** et **bénéficient** d'avantages particuliers prévus par le statut et l'accord national interprofessionnel du 3 octobre 1975. Notamment si leur employeur rompt leur contrat de travail ils peuvent prétendre, sauf faute grave de leur part, à l'attribution *d'une indemnité dite de clientèle* en plus des indemnités de droit commun ; cette indemnité a pour objet de réparer le préjudice que subit le représentant en perdant pour l'avenir le bénéfice de la clientèle qu'il a créée, apportée ou développée.

> Il est possible, par contrat, de prévoir qu'un salarié bénéficiera de la qualité de VRP statutaire, même si certaines conditions de ce statut ne sont pas remplies (Soc. 25 avril 1990 : Bull. V n° 196).

B — AGENTS UTILISÉS PAR L'ENTREPRISE

1° Agents commerciaux
(Code de commerce art. L 134-1 s.)

638. Les agents commerciaux sont des mandataires qui, à titre de profession indépendante, sans être liés par un contrat de louage de services, sont chargés, de façon permanente, de négocier et, éventuellement, de conclure des contrats de vente, d'achat, de location ou de prestation de services, au nom et pour le compte de producteurs, d'industriels, de commerçants ou d'autres agents commerciaux.

> Il peut s'agir de personnes physiques ou morales, à l'exclusion des mandataires soumis à des dispositions législatives particulières : agents généraux d'assurances, agents immobiliers, agences de voyages.

Ils peuvent accepter sans autorisation de nouveaux mandats, sauf s'il s'agit d'une entreprise concurrente de l'un de leurs mandants, l'accord de ce dernier étant alors requis.

Leur mode de rémunération est fixé librement par les parties ; le plus souvent il s'agit d'une commission variant avec le nombre ou la valeur des affaires.

> Sur la fixation de cette commission voir les articles L 134-6 à L 134-10 du Code de commerce.

Dans le silence du contrat, l'agent commercial a droit à une rémunération conforme aux usages pratiqués, dans le secteur d'activité couvert par son mandat, là où il exerce cette activité. En l'absence d'usages, il a droit à une rémunération « raisonnable » qui tient compte de tous les éléments qui ont trait à l'opération.

Si le contrat d'agence commerciale est à durée indéterminée, chacune des parties peut y mettre fin moyennant un préavis.

> Sauf faute grave de l'une des parties ou survenance d'un cas de force majeure, la durée minimale de ce préavis est :
> – d'un mois pour la première année du contrat,
> – de deux mois pour la deuxième année commencée,
> – de trois mois pour la troisième année commencée et les années suivantes, toute clause contraire étant réputée non écrite.

Toute cessation du contrat ouvre droit à une indemnité, y compris l'arrivée du terme d'un contrat à durée déterminée et le décès de l'agent.

Toutefois, cette indemnité n'est pas due dans les cas suivants :
– la cessation du contrat est provoquée par une faute grave de l'agent commercial ;

> L'utilisation de cartes multiples ne constitue pas une faute de la part de l'agent dès lors que le contrat d'agence lui laisse la liberté de représenter d'autres maisons que le mandant (Com. 19 décembre 1995 : RJDA 4/96 n° 491).

– la cessation du contrat résulte de l'initiative de l'agent à moins que cette cessation ne soit justifiée par des circonstances imputables au mandant ou dues à l'âge, l'infirmité ou la maladie de l'agent commercial, par suite desquels la poursuite de son activité ne peut plus être raisonnablement exigée ;
– l'agent cède à un tiers, en accord avec le mandant, les droits et obligations qu'il détient en vertu du contrat.

> L'agent commercial perd le droit à réparation s'il n'a pas notifié au mandant, dans un délai d'un an à compter de la cessation du contrat, qu'il entend faire valoir ses droits.

Le contrat d'agence peut prévoir une clause de non-concurrence applicable après la cessation dudit contrat si les trois conditions suivantes sont réunies :

– la clause doit être établie par écrit ;
– l'interdiction de concurrence ne peut être étendue qu'au secteur géographique, à la clientèle et au type de marchandises ayant fait l'objet du contrat ;
– enfin, la durée de l'interdiction est limitée à deux ans après la cessation du contrat.

Toute clause prévoyant une durée supérieure est réputée non écrite.

Les agents commerciaux doivent être immatriculés sur un registre spécial tenu au greffe du tribunal de commerce ou du tribunal de grande instance statuant commercialement dans le ressort duquel ils sont domiciliés, sous peine de sanctions pénales. Toutefois, ils ne sont pas commerçants et le contrat qui les lie à leur mandant est de nature civile (Com. 24 octobre 1995, 2 espèces : RJDA 1/96 n°s 39 et 40).

2° Commissionnaires

638-1. Commercialement, les commissionnaires procèdent aux ventes des produits des producteurs (dits « commettants ») dans les mêmes conditions que les agents commerciaux. Mais ils sont soumis à des droits et obligations différents, ainsi :
– les commissionnaires s'engagent personnellement à exécuter les obligations assumées pour le compte du commettant ;
– les commissionnaires n'ont pas droit à l'indemnité pour rupture d'un mandat d'intérêt commun.

Le contrat de commission est employé notamment, parfois sous le nom de *référencement,* pour le fonctionnement des contrats d'achat regroupant les acquisitions de plusieurs distributeurs afin d'obtenir de meilleures conditions de prix et de livraison.

3° Concessionnaires

638-2. Les concessionnaires sont des commerçants achetant « ferme » les produits d'une entreprise pour les revendre à leur compte. Ils s'engagent envers le fournisseur (dit « concédant ») à *s'approvisionner exclusivement* chez lui et à ne pas vendre de produits concurrents de ceux qui leur sont livrés, le concédant s'engageant à *ne livrer qu'un seul concessionnaire* dans un territoire donné.

Un concédant a le droit de choisir son concessionnaire exclusif, sans être tenu de motiver sa décision ni de communiquer aux candidats les critères selon lesquels il exerce ce choix (Com. 7 avril 1998 : Bull. civ. IV n° 126).

Le concédant doit, vingt jours avant la conclusion du contrat, fournir à l'autre partie un document donnant des informations sincères, lui permettant de s'engager en connaissance de cause. Le non-respect de cette obligation d'information n'emporte pas la nullité du contrat, sauf s'il a eu pour effet de vicier la volonté du cocontractant (Com. 10 février 1998 : RJDA 6/98 n° 705).

Un contrat de concession exclusive peut être soit à durée indéterminée, soit à durée déterminée. Il est alors plafonné à dix ans ; si le contrat comporte une clause d'exclusivité d'une durée supérieure, il est valable jusqu'à l'échéance du terme de dix ans (Com. 10 février 1998 : RJDA 6/98 n° 705).

4° Distributeurs agréés

638-3. La convention de distributeur agréé ou de *distribution sélective* est un accord par lequel un fournisseur, désireux de préserver la notoriété de ses produits, s'engage à approvisionner tout revendeur remplissant des critères objectifs opposables à tous, sans faire de discrimination entre les commerçants demandant à vendre les produits ainsi mis en vente (Com. 26 octobre 1993 : RJDA 12/93 n° 1016) ; les parties ne conviennent d'aucune exclusivité.

5° Franchisés

638-4. La franchise est un système de commercialisation de produits, de services ou de technologies, basé sur une collaboration étroite et continue entre des entreprises juridiquement et financièrement distinctes et indépendantes, le franchiseur et ses franchisés, dans lequel le franchiseur accorde à ses franchisés le droit, et impose l'obligation d'*exploiter* une entreprise *en conformité avec le concept du franchiseur* (Code de déontologie européen de la franchise).

> Ce *concept* est la conjonction originale de trois éléments :
> – la propriété ou le droit d'usage de signes de ralliement de la clientèle : marque de fabrique, de commerce ou de services, enseigne, raison sociale, nom commercial, signes et symboles, logos ;
> – l'usage d'une expérience, d'un savoir-faire ;
> – une collection de produits, de services et/ou de technologies brevetées ou non, conçus, mis au point, agréés ou acquis par le franchiseur.

Le droit ainsi concédé autorise et oblige le franchisé, en échange d'une contribution financière directe ou indirecte, à utiliser l'enseigne, la marque, le savoir-faire, ou d'autres droits de propriété intellectuelle du franchiseur. En outre le franchisé bénéficie de l'assistance commerciale ou technique du franchiseur.

Tout franchisé, qu'il soit distributeur ou prestataire de services, doit informer le consommateur de sa qualité d'entreprise indépendante de manière lisible et visible.

Le franchiseur est soumis à la même obligation d'information précontractuelle que le concédant (voir n° 638-2).

> La première application de cette technique commerciale en France remonte à 1929 avec la création du réseau des « Laines du Pingouin ».
> Au 1er janvier 1999, il existait, en France, 530 réseaux regroupant environ 30 000 franchisés, employant 350 000 salariés et réalisant un chiffre d'affaires d'environ 29,7 milliards d'euros.

III.   Loyauté de la concurrence

640. Si la libre recherche de la clientèle est l'essence même du commerce, les professionnels doivent cependant être loyaux dans la concurrence qu'ils se livrent.

Les formes de *concurrence déloyale* sont très nombreuses ; sont ainsi susceptibles d'entraîner une condamnation pour concurrence déloyale notamment :

– l'*imitation,* destinée à créer une confusion dans l'esprit du public notamment en reproduisant les produits du concurrent sans nécessité technique (Com. 13 février 1990 : Bull. IV n° 38), sa publicité (Paris 24 mars 1999 : RJDA 11/99 n° 1271), sa marque ou ses documents commerciaux (Com. 12 mars 1985 : Bull. IV n° 93) ;

– la *pratique de la marque d'appel,* consistant à attirer les clients par de la publicité sur les produits d'une certaine marque que le vendeur ne détient qu'en faible quantité, en vue de lui vendre des produits d'une autre marque (Com. 19 mai 1998 : RJDA 10/98 n° 1098) ;

– le *dénigrement,* jetant le discrédit sur un concurrent ou ses produits ;

– la **désorganisation du réseau de vente** du concurrent, par exemple en débauchant son personnel pour provoquer une confusion entre les deux entreprises (Com. 12 mars 1985 : Bull. IV n° 93) ;

> En revanche, ne constituent pas un acte de concurrence déloyale, en l'absence de toute manœuvre, par exemple :
> – le fait de quitter un employeur pour un autre en provoquant un déplacement de la clientèle du premier vers le second (Com. 8 janvier 1991 : RJDA 4/91 n° 360) ;
> – l'embauche, dans des conditions régulières, de vendeurs d'une entreprise concurrente n'ayant pas désorganisé cette entreprise (Com. 21 janvier 1997 : RJDA 5/97 n° 738).

– la méconnaissance d'obligations légales dans l'exercice d'une activité professionnelle (Com. 19 juin 2001 : BRDA 14/01 p. 11).

640-1. Tout acte de concurrence déloyale est présumé causer un préjudice, fût-il seulement moral ; toutefois, cette présomption de préjudice est une présomption simple et l'auteur de l'acte, une fois celui-ci constaté, peut rapporter la preuve que ses agissements n'ont pas causé de préjudice à la victime (Com. 8 juillet 1997 : RJDA 12/97 n° 1572).

L'action en concurrence déloyale se prescrit en dix ans.

640-2. Constitue également une faute, dont il est possible de demander réparation sur le fondement de l'article 1382 du Code civil, le **parasitisme économique,** se définissant comme l'ensemble des comportements par lesquels un agent économique s'immisce dans le sillage d'un autre afin de tirer profit, sans rien dépenser, de ses efforts et de son savoir-faire (Com. 26 janvier 1999 : RJDA 4/99 n° 491).

À la différence de la concurrence déloyale, ce rattachement parasitaire peut exister entre entreprises non concurrentes et affecter la commercialisation de produits sans similitude, visant des clientèles différentes (Com. 30 janvier 1996 : RJDA 4/96 n° 579).

Section 2
Action des pouvoirs publics

I. Action sur les produits

A — NORMALISATION
(Décret n° 84-74 du 26 janvier 1984)

641-1. La norme est un document de référence définissant les caractéristiques de produits, biens ou services dont elle garantit la fiabilité.

L'appareil normatif français comprend essentiellement :
– un *délégué interministériel aux normes,* représentant les pouvoirs publics dans les diverses instances concernées et agréant les bureaux de normalisation ;
– l'*Association française de normalisation* (AFNOR), créée en 1926 et rassemblant les pouvoirs publics, les industriels et les consommateurs ; elle est chargée de l'élaboration du programme de normalisation et de l'homologation des normes ;
– les *bureaux de normalisation,* le plus souvent liés à des organismes professionnels et établissant des projets de normes.

Il existe actuellement plus de 12 000 normes classées en deux catégories : les normes dites « homologuées » à la valeur technique éprouvée et les normes dites « expérimentales » pour lesquelles une période d'essai est souhaitable.

L'Afnor publie tous les ans un « Catalogue des normes françaises », chaque norme homologuée étant identifiée par le sigle « NF », une lettre (symbolisant la « classe » représentant le secteur économique auquel se rattache la norme) et un numéro à cinq chiffres.

Si des raisons d'ordre public, de sécurité publique, de protection de la santé et de la vie des personnes et des animaux ou de préservation des végétaux, de protection des trésors nationaux, ou des exigences impératives tenant à l'efficacité des contrôles fiscaux, à la loyauté des transactions commerciales et à la défense du consommateur rendent une telle mesure nécessaire, l'*application d'une norme homologuée peut être rendue obligatoire* par arrêté du ministre chargé de l'industrie et, le cas échéant, des autres ministres intéressés.

Il y a environ 220 normes ainsi rendues obligatoires en France qui doivent être respectées sans que les juges puissent s'interroger sur leur bien-fondé (Crim. 19 décembre 1991 : RJDA 4/92 n° 404).

Les normes qui n'ont pas été rendues obligatoires par arrêté peuvent cependant être considérées comme telles par les tribunaux au titre d'usages professionnels ou parce qu'elles traduisent un comportement que les intéressés seraient fautifs de ne pas suivre.

La normalisation tend à devenir internationale, les principaux organismes sont :
– au niveau européen : le CEN (Comité européen de normalisation), le CENELEC (Comité européen de normalisation électrotechnique) et l'ETSI (Institut européen de normalisation pour les télécommunications) ;
– au niveau international : l'ISO (International Standard Organization) couvrant tous les domaines à l'exception de l'ingénierie électrique et électronique réservée à la CEI (Commission électrotechnique internationale).

B — CERTIFICATION DE PRODUIT OU DE SERVICE
(Code de la consommation art. L 115-27)

641-2. La certification de produit ou de service est l'activité par laquelle un organisme, distinct du fabricant, de l'importateur, du vendeur ou du prestataire, atteste, à la demande de celui-ci effectuée à des fins commerciales, qu'un produit industriel ou un service est conforme à des caractéristiques décrites dans un référentiel et faisant l'objet de contrôles.

Le référentiel est un document technique définissant les caractéristiques que doit présenter un produit ou un service et les modalités du contrôle de la conformité du produit ou du service à ces caractéristiques.

La certification peut être matérialisée par un signe distinctif déposé comme marque collective de certification.

C — LABELS AGRICOLES ET CERTIFICATIONS DE CONFORMITÉ
(Code rural art. L 643-2 et s.)

641-4. Les denrées alimentaires et les produits agricoles non alimentaires et non transformés (par exemple le lin, les fleurs) peuvent bénéficier d'un label agricole ou d'une certification de conformité aux règles définies dans un cahier des charges.

Les *labels agricoles* attestent qu'un tel produit possède un ensemble distinct de qualités et *caractéristiques spécifiques* préalablement fixées dans un cahier des charges et établissant un *niveau de qualité supérieure.* Ce produit doit se distinguer des produits similaires de l'espèce habituellement commercialisés notamment par ses conditions particulières de production ou de fabrication et, le cas échéant, par son origine géographique si elle est enregistrée comme indication géographique protégée.

> Il existe aujourd'hui une quarantaine de labels régionaux et plus de 200 labels nationaux. On estime qu'ils génèrent un chiffre d'affaires de plus de 26 millions d'euros.

La certification de conformité valorise une denrée alimentaire ou un produit agricole non alimentaire et non transformé en attestant qu'il est *conforme à des caractéristiques spécifiques* ou à des règles préalablement fixées dans un cahier des charges portant, selon le cas, sur la fabrication, la transformation ou le conditionnement et, le cas échéant, l'origine géographique de la denrée ou du produit lorsque cette origine est enregistrée comme indication géographique protégée. Contrairement au label, il ne s'agit pas d'une attestation de qualité.

Les labels agricoles et les certificats de conformité ne peuvent pas être utilisés pour les produits bénéficiant d'une appellation d'origine, les vins délimités de qualité supérieure et les vins de pays.

Ils sont délivrés par des organismes certificateurs agréés par l'autorité administrative offrant des garanties d'impartialité et d'indépendance et justifiant de leur compétence et de l'efficacité de leur contrôle.

641-5. *Remarques :*

1° Il ne faut pas confondre ces certifications avec les certifications de produits ou de services visés au n° 641-2.

2° Certains « labels » ont été créés par des textes spécifiques par exemple le « label haute isolation » (arrêté du 4 novembre 1980), le « label haute performance énergétique » ou le « label solaire » (arrêté du 30 décembre 1988). Ces « labels » sont comparables à des certifications de produits ou de services.

D — PRODUITS BIOLOGIQUES
(Code rural art. L 645-1)

641-6. Les produits biologiques sont des produits agricoles, transformés ou non, issus d'une agriculture n'utilisant *pas de produits chimiques de synthèse,* dite « agriculture biologique », et répondant aux conditions de production, de transformation et de commercialisation fixées par des cahiers des charges homologués par arrêté interministériel ou par le règlement 2092/91 du Conseil des Communautés européennes du 24 juin 1991.

E — PRODUITS DE MONTAGNE
(Code rural art. L 644-2 et s.)

641-7. La dénomination « montagne » est accessible aux produits agricoles et agro-alimentaires produits et élaborés dans des zones de montagne, caractérisées par une limitation considérable des possibilités d'utilisation des terres et un accroissement important des coûts des travaux, dus soit :
– à l'existence, en raison de l'altitude, de conditions climatiques très difficiles se traduisant par une période de végétation sensiblement raccourcie ;
– à la présence, à une altitude moindre, de fortes pentes telles que la mécanisation ne soit pas possible ou bien nécessite l'utilisation d'un matériel particulièrement onéreux ;
– à la combinaison de ces deux facteurs lorsque l'importance du handicap résultant de chacun d'eux pris séparément est moins accentuée.
L'utilisation du terme « montagne » doit faire l'objet d'une *autorisation administrative préalable* pour les denrées alimentaires autres que les vins et les produits agricoles non alimentaires et non transformés originaires de France.

> Sur les conditions de délivrance de cette autorisation, voir le décret n° 2000-1231 du 15 décembre 2000.

II. Action sur les prix : prohibition des pratiques anti-concurrentielles

A — REVENTE À PERTE
(Code de commerce art. L 442-2 et s.)

642-1. Est interdit, pour tout commerçant, le fait de revendre ou d'annoncer la *revente* d'un produit *en l'état à un prix inférieur à son prix d'achat effectif ;* le prix d'achat effectif est le prix unitaire figurant sur la facture majoré des taxes sur le chiffre d'affaires, des taxes spécifiques afférentes à cette revente et du prix du transport.

> La revente à perte est un délit punissable :
> – pour une personne physique, d'une amende de 75 000 € pouvant être portée à la moitié des dépenses de publicité dans le cas où une annonce publicitaire, quel qu'en soit le support, fait l'état d'un prix inférieur au prix d'achat effectif ;
> – pour une personne morale, d'une amende de 375 000 € et de l'affichage de la décision prononcée ou de la diffusion de celle-ci soit par la presse écrite, soit par tout moyen de communication audiovisuelle.

Toutefois, la revente à perte peut être justifiée s'agissant :
– de produits périssables menacés d'altération rapide, à condition que l'offre de prix réduit ne fasse pas l'objet d'une quelconque publicité ou annonce à l'extérieur du point de vente ;
– de ventes volontaires ou forcées motivées par la cessation ou le changement d'une activité commerciale ;
– de produits dont la vente présente un caractère saisonnier marqué, pendant la période terminale de la saison des ventes et dans l'intervalle compris entre deux saisons de vente ;

– de produits qui ne répondent plus à la demande générale en raison de l'évolution de la mode ou de l'apparition de perfectionnements techniques ;
– de produits, aux caractéristiques identiques, dont le réapprovisionnement s'est effectué en baisse, le prix effectif d'achat étant alors remplacé par le prix résultant de la nouvelle facture d'achat ;
– de produits alimentaires commercialisés dans un magasin d'une surface de vente de moins de 300 mètres carrés ou de produits non alimentaires commercialisés dans un magasin d'une surface de moins de 1 000 mètres carrés, dont le prix de revente est aligné sur le prix légalement pratiqué pour les mêmes produits par un autre commerçant dans la même zone d'activité.

B — PRIX PRÉDATEURS
(Code de commerce art. L 420-5)

642-1-1. Sont prohibées les offres de prix ou pratiques de *prix* de vente aux consommateurs *abusivement bas* par rapport aux coûts de production, de transformation et de commercialisation, dès lors que ces offres ou pratiques ont pour objet ou peuvent avoir pour effet d'éliminer d'un marché ou d'empêcher d'accéder à un marché une entreprise ou l'un de ses produits.

Toutefois, ces dispositions ne sont pas applicables aux produits revendus en l'état, exception faite des enregistrements sonores reproduits sur supports matériels.
Les sanctions sont les mêmes qu'en cas d'entente illicite ou d'abus de position dominante (n° 643-1).

C — PRATIQUES ABUSIVES
(Code de commerce art. L 442-6)

642-2. Sont abusives et engagent la responsabilité de leur auteur :
– les *pratiques discriminatoires* de vente ou d'achat non justifiées par des contreparties réelles ;
– l'obtention d'un avantage sans contrepartie proportionnée ;
– l'*abus de dépendance,* de puissance d'achat ou de vente ;
– l'obtention d'un avantage préalable à toute passation de commande sans l'assortir d'un engagement sur un volume d'achat proportionné ;
– l'obtention d'un avantage dérogatoire aux conditions générales de vente sous la menace de rupture brutale des relations commerciales, notamment d'un déréférencement ;
– la *rupture brutale* de relations commerciales établies ;
– des conditions de règlement manifestement abusives.

642-2-1. Sont *nuls* les clauses ou contrats prévoyant pour un producteur, un commerçant, un industriel ou un artisan, la possibilité :
– de bénéficier rétroactivement de remises, de ristournes ou d'accords de coopération commerciale ;
– d'obtenir le paiement d'un droit d'accès au référencement préalablement à la passation de toute commande ;
– d'interdire au contractant la cession à des tiers des créances qu'il détient sur lui.

642-2-2. L'action en responsabilité ou en nullité est introduite par toute personne justifiant d'un intérêt. Le *ministre de l'économie* ainsi que le ministère public peuvent faire constater la nullité des clauses ou contrats illicites et demander la répétition de l'indu, le prononcé d'une *amende* civile dont le montant ne peut excéder deux millions d'euros, ainsi que la réparation des préjudices subis.

642-3. Pour assurer la *transparence,* tout producteur, grossiste ou importateur est tenu de *communiquer* à tout revendeur qui en fait la demande son *barème* de prix *et* ses *conditions de vente.* Celles-ci comprennent les conditions de règlement et, le cas échéant, les rabais et ristournes.

D — VENTES AVEC PRIMES
(Code de la consommation art. L 121-35)

642-4. Toute vente ou prestation de services à un consommateur comportant la *remise* d'une prime, c'est-à-dire la fourniture *gratuite,* immédiatement ou à terme, *d'un autre produit ou d'un autre service,* est interdite.

> En conséquence, est licite la remise de produits « identiques » à ceux qui font l'objet du contrat principal, par exemple l'offre d'un pantalon ou d'une jupe pour l'achat d'un blouson (Toulouse 9 juin 1988 : BRDA 1989/4 p. 9).
> Ont, en revanche, été jugées illicites :
> – la remise d'un téléviseur noir et blanc pour l'achat d'un téléviseur couleur (Rennes 6 octobre 1989 : BRDA 1990/9 p. 8) ;
> – la remise d'un sommier à tout acheteur d'un matelas (Trib. pol. Périgueux 1er décembre 1989 : BRDA 1990/19 p. 8).

Il existe toutefois des dérogations pour les menus objets, les services de faible valeur et les échantillons.

> La valeur des menus objets est de (Code de la consommation art. R 121-8) :
> – 7 % du prix net si celui-ci est inférieur ou égal à 80 € ;
> – 5 € plus 1 % du prix net si celui-ci est supérieur à 80 €, sans que cette valeur puisse excéder 60 €.

En outre, le procédé des **primes « auto-payantes »,** qui consiste à donner à l'acheteur d'une marchandise la possibilité d'obtenir un produit différent, non pas gratuitement, mais à un prix attractif, est licite.

E — VENTES JUMELÉES
(Code de la consommation art. L 122-1)

642-5. Il est interdit de subordonner la vente d'un produit à l'achat d'une quantité imposée ou à l'achat concomitant d'un autre produit ou d'un autre service ainsi que de subordonner la prestation d'un service à celle d'un autre service ou à l'achat d'un produit.

Par dérogation, la vente jumelée est licite lorsque :

– le client a la possibilité d'acheter séparément chacun des produits proposés dans le lot ;

– les produits sont réunis en un conditionnement unique, conformément aux pratiques commerciales instaurées dans l'intérêt des consommateurs (Cass. crim. 29-10-1984 : Bull. crim. n° 324) ;

– il s'agit de la vente d'un ensemble de produits destinés à remplir une seule et même fonction (par exemple, une série de casseroles de tailles différentes) (en ce sens, Cass. crim. 30-11-1981 : D 1982 IR p. 151).

F — ENTENTES ET ABUS DE DOMINATION

643. Les règles sur la libre concurrence, d'une grande importance pratique, sont, d'une part, celles du *droit français* (Code de commerce art. L 420-1 et s.) et d'autre part, celles du traité CE modifié (art. 81 et s.).

Le *droit national* s'applique aux pratiques anti-concurrentielles s'exerçant sur le marché intérieur. Le *droit communautaire* réglemente les ententes et positions dominantes affectant le commerce entre États membres de la Communauté européenne.

> Pour la Cour de justice des Communautés européennes (arrêts « Walt Wilhem » du 13 février 1969 : Rec. p. 15 et « Concurrence-parfums » du 10 juillet 1980 : Rec. p. 2327), dans le domaine des échanges intra-communautaires, la mise en œuvre du droit national ne peut porter préjudice à l'application pleine et uniforme du droit communautaire et à l'effet des actes de celui-ci. L'application du droit national ne peut contrecarrer celle du droit communautaire ; en conséquence, la validité d'une entente au regard des dispositions du traité de Rome doit nécessairement être examinée avant de rechercher s'il existe des infractions au regard du droit interne.

Ententes et abus de domination (réglementation française)

643-1. Très schématiquement, les règles françaises peuvent se résumer comme suit.

1° Font l'objet d'une *interdiction* de principe :

– Les *ententes.* Ce sont des accords entre entreprises susceptibles d'empêcher, de restreindre ou de fausser le jeu de la concurrence ; cette limitation peut prendre des formes très variées : elle peut résulter, par exemple, de conditions posées à l'exercice d'une profession, du boycottage d'un concurrent récalcitrant ou de son élimination par des baisses artificielles de prix, du partage du marché en zones géographiques ou en quotas de vente ; elle peut aussi provenir d'un accord pour éviter d'abaisser les prix (par des « barèmes » syndicaux, ou professionnels ou des « prix communs »), ou pour entraver le progrès technique.

> Ainsi jugé pour l'alignement de leurs prix par plusieurs compagnies pétrolières dès lors que cet alignement ne se justifie ni par les caractéristiques du marché, ni par les coûts d'exploitation de ces entreprises (Com. 8 octobre 1991 : RJDA 12/91 n° 1044).

– L'*abus de position dominante.* Il consiste, pour une entreprise détenant une part prépondérante sur le marché intérieur ou une partie substantielle de celui-ci, à se servir de cette position pour entraver le fonctionnement normal du marché, notamment en procédant à des refus de vente, des ventes liées, des pratiques discriminatoires ainsi que la rupture de relations commerciales établies au seul motif que le partenaire refuse de se soumettre à des conditions commerciales injustifiées (notamment le « déréférencement » abusif).

> Selon le Conseil de la concurrence l'analyse économique définit un *marché* comme le lieu sur lequel se confrontent l'offre et la demande de produits ou de services qui sont considérés par les acheteurs comme substituables entre eux mais non substituables aux autres biens ou services offerts (rapport pour 1987).
>
> Pour établir l'existence d'une position dominante, le Conseil examine tout d'abord la part de l'entreprise sur le marché par rapport à celle de ses concurrents. Cependant, sont également pris en considération d'autres éléments caractéristiques du marché ou des éléments qualitatifs propres à l'entreprise tels qu'une supériorité dans la gestion, l'innovation technique ou l'action commerciale, ou encore les conditions dans lesquelles elle met en œuvre ces moyens vis-à-vis de ses concurrents ou de ses clients (décision 87-D-08, aff. « Nouvelles Messageries de la presse parisienne » : BOCC du 29 janvier 1988 p. 14).

– L'*exploitation abusive de l'état de dépendance économique* dans lequel peut se trouver une entreprise cliente ou fournisseur, dès lors qu'elle est susceptible d'affecter le fonctionnement ou la structure de la concurrence. Cet abus de domination économique peut consister, par exemple, en des refus de vente, des ventes liées ou des pratiques discriminatoires.

> L'existence de l'état de dépendance économique d'un fournisseur à l'égard d'un distributeur s'apprécie en tenant compte des critères suivants (Com. 10 décembre 1996 : RJDA 4/97 n° 530) :
> – l'importance de la part du chiffre d'affaires réalisé par ce fournisseur avec le distributeur ;
> – l'importance du distributeur dans la commercialisation des produits concernés ;
> – les facteurs ayant conduit à la concentration des ventes du fournisseur auprès du distributeur ;
> – l'existence ou la diversité éventuelle d'autres débouchés pour le fournisseur.

– Les offres de prix ou pratiques de *prix* de vente aux consommateurs **abusivement bas** par rapport aux coûts de production, de transformation et de commercialisation, dès lors que ces offres ou pratiques ont pour objet ou peuvent avoir pour effet d'éliminer d'un marché ou d'empêcher d'accéder à un marché une entreprise ou l'un de ses produits.

> Les coûts de commercialisation comportent également et impérativement tous les frais résultant des obligations légales et réglementaires liées à la sécurité des produits.

2° *Échappent à la prohibition* – on parle de pratiques « légitimées » – les restrictions de concurrence résultant de l'application d'un texte législatif ou réglementaire pris pour son application. Sont aussi légitimées les pratiques contribuant au développement du *progrès économique* en améliorant la productivité, les conditions du marché (services à la clientèle, distribution, etc.), la création ou le maintien d'emplois.

> Sur les conditions que doit remplir un système de distribution sélective pour échapper à l'interdiction des ententes, voir la décision du Conseil de la concurrence du 8 juin 1987 (n° 87-D 15, « Produits cosmétiques » : BRDA 1987/13 p. 6).

3° Les ententes et abus de domination non légitimés exposent leurs auteurs à des **sanctions.**

Sanctions civiles. Les engagements se rapportant à ces pratiques restrictives sont nuls.

Sanctions pénales. Les *personnes physiques* ayant pris une part personnelle et déterminante dans la conception, l'organisation ou la mise en œuvre d'une entente ou d'un abus de domination illicite sont punissables d'une amende de 75 000 € et/ou d'un emprisonnement de quatre ans.

Sanctions à l'encontre des entreprises. Le *Conseil de la concurrence* peut, après instruction, soit prescrire des mesures tendant au rétablissement de la concurrence, soit infliger une sanction pécuniaire applicable immédiatement ou, seulement, en cas d'inexécution des injonctions tendant au rétablissement de la concurrence. Le montant maximal de la sanction est, pour une entreprise, de 10 % du montant du chiffre d'affaires mondial hors taxes le plus élevé réalisé au cours d'un des exercices clos depuis l'exercice précédant celui au cours duquel les pratiques ont été mises en œuvre.

Si le contrevenant n'est pas une entreprise (cas des associations ou syndicats professionnels), le maximum est de 3 millions d'euros.

Les *sanctions* doivent être *proportionnées* à la gravité des faits reprochés, à l'importance du dommage causé à l'économie et à la situation de l'entreprise ou de l'organisme sanctionné ou du groupe auquel l'entreprise appartient et à l'éventuelle réitération de pratiques prohibées. Elles doivent également être déterminées individuellement pour chaque entreprise et de façon motivée pour chaque sanction.

> Le Conseil de la concurrence peut se saisir d'office ou être saisi par le ministre chargé de l'Économie, les entreprises, les organisations professionnelles et syndicales, les

organisations de consommateurs agréées, les chambres d'agriculture, les chambres de métier ou les chambres de commerce et d'industrie. Il a enregistré 144 saisines en 2000 dont 109 saisines contentieuses et 35 demandes d'avis ; au 1er janvier 2001, 400 dossiers étaient encore pendants.

En 2000, le Conseil de la concurrence a prononcé 28 sanctions pour un montant global de 189 millions € (9,3 millions en 1999), incluant 170 millions infligées à 9 banques dont les 6 plus importantes de la place de Paris (entente dans le marché des crédits immobiliers). Les décisions du Conseil de la concurrence peuvent faire l'objet d'un recours devant la cour d'appel de Paris ; ce recours n'est pas suspensif. Toutefois, le premier président de la cour d'appel de Paris peut ordonner qu'il soit sursis à l'exécution de la décision, si celle-ci est susceptible d'entraîner des conséquences manifestement excessives ou s'il est intervenu, postérieurement à sa notification, des faits nouveaux d'une exceptionnelle gravité.

Ententes et positions dominantes (réglementation communautaire)

643-2. Brièvement résumée, la réglementation communautaire s'applique lorsque le commerce entre États membres est susceptible d'être affecté par une pratique anti-concurrentielle, dans les conditions suivantes.

1° Sont en principe *interdites* toutes les *ententes* ayant pour objet ou pour effet d'empêcher, de restreindre ou de fausser le jeu de la concurrence à l'intérieur du Marché commun ; ces accords sont nuls de plein droit et leurs auteurs peuvent être condamnés, par la Commission européenne, à des amendes (1 000 à 1 million d'euros, ce maximum pouvant être porté à 10 % du chiffre d'affaires mondial réalisé au cours de l'exercice social précédent pour chacune des entreprises concernées) ; ces décisions sont susceptibles d'un recours de pleine juridiction devant le tribunal de première instance des Communautés européennes.

2° La Commission européenne peut relever les ententes de leur interdiction si elles contribuent à améliorer la production ou la distribution des produits ou à promouvoir le progrès technique ou économique, tout en réservant aux utilisateurs une partie équitable du profit qui en résulte et sans :
a) imposer aux entreprises intéressées des restrictions qui ne sont pas indispensables pour atteindre ces objectifs ;
b) donner à ces entreprises la possibilité, pour une partie substantielle des produits en cause, d'éliminer la concurrence.

Il faut distinguer deux hypothèses.

– Certaines catégories d'accords bénéficient d'une exemption globale avec dispense de notification individuelle. Ces *exemptions par catégories* peuvent être autorisées par un règlement du Conseil de l'Union européenne, suivi de règlements d'application de la Commission européenne ; tel est le cas, notamment, des accords de vente ou d'achat exclusif, des accords de licence de brevets, des accords de recherche et de développement, des accords de franchise.

– Les autres accords sont *exemptés « cas par cas »* si les parties les ont, au préalable, notifié à la Commission européenne ; à défaut, ces accords seraient nuls même s'ils répondent à toutes les conditions requises pour obtenir la dérogation ; en outre les entreprises participantes s'exposeraient à des amendes (supra).

3° Il est *interdit* d'exploiter de façon abusive une *position dominante* dans le Marché commun ou dans une partie substantielle de celui-ci, sous peine de condamnation à des amendes (supra).

> *Remarque :* À la différence du droit interne, la réglementation communautaire n'admet pas de légitimation des abus de domination.

4° Les *aides accordées par les États* membres aux entreprises sont *incompatibles avec le Marché commun* lorsqu'elles favorisent certaines entreprises (traité de Rome modifié art. 87).

> C'est pourquoi les États sont tenus de présenter à la Commission européenne tous leurs projets visant à instituer ou à modifier des aides pour un contrôle de validité.

G — CONTRÔLE DES CONCENTRATIONS ÉCONOMIQUES

643-2-1. Les concentrations sont nécessaires au renforcement des structures industrielles ; toutefois, certaines d'entre elles risquent d'aboutir à un abus de domination dont les inconvénients sur le plan de la concurrence excèdent les avantages économiques et sociaux. Aussi ces opérations font l'objet d'un contrôle tant interne que communautaire.

Réglementation interne
(Code de commerce art. L 430-1 et s.)

643-3. Est susceptible d'être contrôlée une opération qui remplit les trois conditions suivantes :

1° La concentration résulte d'une fusion, de la création d'une entreprise commune accomplissant de manière durable toutes les fonctions d'une entité économique autonome, de la prise de contrôle de l'ensemble ou de parties d'une ou de plusieurs autres entreprises.
2°) Le *chiffre d'affaires* total mondial hors taxe de l'ensemble des parties à la concentration est supérieur à 150 millions d'euros ; le chiffre d'affaires total hors taxes réalisé en France par deux au moins des parties à la concentration est supérieur à 15 millions d'euros.
Le contrôle national est inapplicable lorsque les opérations entrent dans le champ d'application du contrôle des concentrations communautaires.
L'*opération* de concentration réglementée doit être *notifiée* au ministre chargé de l'économie ; sa réalisation effective ne peut intervenir qu'après l'accord de ce ministre et, le cas échéant, du ministre chargé du secteur économique concerné.
Le ministre se prononce sur l'opération de concentration dans un délai de cinq semaines ; il peut décider :
– soit de constater que l'opération n'entre pas dans le champ d'application du contrôle des concentrations ;
– soit d'autoriser l'opération ;
– soit de saisir pour avis le Conseil de la concurrence qui dispose d'un délai de trois mois pour se prononcer.
Dans les quatre semaines suivant la remise de l'avis du Conseil de la concurrence, le *ministre* peut, *par arrêté :*
– soit *interdire* l'opération et enjoindre, le cas échéant, aux parties de prendre toute mesure propre à rétablir une concurrence suffisante ;
– soit *autoriser* l'opération en enjoignant aux parties de prendre toute mesure propre à assurer une concurrence suffisante ou en les obligeant à observer des prescriptions de nature à apporter au progrès économique et social une contribution suffisante pour compenser les atteintes à la concurrence.

La réalisation d'une opération de concentration sans notification est punie, pour les personnes morales, d'une *sanction* pécuniaire d'un montant maximal de 5 % du chiffre d'affaires hors taxe réalisé en France lors du dernier exercice clos et, pour les personnes physiques, d'une sanction de 1,5 million d'euros.

En cas d'omission ou de déclaration inexacte dans une notification, le ministre peut infliger aux personnes ayant procédé à la notification une sanction pécuniaire qui ne peut dépasser les montants indiqués ci-dessus ; cette sanction peut s'accompagner du retrait de la décision ayant autorisé la réalisation de l'opération.

Réglementation communautaire
(Règlement n° 4064/89 du 21 décembre 1989)

643-4. Sont soumises à contrôle les concentrations d'*entreprises privées ou publiques de tous les secteurs économiques,* à l'exception de celles qui relèvent de la CECA, remplissant les trois conditions suivantes.

1° Ces concentrations *doivent résulter d'un acte juridique :* fusion, prise de contrôle, etc.

2° Ces opérations de concentration doivent être de « dimension communautaire », ce qui concerne :
– les opérations atteignant les deux seuils suivants :
• le *chiffre d'affaires* total réalisé sur le plan *mondial* par toutes les entreprises concernées représente un montant supérieur à *5 milliards d'euros ;*
• le *chiffre d'affaires* total *réalisé individuellement dans* la *Communauté* par au moins deux des entreprises concernées est de *250 millions d'euros.*
– les opérations dépassant les quatre seuils suivants :
• chiffre d'affaires total réalisé sur le plan mondial par l'ensemble des entreprises concernées : *2,5 milliards d'euros ;*
• chiffre d'affaires total réalisé dans chacun d'au moins trois États membres par toutes les entreprises concernées : *100 millions d'euros ;*
• chiffre d'affaires total réalisé individuellement dans chacun des États ci-dessus par au moins deux des entreprises concernées : *25 millions d'euros ;*
• chiffre d'affaires total réalisé individuellement dans la Communauté par au moins deux des entreprises concernées : *100 millions d'euros.*
Toutefois, le contrôle est écarté, même si les deux montants ci-dessus sont atteints, lorsque chacune des entreprises concernées réalise plus des deux tiers de son chiffre d'affaires total dans la Communauté à l'intérieur d'un seul et même État membre.

3° Ces concentrations doivent *entraver* de manière significative une *concurrence effective* dans le Marché commun ou une partie substantielle de celui-ci.

Ces opérations doivent être notifiées à la Commission dans le délai d'une semaine à compter de la conclusion de l'accord ou de la prise de contrôle (ou de la publication de l'offre publique d'achat ou d'échange) et elle doivent être suspendues pendant trois semaines sous peine de sanctions pécuniaires.

> Le délai de suspension n'empêche pas la réalisation d'une OPA ou OPE notifiée, à condition que l'acquéreur n'exerce pas les droits de vote attachés aux participations en cause ou ne les exerce, sur dérogation octroyée par la Commission, qu'en vue de sauvegarder la pleine valeur de son investissement.
>
> Les personnes ou entreprises qui réaliseraient l'opération de concentration sans respecter le délai de suspension ou qui contreviendraient à une charge imposée par la Commission en cas de dérogation s'exposent à une amende plafonnée à 10 % de leur chiffre d'affaires total.

Lorsque la Commission constate qu'une opération de concentration notifiée ne crée pas ou ne renforce pas une position dominante, elle prend une décision déclarant la concentration compatible avec le Marché commun.

À l'inverse elle peut, dans un délai maximal de quatre mois, déclarer la concentration incompatible avec le Marché commun ; si l'opération a déjà été réalisée elle peut ordonner toute mesure propre à rétablir une concurrence effective : séparation des entreprises, cessation du contrôle commun, etc.

> Les personnes ou entreprises qui se refuseraient à prendre les mesures ordonnées par la Commission s'exposent à une amende plafonnée à 10 % de leur chiffre d'affaires total. En outre, la Commission peut leur imposer une astreinte d'un montant maximal de 100 000 euros par jour de retard.

Ces décisions sont publiées au JOCE et peuvent faire l'objet d'un recours devant le tribunal de première instance des Communautés européennes.

Remarque. Le contrôle des opérations rentrant dans le champ d'application de ce règlement relève de la compétence exclusive de la Commission. Les États membres ne peuvent donc pas appliquer parallèlement leurs législations nationales à de telles opérations.

H — COMMISSION D'EXAMEN DES PRATIQUES COMMERCIALES
(Code de commerce art. L 440-1)

643-6. La commission d'examen des pratiques commerciales a pour but de permettre un meilleur équilibre des relations entre producteurs et revendeurs. Elle doit donner des *avis* ou formuler des *recommandations* sur les questions, les documents commerciaux ou publicitaires, y compris les factures et contrats couverts par un secret industriel et commercial, et les pratiques concernant les relations commerciales entre producteurs, fournisseurs et revendeurs qui lui seront soumis ; l'avis porte notamment sur la conformité au droit de la pratique ou du document dont elle est saisie.

La Commission peut également décider d'adopter une *recommandation* sur les questions dont elle est saisie et toutes celles entrant dans ses compétences, notamment celles portant sur le « développement de bonnes pratiques ».

Elle établit chaque année un rapport d'activité qu'elle transmet au gouvernement et aux assemblées parlementaires ; ce rapport est rendu public.

Section 3

Action des consommateurs

644. Dans le courant des années 1970, s'inspirant de l'action menée aux États-Unis par R. Nader, les consommateurs ont pris conscience qu'ils pouvaient faire valoir leur point de vue en se groupant (associations de consommateurs).

Les associations de consommateurs peuvent, notamment, agir en justice si elles sont régulièrement déclarées, ont pour objet statutaire explicite la défense des intérêts des consommateurs et sont agréées à cette fin.

1° Elles peuvent *demander des dommages-intérêts,* devant une juridiction civile ou répressive, *pour la réparation d'une infraction pénale causant un préjudice à l'intérêt collectif des consommateurs ;* il leur est en outre possible de demander au juge statuant sur cette action civile d'ordonner au défendeur ou au prévenu, le cas échéant sous astreinte, *la cessation des agissements illicites ou la suppression dans les contrats* ou les types de contrats proposés aux consommateurs *des clauses illicites.*

2° *Lorsqu'un consommateur introduit une action devant une juridiction civile* pour la réparation de faits non constitutifs d'une infraction pénale, les associations agréées peuvent *intervenir devant cette juridiction* et demander au juge, notamment, d'ordonner au défendeur la cessation des agissements illicites ou la suppression dans le contrat des clauses illicites.

3° Les associations agréées peuvent *demander à la juridiction civile* de faire cesser ou d'interdire tout agissement illicite au regard des dispositions nationales transposant un certain nombre de directives communautaires sur la consommation (publicité trompeuse et publicité comparative, crédit à la consommation, clauses abusives, etc.).

4° Les associations agréées et reconnues représentatives au niveau national peuvent agir au nom de consommateurs pour demander réparation des *préjudices individuels* qu'ils ont subis (action dite en représentation conjointe) si :
– les préjudices ont pour origine le même fait d'un même professionnel,
– les victimes sont des personnes physiques identifiées ayant donné un mandat écrit à l'association.

644-1. Les pouvoirs publics ont encouragé le consumérisme en créant un EPIC : l'*Institut national de la consommation* (INC) ayant pour objet de (décret 2001-300 du 4 avril 2001) :
– fournir un appui technique aux organisations de consommateurs ;
– regrouper, produire, analyser et diffuser des informations, enquêtes, études et essais ;
– mettre en œuvre des actions de formation et d'éducation sur les questions de consommation.

> L'INC dispose d'un droit de critique dont il peut user librement à condition que les informations publiées soient objectives et ne révèlent aucune intention de dénigrement systématique (tribunal administratif Paris, 14 décembre 1983 : BRDA 1984/4 p. 10).

Les pouvoirs publics cherchent aujourd'hui à développer la concertation entre les partenaires de la consommation ; ont ainsi été créés un Conseil national de la consommation, la Commission de sécurité des consommateurs et plusieurs organismes publics chargés d'assurer une veille sanitaire et de garantir la sécurité sanitaire des produits destinés à l'homme.

Chapitre II

L'appropriation de la clientèle

645. L'appropriation de la clientèle donne à l'entrepreneur un sentiment de sécurité. Mais comment lui reconnaître un tel droit ? L'ingéniosité des juristes y est parvenue en lui conférant non pas un droit de propriété sur les clients eux-mêmes – chose impossible de toute évidence – mais sur les éléments utilisés pour attirer ces clients. On a ainsi créé des droits à la clientèle, plutôt que des droits de clientèle ; mais la nuance technique n'a pas résisté à l'usage et il est devenu courant d'appeler ces droits des « droits de clientèle ».

Ces droits de clientèle sont nombreux et divers car plusieurs éléments entrent en jeu pour constituer une clientèle : par exemple, le nom de l'entrepreneur, l'emplacement de l'entreprise, l'usage d'un brevet d'invention, etc. Le rôle que joue chacun d'eux dans la constitution de la clientèle est reconnu par l'attribution d'un droit à user dudit élément : par exemple, le droit au nom, le droit au bail (de l'emplacement loué), le droit à l'invention, etc.

Mais ces différents droits sont aussi, très fréquemment, mis en valeur dans une exploitation où leur utilisation conjointe engendre par elle-même une clientèle globale. L'ensemble est alors appelé « fonds de clientèle », le plus connu de ces fonds étant le fonds de commerce fixant les clients d'un commerçant.

En conséquence, l'appropriation de la clientèle peut se faire soit par certains éléments de l'exploitation (section 1), soit par l'ensemble de l'exploitation elle-même (section 2).

Section 1

Appropriation de la clientèle par certains éléments de l'exploitation

I. Emplacement de l'entreprise

645-1. Un premier élément tout naturel de fixation de la clientèle tient au lieu où est installée l'exploitation. Le client a ses habitudes. L'entrepreneur qui développe une clientèle dans un lieu donné a donc un intérêt évident à conserver l'usage de ce lieu.

Lorsqu'il est **propriétaire** de cet emplacement, il est sûr d'en jouir à sa guise. Il court cependant une menace : l'expropriation ou la modification des lieux pour raison d'utilité publique (généralement sous l'effet des actions de rénovation urbaine, de déviation de routes, d'ouverture d'autoroutes). De tout temps, il a reçu, en cas d'expropriation, une indemnité ; mais la perte de la clientèle qui résulte de travaux d'aménagement urbains ne fait l'objet d'une compensation, sous la forme d'une aide financière, que depuis la « loi Royer » du 27 décembre 1973.

> Ainsi a-t-il été jugé que la création, par un district d'agglomération, d'un souterrain routier le long d'une rue, face au magasin de meubles appartenant au requérant ainsi que les divers aménagements de la voirie et de la circulation auxquels il a été procédé, ont eu pour effet, d'une part, de rendre impossibles les livraisons et enlèvements de meubles, les véhicules ne pouvant plus s'arrêter, même pour un court instant, devant le magasin, ni stationner à proximité, d'autre part, de détourner l'essentiel de la clientèle potentielle ; les opérations susmentionnées sont la seule cause de la baisse importante du chiffre d'affaires et des résultats constatés l'année suivante et ayant contraint le requérant à fermer son magasin ; elles ont engendré pour l'intéressé un préjudice revêtant un caractère anormal et spécial de nature à engager la responsabilité du district.
> Le dommage subi du fait de la fermeture de l'établissement comprend, en l'espèce, la valeur des éléments corporels et incorporels du fonds de commerce et le coût du transfert dans un autre établissement (CE 4 octobre 1989, Luciotti : Rec. p. 924).

Lorsque l'entrepreneur n'est que **locataire** de l'emplacement, les menaces sont beaucoup plus lourdes car le propriétaire peut ne pas renouveler le bail. Le statut des baux commerciaux le met à l'abri de ce risque.

A — RÈGLES PROPRES AUX BAUX COMMERCIAUX
(Code de commerce art. L 145-1 et s.)

645-1-1. Le statut des baux commerciaux est applicable aux locations remplissant les quatre conditions suivantes.

1° Les lieux loués sont des **locaux** fixes et déterminés.

> Jugé que tel est le cas de locaux commerciaux, situés dans un centre commercial, disposant d'une vitrine et d'une entrée indépendante (Civ. 3e, 24 janvier 1996 : RJDA 4/96 n° 464).
> Jugé, en revanche, que tel n'est pas le cas de simples aires de stationnement sans accès indépendant, séparées par des bandes de peinture tracées sur le sol d'autres aires louées à des tiers (Civ. 3e, 18 mars 1992 : Bull. III n° 94).

2° Ces biens appartiennent à des personnes physiques ou morales privées ou font partie du **domaine privé** de l'État, des départements, des communes ou des établissements publics.

> Le statut des baux commerciaux ne s'applique pas aux conventions ayant pour objet des biens dépendant du domaine public, même lorsque le bail est conclu entre deux personnes privées (Civ. 3e, 20 décembre 2000 : Bull. III n° 194).

3° Un **fonds de commerce ou un fonds artisanal y est exploité.**

> Le statut des baux commerciaux n'est donc pas applicable :
> – à un simple emplacement dans un supermarché lorsque le locataire ne dispose pas d'une clientèle propre (Civ. 3e, 24 janvier 1996 : RJDA 4/96 n° 464) ;
> – à des appartements sous-loués, une fois équipés, par une société entrepreneur de locations car ils constituent l'objet de l'activité de la société et non le lieu où elle exploite son fonds de commerce (Civ. 3e, 10 novembre 1993 : RJDA 1/94 n° 11).

4° Le locataire est un commerçant **immatriculé au registre du commerce et des sociétés** ou un artisan inscrit au **répertoire des métiers.**

Il est de jurisprudence constante qu'en cas de pluralité de locataires d'un local commercial ceux-ci ne peuvent bénéficier du statut des baux commerciaux que si tous sont inscrits au registre du commerce, sauf s'il s'agit d'époux communs en biens ou d'héritiers indivis.

Ce statut s'applique aussi aux baux des *locaux accessoires* si leur privation est de nature à compromettre l'exploitation du fonds et s'ils appartiennent au propriétaire du local ou de l'immeuble où est situé l'établissement principal.

La nécessité du local accessoire doit s'apprécier par rapport à l'exploitation du fonds de commerce sans tenir compte des possibilités de remplacement dont le locataire peut disposer par ailleurs (Civ. 3e, 7 février 1990 : Bull. III n° 43).

C'est au locataire qu'il appartient de démontrer que la privation du bail compromet l'exploitation du fonds (Civ. 3e, 27 février 1991 : RJDA 4/91 n° 280).

645-1-2. Ne sont pas soumis au statut des baux commerciaux :
– les locations saisonnières ;

La qualification de location saisonnière est contrôlée par la Cour de cassation. Ainsi jugé que des locations saisonnières constituent, en réalité, un bail unique soumis au statut lorsque le locataire est resté en possession des clés depuis la signature du premier bail, a souscrit des abonnements annuels pour le téléphone et l'électricité, que les relevés de ces services attestent de consommations pour les périodes situées en dehors de celles prévues aux baux, qu'il a souscrit une police d'assurance annuelle, engagé une employée par un contrat à durée indéterminée, que des livraisons ont été effectuées dans le local loué en dehors des périodes contractuelles convenues (Civ. 3e, 10 juin 1998 : RJDA 8-9/98 n° 953).

– les baux dérogatoires pouvant être conclus, lors de l'entrée dans les lieux du preneur, *pour une durée au plus égale à deux ans.* Toutefois, si, à l'expiration de ce délai, le locataire reste ou est laissé en possession des locaux, il s'opère un nouveau bail régi par le statut des baux commerciaux, même si le locataire n'était pas encore inscrit au registre de commerce à la date d'expiration du bail dérogatoire (Civ. 3e, 30 avril 1997 : RJDA 6/97 n° 756) ;
– les *conventions d'occupation précaire,* si la précarité est le reflet de la volonté réelle des parties et est justifiée par des données objectives.

Jugé que tel est le cas en raison de la situation transitoire de l'immeuble tenant à l'existence d'un projet de démolition (Civ. 3e, 6 novembre 1991 : RJDA 12/91 n° 1003) ou d'un litige mettant en cause le droit de propriété sur les locaux (Civ. 3e, 25 mai 1977 : Bull. III n° 220).

Ces conventions peuvent se prolonger et se renouveler sans changer de régime (Civ. 3e, 6 novembre 1991 : RJDA 12/91 n° 1003).

Durée du bail

645-2. La durée minimale d'un bail commercial est de neuf ans, le locataire ayant, à défaut de convention contraire, le droit de donner congé à l'expiration de chaque période triennale (bail dit « 3, 6, 9 »). Toutefois, le commerçant ou l'artisan âgé qui prend sa retraite, ou celui qui se retrouve handicapé, peut résilier son bail par anticipation ; cet avantage appartient aussi à la SARL (EURL) qu'il a constituée seul ou dont il est le gérant majoritaire depuis au moins deux ans.

Cession et sous-location du bail

645-3. La *cession* du bail commercial est soumise aux formalités exposées n° 278, à moins que le propriétaire ne l'ait acceptée sans équivoque. Les clauses du bail interdisant au locataire de céder son bail à l'acquéreur de son fonds de commerce ou de son entreprise sont réputées non écrites (nulles) mais la cession peut être soumise à des conditions restrictives.

> Les tribunaux admettent cependant la validité des clauses restrictives du droit de cession, telles :
> – une clause dite « de formalités » imposant, par exemple, la forme authentique de la cession ;
> – une clause d'agrément car tout refus peut être attaqué sur le fondement de l'abus de droit.

En outre, le commerçant ou l'artisan âgé qui prend sa retraite ou celui qui se retrouve handicapé peut céder son bail sans céder son fonds. Cet avantage appartient aussi à la SARL qu'il a constituée seul (EURL) ou dont il est le gérant majoritaire depuis au moins deux ans.

La *sous-location* est interdite sauf stipulation contraire du bail ou accord du propriétaire.

> Le fait pour un locataire commercial de mettre une partie des lieux loués à la disposition de l'un de ses employés, comme logement de fonctions, constitue une sous-location pouvant justifier la résiliation lorsqu'elle est prohibée par le bail (Civ. 3e, 12 décembre 1990 : RJDA 2/91 n° 93).

Destination des lieux

645-4. Si le bail commercial n'est pas conclu « tous commerces », le locataire doit exercer l'activité prévue au contrat. Il peut cependant opérer deux types de déspécialisation :

1° une *déspécialisation partielle* pour adjoindre à l'activité prévue au bail des activités connexes ou complémentaires, même si elles deviennent prépondérantes par rapport à l'activité ancienne (Civ. 3e, 24 octobre 1984 : Bull. III n° 174), par exemple ajouter un commerce de charcuterie à une boucherie.

> Le preneur doit aviser le propriétaire par un acte extrajudiciaire préalable à l'extension ; le bailleur a un délai de deux mois pour contester le caractère connexe et complémentaire de la nouvelle activité devant le tribunal de grande instance. À défaut d'accomplissement de cette formalité, le locataire reste tenu par les stipulations de son bail relatives à la destination des lieux (Civ. 3e, 6 novembre 1985 : JCP 1986 IV 27).

2° une *déspécialisation plénière* permettant l'exercice d'une ou de plusieurs activités différentes de celles prévues au bail, dans deux hypothèses.

a) Le locataire veut adapter son activité à la conjoncture économique et aux nécessités de l'organisation rationnelle de la distribution, lorsque les nouvelles activités sont compatibles avec la destination, les caractères et la situation de l'immeuble.

> Ainsi les juges ont-ils autorisé un locataire à transformer son commerce de pressing en restaurant, cette déspécialisation étant justifiée, d'une part, par les résultats financiers du pressing et l'évolution du commerce de nettoyage à sec dans le quartier et, d'autre part, par le fait que la restauration convenait au quartier, qui était touristique et où étaient implantés plusieurs hôtels. Il a en outre été relevé que l'activité envisagée n'était pas de nature à créer des nuisances disproportionnées avec celles qui existaient déjà (Civ. 3e, 24 juin 1992 : Bull. III n° 221).
>
> Le preneur doit signifier sa demande au bailleur par un acte extrajudiciaire ; le propriétaire doit faire connaître, dans un délai de trois mois, son refus ou son acceptation, le silence valant acceptation. En cas de désaccord, le conflit est tranché par le tribunal de grande instance, tout refus du bailleur devant être justifié par un motif grave et légitime.

Cette déspécialisation autorise le bailleur à demander au locataire le paiement d'une indemnité égale au montant du préjudice subi du fait du changement d'activité, ainsi que la modification du prix du bail au moment de la transformation.

b) Le titulaire d'un bail, partant à la retraite, désire céder son bail à un commerçant qui exercerait une activité différente de la sienne ; cette même faculté est ouverte aux locataires dans l'incapacité physique de poursuivre leur activité.

> Le locataire doit signifier son intention à son bailleur en précisant la nature de l'activité dont l'exercice est envisagé ainsi que le prix proposé ; le propriétaire a alors trois possibilités : donner son accord, exercer un droit de préemption en reprenant le bail au prix de cession indiqué dans la signification, ou saisir le tribunal pour contester le changement d'activité, cette dernière devant, en tout état de cause, être compatible avec la destination, les caractères et la situation de l'immeuble.

Cette déspécialisation bénéficiant au cessionnaire ne permet pas de modifier le prix du bail (Paris 3 décembre 1991 : RJDA 3/92 n° 224).

Prix du bail

645-5. 1° *Au départ,* le prix du bail est totalement libre.

> Le *pas-de-porte* ou « droit d'entrée » est une somme versée en capital par le locataire au bailleur lors de son entrée dans les locaux et qui reste définitivement acquise au bailleur. Il constitue, selon les circonstances, la contrepartie du droit au renouvellement du bail ou un supplément de loyer payé d'avance.

2° Le montant du loyer peut être révisé *tous les trois ans ;* le loyer révisé est fixé en tenant compte de la variation de l'indice trimestriel du coût de la construction intervenue depuis la dernière fixation, sauf s'il y a eu modification matérielle des facteurs locaux de commercialité ayant entraîné par elle-même une variation de plus de 10 % de la valeur locative ; le déplafonnement du loyer suppose que l'évolution des facteurs locaux de commercialité ait une incidence significative sur le commerce considéré (Civ. 3e, 16 juillet 1998 : Bull. III n° 166).

> La valeur locative est déterminée d'après les caractéristiques du local loué, la destination des lieux, les obligations respectives des parties, les facteurs locaux de commercialité et les prix couramment pratiqués dans le voisinage.
>
> Les facteurs locaux de commercialité dépendent principalement de l'intérêt que présente, pour le commerce considéré, l'importance de la ville, du quartier ou de la rue où il est situé, du lieu de son implantation, de la répartition des diverses activités dans le voisinage, des moyens de transport, de l'attrait particulier ou des sujétions que peut présenter l'emplacement pour l'activité considérée et des modifications que ces éléments subissent d'une manière durable ou provisoire.

Si le bail contient une *clause d'indexation* une révision judiciaire peut être demandée chaque fois que, par le jeu de cette clause, le loyer se trouve augmenté ou diminué de plus d'un quart par rapport au prix précédemment fixé. Cependant, le juge saisi de la demande doit adapter le jeu de la clause à la valeur locative que celle-ci soit inférieure ou supérieure au loyer choisi par les parties (Civ. 3e, 20 juillet 1994 : Bull. III, n° 152).

> Lorsqu'un bail commercial prévoit que le loyer comprend une partie fixe et une partie constituée par un pourcentage du chiffre d'affaires du locataire (« *clause-recettes* »), la fixation du loyer du bail renouvelé échappe aux dispositions du Code de commerce et n'est régie que par la convention des parties (Civ. 3e, 7 mars 2001 : Bull. III n° 29).

3° Au *renouvellement du bail,* le loyer doit correspondre à la valeur locative sans que la modification puisse être supérieure à la variation de l'indice national du coût de la construction constatée depuis la fixation initiale du loyer du bail expiré venant à renouvellement.

> Ce plafond constitue une limite maximale et n'a pas pour fonction de déterminer la valeur locative réelle ; les juges peuvent donc retenir un loyer inférieur au plafonnement (Civ. 3ᵉ, 5 février 1992 : RJDA 5/92 n° 435).

Toutefois cette règle de plafonnement est écartée :
– pour les baux expirés supérieurs à neuf ans ;

> Les baux dont la durée contractuelle est de neuf ans sont soumis à la règle du plafonnement lors de leur renouvellement, même s'ils se sont poursuivis par tacite reconduction au-delà de cette période faute de congé délivré par le bailleur ou de demande de renouvellement par le locataire six mois avant son expiration, ou par prorogation conventionnelle (Civ. 3ᵉ, 13 novembre 1997 : RJDA 1/98 n° 26).

– pour les terrains, les locaux à usage exclusif de bureaux ou les locaux construits en vue d'une seule utilisation (locaux monovalents) ;

> Le caractère monovalent d'un local s'apprécie au regard de l'objet du bail et non de l'usage qu'en fait le locataire (Cass. 3ᵉ civ. 22 janvier 1992 : RJDA 4/92 n° 327). Mais la Cour de cassation considère que l'affectation initiale n'est pas suffisante pour conférer la qualification de local monovalent ; il faut encore que le local ne soit pas susceptible d'être affecté à une autre destination sans transformations importantes et onéreuses (Civ. 3ᵉ, 29 avril 1998 : Bull. III n° 85). En revanche, si le bail autorise plusieurs activités, les locaux peuvent être considérés comme monovalents si ces activités ne peuvent être exercées de façon distincte.
>
> Ainsi jugé pour un hôtel-restaurant exploité dans des locaux aménagés de manière à constituer une exploitation unique concernant une même clientèle dont l'homogénéité renforce la complémentarité des activités, l'immeuble ne pouvant offrir d'autres possibilités d'utilisation rationnelle que celle visée au bail (Civ. 3ᵉ, 13 novembre 1997 : RJDA 1/98 n° 27).
>
> Jugé, en revanche, que tel n'est pas le cas d'un hôtel et d'un restaurant dans la mesure où ils ont des activités importantes et autonomes, disposent d'entrées distinctes dans l'immeuble ; le restaurant engendre un chiffre d'affaires élevé et a une clientèle extérieure à celle de l'hôtel (Civ. 3ᵉ, 30 septembre 1998 : RJDA 11/98 n° 1194).

– si la demande du propriétaire est justifiée par une modification **notable** des caractéristiques du local, de la destination des lieux, des obligations respectives des parties, des améliorations apportées au local par le bailleur ou des facteurs locaux de commercialité, même si cette modification est défavorable au locataire (Civ. 3ᵉ, 13 juillet 1999 : RJDA 10/99 n° 1053).

> Ainsi jugé pour :
> – l'installation d'un escalier mécanique débouchant juste devant les locaux loués et la création d'un parking à proximité dans un quartier dépourvu de places de stationnement en surface (Paris 14 septembre 1989 : BRDA 1989/22 p. 19) ;
> – l'ouverture d'une galerie marchande à proximité des locaux loués (Paris 15 septembre 1989 : BRDA 1989/22 p. 19) ;
> – l'adjonction de locaux accessoires ou de dépendances au local principal (Civ. 3ᵉ, 2 décembre 1992 : Bull. III n° 311).

Les litiges nés de l'application de ce plafonnement peuvent être soumis à une **commission départementale de conciliation** qui a deux mois pour rendre son avis, délai pendant lequel les tribunaux éventuellement saisis doivent surseoir à statuer.

B — DROIT AU RENOUVELLEMENT DU BAIL (« PROPRIÉTÉ COMMERCIALE »)

646. En principe, le locataire a le droit d'obtenir le *renouvellement* de son *bail* arrivé à expiration ou, *à défaut,* une indemnité, dite *« indemnité d'éviction »,* compensant le préjudice causé ; cet « achat de l'éviction » a reçu le nom de « propriété commerciale ».

Pour pouvoir bénéficier de ce droit, le locataire doit remplir les *trois conditions* suivantes :
– être un commerçant encore régulièrement *immatriculé au registre du commerce et des sociétés* ou un artisan encore inscrit *au répertoire des métiers*, à la date d'expiration du bail (Civ. 3e, 2 juin 1999 : RJDA 8-9/99 n° 896) ;

> Remarques :
> 1re Cette obligation s'apprécie à la date de délivrance du congé (Civ. 3e, 18 novembre 1998 : RJDA 1/99 n° 19).
> 2e Pour bénéficier du droit au renouvellement, les cotitulaires du bail doivent être tous inscrits au registre du commerce (Civ. 3e, 31 octobre 2000 : RJDA 1/01 n° 13).

– être *propriétaire du fonds* exploité dans les lieux ;
– avoir *exploité effectivement* ce fonds au cours des trois années précédant l'expiration du bail.

Toutefois, ce droit au renouvellement ne s'applique pas :
– aux baux de terrains nus, sauf si des constructions ont été édifiées avec l'accord du propriétaire et si un fonds y est exploité ;
– aux baux emphytéotiques ;
– aux baux nouveaux conclus par un tuteur ou un administrateur légal (Code civil art. 456, al. 3) ;
– aux baux consentis à des étrangers, non assimilés aux nationaux ou ressortissants d'un pays n'offrant pas aux Français les avantages d'une législation analogue.

646-1. Le bailleur doit faire connaître sa décision sur le renouvellement du bail – en termes juridiques *« donner congé »* –, par acte extrajudiciaire, suivant les usages locaux et au moins six mois avant la fin du bail.

À défaut de congé du propriétaire, le locataire désireux d'obtenir le renouvellement du bail doit en faire la demande, par acte extrajudiciaire, dans les six mois précédant l'expiration du bail.

Remarque : Contrairement à une idée communément répandue, *en l'absence d'un* tel *congé* ou d'une demande de renouvellement émanant du locataire, *le bail* se poursuit au-delà de la durée initialement prévue ; il *devient à durée indéterminée* et chaque partie peut alors donner congé ou demander le renouvellement à tout moment sous réserve de respecter un délai de préavis de six mois (Civ. 3e, 27 janvier 1999 : RJDA 3/99 n° 261).

646-2. Le propriétaire ne peut refuser le renouvellement du bail sans verser d'indemnité d'éviction que dans trois hypothèses :

1° Il a un *motif grave et légitime* contre le locataire ou le gérant libre que ce dernier a introduit dans les lieux (Civ. 3e, 29 mai 1991 : RJDA 8-9/91 n° 693) ; toutefois, s'il s'agit de l'inexécution d'une obligation ou de la cessation sans raison sérieuse et légitime de l'exploitation du fonds, le manquement commis par le locataire ne peut être invoqué que s'il s'est poursuivi ou renouvelé plus d'un mois après une mise en demeure, par acte extrajudiciaire, restée infructueuse.

> Toute extension de la destination des lieux, même limitée à une activité connexe ou complémentaire, réalisée sans l'autorisation préalable du bailleur ou, à défaut, du tribunal constitue un tel motif grave et légitime (Civ. 3e, 24 octobre 1990 : Bull. III n° 197).

Toute clause prévoyant la résiliation de plein droit à défaut de paiement du loyer ne produit d'effet qu'un mois après un commandement de payer demeuré infructueux ; toutefois, le locataire peut solliciter un délai de grâce pour s'acquitter, la clause résolutoire ne jouant pas si le locataire se libère dans les conditions fixées par le juge.

2° L'*immeuble doit être démoli* totalement ou partiellement *pour cause d'insalubrité* ou il ne peut être occupé sans danger en raison de son état.

> Néanmoins, le propriétaire ne peut pas invoquer ces dispositions lorsque l'état de péril lui est imputable, des travaux de confortation indispensables qui auraient pu être effectués à un coût raisonnable ne l'ayant pas été en raison de sa négligence et de celle des propriétaires antérieurs (Civ. 3ᵉ, 24 octobre 1990 : Bull. III n° 196).

> En cas de reconstruction, si le nouvel immeuble comporte des locaux commerciaux, le locataire a un droit de priorité pour prendre à bail ces locaux.

> Si la reconstruction n'est pas rendue indispensable par l'état de l'immeuble, le propriétaire doit verser au locataire une indemnité d'éviction sauf s'il lui offre un local correspondant à ses besoins et possibilités, situé à un emplacement équivalent.

3° La reprise, limitée aux locaux d'habitation accessoires des locaux commerciaux est faite pour permettre, au moins pendant six ans, l'habitation du propriétaire ou celle de son conjoint, ses ascendants, ses descendants ou ceux de son conjoint, à condition que le bénéficiaire de la reprise ne dispose pas d'un logement suffisant.

Cette reprise est exclue lorsque le locataire établit que la privation de jouissance des locaux d'habitation apporte un trouble grave à l'exploitation du fonds ou lorsque les locaux commerciaux et d'habitation forment un tout indivisible.

646-3. À défaut, le locataire peut obtenir une *indemnité d'éviction égale au préjudice causé par le non-renouvellement :* frais de déménagement, diminution de la valeur du fonds et, au pire, si le refus de renouvellement emporte disparition du fonds, la valeur marchande du fonds augmentée des frais de déménagement et de réinstallation et des frais et droits de mutation à payer pour un fonds de même valeur.

> Le préjudice doit être apprécié à la date la plus proche de l'éviction ; ainsi, lorsqu'elle n'est pas encore réalisée, les juges doivent se placer à la date à laquelle ils statuent (Civ. 3ᵉ, 19 juin 1991 : RJDA 8-9/91 n° 694).

> Le préjudice constitue la limite de l'indemnité ; en conséquence, lorsque, au jour de son départ volontaire, le locataire n'exerce plus aucune activité dans les locaux loués et que cette situation ne résulte pas d'une contrainte extérieure, il ne justifie d'aucun préjudice et perd son droit à indemnité (Civ. 3ᵉ, 10 février 1999 : RJDA 4/99 n° 386).

Cette indemnité peut être fixée soit d'un commun accord entre bailleur et locataire, soit par les juges.

1° Le bailleur peut offrir à son locataire une indemnité d'éviction et il ne peut pas revenir sur son offre une fois qu'elle a été acceptée par le locataire, sauf :
– s'il établit que les conditions du droit au renouvellement ne sont pas remplies (Civ. 3ᵉ, 9 octobre 1991 : RJDA 12/91 n° 1005) ;
– s'il invoque un motif de refus de renouvellement né postérieurement au congé ou dont il n'a eu connaissance qu'après la délivrance du congé.

2° À défaut d'accord entre les parties, le tribunal de grande instance doit, à peine de forclusion, être saisi avant l'expiration d'un délai de deux ans à compter de la date d'effet du congé refusant le renouvellement.

Le propriétaire peut, toutefois, revenir sur sa décision de refuser le renouvellement du bail et se soustraire ainsi au paiement de l'indemnité d'éviction (droit de « repentir »), en supportant les frais du procès, si le locataire est encore dans les lieux et n'a pas déjà loué ou acheté un autre immeuble destiné à sa réinstallation.

> Pour faire échec au droit de repentir, l'acte invoqué à l'appui de la location ou de l'achat d'un autre local par le locataire doit engager celui-ci de manière définitive (Civ. 3e, 16 février 2000 : RJDA 4/00 no 387).

II.   Droits d'auteur

(Code de la propriété intellectuelle art. L 111-1 et s.)

648. Toute *personne physique* qui a *créé une œuvre de l'esprit originale,* c'est-à-dire portant la marque de son apport intellectuel, jouit sur cette œuvre, *de ce seul fait et sans formalité,* d'un droit de propriété incorporelle exclusif et opposable à tous (droit d'auteur) lui permettant :
– de faire respecter l'intégrité de ses œuvres, son nom et sa qualité en tant qu'auteur de celles-ci *(droit moral).*

> La vocation utilitaire du bâtiment commandé à un architecte interdit à celui-ci de prétendre imposer une intangibilité absolue de son œuvre, à laquelle son propriétaire est en droit d'apporter des modifications lorsque se révèle la nécessité de l'adapter à des besoins nouveaux.
> Néanmoins, il appartient à l'autorité judiciaire d'apprécier si ces altérations de l'œuvre architecturale sont légitimées, eu égard à leur nature et à leur importance, par les circonstances qui ont contraint le propriétaire à y procéder (Civ. 1re, 7 janvier 1992 : Bull. I no 7).

– d'exploiter cette œuvre sous quelque forme que ce soit et d'en tirer un profit pécuniaire *(droit patrimonial).*
Les droits des auteurs sont protégés sur toutes les œuvres de l'esprit, quels qu'en soient le genre, la forme d'expression, le mérite ou la destination.

> Sont considérés notamment comme œuvre de l'esprit :
> – les livres, brochures et autres écrits,
> – les conférences, allocutions, sermons, plaidoiries et autres œuvres de même nature,
> – les œuvres dramatiques ou dramatico-musicales,
> – les œuvres chorégraphiques, les numéros et tours de cirque, les pantomimes,
> – les compositions musicales avec ou sans paroles,
> – les œuvres cinématographiques et audiovisuelles,
> – les dessins, peintures, architectures, sculptures, gravures, lithographies,
> – les œuvres graphiques et typographiques,
> – les œuvres photographiques,
> – les œuvres des arts appliqués,
> – les illustrations, les cartes géographiques,
> – les plans, croquis et ouvrages plastiques relatifs à la géographie, à la topographie, à l'architecture et aux sciences,
> – les logiciels y compris le matériel de conception préparatoire,
> – les créations des industries saisonnières de l'habillement et de la parure.

Ils sont très importants dans la vie des affaires : ils sont le support des activités de reproduction, d'édition d'œuvres littéraires ou artistiques, de conception de logiciels et ils couvrent les créations de mode et de la publicité commerciale (protection des dessins, affiches et slogans).

648-1. Le droit d'exploiter l'œuvre appartient à l'auteur pendant toute sa vie et persiste, au profit des héritiers, pendant l'année civile du décès et les ***soixante-dix années*** qui suivent.

Pour les ***œuvres de collaboration,*** c'est-à-dire celles à la création desquelles ont concouru plusieurs personnes physiques, l'année civile prise en considération est celle de la mort du dernier vivant des collaborateurs.

Pour les ***œuvres audiovisuelles,*** l'année prise en considération est celle du décès du dernier des collaborateurs suivants : l'auteur du scénario, l'auteur du texte parlé, l'auteur des compositions musicales avec ou sans paroles spécialement réalisées pour l'œuvre et le réalisateur principal.

Pour les ***œuvres pseudonymes, anonymes*** ou ***collectives*** – une œuvre collective est celle qui est créée sur l'initiative d'une personne physique ou morale qui l'édite, la publie, la divulgue sous sa direction et son nom et dans laquelle la contribution personnelle des divers auteurs participant à son élaboration se fond dans l'ensemble en vue duquel elle est conçue, sans qu'il soit possible d'attribuer à chacun d'eux un droit distinct sur l'ensemble réalisé – la période de protection de soixante-dix ans court à compter du 1er janvier de l'année suivant celle où l'œuvre a été publiée, sous réserve des précisions suivantes :
– en cas de publication échelonnée, le délai court à compter du 1er janvier de l'année qui suit la date de publication de chaque élément ;
– lorsque les auteurs se sont fait connaître, le régime de droit commun est applicable ;
– les œuvres pseudonymes, anonymes ou collectives publiées plus de soixante-dix ans après leur création tombent dans le domaine public et perdent donc tout droit à protection. Toutefois, en cas de divulgation après cette période, le propriétaire de l'œuvre – par voie successorale ou autre – qui la publie (ou la fait publier) jouit d'un droit exclusif pendant vingt-cinq ans à compter du 1er janvier de l'année suivant celle de la publication.

Pour les ***œuvres posthumes,*** la durée de protection du droit exclusif est de soixante-dix ans à compter du 1er janvier de l'année qui suit le décès de l'auteur. En cas de divulgation postérieure, elle est de vingt-cinq ans à compter du 1er janvier de l'année suivant celle de la publication.

Ce droit est protégé par la répression du délit de ***contrefaçon.***

Sont cependant autorisées les représentations privées et gratuites effectuées exclusivement dans un cercle de famille, les reproductions à usage privé, les analyses et courtes citations, les revues de presse, les informations d'actualité, les parodies, pastiches et caricatures, les reproductions d'œuvres d'art graphiques ou plastiques destinées à figurer dans le catalogue d'une vente aux enchères publiques effectuée en France par un officier public ou ministériel.

La contrefaçon est caractérisée par la reproduction, la représentation ou l'exploitation d'une œuvre de l'esprit en violation des droits de son auteur ; elle existe indépendamment de toute bonne ou mauvaise foi du contrefacteur (Civ. 1re, 16 février 1999 : RJDA 5/99 n° 617).

648-2. Les documents imprimés, graphiques, photographiques, sonores, audiovisuels, multimédias, quel que soit leur procédé technique de production, d'édition ou de diffusion, font l'objet d'un dépôt obligatoire, dénommé ***dépôt légal,*** dès lors qu'ils sont mis à la disposition d'un public.

Les progiciels, les bases de données, les systèmes experts et les autres produits de l'intelligence artificielle sont soumis à l'obligation de dépôt légal dès lors qu'ils sont mis à la disposition du public par la diffusion d'un support matériel, quelle que soit la nature de ce support.

Sur l'organisation de ce dépôt légal, voir la loi n° 92-546 du 20 juin 1992.

III. Droits voisins du droit d'auteur

(Code de la propriété intellectuelle art. L 211-1 et s.)

648-3. Le Code de la propriété intellectuelle reconnaît aux artistes-interprètes, aux producteurs de phonogrammes ou de vidéogrammes et aux entreprises de communication audiovisuelle des droits voisins du droit d'auteur.

Ces droits ne peuvent **pas** porter **atteinte** aux **droits d'auteur.** Leur durée est de **cinquante années** à compter du 1er janvier de l'année civile suivant celle :
– de l'interprétation pour les artistes-interprètes ;
– de la première fixation d'une séquence de son pour les producteurs de phonogrammes et d'une séquence d'images sonorisée ou non pour les producteurs de vidéogrammes ;
– de la première communication au public des programmes pour les entreprises de communication audiovisuelle.

L'**artiste-interprète** (ou exécutant) est la personne qui représente, chante, récite, déclame, joue ou exécute de toute autre manière une œuvre littéraire ou artistique, un numéro de variétés, de cirque ou de marionnettes. Il dispose du **droit d'autoriser,** moyennant rémunération, ou de refuser, la **fixation de** sa **prestation,** sa **reproduction** et sa **communication au public,** ainsi que toute utilisation séparée du son et de l'image de la prestation lorsque celle-ci a été fixée à la fois pour le son et l'image.

Il bénéficie, en outre, d'un « **droit moral** » au respect de son nom, de la qualité et de son interprétation. Ce droit est transmissible à ses héritiers pour la protection de son interprétation et de sa mémoire.

Le **producteur** de **phonogrammes** a l'initiative et la responsabilité de la première fixation d'une séquence de son ; il dispose du **droit d'autoriser,** moyennant rémunération, ou de refuser **la reproduction,** la **mise à disposition du public** par la vente, l'échange ou le louage, ou la communication au public de son phonogramme.

Le **producteur de vidéogrammes** a l'initiative et la responsabilité de la première fixation d'une séquence d'images sonorisée ou non ; il dispose des mêmes droits s'agissant de son vidéogramme que le producteur de phonogrammes.

Les **entreprises de communication audiovisuelle** disposent du **droit d'autoriser,** moyennant rémunération, ou de refuser la **reproduction de leurs programmes,** ainsi que leur mise à disposition du public, leur télédiffusion et leur communication au public dans un lieu accessible à celui-ci moyennant paiement d'un droit d'entrée.

IV. Protection des bases de données

(Code de la propriété intellectuelle art. L 341-1 et s.)

648-4. Les *bases de données* sont des recueils d'œuvres, de données ou d'autres éléments indépendants, disposés de manière systématique ou méthodique, et individuellement accessibles par des moyens électroniques ou par tout autre moyen.

Leurs auteurs jouissent d'un **droit d'auteur sur** leur **structure** lorsque le choix ou la disposition des matières constitue une création intellectuelle originale.

Leurs **producteurs**, entendus comme les personnes ayant pris l'initiative et le risque des investissements correspondants, bénéficient d'un droit de **protection du contenu** de la base lorsque la constitution, la vérification ou la présentation de celui-ci atteste d'un investissement financier, matériel ou humain substantiel.

Ce droit leur permet d'interdire :

– l'**extraction** de la totalité ou d'une partie qualitativement ou quantitativement substantielle du contenu de la base sur un autre support, par tout moyen et sous toute forme que ce soit ;

– la **réutilisation**, quelle qu'en soit la forme (notamment par distribution d'exemplaires, location ou transmission en ligne), par mise à disposition du public de la totalité ou d'une partie qualitativement ou quantitativement substantielle du contenu de la base.

> Ces droits d'extraction et de réutilisation peuvent être transmis ou cédés, ou faire l'objet d'une licence.
>
> En revanche, l'extraction à des fins privées d'une partie qualitativement ou quantitativement substantielle du contenu d'une base de données non électronique est autorisée, sous réserve des droits d'auteur sur les œuvres incorporées dans la base.
>
> En ce qui concerne les parties quantitativement ou qualitativement non substantielles du contenu de la base de données, le titulaire des droits ne peut pas empêcher la personne ayant valablement accès à la base de les utiliser ; toute clause contraire serait nulle. Toutefois, il retrouve ses droits lorsque l'extraction ou la réutilisation répétée et systématique de ces parties excède manifestement les conditions d'utilisation normale de la base.

Les droits du producteur expirent **quinze ans** après le 1er janvier de l'année civile suivant l'achèvement de la base. Tout nouvel investissement substantiel, même réalisé progressivement, entraîne une prolongation de la durée de protection pour une nouvelle période de quinze ans expirant le 1er janvier de l'année suivant la date d'achèvement de ce nouvel investissement.

Toute personne portant atteinte aux droits du producteur encourt deux ans d'emprisonnement et 150 000 € d'amende (le double en cas de récidive ou si le délinquant est ou a été lié à la partie lésée par convention).

V. Appellations d'origine et indications géographiques

(Code de la consommation art. L 115-5 et s.)

649. L'*appellation d'origine* est la dénomination d'un pays, d'une région ou d'une localité servant à désigner un produit qui en est originaire et dont la qualité ou les caractères sont dus au milieu géographique, comprenant des facteurs naturels (qualité des sols, climat) et des facteurs humains (méthodes de culture, de fabrication, de conservation).

> La production, la transformation et l'élaboration du produit doivent avoir lieu dans l'aire géographique délimitée.

L'appellation d'origine est donc un signe distinctif de **qualité** et un **droit collectif** appartenant à tous les exploitants du milieu géographique délimité.

Elle est reconnue :

– aux **produits agricoles ou alimentaires**, ayant une notoriété dûment établie, après une procédure de reconnaissance effectuée en France par décret sur proposition de l'Institut national des appellations d'origine (INAO) (**appellation d'origine contrôlée** ou **AOC**), et dans l'Union européenne par la Commission des Communautés européennes (**appellation d'origine protégée** ou **AOP**) ;

– aux autres produits, en France, par voie judiciaire ou par décret, par exemple les toiles de Cholet ou les dentelles du Puy.

En France, l'appellation d'origine ne peut jamais être considérée comme présentant un caractère générique et tomber dans le domaine public.

> Cette disposition a pour objet d'éviter que la dénomination perde tout lien avec son origine géographique et devienne générique, comme le sont devenues, par exemple, les appellations « moutarde de Dijon », « eau de Javel » ou « savon de Marseille ».

En outre, le **nom géographique** qui constitue l'appellation d'origine ou toute autre mention l'évoquant ne peuvent être employés pour aucun produit similaire, ni pour aucun autre produit ou service lorsque cette utilisation est susceptible de détourner ou d'affaiblir la notoriété de l'appellation.

649-1. L'appellation d'origine doit être distinguée des signes distinctifs suivants :

– l'**indication géographique protégée** (IGP) ; il s'agit du nom d'un lieu déterminé qui sert à désigner un produit agricole ou une denrée alimentaire originaire de ce lieu dont une qualité déterminée, la réputation ou une autre caractéristique peut être attribuée à cette origine géographique et dont la production et/ou la transformation et/ou l'élaboration ont lieu dans l'aire géographique déterminée ; seuls des produits ayant obtenu un label ou une certification de conformité peuvent bénéficier d'une IGP ;

– les **marques individuelles** servant à désigner les produits ou services d'une entreprise déterminée et appartenant à cette dernière ; en outre, elles ne garantissent pas la qualité d'un produit par référence à des critères objectifs ; les **marques collectives,** comme les **labels,** attestent qu'un produit possède des qualités spécifiques préalablement fixées, résultant essentiellement des conditions particulières de production et de fabrication mais qui n'ont pas nécessairement un lien avec l'origine géographique ;

– les **certificats de conformité** délivrés aux produits conformes à des caractéristiques préalablement fixées portant sur leur fabrication, leur transformation ou leur conditionnement et qui, contrairement aux labels et aux appellations d'origine, ne sont pas des signes indiquant une qualité particulière ;

– les **attestations de spécificité,** noms de produits agricoles ou alimentaires figurant au registre des attestations de spécificité tenu par la Commission européenne à condition :

• d'être fabriqués à partir de matières premières traditionnelles ;

• d'avoir une composition traditionnelle ;

• d'avoir un mode de production et/ou de transformation traditionnel.

649-3. L'usage frauduleux d'une appellation d'origine ou d'une indication géographique protégée est *sanctionné pénalement.*

649-4. Les appellations d'origine sont protégées internationalement soit par des accords bilatéraux, soit par l'arrangement de Lisbonne (31 octobre 1958) liant une vingtaine d'États et protégeant, sur le territoire de chacun des signataires, les appellations des autres pays dûment enregistrées à l'OMPI (Organisation mondiale de la propriété intellectuelle).

L'arrangement de Madrid du 14 avril 1891, révisé et complété depuis, lie 32 États s'engageant à réprimer sur leurs territoires respectifs les indications de provenance fausses ou fallacieuses.

VI.   Propriété industrielle

A —   BREVETS D'INVENTION
(Code de la propriété intellectuelle art. L 611-1 et s.)

650. Le *brevet* est un titre délivré par l'Institut national de la propriété industrielle (INPI) conférant à son titulaire le droit exclusif d'exploiter une invention pendant vingt ans non renouvelables.

> Au lieu de demander un brevet, l'inventeur peut opter pour un *certificat d'utilité* dont la durée de vie est limitée à six ans non renouvelables.
>
> Un *certificat complémentaire de protection* peut être délivré au propriétaire d'un brevet ayant pour objet un médicament ou un autre produit utilisé pour la réalisation d'une spécialité pharmaceutique faisant l'objet d'une autorisation de mise sur le marché (AMM) et il peut être obtenu pour la partie du brevet correspondant à cette spécialité. Le certificat confère à son titulaire un monopole d'exploitation pendant sept ans à compter de l'expiration du brevet auquel il se rattache sans pouvoir excéder dix-sept ans à compter de la délivrance de l'AMM.
>
> La topographie finale ou intermédiaire d'un *produit semi-conducteur* traduisant un effort intellectuel du créateur peut, à moins qu'elle ne soit courante, faire l'objet d'un dépôt conférant la protection prévue par les articles L 622-1 à L 622-7 du Code de la propriété intellectuelle.
> N'est pas brevetable mais peut faire l'objet d'un certificat d'*obtention végétale* conférant un monopole d'exploitation, une variété nouvelle, créée ou découverte :
> – qui se différencie des variétés analogues déjà connues par un caractère important, précis et peu fluctuant, ou par plusieurs caractères dont la combinaison est de nature à lui donner la qualité de variété nouvelle ;
> – qui est homogène pour l'ensemble de ses caractères ;
> – qui demeure stable, c'est-à-dire identique à sa définition initiale à la fin de chaque cycle de multiplication.

650-1. Pour être brevetable une *invention* doit remplir trois conditions.

1° Elle doit être *nouvelle,* c'est-à-dire non accessible au public avant la date du dépôt de la demande de brevet par une description écrite ou orale, un usage ou tout autre moyen.

2° Elle doit résulter d'une *activité inventive,* c'est-à-dire, pour un homme de métier, ne pas résulter d'une manière évidente de l'état de la technique.

3° Elle doit être susceptible d'une *application industrielle* c'est-à-dire que son objet doit pouvoir être fabriqué ou utilisé dans tout genre d'industrie, y compris l'agriculture.

> Ne sont donc brevetables ni les découvertes, ainsi que les théories scientifiques et mathématiques, ni les créations esthétiques ni les plans, principes et méthodes dans l'exercice d'activités intellectuelles, en matière de jeu ou dans le domaine des activités économiques, ni les programmes d'ordinateurs, ni les présentations d'informations, ni les méthodes de traitement chirurgical du corps humain ou animal, ni les méthodes de diagnostic appliquées au corps humain et animal, ni les obtentions végétales, ni les races animales.

650-2. Le demandeur doit déposer un dossier comportant :
– une requête en délivrance de brevet d'invention,
– une *description* de l'invention, accompagnée, le cas échant, de dessins,
– une ou plusieurs *revendications* définissant l'étendue de la protection demandée,
– un abrégé du contenu technique de l'invention.

L'INPI assure la *publication* du dossier au terme d'un délai de dix-huit mois à compter de sa date de dépôt ou, sur simple requête du demandeur, avant l'expiration de ce délai.

> Cette publication s'opère par mention au Bulletin officiel de la propriété industrielle, par mise à la disposition du public du texte intégral ou par diffusion grâce à une banque de données ou à la distribution de supports informatiques.

650-3. La demande de brevet donne lieu à l'établissement d'un *rapport de recherche* sur les éléments de l'état de la technique qui peuvent être pris en considération pour apprécier la brevetabilité de l'invention.

Ce rapport de recherche n'est pas requis pour le certificat d'utilité.

Le brevet (ou le certificat d'utilité) est délivré sur décision du directeur de l'INPI après paiement de diverses taxes.

650-4. Le titulaire du brevet est l'*inventeur.*

> Les inventions faites par le salarié dans l'exécution soit d'un contrat de travail comportant une mission inventive qui correspond à ses fonctions effectives, soit d'études et de recherches qui lui sont explicitement confiées, appartiennent à l'employeur ; toutefois, ce salarié bénéficie obligatoirement d'une rémunération supplémentaire.
> Les autres inventions appartiennent au salarié ; toutefois, lorsqu'une invention est faite par un salarié, soit dans le domaine des activités de l'entreprise, soit par la connaissance ou l'utilisation de techniques ou de moyens spécifiques à l'entreprise ou de données procurées par elle, l'employeur a le droit de se faire attribuer la propriété ou la jouissance de tout ou partie des droits attachés au brevet protégeant l'invention. Le salarié doit en obtenir un juste prix qui, à défaut d'accord entre les parties, est fixé par une commission de conciliation ou par le tribunal de grande instance (Code de la propriété intellectuelle art. L 611-7-1 et 2).

Il a le *droit exclusif* d'exploiter l'invention pendant une durée maximale de *vingt ans* (six ans pour le certificat d'utilité), sauf déchéance pour défaut de paiement des taxes annuelles.

> Le breveté peut être restauré dans ses droits si, dans les trois mois qui suivent la notification de la décision constatant la déchéance, il justifie d'une excuse légitime du non-paiement de la taxe annuelle.

Ce droit est protégé par une action en *contrefaçon* permettant d'engager la responsabilité civile et pénale du contrefacteur.

650-5. Ce droit peut être cédé ou faire l'objet d'une *licence,* contrat par lequel le titulaire du brevet concède à une personne la jouissance de son droit d'exploitation moyennant une redevance.

La licence peut être *simple,* le breveté conservant le droit d'exploiter lui-même ou de concéder d'autres licences à d'autres personnes ; elle peut aussi être *exclusive.*

> Il existe, toutefois, des :
> – *licences obligatoires,* lorsque le breveté n'a pas commencé à exploiter ou fait des préparatifs effectifs et sérieux pour exploiter l'invention sur le territoire d'un État membre de la CE, ou n'a pas commercialisé le produit objet du brevet en quantité suffisante pour satisfaire aux besoins du marché français, ou lorsque l'exploitation ou la commercialisation en France a été abandonnée depuis plus de trois ans ;
> – *licences d'office* pour les médicaments fabriqués en quantité insuffisante ou à des prix anormalement élevés, pour les inventions répondant aux besoins de la défense nationale et pour celles dont l'absence ou l'insuffisance d'exploitation porte gravement préjudice au développement économique et à l'intérêt public ;
> – *licences de droit* (non exclusives) en cas d'offre publique d'exploitation.

650-6. La *protection internationale* des brevets est assurée par trois traités :

1° La *Convention de Paris* du 20 mars 1883, dite convention d'Union de Paris, accorde aux ressortissants d'un pays de l'Union, dans les douze mois qui suivent la délivrance d'un brevet d'invention, un droit de priorité pour déposer une demande dans les autres pays avec les mêmes droits que les nationaux.

2° Le *Traité de coopération en matière de brevet (CPCT)* [Washington 19 juin 1970] autorise le dépôt d'une demande internationale unique indiquant les pays concernés. Une recherche internationale de l'état de la technique est alors effectuée mais chaque État est libre de suivre ou non les conclusions de l'avis de brevetabilité et le brevet délivré demeure un *brevet national.*

3° La Convention de Munich (6 octobre 1973) est un arrangement particulier de l'Union de Paris pour les pays de l'Europe de l'Ouest. Elle permet de déposer une demande de brevet européen auprès de l'*Office européen des brevets* (OEB) dont le siège est à Munich, (l'INPI assurant la transmission). Le brevet européen n'est pas un titre unique mais il éclate en autant de brevets nationaux que le déposant en a demandé.

> La convention de Luxembourg (15 décembre 1975, modifiée le 15 décembre 1989), prévoyant la délivrance d'un brevet communautaire, n'est pas encore entrée en vigueur.

650-7. *Remarque :* L'INPI met à la disposition des intéressés des enveloppes doubles, dites *enveloppes Soleau,* perforées mécaniquement à leur arrivée au numéro et à la date d'enregistrement. Les deux compartiments sont alors séparés, l'un étant conservé par l'INPI, cinq ou dix ans, et l'autre renvoyé, en recommandé, au déposant. Ceci ne permet pas d'acquérir un droit de propriété industrielle mais apporte une preuve commode et peu coûteuse (environ 10 € l'enveloppe) de la date d'une création.

> Il est déposé plus de 10 000 enveloppes par an.

B — DESSINS ET MODÈLES
(Code de la propriété intellectuelle art. L 511-1 et s.)

651. Peut être protégée à titre de dessin ou modèle *l'apparence d'un produit,* ou d'une partie de produit, caractérisée en particulier par ses lignes, ses contours, ses couleurs, sa forme, sa texture ou ses matériaux. Ces caractéristiques peuvent être celles du produit lui-même ou de son ornementation.

> Les produits concernés sont tous les objets industriels ou artisanaux, y compris les pièces conçues pour être assemblées en un produit complexe, les emballages, les présentations, les symboles graphiques et les caractères typographiques, à l'*exclusion* toutefois *des programmes d'ordinateur.*

Cette protection est subordonnée à deux *conditions* : la *nouveauté*, le *caractère propre*.

Un dessin ou modèle est considéré comme nouveau si, à la date du dépôt de la demande d'enregistrement ou à la date de la priorité revendiquée, aucun dessin ou modèle identique, ou ne différant que par des détails insignifiants, n'a été divulgué.

Un dessin ou modèle a un caractère propre lorsque l'impression visuelle d'ensemble qu'il produit sur un utilisateur averti diffère de celle que produit, sur cette même personne, tout dessin ou modèle divulgué antérieurement.

Précisions. Les *pièces de produits complexes*, ayant vocation à être démontées et remontées ou remplacées, ne sont protégeables que si elles remplissent individuellement les conditions de protection et si elles restent visibles lors d'une utilisation normale par l'utilisateur final ; ainsi les pièces d'une automobile placées sous le capot ne peuvent pas faire l'objet d'une protection.

Ne sont *pas* susceptibles *de protection* :

– l'apparence dont les *caractéristiques* sont exclusivement *imposées par la fonction* technique du produit ;

– les *produits d'interconnexion* dont la forme est conçue pour s'adapter exactement à un autre produit de manière à ce que chaque produit puisse remplir sa fonction ;

– les dessins ou modèles contraires à l'ordre public ou aux bonnes mœurs.

651-1. La *protection* d'un dessin ou modèle *s'acquiert par l'enregistrement* à l'Institut national de la propriété industrielle (INPI).

Cette protection peut se *cumuler avec* celle des *droits d'auteur* dès lors que le dessin ou le modèle est *original*. En revanche, lorsque le dessin ou le modèle constitue en même temps une invention brevetable et que les éléments constitutifs de sa nouveauté sont inséparables de ceux de l'invention, il ne peut être protégé que par le brevet d'invention.

651-2. L'enregistrement d'un dessin ou modèle produit ses effets, à compter de la date du dépôt de la demande, pour une période de *cinq ans*, qui peut être prorogée par périodes de cinq ans jusqu'à un *maximun* de *vingt-cinq ans* à compter de la date de dépôt.

> **Précisions.** Les dessins ou modèles déposés avant le 1er octobre 2001 restent protégés, sans prorogation possible, pour une période de vingt-cinq ans à compter de leur date de dépôt. Les dessins ou modèles dont la protection a été prorogée, avant le 1er octobre 2001, pour une nouvelle période de vingt-cinq ans restent protégés jusqu'à l'expiration de cette période.

L'enregistrement d'un dessin ou modèle confère à son titulaire un *droit de propriété* qu'il peut céder ou concéder.

Tout acte modifiant ou transmettant les droits attachés à un dessin ou modèle déposé n'est opposable aux tiers que s'il a été inscrit dans un registre public, dit registre national des dessins et modèles.

651-3. Le règlement 6/2002 du 12 décembre 2001 a créé le *dessin ou modèle communautaire*, titre unitaire produisant les mêmes effets dans l'ensemble de la Communauté.

> Le règlement a prévu deux modes de protection :
>
> – le dessin ou modèle *non enregistré* protégé trois ans à compter de la date à laquelle il aura été divulgué pour la première fois au sein de la Communauté ;
>
> – le dessin ou modèle *enregistré* auprès de l'Office de l'harmonisation dans le marché intérieur, protégé cinq ans à compter de la date de dépôt de la demande d'enregistrement, cette durée pouvant être prolongée, pendant une ou plusieurs périodes de cinq ans, jusqu'à un maximum de vingt-cinq ans à compter de la date de dépôt.

C — SAVOIR-FAIRE

652. Le savoir-faire (ou *know-how*) est un *ensemble d'informations techniques non brevetées* qui sont *secrètes, substantielles et identifiées* de toute manière appropriée (Règlement 556/89 du 30 novembre 1988 de la Commission européenne art. 1, § 7-1) :

Le savoir-faire est « **secret** » dès lors que la configuration et l'assemblage de ses composants ne sont pas connus. Il n'est cependant pas nécessaire que chacun de ses composants soit inconnu ou impossible à obtenir hors des relations avec le concédant.

Le savoir-faire est « **substantiel** » s'il inclut des informations importantes pour un procédé de fabrication, un produit ou un service, ou pour leur développement. Il doit en outre être susceptible d'améliorer la compétitivité de l'utilisateur, par exemple en l'aidant à pénétrer sur un nouveau marché.

Enfin, le savoir-faire est « **identifié** » lorsqu'il est exprimé de façon suffisamment complète pour permettre de vérifier s'il remplit les conditions de secret et de substantialité. Sa description peut être faite dans le contrat, dans un document séparé ou sous toute autre forme appropriée.

> Tel est le cas, par exemple, d'une cassette vidéo, d'un microfilm ou d'un logiciel, à condition toutefois que ce dernier ne soit que l'un des éléments du savoir-faire.

Le savoir-faire ne faisant l'objet d'aucune réglementation particulière, sa communication s'opère par le biais de *licences* soumises au droit commun des contrats.

D — MARQUES
(Code de la propriété intellectuelle art. L 711-1 et s.)

653. La marque de fabrique, de commerce ou de service est un *signe susceptible de représentation graphique servant à distinguer les produits ou services* d'une entreprise. Elle ne doit donc pas être confondue avec l'enseigne qui sert à identifier un fonds de commerce.

> Si la marque s'acquiert par le premier dépôt, la propriété de l'enseigne résulte du premier usage (Com. 17 octobre 1995 : RJDA 3/96 n° 353).

> Les marques existent depuis toujours : à Lascaux sur les flancs des bêtes, il y a des traces de brûlures qui sont des signes d'identification du bétail à un propriétaire. La Chine antique, la Grèce et Rome ont utilisé les marques ; ainsi a-t-on retrouvé des lampes à huile romaines avec la marque « Fortis » à Reims, à Séville, à Hambourg et aussi... des contrefaçons en Écosse.

Il peut s'agir :
– d'un *signe nominal :* mot, assemblage de mots, nom patronymique ou géographique, pseudonyme, lettres, chiffre, sigle ;

> Chaque univers de produits (alimentaires, pharmaceutiques, techniques, etc.) fonctionne à l'intérieur de codes linguistiques non écrits, mais connus des professionnels ; par exemple, les marques de produits à ingérer doivent, dans la mesure du possible, utiliser des consonnes théoriquement « liquides » : [b], [l], [n], de préférence aux consonnes théoriquement « dures » : [k], [q].

– d'un *signe sonore* tels des sons ou des phrases musicales ;

> Ce signe doit être susceptible d'une représentation graphique par transcription sur une portée musicale. Des sons insusceptibles de transcription ne peuvent être protégés que par l'action en concurrence déloyale, voire les droits d'auteur.

– d'un *signe figuratif :* dessin, étiquette, cachet, lisière, relief, hologramme, logo, image de synthèse, forme du produit ou de son conditionnement ou celle caractérisant un service, une disposition, combinaison ou nuance de couleurs.

Le signe doit être distinctif. Il *ne* peut donc *pas être* à la date du dépôt :
– *générique* (ou nécessaire), c'est-à-dire désigner naturellement et usuellement un produit ou un service pour une notable partie du public concerné ; toutefois, des termes génériques combinés entre eux peuvent former un signe original ;

> Ainsi jugé, par exemple, pour « Brut de pêche » (Aix-en-Provence, 18 décembre 1991 : RJDA 6/92 n° 656).
> En revanche, une marque n'est pas nulle si elle est composée d'un signe qui n'était pas générique à la date du dépôt, même s'il l'est devenu ultérieurement (Com. 27 octobre 1992 : Bull. IV n° 329). Tel est le cas, par exemple, de Frigidaire, Kleenex, Cocotte-minute, Alcotest, Walkman, Kir, etc. ;

– *descriptif,* c'est-à-dire désigner une caractéristique du produit ou du service : bon, parfait, résistant etc. ;
– *constitué* exclusivement *par la forme imposée par la nature ou la fonction du produit* (tel un emballage) ou conférant à ce dernier sa valeur substantielle (telle la forme d'un vêtement pour une marque de couturier).

Le *signe doit,* aussi, *être licite ;* ne peut donc être adopté comme marque ou élément de marque :
– un signe exclu par la convention de l'Union de Paris du 20 mars 1883 : armoiries, emblèmes des États membres, poinçons officiels etc. ;
– un signe contraire à l'ordre public ou aux bonnes mœurs ;
– un signe dont l'utilisation est légalement réglementée : croix rouge, anneaux olympiques.

Le *signe doit,* enfin, *être disponible.* Sont donc exclus, par exemple :
– une marque antérieure enregistrée ou notoirement connue ;
– une dénomination ou raison sociale déjà adoptée, s'il existe un risque de confusion dans l'esprit du public ;
– un nom commercial ou une enseigne connus sur l'ensemble du territoire national, s'il existe un risque de confusion dans l'esprit du public ;
– une appellation d'origine protégée ;
– des droits d'auteur ;
– un dessin ou un modèle protégé ;
– le nom patronymique, le pseudonyme ou l'image d'un tiers sans son accord, si ce nom est rare et célèbre et si son utilisation à des fins commerciales est susceptible de créer une confusion préjudiciable à son titulaire (Com. 9 février 1993, Bull. IV n° 57) ;
– le nom, l'image ou la renommée d'une collectivité territoriale.

Si le signe choisi n'est pas distinctif, licite et disponible, la marque est nulle.

> Le Parquet peut agir en nullité si le signe n'est pas distinctif et licite. Seul le titulaire de l'antériorité peut agir en nullité si le signe n'est pas disponible. Toutefois, son action n'est pas recevable si la marque a été déposée de bonne foi et s'il en a toléré l'usage pendant cinq ans.
> La décision d'annulation a un effet absolu.

653-1. La propriété de la marque s'acquiert par l'*enregistrement à l'INPI.*

> La demande d'enregistrement est publiée. Pendant les deux mois qui suivent cette publication, peuvent être adressées au directeur de l'INPI soit des observations par tout intéressé, soit une opposition par le titulaire d'une antériorité.

L'enregistrement produit ses effets à compter de la date du dépôt de la demande pour une *durée de dix ans indéfiniment renouvelable.*

> Le renouvellement se fait automatiquement par le simple versement des taxes et une nouvelle période de dix ans de protection fait suite à la précédente.

En revanche, toute modification du signe ou extension de la liste des produits ou services doit faire l'objet d'un nouveau dépôt.

Toutefois, le propriétaire encourt la **déchéance** de ses droits lorsque :
– la marque n'est **pas exploitée,** sans justes motifs, **pendant** une période ininterrompue de **cinq ans ;**

L'exploitation d'une marque enregistrée, analogue à une autre marque enregistrée, ne vaut pas exploitation de cette dernière (Ass. plén. 16 juillet 1992 : JCP 1992 II 21951, note J. J. Burst).

– la marque est **devenue générique** du fait de son propriétaire ;
– la marque est devenue, du fait de son propriétaire, **déceptive,** c'est-à-dire propre à induire en erreur, notamment sur la nature, la qualité ou la provenance géographique du produit ou du service.

653-2. Le droit de **propriété sur la marque** ne s'applique qu'aux **produits et services désignés.**

Elle permet au propriétaire de s'opposer, notamment, à :
– la reproduction, l'usage ou l'apposition de sa marque, même avec l'adjonction de mots tels que : « formule, façon, système, imitation, genre, méthode » ;
– la suppression ou la modification de sa marque régulièrement apposée ;
– s'il y a risque de confusion dans l'esprit du public, l'usage de sa marque pour des produits similaires et l'imitation de sa marque.

En outre, l'emploi d'une marque jouissant d'une renommée pour des produits ou services non similaires à ceux désignés dans l'enregistrement engage la responsabilité civile de son auteur s'il est de nature à porter préjudice au propriétaire de la marque ou si cet emploi constitue une exploitation injustifiée de cette dernière.

Toutefois, pour éviter le cloisonnement des marchés, le titulaire d'une marque ne peut pas en interdire l'usage lorsque c'est avec son consentement qu'un produit a été mis dans le commerce dans la Communauté européenne sous cette marque.

De même, il ne peut interdire l'usage de ce signe comme :
– dénomination sociale, nom commercial ou enseigne, lorsque cette utilisation est soit antérieure à l'enregistrement, soit le fait d'un tiers de bonne foi employant son nom patronymique ;

La possibilité accordée au titulaire d'un nom patronymique déjà déposé par un tiers à titre de marque de faire usage de son nom ne s'étend pas à une partie de ce nom (Com. 20 novembre 1990 : RJDA 2/91 n° 180).

– référence nécessaire pour indiquer la destination d'un produit ou d'un service, notamment en tant qu'accessoire ou pièce détachée, à condition qu'il n'y ait pas de confusion dans leur origine.

Toute atteinte portée à ce droit de propriété est une **contrefaçon** qui engage la responsabilité civile et pénale de son auteur.

L'action civile se prescrit par trois ans.

Est irrecevable toute action en contrefaçon d'une marque postérieure enregistrée dont l'usage a été toléré pendant cinq ans, à moins que son dépôt n'ait été effectué de mauvaise foi. Toutefois, l'irrecevabilité est limitée aux seuls produits et services pour lesquels l'usage a été toléré.

653-3. Les droits attachés à une marque peuvent être cédés indépendamment du fonds de commerce auquel elle est liée.

La marque ayant un caractère national, cette cession ne peut pas comporter de limitation territoriale.

Ces droits peuvent aussi faire l'objet d'une **licence** simple ou exclusive ainsi que d'une mise en gage.

Toute transmission ou modification des droits attachés à une marque enregistrée doit, pour être opposable aux tiers, être inscrite au registre national des marques.

653-4. Outre les marques dites individuelles, il existe des **marques collectives,** créées par des collectivités publiques ou des groupements de producteurs, d'industriels ou de commerçants.

La marque collective ordinaire est celle qui peut être exploitée par toute personne respectant un règlement d'usage établi par le titulaire de l'enregistrement.

La marque collective de certification est appliquée au produit ou au service qui présente notamment, quant à sa nature, ses propriétés ou ses qualités, des caractères précisés dans son règlement (voir, pour la marque NF, n° 641-4).

653-5. La **protection internationale** des marques est assurée par trois dispositions :
1° La **convention de l'Union de Paris** (20 mars 1883) – regroupant à ce jour une centaine d'États – prévoit que les ressortissants de chacun des pays membres sont assimilés au ressortissant national, les faisant ainsi bénéficier des mêmes protections et recours dès lors qu'ils accomplissent les formalités imposées par l'État dans lequel ils requièrent la protection. En outre, elle dispose que tout ressortissant d'un État membre, titulaire d'une marque, jouit pendant les douze mois qui suivent le dépôt du premier titre de propriété industrielle d'un droit de priorité pendant lequel il peut déposer une demande dans tout autre État membre sans se voir opposer d'autres droits nés pendant ce délai si la première demande avait été régulièrement déposée et, enfin, que les titres obtenus en vertu de ce droit de priorité sont indépendants les uns des autres ;

2° L'**arrangement de Madrid** (14 avril 1891) – regroupant 47 États – a instauré une procédure unique d'enregistrement (**marque internationale**) permettant d'obtenir dans les États membres une protection équivalente à celle d'un dépôt national dans chacun de ces États ; cet arrangement a fait l'objet d'un protocole, signé à Madrid le 27 juin 1989, qui prévoit principalement que l'enregistrement international peut être obtenu sur la base d'un simple dépôt dans les pays d'origine sans enregistrement préalable de la marque dans ce pays ;

3° Le règlement du Conseil de l'Union européenne 40/94 du 20 décembre 1993 a créé une **marque communautaire** constituant un titre unitaire bénéficiant d'une protection uniforme dans tous les États membres de la Communauté européenne.

> La protection résulte d'un enregistrement auprès de l'Office de l'harmonisation dans le marché intérieur ; elle est accordée pour une durée de dix ans à compter de la date du dépôt de la demande et renouvelable indéfiniment par période de dix ans.

> Les règles applicables à cet enregistrement ont été fixées par le règlement 2868/95 du 13 décembre 1995 de la Commission européenne.

VII.   Nom commercial et enseigne

654. Le nom commercial et l'enseigne sont des signes qui servent à identifier un fonds de commerce. Le **nom commercial** est le nom de famille de l'entrepreneur ; l'**enseigne** est une désignation de fantaisie, tel un emblème (animal, objet, etc...) ou une dénomination évoquant l'emplacement du commerce (« hôtel de la gare », etc.).

> L'interdiction de modifier son nom de famille ne vise pas l'usage de ce nom à titre commercial ou comme dénomination sociale (Com. 1er décembre 1987 : JCP 1988 II 21081, note E. Agostini).

Le droit sur un nom commercial ou une enseigne naît du **premier usage public** (Com. 29 juin 1999 : RJDA 12/99 n° 1400). Il permet d'en **interdire l'usage à d'autres** pour une activité identique ou similaire de nature à entraîner un **risque de confusion** dans l'esprit de la clientèle sur la provenance des produits (Com. 23 mars 1993 : RJDA 1/94 n° 120) et ce même s'il s'agit d'une marque déposée (Com. 17 octobre 1995 : RJDA 3/96 n° 353).

> *Remarques :*
>
> 1° Si le commerçant, au lieu d'utiliser son nom, se sert de son prénom pour exercer son commerce, il n'a pas sur celui-ci un droit absolu et ne peut l'utiliser sans restriction dès lors que cette utilisation « illimitée » serait de nature à porter atteinte aux droits d'un tiers.
> Le tribunal pourrait alors ordonner que le prénom soit complété par tout ou partie du nom patronymique de l'intéressé ou par tout autre signe distinctif (Paris, 6 mars 1979 : D. 1980, IR 113).
>
> 2° Le pseudonyme est protégé comme le nom.
>
> 3° À la suite d'un divorce, chacun des époux reprend son nom. Toutefois, la femme peut conserver l'usage du nom du mari soit avec l'accord de celui-ci, soit avec l'autorisation du juge, si elle justifie qu'un intérêt particulier s'y attache pour elle-même ou pour les enfants (Code civil art. 264), notamment si elle l'utilise comme nom commercial.

Toute atteinte à ce droit permet d'intenter une **action en concurrence déloyale.**

> Un nom commercial ou une enseigne ont une portée territoriale plus ou moins large : « Hôtel de la Gare » (du Départ, de l'Arrivée, des Voyageurs...) n'a rien de comparable à « la Tour d'Argent » ou « Maxim's ».

Remarque. Lorsqu'un nom de famille a été apporté à une société pour devenir la dénomination sociale de cette dernière, le titulaire du patronyme ne peut plus interdire à ladite société d'en user ; ainsi M. Bordas n'a pu empêcher l'emploi de son nom par la société à laquelle il l'avait apporté, cette dernière pouvant continuer à s'appeler, tant qu'elle le voudra, « société Bordas » (Com. 12 mars 1985 : Bull. IV n° 95).

Section 2
Clientèle attachée à l'exploitation : les fonds d'exploitation

658. L'appropriation de la clientèle attachée à l'exploitation est reconnue par la technique juridique en matière commerciale (le fonds de commerce). Elle le devient progressivement pour les exploitations non commerciales.

I. Propriété du fonds de commerce

(Code de commerce art. L 141-1 s.)

659. La notion de fonds de commerce n'a été inventée que pour permettre l'existence d'un droit à la propriété de la clientèle liée à l'exploitation.

Définition

660. La loi n'a pas défini le fonds de commerce ; pour les tribunaux, il faut une exploitation et une clientèle. Mais si une clientèle commerciale est un élément nécessaire, elle n'est pas un élément suffisant ; il faut qu'elle s'appuie sur un ou plusieurs éléments lui donnant la possibilité de se manifester et qu'elle soit attachée personnellement au commerçant. Le fonds de commerce peut donc être défini comme un *ensemble d'éléments corporels et incorporels permettant d'exploiter une clientèle commerciale personnelle.*

> Ainsi a-t-il été jugé :
> – qu'un marchand ambulant, concessionnaire d'emplacements sur les marchés publics d'une ville, peut avoir une clientèle propre et, partant, un fonds de commerce (Com., 7 mars 1978 : Bull. IV, n° 84) ;
> – qu'une société titulaire d'un emplacement de vente dans un supermarché n'a un fonds de commerce que si elle bénéficie d'une autonomie de gestion et d'une clientèle personnelle prépondérante par rapport à celle de la grande surface (Civ. 3e, 5 avril 1995 : RJDA 6/95, n° 690) ;
> – que, si une clientèle est au plan national attachée à la notoriété de la marque d'un franchiseur, la clientèle locale est créée par l'activité du franchisé avec des moyens que, contractant à titre personnel avec ses fournisseurs ou prêteurs de deniers, il met en œuvre à ses risques et périls (Civ. 3e 27 mars 2002 : RJDA 6/02 n° 603).

661. Le fonds de commerce n'est pas un patrimoine autonome, il ne comprend ni les dettes, ni les créances du commerçant ; en conséquence, les contrats en sont exclus (sous réserve des exceptions concernant les contrats de travail, d'assurance, d'édition et de bail). En cas de vente, les parties qui souhaitent qu'un contrat liant le cédant à un tiers soit transmis à l'acquéreur doivent le prévoir, ce qu'elles peuvent faire de manière expresse ou tacite si ces contrats n'ont pas été conclus « intuitu personae » (Paris 9 juin 1991 : RJDA 10/91 n° 802).

Vente et apport en société

662. La vente et l'apport en société d'un fonds de commerce sont réglementés.

Le vendeur, ou l'apporteur, sont *tenus de mentionner dans l'acte :*
– le nom du précédent vendeur, la date et la nature de son acte d'acquisition et le prix de cette acquisition pour les éléments incorporels, les marchandises et le matériel ;
– l'état des privilèges et nantissements grevant le fonds ;
– le chiffre d'affaires réalisé au cours des trois années antérieures à la cession et calculées de quantième à quantième – et non pas les trois derniers exercices comptables –, ou le chiffre réalisé depuis l'acquisition si le fonds n'a pas été exploité depuis au moins trois années ;
– les bénéfices commerciaux réalisés pendant le même temps ;
– le bail, sa date, sa durée, le nom et l'adresse du bailleur.

L'*omission* des mentions requises peut entraîner la nullité de la vente seulement si elle a vicié le consentement de l'acquéreur et lui a causé un préjudice (Com. 13 mars 2001 : RJDA 11/01 n° 1109).

> L'acheteur a un an pour agir à partir du jour de conclusion de la vente (Com. 3 mars 1992 : RJDA 6/92 n° 572), sans que ce délai puisse être interrompu ou suspendu (délai préfix) [Com. 7 octobre 1997 : RJDA 1/98 n° 34]. À défaut, l'acquéreur peut toujours se fonder sur un vice du consentement.

En revanche, l'*inexactitude* des mentions obligatoires ne peut donner lieu qu'à une action en garantie, sans pouvoir entraîner la nullité de la vente (Com. 1er décembre 1992 : Bull. I n° 385). Cette action doit être intentée par l'acquéreur dans l'année suivant la date de sa prise de possession.

Le vendeur, devant garantir son acheteur contre toute éviction due à son fait, est tenu d'une obligation de **non-concurrence**. Pour préciser le contenu de cette obligation, il est très fréquent que soient stipulées des clauses de non-concurrence ou de non-rétablissement dont la nullité est encourue en l'absence de limitation à la fois dans le temps et dans l'espace (Com. 19 mai 1987 : Bull. IV n° 121) ; en tout état de cause, l'expiration du délai conventionnel ne libère pas le vendeur de son obligation légale de garantie de son fait personnel, qui est d'ordre public et soumise à la prescription de droit commun (Com. 16 janvier 2001 : Bull. IV, n° 16).

En outre, en cas de vente, le vendeur jouit d'un privilège, dit **privilège du vendeur de fonds** de commerce, qui lui donne le droit d'être payé par préférence sur le prix tiré de la revente amiable ou forcée du fonds, si l'acheteur ne l'a pas réglé totalement.

> Si l'acte de vente indique seulement un prix global, le privilège ne porte que sur les éléments incorporels. Si le prix de vente est « sectionné » (éléments incorporels, matériel, marchandises), le privilège grève tous les éléments.
> Ce privilège doit, à peine de nullité, être inscrit dans les quinze jours de la vente au greffe du tribunal de commerce.

Il peut aussi demander la **résolution** de la vente pour défaut de paiement.

Les **créanciers du vendeur doivent être avertis de la vente** ou de l'apport en société ; leur protection est assurée par une publicité légale.

> Cette publicité est réalisée par deux insertions :
> – une insertion dans un journal d'annonces légales du lieu où le fonds est exploité ;
> – une insertion au BODACC.

– **En cas de vente,** les créanciers peuvent, même si leur créance n'est pas encore exigible :

• dans les dix jours suivant la dernière publication, faire **opposition au paiement du prix,** par acte d'huissier, en bloquant les sommes entre les mains de l'acheteur ou de l'intermédiaire (avec ensuite répartition du prix entre les opposants) ;

> Cette opposition se fait par acte extrajudiciaire ; toutefois, l'administration fiscale peut se contenter d'un avis à tiers détenteur (voir n° 206) (Com. 12 mai 1987 : BRDA 1987/14 p. 21).
> Qu'ils aient fait ou non opposition, les créanciers peuvent remettre en cause l'acte de vente sur le fondement de l'action paulienne, s'il y a eu fraude à leurs droits (voir n° 206) (Com. 12 janvier 1988 : Bull. IV n° 20).
> Le défaut d'insertion légale n'entraîne pas la nullité de la vente mais l'inopposabilité du paiement du prix aux créanciers du précédent propriétaire (Com. 30 juin 1998 : RJDA 11/98, n° 1206).

• dans les vingt jours suivant la dernière publication, faire **surenchère du sixième** s'ils estiment que le fonds a été vendu trop bas.

> Sur les conséquences d'une dissimulation du prix, voir n° 581.

– En **cas d'apport en société,** les créanciers doivent déclarer leur créance au greffe du tribunal de commerce du lieu du fonds, la société devenant alors solidaire de l'apporteur ; à défaut ils n'auraient aucun recours contre la société.

662-1. Précisions.

1° La **cession massive des parts ou actions d'une société** ne peut être assimilée à la cession du fonds de commerce figurant à l'actif de la personne morale (Com. 22 janvier 1991 : RJDA 5/91 n° 408) ; elle n'est donc pas soumise aux règles énoncées ci-dessus (Com. 13 février 1990 : Bull IV n° 42).

2° Il est possible de recourir au crédit-bail pour financer l'acquisition d'un fonds de commerce. L'établissement de crédit acquiert le fonds de commerce et le donne en location à son client qui est dans la situation d'un locataire-gérant (infra) pendant la durée du bail.

Le crédit-bail peut également ne porter que sur un seul élément incorporel du fonds : nom commercial, droits de propriété industrielle et, surtout, droit au bail.

> S'il s'agit du droit au bail, un contrat signé entre le propriétaire des locaux où est exploité le fonds, le locataire et l'établissement de crédit-bail répartit librement entre ces deux derniers les droits et obligations résultant du statut des baux commerciaux, sauf le droit au renouvellement du bail qui est obligatoirement transféré à l'établissement de crédit-bail.

Nantissement

662-2. Le propriétaire d'un fonds peut le donner en garantie à ses créanciers par un *nantissement.*

> Le nantissement peut être conventionnel ou judiciaire. Le nantissement conventionnel doit, à peine de nullité, être inscrit dans les quinze jours de l'acte au greffe du tribunal de commerce.
>
> À la différence du privilège, le nantissement conventionnel ne peut pas porter sur les marchandises qui doivent pouvoir être vendues.

Le nantissement ne donne pas au créancier qui en bénéficie le droit de se faire attribuer le fonds en paiement de la dette garantie (Com. 13 octobre 1998 : Bull. IV n° 233).

Location-gérance

663. Le propriétaire peut exploiter directement son fonds. Mais il peut aussi en concéder l'exploitation à une personne qui l'exploite à ses *risques et périls* ; le contrat est alors une *location-gérance* obligatoirement soumise aux dispositions des articles L 144-1 et suivants du Code de commerce (Com. 23 mars 1999 : RJDA 5/99 n° 748). Pour pouvoir mettre son fonds à la disposition d'un locataire-gérant, le propriétaire doit remplir les deux conditions suivantes :

1° avoir été soit *commerçant,* soit gérant, soit directeur commercial ou technique pendant *sept ans* et *avoir exploité le fonds* pendant *deux ans* ;

> Cette règle, voulant lutter contre la spéculation, connaît de nombreuses exceptions au profit notamment de l'État, des collectivités territoriales, des héritiers ou légataires, des établissements de crédit. Les délais peuvent aussi être réduits ou supprimés par ordonnance du président du tribunal de grande instance pour toute personne justifiant être dans l'impossibilité d'exploiter son fonds personnellement, ou par l'intermédiaire de préposés.
>
> Sur la mise en location-gérance du fonds d'un commerçant ou d'une société commerciale en cessation des paiements, voir n°s 709-4 et 713 ;

2° ne *pas être interdit.*

Tout contrat passé par un propriétaire ne remplissant pas ces conditions est nul et cette nullité entraîne déchéance du droit au renouvellement du bail commercial (sanction automatique) (Com. 30 juin 1992 : RJDA 10/92 n° 906).

663-1. Jusqu'à la publication dans un journal d'annonces légales du contrat de location-gérance, et pendant un délai de six mois à compter de cette publication, le loueur du fonds est solidairement responsable avec le locataire-gérant des dettes contractées par celui-ci à l'occasion de l'exploitation de ce fonds, dès lors qu'elles sont nécessaires à cette exploitation, et ce même si elles ne sont pas d'origine contractuelle (Com. 4 mai 1999 : RJDA 7/99 n° 780). Cette solidarité joue à défaut de publication, même lorsque le créancier avait connaissance de la mise en location du fonds (Com. 7 janvier 1992 : BRDA 1992/3 p. 15).

> En outre, le propriétaire du fonds de commerce est solidairement responsable avec l'exploitant de cette entreprise des impôts directs établis à raison de l'exploitation du

fonds (art. 1684-3 du Code général des impôts) ; cette solidarité n'est pas limitée dans le temps.

Mais le propriétaire n'est pas tenu des dettes contractées par le locataire-gérant avant que celui-ci acquière la qualité de locataire-gérant.

Le propriétaire du fonds cesse d'être commerçant, du moins du fait de cette activité ; le *locataire-gérant exploite le fonds à ses risques et périls.*

663-2. En fin de contrat le locataire-gérant doit restituer le fonds ; il n'a pas de droit au renouvellement du contrat.

Les dettes du gérant afférentes à l'exploitation du fonds et contractées pendant la durée de la gérance deviennent immédiatement exigibles (déchéance du terme).

À défaut de clause de reprise du stock, le propriétaire d'un fonds de commerce donné en location-gérance n'est pas tenu de racheter le stock à l'expiration du contrat (Com. 23 mars 1999 : RJDA 5/99 n° 549).

II.   Propriété des exploitations non commerciales

664. Les exploitations civiles font aussi naître des clientèles que les exploitants cherchent à céder. Toutefois, sauf pour les artisans, le droit ne reconnaît pas encore l'existence d'un fonds de clientèle civile soumis au même statut que le fonds de commerce.

Clientèle de l'artisan
(Loi n° 96-603 du 5 juillet 1996 art. 22)

665. Les artisans disposent d'un droit sur un fonds, dénommé *fonds artisanal,* comparable au droit d'un commerçant sur un fonds de commerce.

> Le législateur n'a pas défini ce fonds mais il a précisé que sont seuls susceptibles d'être compris dans le nantissement du fonds artisanal : l'enseigne et le nom professionnel, le droit au bail, la clientèle et l'achalandage, le mobilier professionnel, le matériel ou l'outillage servant à l'exploitation du fonds.

Ce fonds peut, en effet, être nanti et être donné en location-gérance.

> Le fait que le législateur ait substitué la dénomination de fonds artisanal à celle d'établissement artisanal utilisée auparavant nous paraît caractériser la volonté d'assimiler le droit d'un artisan sur une clientèle à celui du commerçant.

En outre l'artisan inscrit au répertoire des métiers peut bénéficier de la propriété commerciale (voir n° 646).

Clientèle des professions libérales

666. La cession de la clientèle d'un membre d'une profession libérale, à l'occasion de la constitution ou de la cession d'un fonds d'exercice libéral de la profession, est licite, à la condition que soit sauvegardée la liberté de choix du client (Civ. 1re, 7 novembre 2000 : Bull. I n° 283).

Ce fonds d'exercice libéral comprend la clientèle de la personne exerçant une profession libérale, de même que les matériels et les locaux (Civ. 1re, 2 mai 2001 : JCP 2002 II 10062 note O. Barret).

Clientèle des autres exploitations civiles

667. Il s'agit là des clientèles qui peuvent s'attacher par exemple à une entreprise agricole ou à une entreprise d'extraction. Si l'on conçoit aisément que celui qui vend des matériaux peut avoir une clientèle, cela semble plus difficile s'il s'agit d'un agriculteur ; dans sa forme traditionnelle, l'exploitation agricole n'a pas de clients : elle ne démarche pas les acheteurs et confie à un intermédiaire (commissionnaire, négociant, coopérative) le soin de vendre ses produits. Cette situation tend cependant à se modifier avec l'effort entrepris par les agriculteurs pour commercialiser eux-mêmes leurs productions.

La cession isolée de cette clientèle est, toutefois, difficilement concevable, car elle est étroitement sous la dépendance du fonds de terre ou d'extraction. Donc, en réalité, l'exploitant ne peut en tirer parti qu'en faisant valoir, à un acheteur éventuel de sa terre ou sa carrière, que les éléments de l'exploitation (qui peuvent comprendre outre le fonds de terre ou d'extraction, le matériel et des éléments incorporels tels que des marques ou des appellations d'origine) sont valorisés par le flux de clientèle qu'ils ont drainé. L'appropriation de la clientèle semble donc, dans ces hypothèses, être le plus souvent indirecte.

> « Une exploitation agricole constitue « un bien, un avoir » ayant avec un immeuble ou un fonds de commerce, une certaine similitude » (TGI Nevers, 8 décembre 1970 : D. 1973 II 67, note E. Michelet).

Titre III

Les techniques juridiques de financement

668. Les nécessités de la vie des affaires, telles qu'elles ont été exposées ci-dessus à maintes reprises, impliquent des moyens financiers importants. L'entrepreneur a souvent l'obligation de les rechercher en dehors de son seul patrimoine en usant de procédés de financement (chapitre I) dont la technique juridique cherche à assurer la sécurité (chapitre II).

Chapitre I
Les procédés de financement

669. Pour se procurer les fonds nécessaires à leur exploitation, les entreprises doivent soit augmenter leurs fonds propres (section 1), soit emprunter des capitaux (section 2).

Section 1
Augmentation des fonds propres

669-1. Si l'entreprise est exploitée sous forme individuelle, l'exploitant personne physique doit, s'il le peut, affecter des moyens nouveaux en argent ou en nature à son activité.

En revanche, s'agissant d'une société, les fonds propres, représentés initialement par les apports de l'entrepreneur, peuvent être augmentés soit, sans appel public à l'épargne, par autofinancement ou par augmentation du capital de la société ou par ce qu'il est convenu d'appeler des « quasi-fonds propres », soit par appel public à l'épargne.

I. Augmentation des fonds propres sans appel public à l'épargne

Autofinancement

670. L'autofinancement peut résulter :

1° de la *mise en réserve* de tout ou partie *du bénéfice* annuel ;

2° de la constitution de *provisions dites « de réserve »,* telle la provision pour reconstitution des stocks, la provision pour fluctuations des cours, etc. (sur la notion de provision voir n° 816).

Augmentation du capital social

671. L'augmentation du capital social peut avoir pour origine :

1° L'*incorporation de réserves* dans le capital social, donnant lieu à des distributions gratuites d'actions ;

2° La *sollicitation d'apports nouveaux* soit auprès des associés, soit auprès de tiers sans faire appel public à l'épargne ;

> Un *droit de souscription,* égal à la différence entre les valeurs de l'action avant et après l'augmentation de capital, est, le plus souvent, payé par tout nouvel actionnaire ; il permet à l'associé ne désirant pas participer à l'augmentation d'être dédommagé de la diminution de valeur de ses actions.
>
> En outre, le nouvel actionnaire verse très fréquemment à l'entreprise une *prime d'émission* égale à la différence entre la valeur de l'action après l'augmentation de capital et sa valeur nominale.

3° L'*ouverture du capital social aux salariés.* Au cours des trente dernières années, les mesures destinées à faciliter aux salariés l'accès à la qualité d'actionnaire de la société qui les emploie se sont multipliées. Certaines de ces mesures sont liées à des dispositions tendant, de manière plus générale, à intéresser les travailleurs aux résultats de leur entreprise ; ainsi en est-il des articles L 441-1 à L 443-9 du Code du travail relatifs à l'intéressement, à la participation des salariés aux résultats de l'entreprise et aux plans d'épargne d'entreprise. Toutefois, dans ces textes, l'attribution d'actions de la société n'est que l'une des formules possibles, parmi d'autres, pour l'emploi des droits des salariés.

D'autres visent plus directement l'actionnariat en tant que tel et ont pour seul objet de favoriser la souscription ou l'acquisition par les salariés d'actions de leur société. Il s'agit d'une part des options de souscription ou d'achat d'actions (stock option plans) et d'autre part des allègements apportés aux règles applicables en cas d'augmentation de capital lorsque l'émission des actions nouvelles est réservée aux salariés adhérents à un plan d'épargne d'entreprise.

Prêts participatifs

671-1. Les prêts participatifs sont des « quasi-fonds propres » remboursables après l'ensemble des autres créances.

II.   Augmentation des fonds propres par appel public à l'épargne

672. L'appel public à l'épargne est constitué par :
– l'*admission* d'un *instrument financier* aux négociations *sur un marché réglementé* ;
– ou par l'émission ou la cession d'instruments financiers *dans le public* en ayant recours soit à la *publicité,* soit au *démarchage,* soit à des établissements de crédit ou à des prestataires de services d'investissement.

Instruments financiers

673. Les *instruments financiers* comprennent (Code monétaire et financier art. L 211-1) :
– les actions et autres titres donnant ou pouvant donner accès, directement ou indirectement, au capital ou aux droits de vote, transmissibles par inscriptions en compte ou tradition ;

> Tel est le cas :
> – des **actions** de droit commun, c'est-à-dire *emportant droit de vote* et attribution d'une fraction des **bénéfices** et des bonis de liquidation ;
> – des **titres** de participation au capital *sans droit de vote,* permettant de ne pas modifier la structure du pouvoir dans la société :
> • les actions à dividende prioritaire sans droit de vote ;
> • les certificats d'investissement ;
> – des *titres comportant la possibilité d'une participation au capital si le porteur le veut :*
> • les obligations convertibles en actions ;
> • les obligations remboursables en actions ;
> • les obligations à bon de souscription d'actions ;
> • les titres participatifs qui, comme les prêts participatifs, ne sont remboursés qu'en cas de liquidation de la société et après désintéressement de tous les créanciers ;
> • les titres subordonnés à durée indéterminée (TSDI) qui sont des obligations à durée indéterminée, échangeables contre des actions si l'émetteur le prévoit et remboursées seulement au gré de celui-ci ;
> • les actions dites « accumulantes » dont les dividendes peuvent être payés en actions au gré de l'actionnaire.

– *les titres de créance* qui représentent chacun un droit de créance sur la personne morale emprunteuse, transmissibles par inscription en compte ou tradition, à l'exclusion des effets de commerce et des bons de caisse ;
– les parts ou actions d'organismes de placements collectifs ;
– les instruments financiers à terme (contrats financiers à terme sur tous effets, valeurs mobilières, indices ou devises ; contrats à terme sur taux d'intérêt ; contrats d'échange ; contrats à terme sur toutes marchandises et denrées ; contrats d'options d'achat ou de vente d'instruments financiers).

Négociation en bourse

674. La négociation en bourse peut se faire sur l'un des marchés réglementés ou sur le marché libre.

> Au 2 janvier 2000, le nombre total de sociétés cotées sur les marchés réglementés était de 968.
> Au printemps 2002 il y avait, en France, environ 7 millions d'actionnaires individuels.

1° À la différence des marchés de gré à gré sur lesquels les échanges s'opèrent par accord bilatéral, les *marchés réglementés* ont pour but d'offrir un maximum de liquidité (concentration des ordres), de *sécurité* et d'*égalité* entre tous les intervenants (transparence du marché). Il existe trois marchés réglementés : le premier marché, le deuxième marché et le nouveau marché.

Le *premier marché* (anciennement cote officielle) est réservé aux sociétés les plus importantes mettant à la disposition du public au moins 25 % de leur capital sauf dérogation.

> Au 2 janvier 2000, 485 sociétés étaient cotées au premier marché.

Le *deuxième marché* est ouvert aux entreprises de taille moyenne qui peuvent ne mettre à la disposition du public que 10 % de leur capital sauf dérogation.

> Le deuxième marché cotait 372 sociétés, au 2 janvier 2000.

Le *nouveau marché* a été créé en février 1996 pour des entreprises à fort potentiel de croissance ayant un montant minimal de fonds propres de 1,5 million d'euros et diffusant dans le public au moins 100 000 titres ; l'introduction en bourse doit être réalisée au moyen d'une augmentation de capital portant sur au moins la moitié des titres offerts au public, ces titres devant représenter au moins 20 % du capital de la société.

> Au 2 janvier 2000, 111 sociétés étaient cotées sur ce marché.

2° Le *marché libre,* créé en septembre 1997, est dit OTC (ouvert à toute cession) ; s'y négocient, au comptant, les instruments financiers qui ne sont pas admis sur les marchés réglementés.

3° En outre un autre marché, le *MONEP,* traite les *options* correspondant au droit d'acheter ou de vendre des actions pendant une certaine durée.

> Ce marché porte sur certaines valeurs du premier marché et sur l'indice CAC 40.

Contrôle

676. L'organisation générale et le fonctionnement des marchés réglementés, la déontologie des intermédiaires agréés et les règles spécifiques aux diverses opérations financières (OPA, OPE, OPR) sont définis par le Conseil des marchés financiers (CMF) ; ce dernier peut contrôler les acteurs du marché sur pièces et sur place.

L'application de ces règles est effectuée, à la Bourse de Paris, par Euronext - Paris qui admet, ou non, de nouvelles cotations.

La Commission des opérations de bourse (COB) agit à titre préventif en veillant à la régularité des informations diffusées par les sociétés cotées ou désireuses de l'être envers les investisseurs. Elle peut aussi recevoir des plaintes du public et procéder à des enquêtes notamment auprès des sociétés faisant appel public à l'épargne ou des personnes qui les contrôlent, des établissements de crédit, des intermédiaires en opérations de banques et des sociétés de bourse.

> Pour la recherche des délits d'initiés, de diffusion d'informations inexactes ou de manipulation des cours, les enquêteurs de la COB peuvent effectuer des perquisitions en tous lieux, même privés, et procéder à la saisie de tous documents, sur autorisation préalable du président du tribunal de grande instance territorialement compétent et en présence d'un officier de police judiciaire.

Section 2
Recours à des capitaux empruntés : le crédit

I. Moyens

A — LONG ET MOYEN TERME

Emprunts obligataires

677. Les sociétés peuvent émettre des obligations donnant, à leur titulaire, droit à un intérêt annuel pendant le temps de l'emprunt puis au remboursement du capital prêté à l'échéance.

Seules les sociétés par actions, au capital entièrement libéré, ayant deux bilans régulièrement approuvés et les associations ayant une activité économique effective depuis au moins deux ans, peuvent procéder à une telle émission ; celle-ci est offerte sur le marché boursier ou par des banques à leur clientèle.

> Les banques doivent respecter certaines règles fixant les conditions de leur intervention. Envers l'émetteur, la banque peut intervenir de deux façons : soit elle se charge seulement d'aider au placement des titres dans le public en offrant ses services ; soit elle acquiert elle-même les titres (les « souscrit ») et se charge ensuite de les placer dans le public ; souvent plusieurs banques se groupent à cette fin dans un consortium ou un syndicat financier. Ce groupement est le plus souvent une société en participation ; ce peut être aussi un simple contrat réglant les obligations et les droits de chaque banque dans l'action commune.

Plusieurs émetteurs, en pratique essentiellement des sociétés, peuvent aussi se réunir pour faire appel à l'épargne publique (on parle d'*emprunt groupé*).

678. Du fait de leur échéance lointaine (en général de 7 à 12 ans), de nombreuses obligations comportent une couverture contre les risques d'inflation.

1° Pour parer à la *variation des prix,* il existe des :
– *emprunts obligataires indexés* strictement réglementés ;
– *obligations « participantes »* à intérêt fixe, augmenté d'un intérêt supplémentaire en fonction des résultats de l'entreprise, avec une prime de remboursement minimum.

2° Pour pallier la *variation des taux d'intérêt,* ont été créées :
– avec un taux d'intérêt fixe :
• les *obligations à bon de souscription d'obligations,* permettant de souscrire plus tard un ou plusieurs autres titres ;

• les *obligations « à fenêtres »* (ou à sortie exceptionnelle) avec possibilité de remboursement anticipé ;
• les *obligations* spéciales *à coupon à réinvestir* permettant le versement du coupon soit en espèces, soit en obligations ;
– avec un taux d'intérêt variable : des obligations indexées soit sur un taux du marché monétaire, soit sur un taux du marché obligataire.

679. *Remarque :* La couverture contre les variations de taux d'intérêt peut également être réalisée sur le *Matif* (Marché à terme international de France), créé en février 1986 et directement inspiré du marché des « futures » aux USA. Par opposition au marché boursier où se négocient des titres « physiques » détenus réellement en portefeuille, le Matif est un marché à terme où se négocient des « contrats » (emprunts fictifs).

Le principe général du Matif est, pour l'entrepreneur, de prendre, pour une échéance donnée, une position inverse de celle engagée sur le marché comptant, le spéculateur jouant sur la différence des cours. Ainsi, un entrepreneur sachant qu'il va recevoir 100 000 € à T + 3 et craignant une baisse des taux d'intérêt achète un « contrat » sur le Matif. Si à T + 3 les taux d'intérêt ont effectivement baissé, les cours sur le Matif ont alors augmenté et, en revendant plus cher son « contrat », l'entrepreneur compense la perte qu'il va faire. Si à T + 3 les taux d'intérêt ont monté, l'entrepreneur fait une perte sur le Matif en cédant son « contrat » moins cher. Dans tous les cas il fait une « opération blanche » (aux coûts près).

Crédit

680. Le crédit à long et moyen terme, destiné à financer des investissements ou de l'exportation, peut être un prêt ou un crédit-bail.

Contrat de prêt, proprement dit (Code civil art. 1892 et s.)

681. L'établissement de crédit remet les fonds au client qui s'engage à les restituer au terme convenu et à payer un intérêt. Le taux d'intérêt est libre, sauf usure. Lorsque les sommes prêtées sont inscrites en compte courant, les intérêts peuvent être capitalisés tous les trois mois : ainsi, de trimestre en trimestre, les intérêts portent à leur tour intérêt.

681-1. Ces prêts sont, le plus souvent, garantis par une avance sur le matériel d'exploitation, voire l'exploitation elle-même.

Les *avances sur le matériel d'exploitation* sont consenties en échange de l'affectation du matériel à leur remboursement ; cette affectation est dite *nantissement de l'outillage et du matériel d'équipement.*

Les *avances sur l'exploitation* peuvent avoir pour assises le fonds de commerce (le nantissement) ou la confiance générale dans l'entreprise (les billets de trésorerie).

Crédit-bail (Code monétaire et financier art. L 313-7 et s.)

682. Le crédit-bail est une location de biens d'équipement ou de matériel d'outillage achetés en vue de cette opération par des entreprises spécialisées qui en demeurent propriétaires, avec option d'achat à l'échéance du contrat moyennant un prix convenu tenant compte, au moins pour partie, des versements effectués à titre de loyer ; la durée du bail est, en général, celle de l'amortissement fiscal des biens. Le crédit-bail doit être publié pour être opposable aux tiers.

Précisions.

1° Les opérations de crédit-bail peuvent aussi porter sur des biens immobiliers à usage professionnel, des fonds de commerce ou artisanaux, ou un seul élément incorporel du fonds.

2° Il ne faut pas confondre le crédit-bail avec :
– la vente avec réserve de propriété ;
– le « renting » ne comportant pas de promesse de vente ; en outre la société de « renting » assure la maintenance et prend à son compte l'assurance du matériel loué.

3° L'opération dite de « lease-back », dérivée du crédit-bail, est une technique de crédit par laquelle l'emprunteur transfère au prêteur, dès le départ, la propriété d'un bien que l'emprunteur rachète progressivement suivant une formule de location assortie d'une promesse de vente.

B — COURT TERME

683. Le crédit à court terme peut être obtenu soit auprès d'établissements de crédit, soit auprès d'agents non financiers.

Crédit obtenu auprès d'établissements de crédit

Crédits de mobilisation des créances commerciales (CMCC)

684. Le crédit dit « de mobilisation des créances commerciales » peut prendre trois formes.

1° L'*escompte.* Il consiste, pour une banque, à verser au porteur d'une lettre de change ou d'un billet à ordre la somme dont le titre le rend créancier, en contrepartie du transfert de la propriété du titre. Ce transfert se fait par l'endossement du titre, au profit de la banque qui prélève à cette occasion une rémunération, dite « agio », représentant le service rendu et les intérêts à courir jusqu'à l'échéance. C'est le procédé de financement des affaires le plus usité en France.

2° Le *crédit de mobilisation des créances commerciales, proprement dit ;* il consiste en une avance consentie par un banquier à un commerçant à concurrence du montant des créances acquises par ce commerçant, et regroupées en fonction de leur échéance sur un billet unique souscrit par l'emprunteur à l'ordre du banquier. Ces créances ne sont pas transférées au banquier, mais celui-ci reçoit fréquemment mandat de les encaisser.

On utilise pour cela le bordereau Dailly.

3° L'*affacturage* ou « factoring ». C'est une convention par laquelle une entreprise, dite l'« adhérent », s'engage, par le jeu d'une *subrogation* conventionnelle, à transférer ses créances à une société d'affacturage (le « facteur ») contre règlement de leur montant, sous déduction de commissions et agios.

Dans les contrats qui le lient à ses adhérents, le facteur se réserve généralement le droit de sélectionner, parmi les factures qui lui sont transmises, celles dont il garantira le paiement même en cas d'insolvabilité du débiteur (garantie dite de bonne fin). Pour les autres factures, le facteur se contente d'en assurer éventuellement le recouvrement en tant que mandataire de l'adhérent. L'étendue de la garantie due par la société d'affacturage dépend donc des termes même de la convention d'affacturage.

Crédits de trésorerie

685. Les crédits dits « de trésorerie » sont *juridiquement soumis au régime du* contrat de *prêt,* sauf dérogation expresse ou implicite, *quel que soit le nom que la technique financière leur attribue.*

On rencontre ainsi :

1° *Les avances* dites *« en compte courant ».* Ce sont des conventions par lesquelles un établissement de crédit s'engage à mettre à la disposition de ses clients un certain crédit pour un temps déterminé. Le client use ou n'use pas de ce crédit à sa guise : il reçoit les fonds et les emploie au fur et à mesure de ses besoins.

2° *Le crédit de trésorerie proprement dit,* qui est un prêt à court terme.

3° *Le crédit de campagne.* Il s'adresse à des entreprises ayant une activité saisonnière et devant financer leurs approvisionnements, alors que les recettes n'interviendront que plus tard. Il est accordé sous deux formes :

– un *découvert,* la banque permet à son client de devenir débiteur dans certaines limites ; ce concours financier à durée déterminée, s'il n'est pas occasionnel (simple tolérance ou « facilité de caisse »), ne peut être réduit ou interrompu que sur notification écrite et à l'expiration d'un *délai de préavis,* fixé lors de l'octroi de l'avance, à peine de responsabilité pécuniaire de l'établissement de crédit (Code monétaire et financier art. L 313-12) ;

> L'établissement de crédit est dispensé du préavis si le bénéficiaire est dans une situation financière irrémédiablement compromise ou s'il a un comportement gravement répréhensible (fautes ou irrégularités).
>
> La distinction entre facilité de caisse et ouverture de crédit n'est pas facile à opérer. Les tribunaux se fondent sur de simples présomptions. Ainsi ont-ils jugé que l'existence de découverts sur des comptes bancaires durant deux mois avant que la banque y mette fin le mois suivant en rejetant sept chèques est une tolérance exceptionnelle (Com. 30 juin 1992 : Bull. civ. IV n° 251) ; en revanche, ils ont considéré que, lorsqu'une banque consent à son client des avances de fonds pendant plus de trois mois, il s'agit d'une ouverture de crédit (Civ. 1re, 30 mars 1994 : Bull. I n° 126).

– l'*escompte d'un warrant ;* les marchandises gagées sont déposées dans des établissements publics (les magasins généraux) ou restent chez l'emprunteur (par exemple, le warrant des vins ou des pétroles).

4° *Les crédits spécialisés de trésorerie* sont très variés ; nous ne retiendrons que les plus utilisés.

– *Les avances sur titres.* Ce sont des prêts consentis par une banque moyennant l'affectation, en garantie du remboursement, de titres appartenant aux clients. Cette affectation s'appelle gage ou nantissement ; elle porte sur des valeurs mobilières ou des effets de commerce. Lorsque le titre remis en gage est un effet de commerce, l'opération est appelée « aval en pension » ; elle se fait par l'endossement de l'effet à titre de gage, dit « endossement pignoratif ».

> La mise en pension doit être distinguée de l'escompte. Dans l'escompte, le titre est adressé au banquier à titre de propriété. S'il s'agit d'aval en pension, le banquier n'est que créancier gagiste du titre.

– L'*accréditif.* Il consiste pour une banque à garantir le paiement d'une créance.

– L'*engagement par signature* (caution ou aval). La banque s'engage comme **caution** envers le créancier de son client et lui promet qu'elle le paiera si son client ne le fait pas. Le cautionnement bancaire est assez fréquent, car la loi exige en plusieurs circonstances qu'un débiteur fournisse caution : par exemple, pour les marchés passés avec l'État, pour l'obtention d'un sursis au versement d'impôts contestés, pour le paiement de la TVA par lettre de change ou billet à ordre à deux ou trois mois (ces effets sont appelés en fiscalité « obligations cautionnées »). Lorsque le cautionnement porte sur le paiement d'un effet de commerce, il consiste en une signature sur ledit effet appelée *« aval »*.

Les marchés importants, français ou étrangers, prévoient fréquemment une **garantie autonome** (ou « à première demande ») par laquelle une personne s'engage à payer à une autre, dès qu'elle le demande, une somme déterminée sans pouvoir invoquer les exceptions nées de l'exécution du contrat à l'occasion duquel la garantie a été souscrite, même si cette dernière fait référence au contrat de base (Cass. com. 18 mai 1999 : RJDA 7/99 n° 847). Les tribunaux écartent cette qualification, même lorsque le garant s'est engagé à payer à première demande, dès lors qu'il résulte des termes employés que le garant s'est engagé à régler la dette résultant du contrat de base, c'est-à-dire par exemple celle de l'emprunteur ou de l'acquéreur (Com. 5 décembre 1995, RJDA 3/96 n° 386). Dans ce cas, l'engagement est considéré comme accessoire au contrat pour lequel il a été souscrit et donc comme un **cautionnement,** de sorte que le garant peut invoquer les exceptions nées de la mauvaise exécution du contrat de base.

– Le *crédit à l'exportation* se fait essentiellement sous forme de **crédit documentaire** ; la banque reçoit en garantie de son avance, un titre de transport représentant les marchandises ; si elle n'est pas remboursée, elle prendra livraison des marchandises et les fera vendre pour se payer sur le prix.

> Cette forme de financement est née avec les transports maritimes dont le titre est le connaissement. Cependant, elle s'étend aujourd'hui aux transports routiers de longue durée, car les besoins de financement y sont identiques. Dans ce cas, le titre est un récépissé ou une lettre de voiture négociables comparable au connaissement.

– L'*avance sur marché.* C'est un prêt consenti à un entrepreneur moyennant l'affectation de la créance résultant d'un marché, c'est-à-dire d'un contrat de fourniture ou de travaux qui fait naître une créance importante. L'affectation se fait par la technique de la délégation. Cette affectation s'appelle le **nantissement du marché** ; très souvent, il s'agit des marchés conclus avec l'État d'où l'expression fréquente de nantissement de marchés publics.

Crédit obtenu auprès d'agents non financiers

687. Les entrepreneurs peuvent se consentir mutuellement des délais de paiement en utilisant, notamment, des **effets de commerce** qu'un banquier escompte.

Ils peuvent aussi avoir recours à des billets de trésorerie.

687-1. Remarque : Depuis le 25 juin 1986, les entreprises peuvent se protéger contre les risques financiers dus aux variations de taux d'intérêt à court terme en intervenant sur le Matif (sur un « contrat » de bons du Trésor).

II.   Organismes dispensateurs de crédit

690. Les organismes dispensateurs de crédit sont soit des établissements de crédit, soit des collectivités publiques.

A — ÉTABLISSEMENTS DE CRÉDIT
(Code monétaire et financier art. L 511-1 s.)

691. Les établissements de crédit sont des personnes morales qui effectuent à titre de profession habituelle des opérations de banque. Il s'agit des :
– *banques,* habilitées à effectuer toutes les opérations de banque ;

> On ne distingue plus aujourd'hui entre banques de dépôts et banques d'affaires.

– *banques mutualistes ou coopératives ;*
– *caisses de crédit municipal* (« monts-de-piété ») ;
– *sociétés financières,* ne pouvant effectuer que les opérations de banque résultant de la décision prononçant leur agrément ou de la réglementation qui leur est propre et ne pouvant recevoir du public des fonds à vue ou à moins de deux ans que si elles y ont été autorisées ;

> Les *compagnies financières* ne sont pas des établissements de crédit mais des sociétés commerciales qui ont pour activité principale de prendre et gérer des participations et qui, soit directement soit par l'intermédiaire de sociétés ayant le même objet, contrôlent plusieurs établissements de crédit dont au moins une banque.

– *institutions financières spécialisées,* ayant reçu de l'État une mission de service public, par exemple le Crédit foncier ou la Banque française pour le commerce extérieur (BFCE).

692. L'activité de ces établissements est étroitement réglementée et surveillée notamment par quatre organismes :

1° Le *Conseil des marchés financiers ;*

2° la *Commission bancaire,* présidée par le gouverneur de la Banque de France, dispose à l'égard de tout établissement de crédit d'un pouvoir de recommandation ou d'injonction afin de l'inciter à prendre les mesures nécessaires en vue de restaurer sa situation financière ou d'améliorer sa gestion ;

> En outre, les établissements de crédit doivent se doter d'un système de contrôle interne leur permettant de mesurer les risques ainsi que la rentabilité de leurs activités.

3° le *Comité de la réglementation bancaire et financière,* présidé par le ministre chargé de l'economie et des finances – la vice-présidence étant assurée par le gouverneur de la Banque de France –, fixe les règles de gestion, les normes comptables et les activités que sont autorisées à avoir les banques ;

> Il existe, de même, un Comité des établissements de crédit et des entreprises d'investissement.

4° le *Conseil national du crédit et du titre,* présidé par le ministre chargé de l'économie et des finances, émet des avis sur la politique financière de l'État.

692-1. En outre le Collège des autorités de contrôle des entreprises du secteur financier composé du gouverneur de la Banque de France, des présidents de la Commission bancaire, du Conseil des marchés financiers, de la COB, et de la Commission de contrôle des assurances, doit faciliter les échanges d'information entre ces diverses autorités.

Enfin, les établissements de crédit doivent adhérer à un Fonds de garantie des dépôts chargé d'indemniser les déposants en cas d'indisponibilité des sommes qui leur sont dues.

692-2. En prolongeant de façon inconsidérée les crédits consentis à une société bien que l'équilibre financier de celle-ci fût irrémédiablement compromis, une banque commet une faute engageant sa responsabilité (Com. 2 juin 1992 : RJDA 8-9/92 n° 852).

B _ COLLECTIVITÉS PUBLIQUES

693. Traditionnellement les prêts aux entreprises étaient assurés uniquement par les établissements de crédit, captant les capacités de financement dégagées par les autres secteurs – notamment les ménages – afin de les mettre à la disposition de ceux qui avaient besoin de crédit. Mais, essentiellement depuis 1973, la situation économique a exigé l'intervention tant de l'État que des collectivités territoriales.

État

694. L'État intervient de deux façons. Il peut toujours accorder une *aide passive* en octroyant des délais de paiement pour les impôts ou les charges sociales et des allégements fiscaux.

Il peut aussi apporter une *aide accrue,* sous forme de fonds propres, primes, subventions, prêts.

Les prêts de l'État peuvent être :

1° des *prêts à long terme à taux bonifié* pour faciliter le financement de certains investissements répondant à des objectifs d'intérêt général (prêts spéciaux à l'investissement) ;

> La bonification d'intérêts, constituant un manque à gagner pour les établissements accordant ces prêts, est inscrite au budget de l'État. Seuls des établissements ayant passé une convention avec l'État peuvent donc octroyer ces prêts : le Crédit National, le Crédit d'équipement PME, la Caisse centrale de crédit coopératif.

2° des prêts utilisés notamment par :
– le Comité interministériel des aides à la localisation d'activités (CIALA) ;
– les organismes administratifs affectés au traitement des entreprises en difficulté (CIRI, CORRI, CODEFI).

Collectivités territoriales

695. Jusque dans les années 1970-1975, les élus locaux ont limité leur action économique à l'accueil des entreprises nouvelles : construction de zones industrielles ou artisanales, réhabilitation de locaux industriels, aménagements fiscaux pour les entreprises venant s'implanter.

La crise économique a amené les collectivités territoriales à intervenir plus fortement pour aider les « laissés pour compte » du système de financement par les établissements financiers et l'État. Aujourd'hui, elles utilisent divers moyens d'action.

1° Les *aides directes*. Elles sont attribuées par la région et sont soumises à des plafonds ; les départements, les communes ou leurs groupements peuvent toutefois les compléter lorsque l'intervention de la région n'atteint pas le plafond ; elles peuvent être :

– des primes régionales à la création d'entreprise,

– des primes régionales à l'emploi,

– des bonifications d'intérêts, des prêts ou des avances.

2° Les *aides indirectes*. Elles peuvent être attribuées librement par les collectivités territoriales intervenant seules ou conjointement sous trois réserves :

– la revente ou la location de bâtiments doit se faire aux conditions du marché ;

> Il s'agit le plus souvent de :
> – *friches industrielles*, c'est-à-dire des locaux que la crise a rendus inoccupés et qui ont été réaménagés,
> – *usines relais*, c'est-à-dire des locaux provisoires banalisés mis à la disposition d'industriels pour démarrer immédiatement leur production en attendant d'occuper des locaux définitifs ;
> – *pépinières d'entreprises*, c'est-à-dire des structures destinées à accueillir temporairement des entreprises nouvellement créées qui bénéficient, dans ce cadre, des services nécessaires à leur fonctionnement.
>
> *Remarque :* La location ne dure, théoriquement, que 23 mois pour éviter les règles du bail commercial. En réalité, le caractère provisoire est rarement vérifié ; une fois écoulés les 23 mois, l'industriel n'ayant pas les moyens d'investir en locaux loue cette usine relais, avec éventuellement une promesse de vente, ou l'achète à la collectivité avec paiements échelonnés.

– les garanties d'emprunts et cautions sont soumises à un régime de plafond défini par les articles L 2252-1 et s., L 3231-4 et s. et L 4253-1 du Code général des collectivités territoriales ;

– les communes, départements et régions ne peuvent pas participer au capital des sociétés commerciales sans y avoir été autorisés par décret.

> Ces collectivités peuvent, sans autorisation, prendre une participation dans le capital :
> – des sociétés d'économie mixte locales ;
> – d'un établissement de crédit revêtant la forme de société anonyme et ayant pour objet exclusif de garantir les concours financiers accordés à des personnes morales de droit privé, et notamment celles qui exploitent des entreprises nouvellement créées, dès lors qu'une ou plusieurs sociétés commerciales, dont au moins un établissement régi par le Code monétaire et financier, participent également au capital de cet établissement de crédit.

3° Les *aides fiscales*. Les collectivités territoriales disposent de deux possibilités d'exonération de taxe professionnelle en faveur des entreprises nouvellement créées :
– l'exonération de taxe professionnelle de un à cinq ans prévue par l'article 1465 du Code général des impôts ;
– l'exonération de deux ans de la taxe professionnelle et de la taxe foncière sur les propriétés bâties.

4° *Remarque :* Les aides pouvant être accordées aux entreprises en difficulté ne sont soumises à aucune règle particulière si ce n'est l'interdiction de toute prise de participation dans le capital d'une société commerciale (supra) et le fait qu'elles sont interdites aux communes.

Chapitre II

La sécurité du financement

696. La technique juridique cherche à assurer la sécurité des financements par plusieurs mécanismes. Tous ont pour objectif de renforcer les chances de paiement des créanciers ; mais certains n'ont qu'une importance limitée, alors que d'autres jouent un rôle capital. Malgré l'inégalité et la diversité des différentes armes juridiques forgées à cet effet, un regroupement peut être opéré autour de trois lignes directrices : faciliter l'exercice du droit au paiement (section 1), donner des garanties de paiement (section 2), sauvegarder au maximum les chances de paiement en cas de difficultés financières du débiteur (section 3).

Section 1
Facilités d'exercice du droit de paiement

697. Il s'agit d'éliminer les entraves que le débiteur pourrait être tenté de dresser pour retarder ou paralyser la demande de son créancier.

Élimination des retards

698. Cette élimination porte, d'abord, sur les retards injustifiés. Ainsi, le créancier peut, très rapidement, mettre son débiteur en demeure de payer.

De même, tout créancier d'une somme d'argent peut rapidement obtenir en justice un titre exécutoire contre son débiteur ; il dispose pour cela de deux procédures : le *référé-provision* (voir n° 77) et la *procédure d'injonction de payer* pour les créances ayant une cause contractuelle ou résultant d'une obligation de caractère statutaire, et s'élevant à un montant déterminé (Nouveau Code de procédure civile art. 1405 et s.) : il lui suffit de présenter au tribunal (de commerce pour une créance commerciale ou d'instance pour une créance civile), une requête demandant au juge de prononcer une injonction de payer. Il peut obtenir cette injonction en quelques jours si le juge estime sa créance fondée ; il la notifie alors au débiteur (signification écrite et verbale par huissier). Ce dernier peut soit exécuter l'injonction (rare), soit faire opposition et saisir le tribunal de l'ensemble du litige (si la créance est civile et supérieure à 7 600 €, le tribunal compétent est le tribunal de grande instance), soit ne rien faire. Passé le délai d'opposition (un mois à dater de la signification), le créancier peut demander l'apposition sur l'ordonnance de la formule exécutoire (annexe 1).

L'élimination des retards peut se faire aussi – c'est exceptionnel – en *supprimant* le *terme* dont une créance est assortie, et en rendant celle-ci immédiatement exigible. Cette exigibilité immédiate est prononcée chaque fois que le débiteur fait *un acte sur son fonds de commerce qui est de nature à affaiblir les chances de paiement des créanciers antérieurs* audit acte. Ainsi, la fin d'une location-gérance rend immédiatement exigibles les dettes du locataire-gérant.

> Sur la déchéance du terme pour une entreprise en cessation de paiements, en cas de cession de l'entreprise ou liquidation judiciaire voir n°s 712 et 715-3.

Élimination des entraves mises par le débiteur

699. Dans certaines circonstances un débiteur ne peut opposer au créancier une irrégularité viciant son engagement ; on parle, dans la langue juridique, d'*inopposabilité.* La plus importante est l'inopposabilité au porteur de bonne foi des exceptions extérieures à un titre négociable, examinée au n° 614 (rapprocher, pour la garantie à première demande, n° 685).

De même, une société commerciale est obligatoirement engagée par les actes effectués par les dirigeants dont le nom est publié au registre du commerce et des sociétés, même si leur nomination est irrégulière.

Section 2
Octroi de garanties aux créanciers

700. Tout créancier a pour garantie générale le patrimoine de son débiteur. Il peut, en principe, saisir tous ses biens pour se faire payer ; mais le succès dépend, c'est une évidence, de la valeur desdits biens. Pour éviter tout risque, les créanciers demandent donc souvent à leur débiteur des garanties spéciales, appelées *sûretés,* leur permettant d'agir contre d'autres débiteurs (sûreté personnelle) ou affectant un bien au paiement prioritaire de leur créance (sûreté réelle).

I. Action du créancier contre plusieurs débiteurs

Solidarité

701. Lorsque plusieurs personnes ont pris ensemble un même engagement (par exemple, plusieurs acheteurs ou plusieurs locataires d'un même bien), elles ne sont, en principe, tenues chacune que pour la part qu'elles ont accepté d'assumer dans l'engagement commun. Mais cette solution est écartée dans trois cas :
– lorsque les débiteurs acceptent de se lier solidairement à l'égard du créancier et le disent expressément ;
– lorsque l'engagement commun est un engagement commercial, car elles sont alors présumées avoir accepté la solidarité ;
– lorsque les intéressés sont les associés de fait d'une société commerciale ou les membres d'une société en participation à objet commercial révélée aux tiers.

La solidarité renforce considérablement les chances de paiement. Elle permet en effet au créancier de **demander à un seul** des codébiteurs **le paiement de la totalité** de la créance ; chaque débiteur est tenu à la totalité de la dette et doit ensuite réclamer à ses codébiteurs leur quote-part.

> On parle d'obligation « in solidum » lorsqu'il y a obligation de payer la totalité d'une dette de réparation d'un dommage causé par plusieurs auteurs, les codébiteurs ne se représentant pas mutuellement.

Cautionnement

702. Le cautionnement est l'*engagement* pris par une personne, dite caution, *de payer la dette d'un débiteur si celui-ci ne remplit pas son obligation ;* il est très fréquent dans la vie des affaires, par exemple le cautionnement d'une société mère pour garantir l'une de ses filiales ou réciproquement.

> Lorsque le cautionnement porte sur le paiement d'un effet de commerce, il consiste en une signature donnée sur le dit effet, appelée « aval ».

Le régime de sa preuve varie selon la qualité de la caution :
1° le cautionnement donné par un commerçant pour le besoin de son commerce se prouve par tous moyens ;
2° le cautionnement donné par une personne physique en garantie d'un achat à crédit visé au n° 552-1 est soumis à des formalités particulières.

> La personne qui par acte sous seing privé se porte caution doit, à peine de nullité de son engagement, faire précéder sa signature de la mention manuscrite suivante : « En me portant caution de X..., dans la limite de la somme de... couvrant le paiement du principal, des intérêts et, le cas échéant, des pénalités ou intérêts de retard et pour la durée de..., je m'engage à rembourser au prêteur les sommes dues sur mes revenus et mes biens si X... n'y satisfait pas lui-même ».

> De même, toute personne qui se porte caution solidaire doit écrire : « En renonçant au bénéfice de discussion défini à l'article 2021 du Code civil et en m'obligeant solidairement avec X..., je m'engage à rembourser le créancier sans pouvoir exiger qu'il poursuive préalablement X... ».

3° Le cautionnement donné par toute personne non visée au 1° ou au 2° doit être prouvé soit par acte authentique, soit par acte sous seing privé comportant la signature de la caution ainsi que la mention, écrite par la caution, de la somme garantie en toutes lettres et chiffres.

Toutefois, en cas de mention incomplète l'acte sous seing privé constitue un commencement de preuve par écrit qui, pour faire preuve parfaite de l'engagement de la caution, doit être complété par des éléments qui lui sont extérieurs (Civ. 1re 12 janvier 1999 : RJDA 3/99 n° 337) ; constitue un tel élément le fait que l'acte soit signé par le gérant de la société, cette fonction impliquant une claire connaissance de la nature et de l'étendue de l'obligation contractée (Com. 23 mai 2000 : RJDA 9-10/00 n° 916).

> Le dirigeant d'une société qui se porte caution des dettes que celle-ci viendrait à contracter continue d'être tenu des dettes nées après la cessation de ses fonctions à moins qu'il n'ait stipulé expressément que le cautionnement était lié à l'exercice de ses fonctions et cesserait de produire effet lorsqu'il serait mis fin à celles-ci (Com. 15 octobre 1991 : RJDA 1/92 n° 74).

La caution est déchargée de ses obligations lorsque la subrogation dans un droit du créancier, susceptible de lui procurer un avantage particulier, ne peut plus s'opérer en sa faveur, à la suite d'une faute exclusivement imputable au créancier (Code civil art. 2037).

Dans les relations d'affaires, il est couramment stipulé que la **caution** est **solidaire.** Il s'ensuit que le créancier peut lui demander le paiement dès l'instant où, à l'échéance, le débiteur n'a pas payé. Le créancier n'est pas tenu d'user au préalable des voies d'exécution pour contraindre le débiteur. On dit, pour traduire ce droit du créancier, que la caution solidaire n'a **pas le « bénéfice de discussion » :** elle ne peut pas, avant de payer, faire « discuter » les biens du débiteur.

702-1. Sur la *garantie à première demande* voir n° 685.

702-2. Les *lettres d'intention* dites aussi *de confort* ou de patronage ou de parrainage sont des documents adressés par une société mère à un établissement de crédit créancier de l'une de ses filiales, l'assurant du respect des engagements contractés par cette dernière ; selon les termes employés dans la lettre, l'obligation de la société mère est soit une obligation de moyens (Com. 17 octobre 1995 : RJDA 1/96 n° 110), soit une obligation de résultat la rendant responsable des conséquences de la défaillance de sa filiale (Com. 23 octobre 1990 : RJDA 1/91 n° 29).

II.   Affectation d'un bien au paiement prioritaire du créancier

703. L'affectation d'un bien au paiement prioritaire du créancier constitue ce que l'on appelle une *sûreté réelle,* puisqu'elle porte sur une chose. Elle peut se réaliser selon les modalités sommairement indiquées aux n°s 228 et s.

Section 3
Sauvegarde des chances de paiement du créancier

704. Cette action de sauvegarde est nécessaire lorsque le débiteur glisse vers la ruine. Dans un premier temps, elle vise à l'aider à surmonter ses difficultés financières : c'est la prévention des difficultés. Dans un second temps, elle tend à corriger les conséquences d'une détérioration financière consommée : c'est l'organisation du règlement des créanciers devant la cessation des paiements ou, comme l'on dit usuellement – mais non juridiquement – la « faillite » de leur débiteur.

I. Prévention des difficultés des entreprises

(Code de commerce art. L 611-1 et s.)

705. Il n'existe pas de définition précise ou de diagnostic sûr pour caractériser la situation d'une entreprise en difficulté mais non encore en cessation de paiements.

On peut dire qu'il en est ainsi lorsque se présentent les critères suivants :
– sur le plan commercial : pertes de marchés, baisse du chiffre d'affaires, etc. ;
– sur le plan comptable : diminution de la marge, surstockage, etc. ;
– sur le plan financier : report d'échéances, hausse des frais financiers, manque de fonds propres, etc.

Le législateur a, en cas d'évolution préoccupante de la situation, mis sur pied des procédures d'alerte et cherché à permettre le redressement des entreprises en difficulté au moyen d'accords négociés avec les principaux créanciers.

A — PROCÉDURES D'ALERTE

706. Les procédures d'alerte sont réservées aux sociétés par actions et aux personnes morales de droit privé dont les comptes doivent être soumis au contrôle d'un commissaire aux comptes. Elles sont déclenchées à l'initiative soit du commissaire aux comptes, soit du comité d'entreprise, soit d'un associé minoritaire, soit du président du tribunal de commerce.

1° *Le commissaire aux comptes* est tenu d'attirer l'attention des dirigeants sociaux sur tout fait de nature à compromettre la continuité de l'exploitation, relevé au cours de sa mission. En cas de non-réponse des dirigeants (puis du conseil d'administration ou du conseil de surveillance, dans le cas des sociétés anonymes) ou si, en dépit des décisions prises, le commissaire aux comptes constate que la continuité de l'exploitation reste compromise, il établit un rapport spécial présenté à la plus proche assemblée générale. Le commissaire aux comptes en informe le président du tribunal.

Si, à l'issue de la réunion de l'assemblée générale, le commissaire aux comptes constate que les décisions prises ne permettent pas d'assurer la continuité de l'exploitation, il informe de ses démarches le président du tribunal et lui en communique les résultats.

2° *Le comité d'entreprise* peut mettre en œuvre une procédure d'alerte des dirigeants sociaux s'il a connaissance de faits de nature à affecter de manière préoccupante la situation économique de l'entreprise. Il peut alors demander à l'employeur de lui fournir des explications ; s'il estime la réponse insuffisante ou si cette réponse confirme le caractère préoccupant de la situation, il établit un rapport, transmis au commissaire aux comptes, s'il en existe un. Il peut saisir de ce rapport le conseil d'administration ou le conseil de surveillance (sociétés anonymes) ou le faire communiquer par les dirigeants aux associés (autres formes de sociétés) ou aux membres du groupement.

3° Dans les sociétés par actions, un ou plusieurs **actionnaires,** représentant au moins un vingtième du capital social, peuvent, deux fois par exercice, poser par écrit aux dirigeants sociaux des questions sur tout fait de nature à compromettre la continuation de l'exploitation. Cependant il ne leur est pas autorisé de saisir directement le conseil d'administration (ou le conseil de surveillance), voire l'assemblée générale si les réponses à leurs questions ne leur donnent pas satisfaction.

Les associés non gérants des *sociétés à responsabilité limitée,* quelle que soit la proportion de leurs droits dans le capital, ont aussi cette faculté.

4° Le *président du tribunal de commerce* ou du tribunal de grande instance peut convoquer les dirigeants d'une personne morale de droit privé, tout entrepreneur individuel, commerçant ou artisan, lorsque leur entreprise connaît des difficultés de nature à compromettre la continuité de l'exploitation, pour que soient envisagées les mesures propres à redresser la situation.

706-1. Toute société commerciale ainsi que toute personne morale de droit privé peut adhérer à un *groupement de prévention agréé* par arrêté du représentant de l'État dans la région.

Ce groupement a pour mission de fournir à ses adhérents, de façon confidentielle, une analyse des informations comptables et financières que ceux-ci s'engagent à lui transmettre régulièrement.

Lorsque le groupement relève des indices de difficultés, il en informe le chef d'entreprise et peut lui proposer l'intervention d'un expert.

Les groupements de prévention agréés sont habilités à conclure, notamment avec les établissements de crédit et les entreprises d'assurance, des conventions au profit de leurs adhérents.

B — RÈGLEMENT AMIABLE

707. Toute entreprise commerciale ou artisanale, toute personne morale de droit privé qui, sans être en cessation de paiements, éprouve une difficulté juridique, économique ou financière ou des besoins ne pouvant être couverts par un financement adapté à leurs possibilités, peut bénéficier d'une procédure de règlement amiable.

> Le président du tribunal est saisi par une requête du représentant de l'entreprise, qui expose sa situation financière, économique et sociale, les besoins de financement ainsi que les moyens d'y faire face.

Si le président du tribunal de commerce ou de grande instance estime la requête justifiée, il ouvre le règlement amiable et désigne un *conciliateur* pour une période n'excédant pas trois mois pouvant être prorogée d'un mois au plus à la demande de ce dernier.

Il détermine la mission du conciliateur, dont l'objet est de favoriser le fonctionnement de l'entreprise et de rechercher la conclusion d'un accord avec les créanciers.

> S'il estime qu'une *suspension provisoire des poursuites* serait de nature à faciliter la conclusion de l'accord, le conciliateur peut saisir le président du tribunal. Après avoir recueilli l'avis des principaux créanciers, ce dernier peut rendre une ordonnance la prononçant pour une durée n'excédant pas le terme de la mission du conciliateur.
>
> Cette ordonnance suspend ou interdit toute action en justice de la part de tous les créanciers dont la créance a son origine antérieurement à ladite décision et tendant :
> – à la condamnation du débiteur au paiement d'une somme d'argent ;
> – à la résolution d'un contrat pour défaut de paiement d'une somme d'argent.
>
> Elle arrête ou interdit également toute voie d'exécution de la part de ces créanciers tant sur les meubles que sur les immeubles.
>
> Les délais impartis à peine de déchéance ou de résolution des droits sont, en conséquence, suspendus.
>
> Sauf autorisation du président du tribunal, l'ordonnance qui prononce la suspension provisoire des poursuites interdit au débiteur, à peine de nullité, de payer, en tout ou partie, une créance quelconque née antérieurement à cette décision, ou de désintéresser les cautions qui acquitteraient des créances nées antérieurement, ainsi que de faire un acte de disposition étranger à la gestion normale de l'entreprise ou de consentir une hypothèque ou un nantissement. Cette interdiction de payer ne s'applique pas aux créances résultant d'un contrat de travail.

Si un accord est conclu avec tous les créanciers, il est homologué par le président du tribunal et déposé au greffe.

> Les créanciers qui entendent participer à cet accord ne sont pas obligés de le faire pour l'ensemble de leurs créances (Com. 13 octobre 1998 : Bull. IV n° 235).

Si un accord est conclu avec les principaux créanciers, le président du tribunal peut également l'homologuer et accorder au débiteur les délais de paiement visés au n° 595-2 pour les créances même fiscales non incluses dans l'accord (Com. 16 juin 1998 : Bull. IV n° 193).

L'accord suspend, pendant la durée de son exécution, toute action en justice, toute poursuite individuelle des créanciers signataires tendant à obtenir le paiement des créances objet de l'accord ; cette suspension ne concerne pas les créances non couvertes par l'accord sauf si le tribunal impose des délais de paiement pour toutes les créances. L'accord suspend les délais impartis aux créanciers à peine de déchéance ou de résolution des droits afférents à ces créanciers.

En cas d'inexécution des engagements résultant de l'accord, le tribunal prononce la résolution de celui-ci ainsi que la déchéance de tout délai de paiement accordé, les créanciers retrouvant l'intégralité de leurs droits.

707-1. Les *exploitations agricoles* sont soumises à une procédure comparable (Code rural art. L 351-1 à L 351-7).

> Toutefois, les sociétés commerciales exerçant une activité agricole demeurent soumises aux dispositions du Code de commerce sommairement décrites aux n°s 706 et 707.

707-2. Est nulle de plein droit toute convention par laquelle un intermédiaire se charge ou se propose moyennant rémunération soit d'examiner la situation du débiteur en vue de l'établissement d'un plan de remboursement, soit de rechercher pour le compte d'un débiteur l'obtention de délais de paiement ou d'une remise de dette.

Tout intermédiaire ayant perçu une somme d'argent à l'occasion de l'une de ces opérations encourt un emprisonnement de 1 an et/ou une amende de 30 000 € (Code de la consommation art. L 321-1 et L 321-2.).

II. Cessation des paiements
(Code de commerce art. L 620-1 s.)

708. Il est malheureusement fréquent que la situation de l'entreprise soit gravement compromise du fait d'un *état de cessation des paiements,* c'est-à-dire de l'impossibilité de faire face au passif exigible et exigé avec l'actif disponible (Com. 28 avril 1998 : RJDA 8-9/98 n° 1000). La cessation des paiements ne doit donc pas être confondue avec l'insolvabilité ; une entreprise peut être solvable compte tenu de la valeur de ses immobilisations et ne pas être en mesure, faute de liquidités suffisantes, de régler ses dettes.

> La cessation des paiements est distincte du *refus de paiement* et doit être prouvée par celui qui demande l'ouverture du redressement judiciaire (Com. 27 avril 1993 : Bull. IV n° 154).

Deux procédures spécifiques ont été instituées pour les entrepreneurs en cessation des paiements et qui ont la qualité soit de *commerçant*, soit d'*artisan* immatriculé au répertoire des métiers, soit d'*agriculteur*, soit de *personne morale de droit privé*.

> Les sociétés non encore immatriculées au RCS n'ont pas la personnalité morale et ne peuvent pas faire l'objet de ces procédures (Com. 10 mars 1987 : BRDA 1987/10 p. 109). En revanche les personnes ayant agi pour le compte de la société en formation peuvent être mises personnellement en redressement ou en liquidation judiciaires si elles se sont comportées comme des commerçants.

Ces procédures s'appliquent également :
– au locataire-gérant du fonds d'une entreprise en redressement judiciaire n'ayant pas respecté l'obligation d'acquérir ce fonds dans les conditions et délais prescrits par le tribunal (voir n° 713) ;
– aux dirigeants sociaux auxquels le redressement judiciaire a été étendu (voir n° 716) ;
– aux commerçants ayant cessé toute activité si le tribunal est saisi dans l'année suivant leur radiation au registre du commerce et des sociétés (Com. 27 juin 1989 : Bull. IV n° 203).

708-1. Ces procédures sont :

1° le *redressement judiciaire* destiné à permettre la sauvegarde de l'entreprise, le maintien de l'activité et de l'emploi, et l'apurement du passif ; son régime diffère d'après la taille de l'entreprise :

– le « *régime général* » est réservé aux entreprises employant plus de 50 salariés et dont le chiffre d'affaires hors taxe est au moins égal à 3 100 000 € par an ;

– la « *procédure simplifiée* » joue pour les autres entreprises : elle est donc *beaucoup plus fréquente* que le régime dit général.

2° la *liquidation judiciaire* si l'entreprise a cessé toute activité ou si le redressement judiciaire est manifestement impossible.

A — RÉGIME GÉNÉRAL DU REDRESSEMENT JUDICIAIRE

Jugement d'ouverture et période d'observation

Ouverture de la procédure

709. *Saisine du tribunal.* Seuls *certains tribunaux,* dont la liste est fixée par décret, sont compétents pour connaître de ces procédures de redressement judiciaire.

Ces juridictions sont normalement saisies sur demande du débiteur formulée dans les quinze jours de la cessation des paiements (dépôt de bilan), elles peuvent l'être aussi à la demande d'un créancier ou du procureur de la République, voire elles peuvent se saisir d'office.

709-1. *Décision du tribunal* (jugement d'ouverture). S'il décide d'ouvrir une procédure de redressement judiciaire le tribunal fixe éventuellement la *date de cessation des paiements,* celle-ci pouvant être modifiée ultérieurement sans pouvoir être antérieure de plus de dix-huit mois à la date du jugement d'ouverture.

Par ailleurs, il nomme les *organes de la procédure :* un *juge-commissaire,* un *administrateur* et un représentant des créanciers ; il invite le comité d'entreprise (ou à défaut les délégués du personnel) à désigner un représentant des salariés. L'administrateur peut demander la nomination d'un ou plusieurs *experts en diagnostic d'entreprises.*

Élaboration d'un bilan économique et social et d'un projet de plan de redressement

709-2. Le jugement de redressement judiciaire ouvre une période d'observation pour permettre l'établissement d'un bilan économique et social de l'entreprise et un projet de plan de redressement. Cette période est en principe *limitée à six mois ; elle est renouvelable une fois* (avec prolongation exceptionnelle pour une durée de huit mois). Avant l'expiration de ce délai, le tribunal doit soit arrêter un plan de redressement, soit prononcer la liquidation judiciaire.

Mission de l'administrateur judiciaire

709-3. L'administrateur doit dresser, avec le concours du débiteur et l'assistance éventuelle d'un ou de plusieurs experts, un *bilan économique et social* précisant l'origine, l'importance et la nature des difficultés de l'entreprise. Au vu de ce bilan, il propose soit un plan de redressement, soit la liquidation judiciaire.

Le projet de plan de redressement :
– détermine les perspectives de redressement en fonction des modalités d'activité, de l'état du marché et des moyens de financement disponibles ;
– définit les modalités de règlement du passif et les garanties que le débiteur doit souscrire pour en assurer l'exécution ;
– expose et justifie le niveau et les perspectives d'emploi ainsi que les conditions sociales envisagées pour la poursuite d'activité.

Sort de l'entreprise

709-4. En principe, *le débiteur reste à la tête de son entreprise. Toutefois* il ne conserve ses pouvoirs que sous réserve des règles suivantes.

1° Le tribunal peut charger l'administrateur de surveiller le débiteur, de l'assister ou d'assurer seul, entièrement ou en partie, la gestion de l'entreprise.

2° Si l'entreprise en cessation des paiements est une société, le tribunal peut ordonner le *remplacement d'un ou de plusieurs dirigeants,* prononcer l'incessibilité de leurs droits sociaux (ou, au contraire, en ordonner la cession), décider que le droit de vote y attaché sera exercé par un mandataire de justice.

3° *Le juge-commissaire doit autoriser* les actes suivants : actes de disposition étrangers à la gestion courante de l'entreprise, constitution d'hypothèque et de nantissement, compromis ou transactions.

> Le juge-commissaire peut aussi autoriser un paiement pour permettre, lorsque la poursuite de l'activité le nécessite, le retrait d'une chose sur laquelle s'exerce un droit de rétention.

4° Seul l'administrateur peut exiger – et imposer – *l'exécution des contrats en cours* en fournissant la prestation promise au cocontractant du débiteur.

> Le contractant du débiteur ne peut pas s'opposer à la poursuite du contrat en cours en soulevant l'exception d'inexécution.
> Le contrat est résilié de plein droit après une mise en demeure adressée à l'administrateur restée plus d'un mois sans réponse.
> Lorsque la prestation porte sur le paiement d'une somme d'argent, celui-ci doit se faire au comptant, sauf pour l'administrateur à obtenir l'acceptation, par le cocontractant du débiteur, de délais de paiement.
> Si l'administrateur n'use pas de la faculté de poursuivre un contrat en cours, l'inexécution peut donner lieu à des dommages-intérêts dont le montant est déclaré au passif par le créancier.

5° Si *la disparition de l'entreprise* est de nature à causer un *trouble grave à l'économie* nationale ou régionale, le tribunal peut, à la demande du procureur de la République (et de lui seul), après consultation du comité d'entreprise ou des délégués du personnel, autoriser la conclusion d'un contrat de *location-gérance.* La durée de ce contrat ne pourra pas excéder deux ans, la période d'observation étant prorogée jusqu'au terme du contrat.

6° Le tribunal peut, à tout moment, ordonner la cessation totale ou partielle de l'activité ou la liquidation judiciaire.

Situation des créanciers

709-5. Les créanciers, qui ne sont plus groupés en une « masse » dotée de la personnalité juridique, sont représentés par un *mandataire* de justice – le *« représentant des créanciers »* – qui a seul qualité pour agir en leur nom et dans leur intérêt.

Le jugement d'ouverture de la procédure emporte *interdiction de payer toute créance née antérieurement* à ce jugement sauf paiement par compensation de créances connexes (n° 709-8). En outre ce jugement *suspend,* ou interdit, *toute action en justice* de la part de tous les créanciers dont la créance a son origine antérieurement audit jugement et tendant :
– à la condamnation du débiteur au paiement d'une somme d'argent ;
– à la résolution d'un contrat pour défaut de paiement d'une somme d'argent.

> Ces dispositions ne font pas obstacle à la demande en résiliation d'un contrat fondée sur l'inexécution par le débiteur d'une obligation de faire (Com. 12 mai 1992 : BRDA 1992/11 p. 10).

Figure III-5

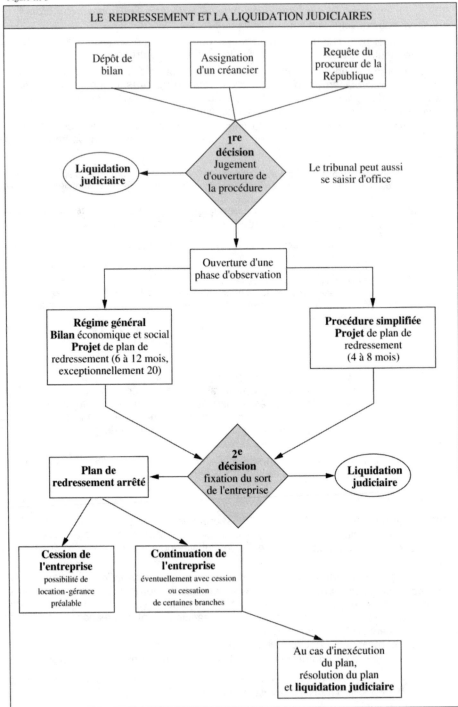

LE REDRESSEMENT ET LA LIQUIDATION JUDICIAIRES

Il arrête ou *interdit,* également, *toute voie d'exécution* tant sur les meubles que les immeubles.

Les délais impartis à peine de déchéance ou de résolution des droits sont donc suspendus. En revanche, le jugement *ne rend pas exigibles les créances non échues* à la date de son prononcé, toute clause contraire étant réputée non écrite.

709-6. Les créanciers, privilégiés ou non, hormis les salariés, doivent adresser à leur représentant une *déclaration* de leurs *créances,* même si celles-ci ne sont pas exigibles (Com. 19 décembre 2000 : Bull. IV n° 201). S'ils n'y procèdent pas dans les deux mois à dater de la publication du jugement d'ouverture au BODACC, leurs créances sont éteintes et cela même en cas de liquidation judiciaire ; ils peuvent, toutefois, obtenir d'être relevés de *forclusion* s'ils établissent que la défaillance n'est pas due à leur fait.

Le représentant des créanciers établit, après avoir sollicité les observations du débiteur, *la liste des créances* déclarées avec ses propositions d'admission, de rejet ou de renvoi devant la juridiction compétente. Il transmet cette liste au juge-commissaire.

Au vu des propositions du représentant des créanciers, le juge-commissaire décide de l'*admission* ou du *rejet* des créances ou constate soit qu'une instance est en cours, soit que la contestation ne relève pas de sa compétence.

> Le juge-commissaire ne peut rejeter, en tout ou en partie, une créance ou se déclarer incompétent qu'après avoir entendu ou dûment appelé le créancier (sauf si celui-ci n'a pas répondu dans les délais requis au représentant des créanciers).

La liste des créances déclarées et le relevé des créances salariales constitue l'*état des créances.* Cet état doit être déposé au greffe pour que tout intéressé puisse en prendre connaissance (avec avis de dépôt publié au BODACC).

Les créanciers sont ensuite consultés sur les propositions de l'administrateur (délais de paiement et remises de dette essentiellement) ; ceux qui ne les ont pas acceptées expressément ou tacitement (non-réponse dans les trente jours), seront, en tout état de cause, soumis à des délais uniformes de paiement imposés par le tribunal.

709-7. Certains *actes accomplis* pendant « la *période suspecte* », c'est-à-dire entre la date de cessation des paiements et la date du jugement d'ouverture de la procédure sont obligatoirement *annulés,* notamment :
– les actes à titre gratuit translatifs de propriété mobilière ou immobilière ;
– les contrats à titre onéreux dans lesquels les obligations du débiteur excèdent notablement celles de l'autre partie ;
– les paiements, quel qu'en ait été le mode, pour dettes non échues au jour du paiement ;
– les paiements pour dettes échues faits autrement qu'en espèces, effets de commerce, virements, bordereaux « Dailly » (voir n° 278-1) ou tout autre mode de paiement consacré par un usage professionnel, une pratique générale et habituelle dans des relations d'affaires déterminées (Com. 14 décembre 1993 : RJDA 5/94, n° 587).

> Ont ainsi été jugés ne pas être des modes de paiement communément admis des paiements :
> – par délégation (Com. 30 novembre 1993 : RJDA 5/94 n° 588) ;
> – par compensation légale [Com. 19 décembre 2000 : Bull. IV n° 203].

– les hypothèques conventionnelles ou judiciaires ou les nantissements constitués sur les biens du débiteur pour dettes antérieurement contractées.

Par ailleurs, le tribunal a la possibilité d'annuler les actes à titre gratuit translatifs de propriété faits dans les six mois précédant la date de cessation des paiements, ainsi que les paiements pour dettes échues et les actes onéreux accomplis après cette date si ceux qui ont traité avec le débiteur ont eu connaissance de la cessation des paiements.

709-8. *Les créances nées après le jugement d'ouverture de la procédure* sont payées par priorité aux créances nées avant le jugement, qu'elles soient ou non assorties de privilèges ou de sûretés, exception faite du superprivilège des salariés.

Le nouvel ordre de paiement est donc le suivant :

Figure III-6

ORDRE DE PAIEMENT DES CRÉANCIERS D'UN DÉBITEUR EN REDRESSEMENT JUDICIAIRE	
1	Le super privilège des salariés 60 derniers jours de salaire ou les 90 derniers pour les VRP
Dettes nées après le jugement d'ouverture (payées à leur échéance)	
2	Les salaires non avancés par l'AGS (Association pour la gestion du régime d'assurance des créances des salariés)
3	Les frais de justice
4	Les prêts consentis par des établissements de crédit ainsi que les créances résultant de la poursuite des contrats en cours dont le cocontractant accepte un paiement différé (n° 709-4)
5	Les salaires avancés par l'AGS
6	Les autres créances selon leur rang (privilégiées, chirographaire)
Dettes nées avant le jugement d'ouverture (déclarées au passif)	
7	Les créances privilégiées (Trésor, Urssaf, sûretés)
8	Les créances chirographaires (très éventuellement)

Toutefois, un créancier peut toujours obtenir la compensation entre sa créance sur l'entreprise née avant ou après le jugement d'ouverture et une dette à l'égard de cette entreprise née après le jugement si ces *créances* sont *connexes* (Com. 23 novembre 1999 : RJDA 2/00 n° 182) ; il y a connexité dès lors que ces obligations dérivent d'un même contrat ou de conventions distinctes appartenant à un ensemble contractuel unique servant de cadre général aux relations des parties (Com. 1er avril 1997 : BRDA 8/97 p. 10).

Décision du tribunal

710. Après avoir entendu (ou dûment appelé) le débiteur, l'administrateur, le représentant des créanciers et les représentants du comité d'entreprise (ou, à défaut, les délégués du personnel), le *tribunal* statue au vu du rapport de l'administrateur ; il *doit arrêter un plan de redressement ou prononcer la liquidation.*

Le plan de redressement peut retenir l'une des trois solutions suivantes :
– continuation de l'entreprise ;
– cession de l'entreprise (avec possibilité de location-gérance préalable) ;
– continuation de l'entreprise assortie d'une cession partielle (également avec possibilité de location-gérance).

Lorsqu'il estime que la survie de l'entreprise le requiert, le tribunal peut, sur la demande de l'administrateur, du procureur de la République ou d'office, subordonner l'adoption du plan de redressement de l'entreprise au remplacement d'un ou de plusieurs des dirigeants sociaux.

Ce *plan* désigne les personnes tenues de l'exécuter et mentionne les *engagements* qu'elles ont souscrits et qui sont nécessaires au redressement du débiteur. Ces engagements portent sur l'avenir de l'activité, les modalités du maintien et du financement de l'entreprise, du règlement du passif né antérieurement au jugement d'ouverture ainsi que, s'il y a lieu, les garanties fournies pour en assurer l'exécution. Ce plan expose et justifie le niveau et les perspectives d'emploi ainsi que les *conditions sociales* envisagées pour la poursuite d'activité.

La *durée du plan* est fixée par le tribunal, sans pouvoir excéder dix ans (quinze ans pour les agriculteurs). Le tribunal nomme pour cette durée un *commissaire* chargé de veiller *à l'exécution du plan.*

> Le commissaire à l'exécution du plan peut être l'administrateur ou le représentant des créanciers.

Plan de continuation de l'entreprise

711. Le tribunal n'autorise la *continuation de l'entreprise* que s'il existe des possibilités sérieuses de redressement et de règlement du passif ; il impose, s'il y a lieu, l'arrêt, l'adjonction ou la cession de certaines *branches d'activité.* Il peut prononcer l'inaliénabilité temporaire des biens qu'il estime indispensables à la continuation.

Il donne acte des *délais et remises* acceptés par les créanciers ; il peut, le cas échéant, les réduire. Pour les autres créanciers, le tribunal impose des délais uniformes de paiement ; ces délais peuvent excéder la durée du plan, mais le premier paiement ne peut intervenir au-delà d'un délai d'un an.

711-1. Si le débiteur n'exécute pas ses engagements financiers dans les délais fixés par le plan, le tribunal peut, d'office ou à la demande d'un créancier, le commissaire à l'exécution du plan entendu, prononcer la *résolution du plan* et l'ouverture d'une procédure de liquidation judiciaire.

Plan de cession de l'entreprise

712. Le tribunal peut ordonner la *cession de l'entreprise* pour assurer le maintien d'activités susceptibles d'exploitation autonome, de tout ou partie des emplois qui y sont attachés et apurer le passif.

> Il résulte de ces dispositions que les biens qui ne sont pas affectés à l'activité de l'entreprise ne peuvent pas être compris dans le plan de cession. Ils doivent être vendus selon les modalités décrites au n° 715-2 (Com. 3 mars 1992 : Bull. IV n° 103).

La *cession* peut être *totale ou partielle.* Dans ce dernier cas, elle porte sur un ensemble d'éléments d'exploitation qui forment une ou plusieurs branches complètes et autonomes d'activité ; le tribunal statue sur la composition de ces ensembles.

Le tribunal retient l'offre qui permet, dans les meilleures conditions, d'assurer le plus durablement l'emploi attaché à l'ensemble cédé et le paiement des créanciers. Il détermine les contrats de crédit-bail, de location ou de fourniture de biens ou services nécessaires au maintien de l'activité. Le jugement qui arrête le plan emporte *cession de ces contrats* même lorsque la cession est précédée d'une location-gérance. Ces contrats doivent être exécutés aux conditions en vigueur au jour de l'ouverture de la procédure, nonobstant toute clause contraire, réserve faite des délais de paiement que le tribunal peut imposer pour assurer la poursuite de l'activité.

Tant qu'il n'a pas intégralement réglé le prix de la cession, le cessionnaire ne peut, à peine de nullité de l'acte, aliéner, affecter à titre de sûreté ou donner à bail les biens acquis – à l'exception des stocks – qu'avec l'autorisation du tribunal.

En outre le tribunal peut assortir le plan de cession d'une clause rendant inaliénable, pour une durée qu'il fixe, tout ou partie des biens cédés.

Le jugement prévoyant une *cession totale* rend exigibles les dettes non échues *(déchéance du terme).* Si la cession englobe des biens grevés d'un privilège spécial, d'un nantissement ou d'une hypothèque, le tribunal doit affecter une quote-part du prix à chacune des créances garanties.

En cas de cession totale de l'entreprise, le tribunal prononce la *clôture des opérations* après régularisation des actes nécessaires à la cession, paiement du prix et réalisation des actifs non compris dans le plan. Le prix de cession est réparti par le commissaire à l'exécution du plan entre les créanciers suivant leur rang.

713. Par le jugement arrêtant le plan de cession, le tribunal peut autoriser la conclusion d'un contrat de location-gérance, d'une durée maximale de deux ans, au profit de la personne qui aura présenté l'offre d'acquisition permettant dans les meilleures conditions d'assurer le plus durablement l'emploi et le paiement des créanciers. L'intéressé devra impérativement acquérir le fonds au terme du contrat. S'il n'exécute pas cette obligation dans les conditions et délais fixés par le plan, une procédure de redressement judiciaire sera ouverte à son encontre sans qu'il y ait lieu de constater la cessation des paiements.

> Les conditions d'acquisition pourront toutefois être modifiées par le tribunal, si le locataire-gérant justifie qu'il ne pourra pas les respecter pour une cause qui ne lui est pas imputable, ce qui n'est pas le cas de difficultés de gestion, financières ou commerciales (Trib. com. Paris 31 octobre 1988 : BRDA 1989/12 p. 22).

Liquidation judiciaire

713-1. Voir n°s 715 et s.

B — PROCÉDURE SIMPLIFIÉE

714. Les débiteurs soumis à la procédure simplifiée sont assujettis aux règles exposées n°s 709-1 et s. à l'exception des dispositions exposées ci-après.

> Jusqu'au jugement arrêtant le plan, le tribunal peut décider d'appliquer la procédure générale s'il estime qu'elle est de nature à favoriser le redressement de l'entreprise.

Jugement d'ouverture et période d'observation

714-1. Le jugement d'ouverture nomme un juge-commissaire et un représentant des créanciers. Il invite les délégués du personnel (ou à défaut les salariés) à désigner le représentant des salariés ; mais, à la différence du régime général, la *nomination d'un administrateur n'est pas obligatoire.*

> Il n'y a pas de dérogation à la compétence des tribunaux de commerce pour la procédure simplifiée.

La période d'observation est limitée à quatre mois, renouvelable une fois. Pendant cette période l'activité est poursuivie par le débiteur, sous réserve de la nécessaire autorisation du juge-commissaire pour la poursuite des contrats en cours lors de l'ouverture de la procédure, à peine de nullité (Com. 6 mai 1997 : RJDA 8-9/97 n° 1104) ; toutefois, si un administrateur est nommé, le débiteur est, au gré du tribunal, soit dessaisi et représenté par cet administrateur, soit simplement assisté par lui.

Élaboration d'un plan de redressement

714-2. Pendant la période d'observation, le débiteur, ou l'administrateur, s'il en est nommé un, établit un projet de plan de redressement avec le concours éventuel d'un expert nommé par le tribunal.

Le débiteur ou l'administrateur communique au représentant des créanciers et au jugecommissaire les propositions de règlement du passif.

S'il n'est pas nommé d'administrateur :
– les offres d'acquisition doivent être adressées au greffe du tribunal qui les communique au juge-commissaire, au représentant des créanciers et au débiteur ; celui-ci doit faire état dans son projet de plan de toutes les offres dont le juge-commissaire a vérifié la recevabilité ;
– le débiteur doit déposer au greffe le projet de plan de redressement ; le juge-commissaire doit faire rapport au tribunal et lui soumettre ce projet.

S'il est nommé un administrateur, celui-ci reçoit les offres d'acquisition et présente son plan au tribunal.

Remarque : À tout moment de la procédure, le tribunal peut ordonner la cessation totale ou partielle d'activité ou la liquidation judiciaire.

Décision du tribunal

714-3. Les règles décrites n°s 710 et s. sont applicables, le débiteur étant assisté dans l'accomplissement des actes nécessaires à la mise en œuvre du plan par l'administrateur s'il en a été nommé un ou, à défaut, par le commissaire à l'exécution du plan.

C __ LIQUIDATION JUDICIAIRE

714-4. La liquidation judiciaire peut être prononcée :
– sans période d'observation lorsque l'entreprise a cessé toute activité ou lorsque le redressement judiciaire est manifestement impossible ;
– à tout moment de la procédure si un plan de redressement s'avère impossible.

Sort de l'entreprise

715. En principe, la liquidation judiciaire entraîne cessation de l'activité de l'entrepreneur. Toutefois, si l'intérêt public ou celui des créanciers l'exige, le tribunal peut autoriser le maintien de l'activité pour une période maximale de deux mois, pouvant être prolongée, une fois, de deux autres mois à la demande du procureur de la République.

> Les créances nées pendant cette période bénéficient alors de la priorité indiquée au n° 709-8.

Liquidateur

715-1. Le *débiteur est dessaisi* de l'administration et de la disposition de tous ses biens. Les droits et actions concernant son patrimoine sont exercés par un liquidateur. Les actes accomplis par le débiteur en violation de ces dispositions ne sont pas frappés de nullité, mais d'inopposabilité à la procédure collective (Com. 23 mai 1995 : Bull. IV n° 150).

Ce liquidateur est soit un mandataire judiciaire, si la procédure de liquidation est ouverte sans période d'observation, soit le représentant des créanciers si le tribunal prononce la liquidation en cours de procédure.

Il procède aux opérations de liquidation en même temps qu'à la vérification des créances.

Réalisation de l'actif

715-2. La réalisation de l'actif s'opère selon les règles suivantes.

1° Des *unités de production,* composées de tout ou partie de l'actif mobilier ou immobilier, peuvent être cédées globalement. Les offres doivent être soumises au liquidateur et communiquées au juge-commissaire ; le liquidateur choisit celle qui lui paraît la plus sérieuse et qui permet dans les meilleures conditions d'assurer durablement l'emploi et le paiement des créanciers ; le juge-commissaire ordonne la cession.

2° *À défaut :*

– les immeubles sont en principe vendus aux enchères publiques, mais le juge-commissaire peut autoriser la vente par adjudication publique ou de gré à gré ;

– les autres biens de l'entreprise sont vendus aux enchères publiques ou de gré à gré, selon la décision du juge-commissaire.

Apurement du passif

715-3. Règlement des créanciers. Le jugement prononçant la liquidation judiciaire rend exigibles les créances non échues à la date du jugement d'ouverture de la procédure *(déchéance du terme).*

Si le liquidateur n'a pas entrepris la liquidation des biens grevés de sûretés spéciales (privilèges spéciaux et privilèges du Trésor, hypothèque, nantissement) dans les trois mois du jugement de liquidation, les créanciers titulaires de ces sûretés peuvent, dès lors qu'ils ont déclaré leur créance (et même s'ils n'ont pas encore été admis), exercer leur droit de poursuite individuelle.

Une fois payées les sommes dues aux créanciers privilégiés et les frais et dépens de la liquidation judiciaire, le montant de l'actif est réparti entre tous les créanciers au prorata de leurs créances admises.

715-4. Clôture des opérations. Le tribunal prononce la clôture de la liquidation judiciaire : soit *pour extinction du passif,* ce qui met fin à la procédure et rétablit le débiteur dans ses droits, soit *pour insuffisance d'actif.*

Le jugement de clôture de liquidation judiciaire pour insuffisance d'actif ne fait pas recouvrer aux créanciers l'exercice individuel de leurs actions contre le débiteur, sauf si la créance résulte :

– soit d'une condamnation pénale pour des faits étrangers à l'activité professionnelle du débiteur, ou pour fraude fiscale au seul bénéfice, dans ce cas, du Trésor public ;

– soit de droits attachés à la personne du créancier.

Toutefois, la caution ou le coobligé qui a payé au lieu et place du débiteur peut poursuivre celui-ci.

Enfin, en cas de fraude à leur égard, de banqueroute ou lorsque le débiteur a déjà été soumis à une procédure clôturée pour insuffisance d'actif, les créanciers recouvrent leur droit de poursuite individuelle.

D — SANCTIONS

716. Les dirigeants des personnes morales de droit privé, qu'ils soient de droit ou de fait, rémunérés ou non, personnes physiques ou morales (et les représentants permanents de ces dernières), peuvent faire l'objet de sanctions de la part du tribunal, dans les conditions exposées ci-après.

Le tribunal se saisit d'office ou est saisi par l'administrateur, le représentant des créanciers, le commissaire à l'exécution du plan ou le procureur de la République.

Le tribunal peut charger le juge-commissaire (ou, à défaut, un membre de la juridiction) d'obtenir communication de tout document ou d'informations sur la situation patrimoniale des dirigeants de la part des administrations et organismes publics, des organismes de prévoyance et de sécurité sociale et des établissements de crédit.

Le fait pour le dirigeant d'une société d'avoir exercé ses fonctions bénévolement ne peut lui éviter l'application de ces sanctions (Com. 21 juillet 1987 : Bull. IV n° 204).

1° *Action en comblement de passif.* Lorsque le redressement judiciaire ou la liquidation judiciaire d'un débiteur fait apparaître une insuffisance d'actif, le tribunal peut, en cas de faute de gestion ayant contribué à cette insuffisance d'actif, décider que les dettes de l'entrepreneur seront supportées, en tout ou en partie, avec ou sans solidarité, par tous les dirigeants de droit ou de fait, rémunérés ou non, ou par certains d'entre eux.

> Jugé que la poursuite de l'exploitation déficitaire d'une société constitue en elle-même une faute de gestion sans qu'il soit nécessaire de constater un état de cessation des paiements antérieur ou concomitant à cette poursuite (Com. 27 avril 1993 : Bull. IV n° 151).

Le tribunal fixe librement la contribution des dirigeants.

Les sommes obligatoirement versées par les dirigeants entrent dans le patrimoine de l'entreprise ; en cas de continuation de l'entreprise, elles sont affectées selon les modalités prévues par le plan d'apurement du passif ; en cas de cession ou de liquidation, elles sont réparties entre tous les créanciers au marc le franc.

2° *Extension du redressement judiciaire aux dirigeants.* Le tribunal peut ouvrir également une procédure de redressement à l'encontre des dirigeants lorsqu'ils ont :
– disposé des biens sociaux comme des leurs propres ;
– sous le couvert de la personne morale masquant leurs agissements, fait des actes de commerce dans un intérêt personnel ;
– fait des biens ou du crédit de la personne morale un usage contraire à l'intérêt de celle-ci à des fins personnelles, ou pour favoriser une autre personne morale ou une entreprise dans laquelle ils étaient intéressés directement ou indirectement (ces agissements sont par ailleurs constitutifs du délit d'abus de biens sociaux) ;
– poursuivi abusivement, dans un intérêt personnel, une exploitation déficitaire qui ne pouvait conduire qu'à la cessation des paiements de la société ;
– tenu une comptabilité fictive ou fait disparaître des documents comptables de la société, ou omis de tenir toute comptabilité conforme aux règles légales ;
– détourné ou dissimulé tout ou partie de l'actif ou frauduleusement augmenté le passif de la personne morale ;
– tenu une comptabilité manifestement incomplète ou irrégulière, au regard des dispositions légales.

3° *Remarque.* Ces deux actions se prescrivent en trois ans à compter du jugement arrêtant le plan de redressement, ou prononçant la liquidation judiciaire.

717. Les personnes physiques, dirigeants de droit ou de fait de personnes morales ayant une activité économique ou représentants permanents de personnes morales dirigeant des personnes morales ayant une activité économique, mais aussi les commerçants, les artisans et les agriculteurs ayant commis un certain nombre d'actes préjudiciables aux créanciers sociaux s'exposent aussi à d'autres sanctions.

1° *Faillite personnelle.* Elle entraîne toutes les déchéances et interdictions applicables aux personnes déclarées en état de faillite antérieurement au 1er janvier 1968 : déchéance des droits civiques et politiques, inéligibilité aux tribunaux de commerce, etc. Elle comporte notamment l'*interdiction de diriger,* de gérer, administrer ou contrôler, directement ou indirectement, une entreprise commerciale ou artisanale et toute personne morale ayant une activité économique ainsi que l'interdiction d'exercer une fonction publique élective.

> En outre elle prive les dirigeants qui en sont frappés du droit de vote dans les assemblées du groupement soumis au redressement judiciaire, ce droit étant exercé par un mandataire désigné par le tribunal à cet effet.

Le tribunal est libre de prononcer ou non cette sanction.

> Elle est encourue :
> – par les dirigeants, dans tous les cas visés supra pouvant justifier une extension du redressement judiciaire ;
> – par les commerçants, agriculteurs et artisans, en cas de poursuite abusive d'une exploitation déficitaire, de tenue d'une comptabilité irrégulière, de détournement ou de dissimulation de tout ou partie de l'actif, d'augmentation frauduleuse du passif ;

– par les personnes visées n° 717, ayant :
- exercé une activité artisanale ou commerciale, ou une fonction de direction ou d'administration d'une personne morale contrairement à une interdiction prévue par la loi (notamment si le dirigeant a déjà fait l'objet d'une mesure de faillite personnelle ou d'interdiction) ;
- acheté en vue d'une revente au-dessous du cours, ou employé des moyens ruineux pour se procurer des fonds dans l'intention d'éviter ou de retarder l'ouverture de la procédure de redressement judiciaire ;
- souscrit, pour le compte d'autrui et sans contrepartie, des engagements trop importants au moment de leur conclusion, eu égard à la situation de l'entreprise ou de la personne morale ;
- payé, après cessation des paiements et en connaissance de cause de celle-ci, un créancier au préjudice des autres créanciers (« paiement préférentiel ») ;
- omis de procéder à la déclaration de cessation des paiements dans le délai de quinze jours.

La durée de cette mesure ne peut pas être inférieure à cinq ans.

En cas de clôture pour extinction du passif, le jugement constatant la clôture rétablit la personne sanctionnée dans tous ses droits.

Si un dirigeant a apporté au paiement du passif une contribution jugée suffisante par le tribunal, ce dernier peut, sur la demande de l'intéressé, le relever, en tout ou en partie, des déchéances, interdictions et incapacité d'exercer une fonction publique élective auxquelles il a été condamné.

2° *Interdiction de gérer.* Au lieu de la faillite personnelle, le tribunal peut ne prononcer que l'interdiction de diriger, gérer, administrer ou contrôler, directement ou indirectement, soit toute entreprise commerciale ou artisanale et toute personne morale, soit seulement une ou plusieurs de celles-ci.

3° *Banqueroute.* Les personnes visées n° 717 s'exposent à un emprisonnement de cinq ans et à une amende de 75 000 € si :
– dans l'intention d'éviter ou de retarder l'ouverture de la procédure de redressement judiciaire, elles ont soit fait des achats en vue d'une revente au-dessous du cours, soit employé des moyens ruineux pour se procurer des fonds ;
– elles ont détourné ou dissimulé tout ou partie de l'actif du débiteur ;
– elles ont frauduleusement augmenté le passif du débiteur ;
– elles ont tenu une comptabilité fictive ou fait disparaître des documents comptables de la société ou encore se sont abstenues de tenir toute comptabilité ;
– elles ont tenu une comptabilité manifestement incomplète ou irrégulière au regard des dispositions légales.

III. Surendettement des particuliers

(Code de la consommation art. L 331-1 et s.)

718. Les *personnes physiques de bonne foi* se trouvant dans l'impossibilité manifeste de faire face à l'ensemble de leurs *dettes non professionnelles* exigibles et à échoir peuvent demander à bénéficier d'une procédure de traitement de leur situation de surendettement.

Au 1er janvier 1999, plus de 600 000 personnes avaient eu recours aux commissions de surendettement.

Conditions d'ouverture de la procédure

718-1. Pour pouvoir bénéficier de cette procédure, une personne physique doit remplir les trois conditions suivantes : être de bonne foi, être en état de surendettement et ne pas relever d'une autre procédure. Il lui faut, en outre :
– ne pas avoir fait sciemment de fausses déclarations ou remis des documents inexacts ;
– ne pas avoir détourné ou dissimulé, ou tenté de le faire, tout ou partie de ses biens ;
– ne pas avoir, sans l'accord de ses créanciers, de la commission de surendettement ou du juge, aggravé son endettement en souscrivant de nouveaux emprunts.

1° Personne physique de bonne foi

718-2. La bonne foi du débiteur est *présumée* (Civ. 1re, 28 octobre 1991 : RJDA 1/92 n° 102). Les créanciers qui contestent sa réalité doivent établir la preuve du contraire, les juges du fond l'appréciant souverainement au jour où ils statuent au vu des éléments qui leur sont fournis (Civ. 1re, 31 mars 1992 : RJDA 11/92 n° 1073).

> Ainsi jugé qu'est de bonne foi le particulier qui s'est trouvé, sans l'avoir recherché de manière consciente et réfléchie, dans l'incapacité de régler ses créanciers malgré les efforts faits pour y parvenir et qui n'a eu, ni au moment de la conclusion des emprunts ni au moment où il a demandé à bénéficier de la procédure de redressement, la volonté délibérée de ne pas respecter ses engagements (Civ. 1re, 14 mai 1992 : Bull. I n° 136).
>
> Jugé, **en revanche**, qu'est de mauvaise foi le débiteur qui :
> – n'a pas vendu un bien figurant à « l'actif familial » avant de saisir la commission (Paris 3 juillet 1991 : RJDA 11/91 n° 971) ;
> – s'est abstenu de déclarer à un organisme de crédit les autres emprunts déjà contractés et a utilisé une importante partie des fonds prêtés par divers organismes à des jeux de courses (Angers 11 février 1991 : JCP 1992 IV 2667) ;
> – s'est abstenu sciemment de déclarer ses revenus pendant trois années consécutives et demeurait redevable, à ce titre, de sommes constituant les trois quarts de son endettement à la date où il a présenté sa demande, sa faute étant en rapport direct avec sa situation de surendettement (Civ. 1re, 7 mai 2002 : BRDA 12/02 n° 21).

2° Personne physique en état de surendettement

718-3. La situation de surendettement est caractérisée par l'*impossibilité* manifeste pour un débiteur de *faire face* à l'ensemble de ses *dettes non professionnelles* exigibles et à échoir ; une dette non professionnelle est celle qui n'a aucun rapport direct ou indirect avec l'activité économique du débiteur.

Cette situation s'apprécie :

– au regard de l'ensemble des ressources et des biens du débiteur (Civ. 1re, 27 octobre 1992 : RJDA 5/93 n° 454) ;

– en prenant en compte tant les dettes échues et restées impayées que les échéances à venir des emprunts en cours (Civ. 1re, 13 janvier 1993 : RJDA 5/93 n° 455).

Un débiteur dont toutes les dettes ont un caractère professionnel ne peut pas bénéficier de cette procédure, même si, radié du registre du commerce et des sociétés ou du répertoire des métiers depuis plus d'un an, il ne peut pas non plus relever de la procédure de redressement judiciaire (Civ. 1re, 7 mars 1995 : Bull. I n° 119).

3° Personne physique ne relevant pas d'une autre procédure

718-4. La procédure du règlement amiable n'est pas applicable aux débiteurs qui relèvent des procédures collectives issues des articles L 611-3 et s. du Code de commerce (n° 707), des articles L 351-1 et s. du Code rural (n° 707-1) ou des articles L 620-1 et s. du Code de commerce (nos 708 s.).

Procédure de traitement du surendettement

718-5. La procédure est engagée devant la **commission départementale de surendettement des particuliers** à la demande du débiteur.

La commission dresse l'*état d'endettement du débiteur ;* elle peut demander au juge de l'exécution de suspendre les voies d'exécution engagées contre le débiteur pour la durée de la procédure, sans pouvoir excéder un an.

718-6. La commission a pour mission de concilier les parties en vue de l'élaboration d'un **plan conventionnel de redressement** approuvé par le débiteur et ses principaux créanciers. Ce plan peut comporter des mesures de report ou de rééchelonnement du paiement des dettes, de remise des dettes, de réduction ou de suppression du taux d'intérêt, de consolidation, de création ou de substitution de garantie. Le plan peut subordonner ces mesures à l'accomplissement par le débiteur d'actes propres à faciliter ou à garantir le paiement de la dette.

Il peut également les subordonner à l'abstention par le débiteur d'actes qui aggraveraient son insolvabilité.

718-7. En cas d'échec de sa mission de conciliation, la commission peut, à la demande du débiteur et après avoir mis les parties en mesure de fournir leurs observations, recommander tout ou partie des mesures suivantes :

1° le rééchelonnement y compris, le cas échéant, en différant le paiement d'une partie des dettes du débiteur autres que fiscales ou envers des organismes de sécurité sociale. Le délai de report ou d'échelonnement ne pourra excéder huit ans ou la moitié de la durée restant à courir des emprunts.

En cas de déchéance du terme, le délai de report ou de rééchelonnement pourra atteindre la moitié de la durée qui restait à courir avant la déchéance ;

> Par exemple, si avant la déchéance du terme, il restait dix ans à courir, la commission pourra décider un report de cinq ans.

2° l'imputation des paiements sur le capital ;

3° la réduction des intérêts sur les échéances reportées ou rééchelonnées ;

4° la réduction du montant de la fraction des prêts immobiliers restant due aux établissements de crédit après la vente du logement du débiteur.

Dans l'exercice de cette fonction de recommandation, la commission doit prendre en considération la connaissance qu'avait chacun des créanciers, lors de la conclusion des différents contrats, de la situation de surendettement du débiteur. Elle peut également vérifier que le contrat a été consenti avec le sérieux qu'imposent les usages professionnels.

La commission peut, en outre, recommander que ces mesures soient subordonnées à l'accomplissement par le débiteur d'actes propres à faciliter ou garantir le paiement de la dette ou à l'abstention, par le débiteur, d'actes aggravant son insolvabilité.

Lorsque la commission constate l'*insolvabilité* du débiteur caractérisée par l'absence de ressources ou de biens saisissables de nature à permettre d'apurer tout ou partie de ses dettes et rendant inapplicables les mesures visées supra, elle peut recommander la suspension de l'exigibilité des créances autres qu'alimentaires ou fiscales pour une durée qui ne peut excéder trois ans.

À l'issue de cette période, la commission réexamine la situation du débiteur. Si cette situation le permet, elle recommande tout ou partie des mesures visées supra. Si le débiteur demeure insolvable, elle recommande, par une proposition spéciale et motivée, l'effacement total ou partiel des créances autres qu'alimentaires ou fiscales. Les dettes fiscales peuvent faire l'objet de remises totales ou partielles dans les conditions visées à l'article L 247 du livre des procédures fiscales. Aucun nouvel effacement ne peut intervenir, dans une période de huit ans, pour des dettes similaires à celles qui ont donné lieu à un effacement.

Une fois réglées les éventuelles contestations, le juge vérifie la régularité des mesures recommandées et leur donne *force exécutoire.*

Ces mesures sont alors *opposables aux créanciers,* à l'exception de ceux dont l'existence n'aurait pas été signalée par le débiteur et qui n'en auraient pas été avisés par la commission. Les créanciers auxquels ces mesures sont opposables ne peuvent donc plus exercer de poursuites sur les biens du débiteur pendant l'exécution de ces mesures.

Titre IV

La technique de garantie des risques : l'assurance

Chapitre I

Les opérations d'assurance

721. Les opérations d'assurance consistent à couvrir un risque, c'est-à-dire à verser une somme d'argent pour compenser, en tout ou en partie, les conséquences d'un événement redouté dit *sinistre.*

La fonction d'assureur peut être prise en charge par les assurés eux-mêmes, se groupant pour constituer une caisse commune permettant d'indemniser, dans les limites de la garantie convenue, les victimes d'un sinistre ; cette forme d'assurance est dite « mutuelle » et les sociétés qui la pratiquent sont les sociétés d'assurance mutuelle. La fonction d'assureur peut aussi être le fait d'un tiers, professionnel de l'assurance ; le plus souvent, il s'agit d'une société anonyme dont les actionnaires sont des capitalistes et non des assurés ; à la différence d'une mutuelle cette société anonyme cherche à réaliser des bénéfices.

> Au 1er janvier 2002, le marché français comptait 504 entreprises d'assurances établies dont 95 en assurance-vie et capitalisation, et 366 en assurances de dommage.

L'économie générale de l'opération d'assurance repose donc sur l'adéquation des contributions des assurés aux sommes dues par leurs assureurs. Cet ajustement se règle grâce à la loi des grands nombres et au calcul des probabilités ; il est fait par des spécialistes, appelés actuaires, qui utilisent largement les données statistiques. Cependant, la loi des grands nombres pouvant être déjouée par des événements exceptionnels, l'assureur ne garde pas tous les risques pour lui dès qu'ils dépassent un certain chiffre. En conséquence, soit le risque est garanti par plusieurs sociétés d'assurances, chacune prenant à sa charge une part convenue (*coassurance*) ; soit l'assureur transfère une partie du risque qu'il a accepté à un autre assureur (*traité de réassurance*).

> Le réassureur peut être une autre société d'assurances ou une société spécialisée en réassurance.
> Le chiffre d'affaire total (France et étranger) des réassureurs français a atteint, en 2001, 13,6 milliards d'euros. Le marché mondial représente un chiffre d'affaires de 160 milliards d'euros.

Malgré son évidente utilité, l'assurance fut très peu utilisée jusqu'au xixe siècle. Son origine la plus lointaine peut être trouvée dans une règle de la navigation maritime pratiquée dès l'Antiquité, recueillie par les Romains sous le nom de « lex Rhodia de jactu » (voir n° 2).

Ce n'est que depuis un siècle que l'assurance connaît un prodigieux développement. *Tous les risques concevables peuvent aujourd'hui être assurés, sauf les pertes et dommages provenant d'une faute intentionnelle ou dolosive de l'assuré* (Code des assurances art. L 113-1).

> En 2001, le chiffre d'affaires total (France et étranger) de l'assurance et de la réassurance françaises s'est établi à 210 milliards d'euros (5e rang mondial).
> Au 1er janvier 2002, 203 800 personnes travaillaient directement en France pour le secteur de l'assurance.

Les sommes drainées par les entreprises d'assurance sont considérables : aussi le ministère chargé de l'économie et des finances surveille étroitement cette activité et impose aux entreprises d'assurance certains placements.

> Au 1er janvier 2002, le montant des actifs gérés par les sociétés d'assurance françaises s'élevait, en valeur de marché, c'est-à-dire plus- ou moins-values comprises, à 903,8 milliards d'euros.

En outre, la commission de contrôle des assurances, dotée de larges pouvoirs d'investigation, peut prendre, le cas échéant, des mesures coercitives (pouvant aller jusqu'au transfert d'office du portefeuille des contrats) et prononcer des sanctions pécuniaires (montant maximal 3 % du chiffre d'affaires du dernier exercice et 5 % en cas de récidive).

Chapitre II

Le contrat d'assurance

722. Constaté dans un document appelé « *police* », le contrat d'assurance est celui aux termes duquel l'assureur s'engage à verser à l'assuré une somme d'argent déterminée en cas de survenance d'un risque défini, en échange du paiement par l'assuré d'un certain prix. Trois éléments font donc le contrat d'assurance : le risque assuré (section 1), la prime (section 2) et la couverture du risque (section 3).

Section 1

Le risque

723. C'est aux parties qu'il appartient de déterminer le risque à couvrir, la loi ne fixant que quelques conditions générales.

I. Conditions relatives au risque

Existence du risque

725. Le risque consiste dans la possibilité d'un événement (le *sinistre*), indépendant de la volonté des parties et diminuant le patrimoine de l'assuré (incendie, défaut de paiement, etc.) ou ses chances de profits patrimoniaux (invalidité, décès, etc.). Il n'y a donc pas de risque – et d'assurance – lorsque :

– l'arrivée de l'événement est certaine, par exemple une assurance maladie ou invalidité contractée par quelqu'un qui se sait déjà malade ;

> Dans l'assurance en cas de décès, le risque existe malgré la certitude du décès : il réside dans l'ignorance de la date, donc dans la durée de la vie de l'assuré.

– l'arrivée de l'événement est impossible ; tel est le cas si l'événement a déjà eu lieu au moment de la passation du contrat, ce qu'ignoraient les parties ;

– l'événement est une faute *intentionnelle* ou *dolosive* de l'assuré, celui-ci ayant voulu non seulement l'action ou l'omission génératrice du dommage, mais encore le dommage lui-même (Civ. 1re 4 juin 1991 : RJDA 7/91 n° 586).

Licéité du risque

726. L'assuré ne peut pas être garanti pour les conséquences de ses fautes intentionnelles, par exemple, pour les amendes pénales encourues à la suite d'une infraction.

II.   Divers risques assurables

727. Les risques sont classés par la loi de 1930 en deux grandes catégories : les risques de dommages et les risques aux personnes. Mais cette loi reconnaît l'existence d'un autre risque qu'elle ne réglemente pas : le risque du crédit, régi par d'autres textes. À chacun de ces risques correspond un régime d'assurance comportant des traits spécifiques.

Risque dommage
(auquel correspond l'assurance de dommages)

728. Le risque assuré est la diminution de valeur d'un patrimoine pouvant prendre deux formes :

1° Le dommage peut atteindre des choses et entraîner leur perte totale ou partielle ; tel est le cas notamment de l'incendie, de la grêle, de la mortalité du bétail, du vol, etc. Ce risque est couvert par une assurance dite *assurance de biens.*

> Selon les données de la police, en 1996, il a été volé 279 183 voitures en France (80 399 non retrouvées).

2° Le dommage peut résulter de l'obligation pour une personne de verser une réparation parce que sa responsabilité est engagée ; l'assurance correspondante est *l'assurance de responsabilité* qui est susceptible de multiples applications. Ainsi assure-t-on, sauf faute intentionnelle, les dommages que l'on peut causer personnellement à autrui et dont on est responsable, mais aussi ceux qui sont provoqués par d'autres personnes dont on doit répondre.

Risques courus par les personnes
(auxquels correspond l'assurance de personnes)

729. Il s'agit des risques qui pèsent sur l'intégrité corporelle ou la vie, pouvant être couverts par une assurance contre les atteintes corporelles (accidents, maladies) ou une assurance sur la vie.

Risque crédit
(auquel correspond l'assurance crédit)

730. Le risque assuré est l'insolvabilité de débiteurs bénéficiant de crédits, caractérisée par une procédure collective. Cette assurance, de plus en plus pratiquée, joue donc le rôle d'une garantie de bonne fin.

> Pour favoriser les exportations, l'État a même créé une compagnie d'assurance spécialement chargée de l'assurance crédit : la COFACE.

Section 2

La prime

731. La prime est la somme que l'assuré prend l'engagement de payer à l'assureur ; dans l'assurance mutualiste, on l'appelle *cotisation.*

La prime est payable périodiquement, en général chaque année. La plupart des polices contiennent une clause exigeant le paiement des primes par avance.

> En 2001, les sociétés d'assurances françaises ont réalisé 127 milliards d'euros de chiffre d'affaires directes : 93,4 milliards d'euros de cotisations pour les assurances de personnes et 33,6 milliards d'euros pour les assurances de dommages.

Dans les assurances mutuelles, où l'on ne recherche pas un profit, la cotisation est, en principe, assortie d'une clause de variabilité ; le réajustement pour l'année écoulée s'opère par un rappel de cotisation ou un remboursement d'excédents.

Section 3

Indemnisation du risque

732. La couverture du risque est la somme que l'assureur est tenu de verser si l'événement redouté se réalise.

> En 2001, les prestations versées aux assurés par les assurances de personnes ont atteint 86,1 milliards d'euros ; les assurances de biens et de responsabilité ont versé 28,2 milliards d'euros.

I.   Montant de l'indemnité

Assurance de dommages

(Code des assurances art. L 121-1 et s.)

733. L'obligation de l'assureur est le versement d'une somme d'argent fonction de l'importance des dommages ; l'indemnité due par l'assureur à l'assuré ne peut pas dépasser le montant de la valeur de la chose assurée au moment du sinistre (principe dit « indemnitaire »).

> Il est cependant admis que certaines clauses, améliorant l'indemnisation, ne dérogent pas au principe indemnitaire, par exemple les clauses « valeur à neuf » en cas d'incendie, ou « valeur conventionnelle » en automobile.

Un même souscripteur ne peut donc pas obtenir une réparation supérieure au montant du dommage en prenant plusieurs contrats d'assurance pour le même bien.

734. Toutefois, la somme versée sera inférieure au montant du dommage dans trois hypothèses.

1° La *franchise.* Il peut être stipulé dans le contrat que l'assuré reste son propre assureur pour une somme, ou une quotité déterminée, ou qu'il supporte une déduction fixée d'avance sur l'indemnité.

> Cette clause est nulle lorsqu'elle prévoit, outre un plafond de garantie par sinistre, une franchise proportionnelle, croissant avec l'importance du dommage, dès lors que plus le dommage est élevé, plus l'indemnité est faible, celle-ci pouvant à la limite devenir inexistante, si, du fait de l'importance du dommage, la franchise atteint ou dépasse le plafond fixe de garantie (Civ. 1re, 16 octobre 1990 : Bull. I n° 213).

2° La *proportionnalité aux capitaux assurés.* Si, après le sinistre, il apparaît que la valeur des biens assurés est supérieure à celle que l'assuré a fait garantir par contrat, l'assuré a payé une prime inférieure à celle que l'assureur était en droit de lui demander ; l'assureur sanctionne donc l'insuffisance du montant de la prime par une réduction proportionnelle de l'indemnité à payer. Par exemple, un immeuble est assuré pour 120 000 € et, à la date du sinistre, il se révèle valoir 180 000 € ; si cet immeuble subit un sinistre de 45 000 €,

l'assuré ne touchera que $45\,000 \times \dfrac{120\,000}{180\,000}$ soit 30 000 €.

Cependant, pour éviter aux assurés de bonne foi l'application de cette « règle de trois », il est possible, dans la police d'assurances, d'écarter la règle proportionnelle, moyennant une augmentation de prime.

3° La *proportionnalité à la prime payée.* S'il y a eu omission ou déclaration erronée de l'assuré, le risque ayant été mal apprécié au départ, la prime payée par l'assuré a été inférieure à la prime due. En cas de sinistre l'indemnité est réduite en proportion du taux des primes payées par rapport au taux des primes qui auraient été dues, si les risques avaient été complètement et exactement déclarés.

Assurance de personnes

735. Dans cette assurance, la somme due par l'assureur est librement convenue entre les parties. Elle est forfaitairement fixée à l'avance, au moment de la conclusion du contrat. La police stipulera, par exemple, que l'assuré touchera dans vingt ans, s'il est en vie, une somme de 150 000 € ; elle peut stipuler un autre chiffre ; tout dépend de la volonté et des possibilités de l'assureur et... de l'assuré.

Selon les désirs de l'assuré, la somme est versée en capital ou en rente viagère.

Les entreprises d'assurance de personnes doivent adhérer à un Fonds de garantie des assurés chargé, dans la limite d'un plafond, d'indemniser les assurés lorsqu'une entreprise n'est plus en état de faire face à ses engagements.

Assurance crédit

736. Dans cette assurance, le montant de la couverture dû par l'assureur est une quotité prévue au contrat de l'ensemble des crédits consentis par une entreprise.

Il existe deux catégories de crédits assurés :
– les **crédits dénommés** étudiés individuellement par l'assureur et pour lesquels la garantie s'élève à 75 % de la perte TTC ;
– les **crédits non dénommés** ne dépassant pas une somme fixée dans le contrat (par exemple 15 000 €), non vérifiés par l'assureur, et pour lesquels la garantie représente 50 à 70 % de la perte TTC.

II. Bénéficiaire de l'indemnité

737. La somme due par l'assureur est en principe versée à l'assuré. Mais il existe trois dérogations.

1° Dans l'assurance de responsabilité, la couverture est versée au tiers victime du dommage ; ce tiers a même le droit d'agir directement contre l'assureur pour lui demander le règlement de l'indemnité ; c'est ce que l'on appelle l'action directe de la victime contre l'assureur.

2° Dans l'assurance de biens, l'indemnité peut être versée aux créanciers ; elle est subrogée au bien sinistré qui a disparu ou qui a été détérioré. Ainsi, les créanciers bénéficiant d'une sûreté sur ce bien pourront obtenir le versement de l'indemnité.

Si l'assurance est souscrite **« pour le compte de qui il appartiendra »,** elle garantit le propriétaire du bien au moment de la perte ou de la dégradation (Civ. 1re, 12 mai 1993 : Bull. I n° 160).

Le souscripteur d'une telle assurance est seul tenu au paiement de la prime envers l'assureur ; les exceptions que l'assureur pourrait lui opposer sont également opposables au bénéficiaire du contrat, quel qu'il soit.

3° Dans l'assurance décès, la couverture est versée au tiers bénéficiaire.

III. Recours de l'assureur

738. En matière d'**assurance de dommages,** l'**assureur** est **subrogé** dans les droits de l'assuré. Il peut donc se retourner contre toute personne, autre que l'assuré, responsable du sinistre, exception faite des descendants, ascendants, alliés en ligne directe, préposés et toute personne vivant habituellement au foyer de l'assuré, sauf en cas de malveillance dirigée contre l'assuré (Code des assurances art. L 121-12).

En matière d'***assurance de personnes,*** l'assureur ne peut exercer aucun recours contre le responsable du fait dommageable ayant entraîné le versement d'un capital décès ou d'une rente d'invalidité. En effet, cette assurance n'est pas fondée sur le montant d'une réparation mais sur la constitution d'un capital à partir des primes versées. L'assuré peut donc cumuler le capital que lui doit son assureur avec la réparation du dommage qu'il a subi.

Quatrième partie :

L'organisation
des affaires

750. Les affaires ne sont pas des opérations fermées sur elles-mêmes. Elles contribuent trop largement à la formation des richesses et à la satisfaction des besoins des membres d'une collectivité pour être traitées comme une manifestation isolée, indépendante du reste de la vie collective. De surcroît, il n'est pas suffisant que les affaires dégagent des emplois, de la croissance, des biens et des services, pour que l'intérêt de la collectivité soit comblé ; ces résultats, appréciables en soi, peuvent avoir une valeur relative négative ou douteuse par rapport aux autres besoins de la collectivité : par exemple, ils peuvent être obtenus par une hausse de prix excessive ou se manifester dans des régions surindustrialisées, voire entraîner une détérioration de la nature par gaspillage de ressources naturelles ou par excès de nuisances physiques et sociales (pollution, constructions inesthétiques, etc.). Dans la réalité, les affaires apparaissent comme un élément du système économique et social dans lequel elles se produisent. Il est donc indispensable de les faire converger vers la satisfaction de l'intérêt général. Autour des affaires et à partir d'elles doit ainsi se constituer une organisation qui exprime cette nécessaire insertion et adéquation des affaires à la vie collective. En somme, *il faut aux affaires une constitution.*

Il n'y a encore qu'un siècle, l'adéquation des affaires à la vie sociale était attendue comme le fruit spontané et naturel du libre jeu des activités ; on professait qu'il fallait surtout laisser les affaires s'accomplir librement, l'insertion dans le système social se faisant d'elle-même. Le principe constitutionnel, fixant la place sociale des affaires, était donc la liberté du commerce et de l'industrie ; toutefois, le législateur s'était quelque peu préoccupé des affaires commerciales avec un souci dominant – et pratiquement exclusif – d'éliminer les malhonnêtes, fauteurs de « faillites ». Les autres formes de l'activité économique – agriculture, artisanat, professions libérales – étaient totalement ignorées de l'organisation sociale en tant que telle, car elles n'étaient pas perçues comme des activités économiques ou professionnelles.

Mais l'optique a changé progressivement depuis que les aspirations et les besoins de la collectivité n'ont plus été spontanément assouvis par le jeu de la liberté du commerce et de l'industrie ; la collectivité a dû se préoccuper de dégager les satisfactions recherchées. De proche en proche, au fil du temps, cette action a pris une place croissante jusqu'à ce qu'apparaisse un système prenant en charge la convergence des affaires et des besoins collectifs ; on est ainsi passé de l'attitude libérale traitant les affaires comme des faits individuels à une attitude globale les appréhendant dans leur ensemble. De là proviennent des phénomènes originaux qui ont fait naître *une organisation générale, chargée de rendre toutes les activités économiques et professionnelles optimales et compatibles avec l'intérêt général.*

Ce besoin d'ajustement des affaires ne s'est pas manifesté seulement au regard de leur organisation ; l'évolution économique et sociale a entraîné une transformation du jeu des échanges. Les agriculteurs, les artisans, les professions libérales ont ressenti des besoins nouveaux exigeant des mécanismes différents et plus adaptés. La puissance publique, elle-même, a été amenée à intervenir dans les activités économiques pour pallier les défaillances des initiatives privées auxquelles on avait pratiquement confié jusque-là la totalité de l'action économique ; l'État est ainsi devenu entrepreneur dans les secteurs les plus divers (énergie, transports, constructions aéronautiques et automobiles, etc.) et a fait naître, sinon une activité nouvelle, du moins une nouvelle forme d'exercice des activités économiques.

Une organisation spécifique de ces nouvelles manifestations des activités économiques allait dès lors s'imposer. Comme, dans la même situation, un statut spécial avait été reconnu au commerce et à l'industrie, un statut adapté devenait nécessaire pour les autres formes de l'activité économique et professionnelle. Ainsi, *une organisation par secteurs d'activité professionnelle* a été mise en place, parallèlement à l'organisation générale de l'activité économique, et a attiré tous les secteurs d'activité vers un *schéma comparable à celui du commerce et de l'industrie* qui est apparu comme le parangon de l'activité économique et professionnelle. De la sorte aujourd'hui les affaires présentent un nouvel élément d'unité : unies au sein d'une organisation générale (titre I), elles se rapprochent les unes des autres par une organisation sectorielle, faisant une place non seulement au commerce (titre II), mais aussi aux activités civiles (titre III), et aux activités de la puissance publique (titre IV).

Titre I

L'organisation générale des affaires

751. L'organisation des affaires tend à permettre leur insertion dans la vie sociale. Des organes appropriés sont chargés de donner aux affaires une orientation conforme à l'intérêt général ; un tel résultat ne peut toutefois être atteint que si ces organes disposent tant de l'information indispensable pour éclairer leur décision que de moyens financiers.

L'organisation des affaires repose, ainsi, sur les quatre éléments suivants :

– l'administration des affaires (chapitre I) ;

– l'orientation des affaires (chapitre II) ;

– l'information sur les affaires (chapitre III) ;

– la fiscalité des affaires (chapitre IV).

Chapitre I

L'administration des affaires

Section 1
Organes d'administration générale des affaires

I. Organes de l'administration centrale

753. *Le ministère de l'économie, des finances et de l'industrie* est l'élément principal de l'administration générale des affaires. Il agit par l'intermédiaire de directions et de services rattachés.

> Le ministre a sous son autorité, notamment, l'inspection générale des finances, les directions du budget, du Trésor et de la prévision, les directions générales des impôts, des douanes et droits indirects, de la concurrence, de la consommation et de la répression des fraudes, de l'Institut national de la statistique et des études économiques, la direction des relations économiques extérieures (DREE), la direction des Monnaies et médailles, le service de la législation fiscale, le service juridique et l'agence judiciaire du Trésor, la Commission centrale des marchés, les missions de contrôle et les contrôleurs d'État.
> Pour l'exercice de ses attributions, il a sous son autorité la direction des relations économiques extérieures.

D'autres ministères s'occupent, plus spécifiquement, soit de l'exploitation de certaines activités économiques, soit de leur infrastructure.

> On peut citer, par exemple, les ministères suivants : l'équipement, les transports, le logement, le tourisme et la mer ; l'écologie et le développement durable ; l'agriculture, l'alimentation, la pêche et les affaires rurales, etc.

II.   Organes de la planification

754. Conformément aux missions de la planification française, on distingue les organes de la planification dans le temps et dans l'espace.

Planification dans le temps

Le plan de la nation

755. Dans cette planification interviennent deux organes :

1° Le *Commissariat général du Plan.* Il constitue l'administration proprement dite du Plan ; c'est un organe de petite taille, qui a à sa tête un commissaire général nommé par décret en Conseil des ministres. Il est chargé de tâches d'animation, de préparation et de synthèse.

> Plusieurs centres d'études et de recherche sont « dans la mouvance » de ce Commissariat général : le Centre d'étude des revenus et des coûts (CERC), le Centre d'études prospectives et d'informations internationales (CEPII), le Centre de recherche pour l'étude et l'observation des conditions de vie (CREDOC), le Centre d'études prospectives d'économie mathématique appliquées à la planification (CEPREMAP), l'Institut de recherches économiques et sociales (IRES), l'Observatoire français des conjonctures économiques (OFCE).

2° La *Commission nationale de planification.* Composée de 80 membres (dont les présidents des conseils régionaux), elle est chargée de conduire les consultations nécessaires à l'élaboration du plan et de participer au suivi de son exécution ; elle a un caractère consultatif.

Les plans des régions

756. Chaque conseil régional détermine la procédure d'élaboration et d'approbation du plan de région. Sont obligatoirement consultés :

– les conseils généraux (départements) ;
– le comité économique et social ;
– les partenaires économiques et sociaux.

Planification dans l'espace

757. Elle est l'œuvre des organismes suivants.

1° La Délégation à l'aménagement du territoire et à l'action régionale *(DATAR).* Elle est l'administration centrale de l'aménagement ; elle doit assurer un rôle de coordination des différentes actions des ministères et de concertation permanente avec les régions dans le cadre de la préparation et de l'exécution des contrats de plan. Elle est, en outre, chargée de superviser la réalisation des grands travaux d'infrastructure : schéma autoroutier, TGV, etc. Enfin, elle est un instrument essentiel de la politique de rééquilibrage des activités sur l'ensemble du territoire et doit inciter les entreprises à diversifier leurs implantations géographiques à l'intérieur du cadre national.

2° Le *Conseil national de l'aménagement et du développement du territoire.* Présidé par le Premier ministre, il est composé pour moitié au moins de membres des assemblées parlementaires et de représentants élus des collectivités territoriales et de leurs groupements, ainsi que de représentants des activités économiques, sociales, familiales, culturelles et associatives et de personnalités qualifiées.

Le Conseil national formule des avis et des suggestions sur la mise en œuvre de la politique d'aménagement et de développement du territoire par l'État, les collectivités territoriales et l'Union européenne.

3° Le Comité interministériel permanent pour les problèmes d'aménagement du territoire et d'action régionale. Il réunit les principaux ministres, le « délégué », le commissaire général du Plan et le préfet de la région parisienne. Il prépare les décisions du gouvernement en matière d'action régionale et d'aménagement du territoire.

4° Le Comité interministériel des aides à la localisation des activités *(CIALA)* donne un avis pour l'attribution de la prime d'aménagement du territoire ou de prêts sur fonds d'État.

III.   Organes consultatifs

758. Plusieurs organes sont appelés à donner un avis sur des problèmes économiques. Il y a lieu de citer, à ce titre, notamment :

1° Le *Conseil économique et social.* Il est composé de 230 représentants des diverses professions et de personnalités qualifiées dans le domaine économique, social, scientifique et culturel, désignés pour cinq ans. Ce conseil émet des avis sur des questions d'ordre économique et social, en particulier sur tout plan ou tout projet de loi de programme à caractère économique et social.

2° La *Banque de France.*

3° Les *conférences régionales de l'aménagement et de développement du territoire.* Composées notamment de représentants de l'État et des exécutifs de la région, des départements, des communes, ainsi que du président du conseil économique et social régional, elles sont consultées sur les schémas régionaux ou interdépartementaux qui concernent les services publics dans la région.

4° Les *assemblées permanentes des chambres professionnelles* et les chambres professionnelles elles-mêmes. Ces organes émettent l'opinion des commerçants, des industriels, des artisans et des agriculteurs sur les problèmes intéressant leurs activités.

5° De multiples organes aux noms divers émettent des avis dans tel ou tel domaine (échanges commerciaux, transport, planification, bourse, etc.) :

– des *conseils* « supérieurs » (de l'économie agricole et alimentaire, par exemple) ou « nationaux », tels le Conseil national des transports, le Conseil national du crédit, le Conseil national de la montagne, le Conseil national des économies régionales et de la productivité ;

– des *comités ;*

– des *commissions,* par exemple la Commission des clauses abusives, la Commission nationale informatique et libertés, la Commission des opérations de bourse, la Commission de la sécurité des consommateurs, les commissions d'urbanisme commercial.

IV. Organes de l'administration économique locale

Administration économique locale de l'État

760. Les organes administratifs sont :

– les **directions régionales** (par exemple du commerce extérieur) **ou départementales** (par exemple, concurrence, consommation et répression des fraudes ; agriculture ; équipement ; services fiscaux ; Trésor) ;

– les **préfets** de région et les préfets de département qui représentent l'État et dirigent, sous l'autorité des ministres, les services civils administratifs étatiques, régionaux ou départementaux ;

– les **délégués régionaux au commerce et à l'artisanat** qui sont chargés, sous l'autorité du préfet de région pour les attributions à caractère régional et des préfets de département pour les attributions à caractère départemental, de l'application de la politique gouvernementale dans les domaines du commerce et de l'artisanat.

Administration économique locale décentralisée

Régions

761. Dans chaque région, dont l'exécutif est assuré par le président du conseil régional, existe un **comité économique et social** dont la composition est inspirée du conseil économique et social. Il s'agit d'un **organe consultatif** devant obligatoirement être saisi pour avis en matière de planification et de budget.

En outre, des comités d'expansion économique, agréés par arrêté du préfet de région au niveau régional ou départemental, peuvent être consultés sur les mesures destinées à favoriser le développement économique local dans le cadre de la politique générale du Gouvernement.

Départements et communes

762. Les départements et communes peuvent :

– créer des services publics industriels et commerciaux dans les conditions précisées aux n°s 477 et 478 ;

– aider au développement économique ou protéger des intérêts économiques et sociaux locaux.

Section 2

Organes d'actions financières

763. Ce sont les organes par lesquels l'État joue un rôle de banquier.

Au premier rang de ces organes se trouve le **Trésor** qui consent des prêts, apporte la garantie de l'État à certains emprunts et prend des participations dans des sociétés d'économie mixte.

L'action du Trésor est complétée par celle :

– de **ses auxiliaires :** la Caisse des dépôts et consignations (prêts d'intérêt général ; prêts aux collectivités locales ; prises de participation dans des sociétés d'économie mixte) et certains établissements publics à missions bancaires spécialisées ;

– d'**organismes parapublics :** la Banque de développement des petites et moyennes entreprises (BDPME) ; le Crédit national ; le Crédit foncier (prêts immobiliers) ; la Banque française du commerce extérieur (BFCE) [financement des opérations de commerce extérieur] ; l'Institut de développement industriel (IDI).

> Les *sociétés financières d'innovation* (SFI) interviennent dans les opérations dites de capital-risque. Elles aident au financement des PME innovatrices (recherche technologique, brevet), en prenant une participation, d'une durée limitée dans le temps, au capital de ces sociétés soit à leur création, soit au cours de leur existence.

763-1. Certains organismes sont spécialisés dans le traitement des difficultés des entreprises.

1° Le *comité interministériel de restructuration industrielle (CIRI)*. Il a pour mission d'examiner les causes des difficultés d'adaptation de certaines entreprises industrielles à leur environnement et de susciter, des partenaires existants ou potentiels de ces entreprises, l'élaboration et la mise en œuvre des mesures industrielles, sociales et financières visant à assurer leur redressement, le maintien d'emplois durables et leur contribution au développement économique ou, à défaut, de provoquer la mise au point de mesures de reconversion. Il n'intervient que pour les entreprises employant plus de 400 personnes ou demandant une aide supérieure à 600 000 €.

2° Les *comités départementaux d'examen des problèmes de financement des entreprises (CODEFI)*. Il en existe 102. Ils ont une mission de prévention, d'avis et d'examen des problèmes de financement et de restructuration des PME (moins de 400 salariés) locales ; ils coordonnent, au plan départemental, les décisions prises en matière de report d'échéances des dettes publiques et parapubliques.

Ils ont plusieurs moyens d'action : octroi de délais fiscaux ou parafiscaux, interventions auprès des banques et organismes financiers, accélération de paiement d'organismes publics ou parapublics et octroi de prêts (dans la limite de 150 000 €).

Leur action est complétée par celle de la *commission départementale des chefs des services financiers ;* cette dernière a pour mission d'examiner la situation des personnes physiques ou morales en retard pour le paiement de leurs impôts, taxes, cotisations sociales ou diverses et elle est chargée d'établir un plan échelonné de règlements.

3° Les *comités régionaux de restructuration industrielle (CORRI)*. Ils ont pour mission de traiter les problèmes de restructuration concernant exclusivement les entreprises industrielles indépendantes de taille moyenne (jusqu'à 400 personnes).

Présidés par le préfet de région et vice-présidés par le trésorier-payeur général de région, ces comités disposent de moyens d'intervention financière nettement supérieurs à ceux des CODEFI. Ils peuvent accorder des prêts à moyen ou long terme d'un montant unitaire de 600 000 € maximum par entreprise comprenant, le cas échéant, jusqu'à 150 000 € de prêts participatifs.

4° Des *cellules d'information pour le financement des entreprises (CIFE)*. Elles ont pour rôle de rassembler toutes les informations d'ordre financier pouvant être utiles aux chefs d'entreprise et à leurs partenaires, et de les diffuser ; elles ont en outre une action d'accueil et d'orientation en matière de recherche de financement.

> Concrètement, l'interlocuteur des PME (moins de 400 salariés) est le trésorier-payeur général du département qui :
> 1° fait procéder à l'étude du cas par ses services ;
> 2° établit un programme financier de restructuration ;
> 3° le transmet au niveau de décision compétent : CODEFI ou CORRI, suivant le cas ;
> 4° en assure l'exécution en liaison avec les organismes financiers.

Chapitre II

L'orientation des affaires

Section 1

Planification

Le plan de la nation

768. Le plan de la nation détermine les choix stratégiques et les objectifs à moyen terme du développement économique, social et culturel de la nation ainsi que les moyens nécessaires pour les atteindre. Il existe deux lois de plan : la première définit pour une durée de cinq ans les choix stratégiques et les objectifs ainsi que les grandes actions proposées pour y parvenir ; la seconde définit les mesures juridiques, financières et administratives à mettre en œuvre pour atteindre les objectifs de la première loi de plan.

Pour élaborer la première loi de plan, le Gouvernement doit d'abord consulter les régions pour savoir quelles sont « les priorités de développement de leurs activités productrices », puis saisir la Commission nationale de planification. Celle-ci doit remettre son rapport au Gouvernement un an au moins avant l'entrée en vigueur du plan. Sur la base de ce rapport, le gouvernement élabore le projet de première loi de plan qu'il soumet au Conseil économique et social avant de le transmettre au Parlement.

Une fois la première loi de plan adoptée, commence l'élaboration de la seconde. Après avis de la Commission nationale de planification et information des régions, le projet de loi, élaboré par le gouvernement, est soumis au Conseil économique et social puis transmis au Parlement.

Les plans des régions

769. Le plan de la région détermine les objectifs à moyen terme du développement économique, social et culturel de la région pour la période d'application du plan de la nation. Il prévoit les programmes d'exécution mis en œuvre par la région soit directement, soit par voie contractuelle avec l'État, d'autres régions, les départements ou les communes, les entreprises publiques ou privées ou toute autre personne morale.

Le plan de la région est élaboré et approuvé selon la procédure déterminée par chaque conseil régional qui doit prévoir la consultation des départements, de certaines communes, du comité économique et social régional et des partenaires économiques et sociaux de la région.

Aménagement du territoire
(Loi n° 99-533 du 25 juin 1999)

770. Au sein d'un ensemble européen cohérent et solidaire, la politique nationale d'aménagement et de développement durable du territoire permet un développement équilibré de l'ensemble du territoire national alliant le progrès social, l'efficacité économique et la protection de l'environnement.

Déterminée au niveau national par l'État, après consultation des partenaires intéressés, des régions ainsi que des départements, elle participe, dans le respect du principe de subsidiarité, à la construction de l'Union européenne et est conduite par l'État et par les collectivités territoriales dans le respect des principes de la décentralisation. Elle renforce la coopération entre l'État, les collectivités territoriales, les organismes publics et les acteurs économiques et sociaux du développement.

Cette politique fait l'objet tant d'une réglementation que d'une planification pouvant être :

– nationale (schémas de services collectifs) ;

> La politique d'aménagement et de développement du territoire repose notamment sur les choix stratégiques suivants :
> – le renforcement de pôles de développement à vocation européenne et internationale, susceptibles d'offrir des alternatives à la région parisienne ;
> – le développement local, organisé dans le cadre des bassins d'emploi et fondé sur la complémentarité et la solidarité des territoires ruraux et urbains ;
> – l'organisation d'agglomérations favorisant leur développement économique, l'intégration des populations, la solidarité dans la répartition des activités, des services et de la fiscalité locale ainsi que la gestion maîtrisée de l'espace ;
> – le soutien des territoires en difficulté, notamment les territoires ruraux en déclin, certains territoires de montagne, les territoires urbains déstructurés ou très dégradés cumulant des handicaps économiques et sociaux, certaines zones littorales, les zones en reconversion, les régions insulaires et les départements d'outre-mer-régions ultrapériphériques françaises.
> Afin de concourir à la réalisation de chacun de ces choix stratégiques ainsi qu'à la cohésion de ces territoires l'État assure :
> – la présence et l'organisation des services publics, sur l'ensemble du territoire, dans le respect de l'égal accès de tous à ces services, en vue de favoriser l'emploi, l'activité économique et la solidarité et de répondre à l'évolution des besoins des usagers, notamment dans les domaines de la santé, de l'éducation, de la culture, du sport, de l'information et des télécommunications, de l'énergie, des transports, de l'environnement, de l'eau ;
> – la correction des inégalités spatiales et la solidarité nationale envers les populations par une juste péréquation des ressources publiques et une intervention différenciée, selon l'ampleur des problèmes de chômage, d'exclusion et de désertification rurale rencontrés et selon les besoins locaux d'infrastructures de transport, de communication, de soins et de formation ;

– un soutien aux initiatives économiques modulé sur la base de critères d'emploi et selon leur localisation sur le territoire en tenant compte des zonages en vigueur ;
– une gestion à long terme des ressources naturelles et des équipements.
Les choix stratégiques sont mis en œuvre dans les schémas de services collectifs suivants :
– le schéma de services collectifs de l'enseignement supérieur et de la recherche ;
– le schéma de services collectifs culturels ;
– le schéma de services collectifs sanitaires ;
– le schéma de services collectifs de l'information et de la communication ;
– les schémas multimodaux de services collectifs de transport de voyageurs et de transport de marchandises ;
– le schéma de services collectifs de l'énergie ;
– le schéma de services collectifs des espaces naturels et ruraux ;
– le schéma de services collectifs du sport.

– régionale (directives territoriales d'aménagement) ;
– spécifique (par exemple, le « Plan breton » de février 1969 portant sur un programme routier pour « désenclaver » la Bretagne ou le schéma d'aménagement de la Corse) ;
– locale : les SCT (schémas de cohérence territoriale), les PLU (plans locaux d'urbanisme) et les cartes communales.

Portée des plans

771. Tous ces plans n'ont qu'un caractère indicatif (Cons. const. 27 juillet 1982 : J O 29 juillet p. 2423) ; ils se bornent à présenter des analyses globales et sectorielles de l'économie, à proposer des objectifs à atteindre, à recommander des actions à entreprendre et les moyens pour y parvenir. Le législateur ne peut lui-même se lier ; une loi peut toujours et sans condition, fût-ce implicitement, abroger ou modifier une loi antérieure ou y déroger (Cons. const., précité).

Concertations complémentaires aux plans

772. L'ensemble des concertations entre les pouvoirs publics et les entreprises a reçu un nom qui a fait fortune, celui d'*« économie concertée » :* échange d'informations réciproques, travaux en commun, autour de « tables rondes », en vue d'élaborer les objectifs à atteindre.

Ces actions de concertation aboutissent souvent au vote de lois qui définissent les lignes d'évolution d'un secteur d'activité économique déterminé. Tel a été le cas, par exemple, des lois d'orientation agricole, de la loi d'orientation du commerce et de l'artisanat, ou de la loi relative au développement et à la protection de la montagne (Loi 85-30 du 9 janvier 1985).

Section 2

Interventions de l'administration

Droit d'orienter les affaires

773. *En principe, l'administration a le droit de recourir à des techniques lui permettant d'influencer les affaires.* Mais cette liberté n'est pas totale : elle est limitée dans certaines hypothèses et de surcroît elle peut conduire à une obligation de réparation.

Limites à la liberté d'intervention de l'administration

774. La liberté d'intervention de l'administration connaît deux limites.

1° Des *traités internationaux* peuvent restreindre les pouvoirs des États signataires, par exemple l'OMC ou l'Union européenne.

2° Le principe de *liberté du commerce et de l'industrie* interdit à l'administration de concurrencer les entreprises privées et d'édicter des règlements relatifs à l'exercice des activités économiques, sauf pour le maintien de l'ordre public ou l'utilisation du domaine public.

Droit à la réparation des préjudices causés par l'intervention de l'administration

775. Soit qu'elle ait commis une faute, soit, dans des conditions beaucoup plus restrictives, qu'elle n'en ait pas commis, l'administration encourt une responsabilité si son intervention cause préjudice à des administrés. Ainsi, des mesures illégales ou des mesures discriminatoires non justifiées par l'intérêt général sont susceptibles de donner lieu à responsabilité. De même en est-il de promesses de mesures d'incitation si elles sont fallacieuses ou induisent en erreur ; mais encore faut-il que les promesses de l'administration aient été fermes et que le plaignant n'ait pas commis d'imprudence (voir, par exemple, pour un cas de promesse non tenue, CE 24 avril 1964, « Société des Huileries de Chony » : Rec. p. 245).

Procédés d'orientation

776. Les procédés d'orientation sont soit contraignants soit incitatifs. Nous avons déjà vu leur influence sur la gestion et la direction des entreprises (nos 392 à 398). Ils ne sont repris ici que pour mettre en évidence les moyens dont se servent les pouvoirs publics pour orienter les affaires.

1° *L'interdiction.* La puissance publique peut interdire telle ou telle activité ou tel ou tel comportement (voir, par exemple, nos 477 et s.).

2° *L'autorisation ou le contrôle.* L'État se réserve souvent d'autoriser au préalable une action déterminée pour s'assurer qu'elle est conforme à ses objectifs. À titre d'exemple on peut citer, dans le domaine de la planification territoriale, l'autorisation préalable dans la région parisienne des activités industrielles dépassant une certaine ampleur.

3° *L'imposition fiscale.* L'État se sert de l'impôt pour orienter les affaires dans un sens déterminé (voir n°ˢ 803 et s.).

4° *Les incitations.* Ce sont essentiellement des stimulants financiers accordés en contrepartie du respect d'orientations définies par « contrats ». La gamme de ces stimulants est très large : subventions, bonifications d'intérêts, prêts, exonérations fiscales, etc.

> Tel est le cas, par exemple, des contrats territoriaux d'exploitation, instaurés par la loi d'orientation agricole du 9 juillet 1999, définissant la nature et les modalités des prestations de l'État et les engagements de l'exploitant agricole qui en constituent la contrepartie.

Chapitre III

L'information sur les affaires

779. Les entreprises, les tiers qui traitent avec elles et les pouvoirs publics ont autant intérêt les uns que les autres à être renseignés sur les affaires. Les premières doivent connaître leur situation pour prendre les décisions opportunes ; les deuxièmes doivent savoir si leurs partenaires méritent confiance et dans quelles conditions ; les autorités publiques doivent être avisées des forces et des faiblesses des activités économiques pour définir une politique adéquate d'orientation de l'économie.

Section 1
Publicité des affaires

I. Registre du commerce et des sociétés
(Code de commerce art. L 123-1 et s.)

781. Le registre du commerce (et des sociétés) a été créé en France par la loi du 18 mars 1919 ; il a, depuis, été profondément modifié.

Organisation du registre du commerce et des sociétés

Tenue du registre

782. Le registre du commerce et des sociétés comprend un registre local et un registre national.

Le registre local est tenu au greffe du tribunal de commerce ou, s'il n'y a pas de tribunal de commerce, au greffe du tribunal de grande instance en faisant fonction. C'est le *greffier* qui *inscrit les mentions* sur le registre du commerce et des sociétés. Il *doit s'assurer de la régularité de la demande.* Il peut contrôler à tout moment la « permanence » de cette conformité. Dans cette tâche, le greffier est soumis au contrôle du président ou d'un magistrat du tribunal de commerce (ou du tribunal de grande instance pour les personnes morales non commerçantes) veillant à l'accomplissement correct des formalités mais ne vérifiant pas la véracité des inscriptions.

> La tenue du registre par le greffier comprend la conservation et la mise à jour :
> – du fichier alphabétique des personnes physiques et morales immatriculées dans le ressort du tribunal ;
> – de la collection des dossiers individuels comprenant l'original des inscriptions faites ;
> – de la collection des dossiers annexes ouverts au nom d'une personne morale et comprenant un exemplaire des actes et pièces déposés en application de l'article 47 du décret 84-406 du 30 mai 1984.

Le *registre national* tenu par l'Institut national de la propriété industrielle (INPI) à Paris, informatisé depuis 1981, est un second original de registre tenu dans chaque greffe.

Consultation du registre

783. Toute personne désireuse d'obtenir un renseignement peut demander au greffier du tribunal de commerce ou à l'Institut national de la propriété industrielle (INPI) [26 bis, rue de Léningrad, Paris 8e] un extrait ou une copie des inscriptions au registre ou un certificat de non-immatriculation (voir annexe 4).

> Pour avoir ces renseignements il suffit de connaître le numéro d'identification de l'entreprise.

En outre, les principales déclarations faites au registre du commerce et des sociétés doivent être publiées au Bulletin officiel des annonces civiles et commerciales (BODACC).

> Ce bulletin contient un extrait de toutes les déclarations faites au registre du commerce et des sociétés relatives à l'immatriculation des personnes physiques et morales, à la cession des fonds de commerce, à la location-gérance, à la radiation et aux inscriptions modificatives.
>
> Un arrêté du 27 mai 1984 a créé une banque de données télématique des informations contenues dans ce bulletin.

Inscriptions au registre du commerce et des sociétés

Immatriculation

785. L'immatriculation est effectuée sur la demande des personnes qui y sont assujetties :
– les commerçants personnes physiques (même s'ils sont tenus de s'inscrire au répertoire des métiers) ;
– les sociétés, les groupements d'intérêt économique et les groupements européens d'intérêt économique, ayant leur siège dans un département français ;

– les établissements publics français à caractère industriel ou commercial ;
– les sociétés commerciales étrangères possédant un établissement en France ;
– les organismes publics à caractère industriel et commercial des États étrangers fonctionnant sur le territoire français, exception faite de la représentation commerciale de l'ex-URSS en vertu d'une convention diplomatique de 1945.

La demande d'*immatriculation principale* doit être présentée au greffe du tribunal dans le ressort duquel est situé le principal établissement de l'entreprise (siège social d'une personne morale). Si l'entreprise possède des établissements secondaires dans le ressort d'autres tribunaux, elle doit requérir dans chacun de ces tribunaux des *immatriculations secondaires* faisant référence à l'immatriculation principale.

785-1. Les sociétés et les groupements d'intérêt économique n'ont pas de délai à observer pour l'accomplissement de cette formalité ; toutefois, ils ne jouissent de la *personnalité morale* qu'à dater de l'*immatriculation,* et ont un intérêt évident à se hâter. Les autres assujettis doivent présenter leur demande dans les quinze jours de l'ouverture effective de leur établissement commercial. S'ils négligent de s'inscrire, le juge commis à la surveillance du registre de commerce peut leur enjoindre de le faire dans la quinzaine ; à défaut, des sanctions pénales peuvent être prononcées mais il n'y a pas d'inscription d'office.

785-2. Toute personne immatriculée doit indiquer sur ses factures, notes de commande, tarifs et documents publicitaires ainsi que sur toutes correspondances et tous récépissés concernant son activité et signés par elle ou en son nom :
– son numéro unique d'identification des entreprises ;
– la mention RCS suivie du nom de la ville où se trouve le greffe où elle est immatriculée ;
– si elle est une société commerciale dont le siège est à l'étranger, sa dénomination, sa forme juridique, le lieu de son siège social, s'il y a lieu son numéro d'immatriculation dans l'État où elle a son siège et, le cas échéant, qu'elle est en état de liquidation ;
– le cas échéant, sa qualité de locataire-gérant.

785-3. *Remarques :*
1° Les **centres de formalités des entreprises (CFE),** ou « guichets uniques », permettent aux entreprises de déposer en un lieu unique et par un seul document, dit **« dossier unique »,** les diverses déclarations administratives auxquelles elles sont tenues lors de leur création, de la modification de leur situation ou de la cessation de leur activité (déclaration au registre du commerce et des sociétés, au service des impôts, à l'Urssaf, à l'Assédic, à l'Inspection du travail, à l'Insee et, le cas échéant, aux chambres des métiers). Ces centres sont un point de passage obligé.

> Toutefois, tout déclarant peut présenter directement au greffe du tribunal compétent une demande d'insertion au registre du commerce et des sociétés, sous réserve de justifier auprès du greffe avoir préalablement saisi le centre de formalité des entreprises.

> Les prestations de ces centres sont en principe gratuites. Cependant, une redevance modique est autorisée dans le cas où le centre est amené à remplir une fonction « d'assistance à la formalité », autre que celle qui relève des attributions légales des professionnels mandatés par les déclarants et tarifée (circulaire interministérielle du 30 mai 1997).

2° Le greffier a *un délai franc d'un jour ouvrable* pour procéder à l'immatriculation ou rejeter la demande.

Inscriptions modificatives

786. Chaque fois que les mentions portées lors de l'immatriculation ne correspondent plus à la réalité, une inscription modificative ou complémentaire doit être faite.

Certaines modifications sont inscrites d'office par le greffier : par exemple, les condamnations entraînant l'interdiction d'exercer le commerce, les décisions de réhabilitation, les jugements prononçant un redressement ou une liquidation judiciaire. Les autres modifications doivent être demandées dans le délai d'un mois par les intéressés ou l'officier ministériel qui a instrumenté : par exemple, la mise en location-gérance d'un fonds de commerce, le jugement homologuant le changement d'un régime matrimonial, etc.

Radiation

787. Toute personne physique immatriculée doit déposer une demande de radiation, dans le délai d'un mois avant ou après la cessation de son commerce, en indiquant la date de cette cessation ; en cas de décès, la demande est présentée par les héritiers ou ayants cause universels.

Pour les personnes morales, la radiation doit être demandée par le liquidateur dans le mois suivant la publication de la clôture de la liquidation.

Si les assujettis négligent de demander leur radiation, le juge commis peut l'ordonner. Le greffier doit cependant radier d'office la personne immatriculée en cas de prononcé de l'interdiction d'exercer le commerce, en cas de décès ou en cas de dissolution ou de nullité d'une personne morale prononcée par les tribunaux.

Effets de l'existence ou du défaut d'immatriculation

789. L'immatriculation d'une personne physique crée une **présomption simple de commercialité de l'intéressé.** En revanche, le défaut d'immatriculation a un double effet :

– le commerçant non immatriculé ne peut pas se prévaloir des droits attachés à la qualité de commerçant, par exemple demander à bénéficier de la propriété commerciale ou d'une procédure de redressement judiciaire (Com. 25 mars 1997 : Bull. IV n° 83) ;

– le commerçant non immatriculé ne peut pas échapper aux obligations liées à cette même qualité, les tiers pouvant le tenir pour commerçant.

En outre, les sociétés, les GIE et les GEIE non immatriculés ne peuvent pas jouir de la personnalité juridique.

Effets de l'existence ou de défaut de mentions

790. *Les mentions* portées sur le registre du commerce n'ont, en principe, aucune force probante à l'égard des tiers ; ce principe connaît cependant des exceptions, ainsi la personne indiquée comme étant le dirigeant d'une société commerciale a cette qualité envers les tiers même si sa nomination est irrégulière.

Quant au *défaut de mention,* il *a un effet absolu.* Toute mention non publiée au registre du commerce, alors qu'elle aurait dû l'être, est inopposable aux tiers, même si d'autres formalités de publicité ont été accomplies pour ce fait ou cet acte ; tel est le

cas, par exemple, du retrait d'un membre d'un GIE (Com. 3 juillet 1990 : Bull. IV
n° 200) ou de la cessation d'activité d'un commerçant (Com. 6 janvier 1987 : BRDA
1987/6 p. 21).

II.   Publicités particulières

Publicité relative au crédit

792. Pour favoriser le crédit, il faut renseigner les prêteurs sur l'état de solvabilité des
emprunteurs et soumettre à publicité tout événement susceptible de limiter les
capacités contributives d'un patrimoine ou pouvant faire craindre des difficultés de
paiement. Est ainsi tenu, *au greffe* du tribunal de commerce, *un registre où sont
inscrites certaines sûretés :* le privilège du vendeur de fonds de commerce, les
nantissements sur fonds de commerce, les nantissements sur l'outillage ou le matériel
d'équipement, les warrants et gages sans dépossession, les privilèges de la Sécurité
sociale ou du Trésor.

De même les *opérations de crédit-bail* doivent faire l'objet d'une publicité permettant
l'identification des parties et celle des biens faisant l'objet du crédit bail ; à défaut
l'entreprise de crédit-bail ne peut opposer ses droits aux créanciers ou aux ayants
cause à titre onéreux de son client, sauf si elle établit qu'ils en avaient connaissance.

Publicité de la propriété

793. De nombreux droits de propriété font l'objet de publicité ; il en est ainsi pour :
– les *immeubles* (la publicité foncière) ;
– certains meubles : les *navires* (à l'administration des Douanes), les *bateaux* (au
greffe du tribunal de commerce du lieu d'immatriculation), les *aéronefs* (au ministère
chargé de l'aviation civile), certains *droits de propriété industrielle* (à l'INPI).

Précisions.

1° L'immatriculation des véhicules terrestres à moteur est purement administrative et le
titulaire d'une carte grise ne peut opposer son droit de propriété à un possesseur
remplissant les conditions de l'article 2279 du Code civil. Voir, toutefois, pour les mesures
d'exécution sur véhicules terrestres à moteur, supra n° 42-1.

2° Une mesure publiée n'est pas, de ce fait, opposable aux tiers si la loi n'a pas sanctionné
le défaut de publicité par l'inopposabilité aux tiers (Civ. 3ᵉ, 25 janvier 1983 : JCP 1983 IV
112).

Publicité des comptes

794. Les *sociétés par actions* (sociétés anonymes, sociétés en commandite par
actions et sociétés par actions simplifiées), les *sociétés à responsabilité limitée*
(donc les EURL) et les sociétés en nom collectif dont tous les associés sont des
sociétés à responsabilité limitée ou des sociétés par actions sont tenues de déposer

au greffe du tribunal de commerce, pour être annexés au registre du commerce et des sociétés, deux exemplaires :
– de leurs comptes annuels (bilan, compte de résultat et annexe), éventuellement consolidés ;
– du rapport de gestion ;
– des rapports des commissaires aux comptes sur les comptes annuels et les comptes consolidés, si la société est dotée de commissaires aux comptes ;
– de la proposition d'affectation du résultat soumise à l'assemblée et de la résolution votée à cet effet.

Publicité des entreprises

(Loi n° 94-126 du 11 février 1994 et décret n° 97-497 du 16 mai 1997)

795. Toutes les entreprises doivent se faire octroyer un *numéro unique d'identification,* attribué lors de leur inscription au répertoire des entreprises et de leurs établissements *(numéro SIREN).*

Ce numéro est en principe le *seul qui peut être exigé* d'une entreprise *dans* ses *relations avec les administrations* de l'État, les établissements publics de l'État à caractère administratif, les collectivités locales, leurs groupements et leurs établissements publics à caractère administratif, les personnes privées chargées d'un service public administratif (à l'exception des ordres professionnels), les organismes gérant des régimes de protection sociale et les organismes chargés de la tenue d'un registre de publicité légal, y compris les greffes.

Toutefois, une entreprise peut être tenue de porter, en *complément* de ce numéro et à titre d'*identifiant spécifique :*

– pour les activités soumises à immatriculation au registre du commerce et des sociétés, les mentions prévues au n° 785-2 ;

– pour les entreprises à établissements multiples, un numéro de classement (permettant de reconstituer l'ancien numéro SIRET) ;

– pour les entreprises intervenant sur le marché communautaire, un numéro de TVA intracommunautaire ;

– pour les activités soumises à une inscription à un autre registre ou répertoire que celui du commerce et des sociétés, ou à une autorisation ou déclaration préalable, une mention afférente à l'acccomplissement de la formalité.

> Le code d'activité principale exercée (APE) est attribué à des fins statistiques par référence à la Nomenclature d'activités françaises (NAF). Il ne s'y attache aucun effet juridique.

Section 2
Communications confidentielles

796. Le souci dominant est de maintenir le secret des affaires. La loi ne le fait céder que dans des cas déterminés, pour la protection de l'ordre public et celle de certains intérêts privés.

Communications dans l'intérêt de la justice

797. L'intérêt de la justice, surtout pénale, prime tout autre intérêt.

Justice pénale

798. La justice pénale doit obtenir une information complète et le secret des affaires ne peut s'y opposer.

Ainsi, les témoins doivent parler sous peine de sanctions ; les saisies et les perquisitions dans les entreprises se font selon les règles ordinaires ; en cas de procédure collective, le ministère public a des droits très étendus.

Justice civile

799. La *comptabilité* régulièrement tenue peut être admise en justice pour faire preuve entre commerçants pour faits de commerce.

Si elle a été irrégulièrement tenue, elle ne peut être invoquée par son auteur à son profit.

La *communication de l'ensemble des documents comptables* ne peut être ordonnée en justice que dans les affaires de succession, communauté, partage de société et, en cas de procédure collective (Code de commerce art. L 123-23).

> Cependant, le juge peut toujours ordonner la *production* de documents comptables, dans le cadre d'une *mesure d'instruction*, en dehors des cas limitativement énumérés par le Code de commerce (Civ. 2ᵉ, 6 mai 1999 : Bull. II n° 81).

Lorsque l'entreprise a des difficultés financières, les pouvoirs du juge sont accrus. Par exemple, pour apprécier la situation du débiteur, le président du tribunal peut, nonobstant toute disposition législative ou réglementaire contraire, obtenir communication par les commissaires aux comptes, les membres et représentants du personnel, par les administrations publiques, les organismes de sécurité et de prévoyance sociales, les établissements bancaires ou financiers ainsi que les services chargés de centraliser les risques bancaires et les incidents de paiement, des renseignements de nature à lui donner une exacte information sur la situation économique et financière du débiteur.

Le président du tribunal peut ordonner une expertise sur la situation économique et financière de l'entreprise et sur ses perspectives de redressement.

Communications dans l'intérêt du fisc et de la douane

800. Les impôts et les taxes prélevés sur les affaires, notamment les impôts sur le revenu et la taxe sur la valeur ajoutée, supposent une connaissance exacte desdites affaires, sinon la fraude ne pourrait pas être dépistée. Aussi le fisc et les douanes disposent-ils de larges moyens d'investigation : ils peuvent procéder aux vérifications des déclarations et pour cela se faire communiquer sur place tous les documents comptables de l'entreprise ; ils peuvent même se faire délivrer par les banques des renseignements sur les comptes de leurs clients. Les informations obtenues doivent être gardées secrètes ; toutefois, elles peuvent être transmises à certaines administrations et collectivités publiques qui ont des impôts ou cotisations à prélever sur le contribuable, notamment aux unions de recouvrement des cotisations de Sécurité sociale et d'allocations familiales (Urssaf).

> Ainsi, une banque ne peut refuser à l'administration des douanes la communication de documents de service destinés à son fonctionnement interne (en l'espèce, la liste des locataires de coffres-forts) [Crim. 30 janvier 1975 : Bull. n° 36].

Communications dans l'intérêt de l'économie

801. Ce sont, d'abord, des communications dans *l'intérêt du crédit.* Les banques doivent fournir aux autorités financières (services du ministère de l'économie) des renseignements très précis sur les ressources dont elles disposent et leurs emplois. Pour faciliter l'octroi du crédit, la Banque de France gère quatre fichiers dont l'accès est réservé aux établissements de crédit et aux services financiers de la Poste :
– le fichier bancaire des entreprises *(FIBEN) ;*

> Parmi les renseignements enregistrés dans cette base de données, figure une cotation attribuée aux entreprises ; cette cotation résulte d'une appréciation globale, réalisée à l'aide de trois éléments : une cote d'activité, une cote de crédit et une cote de paiement. Elle est communiquée aux établissements de crédit qui interrogent la Banque de France mais, normalement, elle n'est pas accessible aux particuliers.

– le *fichier des incidents de paiement* recensant les informations sur les incidents de paiement caractérisés liés aux crédits accordés aux personnes physiques pour des besoins non professionnels (Code de la Consommation art. L 333-4) ;
– le fichier central des *chèques impayés* (FCC), tenu par titulaire de compte, et le fichier de base du fichier national des chèques irréguliers (FNCI), tenu par coordonnées bancaires.

> Tout intéressé a, moyennant rémunération, accès au fichier de consultation du fichier national des chèques irréguliers, contenant uniquement les informations indispensables à l'identification des chèques déclarés volés ou perdus, des faux chèques, des chèques tirés sur des comptes clos ou par une personne physique ou morale frappée d'une interdiction d'émettre des chèques.

Ce sont, ensuite, des communications dans *l'intérêt de la concurrence ;* par exemple, les entreprises doivent notifier à la Commission européenne tous les accords susceptibles d'entraver le libre jeu de l'offre et de la demande.

Ce sont, enfin, des communications dans *l'intérêt de l'épargne publique.* Notamment sont autorisés à se communiquer les renseignements nécessaires à l'accomplissement de leurs missions respectives la Banque de France, le Comité des établissements de crédit et des entreprises d'investissement, la Commission bancaire, la Commission de contrôle des assurances, la commission de contrôle instituée par l'article L 951-1 du Code de la sécurité sociale, la Commission des opérations de bourse, le fonds de garantie des dépôts, le fonds de garantie institué par l'article L 423-1 du Code des assurances, le Conseil des marchés financiers, le Conseil de discipline de la gestion financière, les entreprises de marché et les chambres de compensation, le Conseil de la concurrence.

Dans tous ces types de communications dans l'intérêt public, ceux qui reçoivent ces renseignements sont tenus au secret professionnel. S'ils le violent, ils encourent un an d'emprisonnement et 15 000 € d'amende (Code pénal art. 226-13).

Communications d'intérêt privé

802. L'entreprise doit fournir à son personnel et, s'il s'agit d'une société, à ses associés les éléments nécessaires pour leur permettre d'apprécier la marche de l'entreprise.

Elle est aussi parfois amenée à livrer des informations à ses contractants pour faciliter la conclusion de contrats ; par exemple un entrepreneur doit procurer lui-même des renseignements sur sa situation financière à l'établissement de crédit de qui il sollicite un prêt ; de même il doit donner quelques éléments d'information sur ses secrets de fabrication à ceux avec qui il veut passer un contrat impliquant la connaissantce de ces secrets, tel un contrat de transfert de savoir-faire ou une licence de brevet.

Généralement, l'entreprise se couvre contre des diffusions qu'elle ne souhaite pas en imposant à ses contractants une *clause de conservation du secret.* Elle est aussi protégée en cette matière par l'article L 621-1 du Code de la propriété intellectuelle qui punit tout salarié révélant un *secret de fabrique,* c'est-à-dire tout procédé de fabrication offrant un intérêt pratique et commercial, ignoré des concurrents (Crim. 12 juin 1974 : Bull. n° 218).

> Ce texte sert à réprimer l'espionnage industriel. On estime que 90 % des secrets industriels français partent à l'étranger, contre 60 % des secrets américains.

Viennent enfin certaines communications faites à l'insu de l'entreprise ; par exemple, les *banques,* les *agences d'affaires* (agences de renseignements qui en font un métier) et les sociétés d'affacturage procurent aux tiers des informations sur la solvabilité des entreprises ; elles engagent leur responsabilité en cas d'information inexacte, tant envers leur client qu'envers la personne sur laquelle elles ont fourni ces renseignements (s'agissant d'une banque, Com. 24 novembre 1983 : GP 1984 I pano. 67 ; s'agissant d'une agence de renseignements, Com. 14 mai 1978 : D 1979 II 549, note R. Tendler ; s'agissant d'une société d'affacturage, Com. 25 janvier 1984 : BRDA 1984/10 p. 21).

Chapitre IV

La fiscalité des affaires

803. Les affaires obéissent à un ordre fiscal fixé par le législateur, reposant sur un prélèvement obligatoire appliqué à une base d'imposition dite « assiette » ; cette matière imposable peut être constituée soit par le revenu généré par une activité professionnelle ou par la consommation, soit par la transmission ou la simple détention d'un
capital.

L'impôt a pour principal objet d'alimenter le budget de l'État, voté tous les ans par le Parlement (la loi de finances) ; mais il constitue aussi une occasion propice à orienter les affaires dans telle ou telle direction : il suffit de modifier le prélèvement pour freiner ou accélérer un type d'affaires déterminé.

> Au cours de ces dernières années, certaines mesures particulières ont ainsi été prises pour favoriser, par exemple, la recherche (crédit d'impôt), la formation (crédit d'impôt), la création d'emplois (crédit d'impôt), la création d'entreprises (allégement d'impôt), l'implantation dans certains secteurs sinistrés (exonération d'impôt sur les bénéfices réalisés dans les zones franches), l'investissement outre-mer (réduction d'impôt).

En outre, l'État se sert de l'impôt pour assurer une politique de justice sociale. Ainsi, le barème progressif de l'impôt sur le revenu pénalise les contribuables aux revenus élevés au profit des personnes les moins aisées ; la notion de quotient familial participe de la politique familiale ; les associations ou centres de gestion agréés permettent un rapprochement entre la charge fiscale des professions indépendantes et celle des salariés.

Diverses mesures ont, par ailleurs, été prises pour lutter contre certaines formes d'évasion fiscale (prélèvements élevés sur les bons anonymes, mise au nominatif des titres des sociétés, renforcement des sanctions en cas de contrôle fiscal, etc.).

Les affaires contribuent très largement à la matière imposable et donc à l'impôt. Elles sécrètent les revenus de la plus grande partie des salariés – donc des consommateurs – et la totalité des bénéfices des entreprises ; par le jeu des achats et des ventes, qui sont leur point d'aboutissement, elles sont à l'origine des dépenses de consommation ou d'investissement ; enfin, par les revenus et les bénéfices qu'elles dégagent, elles favorisent la constitution des fortunes qui servent à leur tour au financement des affaires et réapparaissent ainsi dans le circuit.

Dès lors, tout concourt à ce que les affaires soient le pourvoyeur privilégié des ressources fiscales ; l'impôt y est omniprésent. Chaque opération de la vie des affaires croise l'impôt ; aussi, le droit des affaires se trouve-t-il indissolublement lié aux impôts portant sur les affaires.

Section 1
Droit des affaires et fiscalité des affaires

I.   Droit des affaires et préoccupation fiscale

805. L'incidence de l'impôt sur le coût d'une opération donnée fait qu'entre les voies qui s'offrent à lui pour réaliser l'affaire projetée, l'entrepreneur s'oriente très souvent en fonction de critères fiscaux (contraintes ou avantages). Il lui est permis de choisir la solution la moins imposée mais cette liberté n'est pas sans bornes.

Liberté de choix de la solution fiscale

806. Il est de principe que, pour réaliser une opération, il est *licite de recourir au procédé* juridique *le plus avantageux fiscalement.*

Ainsi en est-il pour la création d'une entreprise. En effet, si le fondateur *opte pour le statut d'entrepreneur individuel,* le bénéfice réalisé est assujetti à l'impôt sur le revenu avec possibilité d'une déduction forfaitaire en cas d'adhésion à un centre de gestion agréé.

> Pour l'imposition des revenus de 2001, abattement de 20 % sur le bénéfice imposable (selon l'évaluation réelle) dans la limite de 111 900 €.

En revanche, s'il constitue une société anonyme dont il sera le dirigeant, il n'est imposé que sur les rémunérations forfaitaires perçues de la société. Or, celles-ci étant assimilées à un salaire, il ne paie l'impôt que sur une base réduite de 20 %, après déduction de frais professionnels (réels ou forfaitaires à 10 %).

En outre, s'il veut acquérir une entreprise, l'entrepreneur a intérêt à acheter des droits sociaux, quelle que soit la forme de la société, et non une entreprise individuelle car les droits à verser sont beaucoup moins élevés voire nuls.

Ses limites

807. Cette liberté de choix de la solution fiscale connaît cependant des limites.

Tout d'abord, l'administration fiscale a **un droit de communication et de contrôle,** qui lui permet non seulement de vérifier la comptabilité des agents économiques et leurs déclarations, mais encore d'obtenir certains renseignements auprès de tiers (les banques notamment). Toutefois, certaines garanties sont accordées aux contribuables : la prescription limitant, dans le temps le pouvoir de vérification de l'administration (trois ans en général) ; l'organisation de la procédure de vérification, en principe contradictoire ; la possibilité pour les contribuables de faire trancher le litige par un juge (administratif ou tribunal de grande instance, au premier degré, selon les impositions).

Ensuite, le Conseil d'État a créé le concept d'« *acte anormal de gestion* », permettant à l'administration de rectifier les conséquences défavorables pour le Trésor public d'un acte paraissant inspiré par des fins étrangères aux intérêts de l'entreprise. Par exemple, l'administration peut considérer que le fait pour une société anonyme de prêter, à un faible taux d'intérêt, de l'argent à une société civile immobilière, gérant le patrimoine immobilier de son directeur général, constitue une distribution de bénéfices au profit de ce dirigeant.

Mais l'administration peut aller encore plus loin en considérant qu'un acte a été conclu dans le seul but d'obtenir un régime fiscal plus favorable ; c'est la théorie de *l'abus de droit* (Livre des procédures fiscales art. L 64 et Code général des impôts art. 1653 C et 1732). Par exemple, en cas de fusion de sociétés, lorsqu'une société bénéficiaire absorbe une société déficitaire, l'imputation des déficits est interdite, mais, dans le cas inverse, les bénéfices servent à apurer les pertes ; dès lors, si la société déficitaire absorbe la société bénéficiaire, l'opération est suspecte et l'administration peut prétendre prouver devant les tribunaux un abus de droit et le faire réprimer si le sens de la fusion ne se justifie pas d'un point de vue économique.

Enfin l'administration peut *sanctionner* les contribuables de *mauvaise foi* et les *fraudeurs* en leur infligeant des pénalités ou en les poursuivant devant le tribunal correctionnel.

II.　　Technique fiscale et technique juridique

Rôle de la technique juridique dans le jeu de la technique fiscale

808. L'impôt est perçu à partir des actes juridiques qu'impliquent les affaires (vente, succession, donation, création, transformation ou dissolution de société, etc.). Les praticiens doivent donc veiller non seulement à la régularité de ces actes mais également à leurs conséquences fiscales ; par exemple, si un père prête de l'argent à son fils pour créer une entreprise, ce contrat peut être tout à fait régulier d'un point de vue juridique ; toutefois, s'il n'a pas été enregistré à la recette des Impôts, et s'il n'est pas réellement exécuté, l'administration pourra considérer qu'il ne s'agit pas d'un prêt mais d'une donation déguisée, ce qui est beaucoup plus onéreux d'un point de vue fiscal.

Remarque : Lorsqu'il existe une option entre deux régimes fiscaux, l'un étant plus favorable que l'autre, *à défaut de précision par écrit* (le plus souvent dans un acte), *l'administration retient la solution la plus défavorable pour l'entrepreneur,* même si celui-ci peut démontrer qu'il voulait être soumis à l'autre régime.

Autonomie de la technique fiscale

809. Le lien qui attache la fiscalité au droit n'est pas un asservissement. Chaque fois qu'il le faut, la technique fiscale prend ses distances et forge ses propres concepts alors que, souvent, la terminologie est la même que celle de la technique juridique. Ce phénomène est appelé l'*autonomie du droit fiscal.* Les manifestations, plus ou moins accusées, de cette autonomie, dont il ne faut pas exagérer l'importance, sont nombreuses. Par exemple, la notion de provision est étroitement définie en droit fiscal, alors que, en comptabilité, elle peut couvrir pratiquement n'importe quel événement prévisible (comparer n⁰ˢ 500 et 816). De même, la vente est un contrat dont le régime est nettement défini par le Code civil et oblige notamment l'acheteur à verser un prix ; en revanche, si un commerçant cesse son activité et que celle-ci est reprise par un autre commerçant, sans qu'il y ait eu accord entre ces deux personnes, l'administration fiscale peut considérer qu'il y a eu vente déguisée de fonds de commerce donnant lieu à taxation. La notion de vente diffère donc en droit des affaires et en technique fiscale.

Cette autonomie du droit fiscal rend complexe le travail du praticien du droit qui devra sans cesse analyser un acte, un concept, un événement, tant d'un point de vue juridique que d'un point de vue fiscal. Il est donc essentiel d'avoir une bonne connaissance de la technique fiscale afin de ne pas commettre, même de bonne foi, des erreurs qui pourraient avoir de très graves conséquences financières sur la vie des affaires.

Section 2

Impôts sur les affaires

Sur tous ces points, consulter « Les Impôts en France », Éditions Francis Lefebvre.

I. – Impôts sur le bénéfice

810. Les bénéfices réalisés par les entreprises sont, selon le statut qu'elles ont adopté, taxés soit à l'impôt sur les sociétés, soit à l'impôt sur le revenu des personnes physiques.

A – IMPÔT SUR LES SOCIÉTÉS

811. Cet impôt, appelé familièrement IS, est un prélèvement annuel sur les bénéfices nets réalisés par certaines personnes morales. Les trois éléments de cette définition appellent quelques observations.

Assujettis

812. L'impôt sur les sociétés s'applique obligatoirement aux sociétés par actions et aux sociétés à responsabilité limitée, exception faite de certaines SARL à caractère familial. Il concerne aussi les sociétés civiles se livrant à des opérations de nature commerciale ou les associations effectuant des opérations lucratives. Les autres entreprises ne sont pas soumises à cet impôt, mais certaines peuvent cependant y être assujetties par option (sur leur décision), par exemple les sociétés en nom collectif.

Taux de l'impôt

813. Le taux de droit commun de l'impôt sur les sociétés est de 33,33 % du bénéfice fiscal réalisé par la société en France ; s'y ajoute une contribution permanente de 3 %.

> Certaines plus-values à long terme sont, toutefois, taxées au taux réduit de 19,57 %.
> Le taux de l'IS dû par les PME est réduit à 15 % à compter de 2002, à hauteur de 38 120 € de bénéfice.
> À la contribution permanente s'ajoute une contribution sociale de 3,3 % sur l'impôt sur les sociétés après abattement de 763 000 €.

Bénéfice fiscal

814. Le bénéfice fiscal est déterminé à partir des données comptables de la société. Toutefois, la technique fiscale, manifestant ainsi son autonomie, diverge de la technique comptable, de sorte que le bénéfice fiscal ne correspond pas au bénéfice comptable.

En effet certaines charges, prises en compte dans les livres comptables, ne peuvent venir en déduction du bénéfice (voir n° 816) ; d'autres qui doivent être comptabilisées durant un exercice ne peuvent être déduites du bénéfice fiscal que durant un exercice ultérieur (par exemple, la provision pour contribution sociale de solidarité et, dans certains cas, la provision pour congés payés). À l'inverse, certains profits ne sont pas soumis à l'impôt (par exemple les bénéfices réalisés à l'étranger) ou y sont soumis à un taux réduit (par exemple certaines plus-values), de telle façon qu'ils doivent être déduits du bénéfice comptable pour déterminer le bénéfice fiscal.

Produits

815. L'ensemble des produits est constitué par le bénéfice brut professionnel, les profits accessoires et les plus-values.

Ce bénéfice brut est représenté essentiellement par la différence entre d'une part le total formé par les ventes et prestations de services de l'exercice et le stock existant à la clôture de l'exercice, d'autre part les achats de l'exercice augmentés du stock d'ouverture. De nombreuses prescriptions de la loi et de la jurisprudence fiscale précisent comment sont évalués les stocks et pris en compte les achats et les ventes.

Au bénéfice brut s'ajoutent les profits accessoires, c'est-à-dire des gains qui ne naissent pas directement de l'exploitation, mais de la mise en valeur de certaines richesses dont dispose la société : par exemple, les loyers d'immeubles, les revenus de valeurs mobilières, les intérêts des créances. S'ajoutent aussi les plus-values, c'est-à-dire les profits résultant de la cession d'éléments d'actif immobilisé, tels que des terrains, des bâtiments, du matériel d'exploitation.

Charges

816. Les charges qui viennent en déduction de ces produits comprennent les frais généraux, les amortissements, les provisions et les moins-values.

Les frais généraux sont les dépenses qui n'ont pas pour contrepartie l'entrée d'un nouvel élément dans l'actif de la société. Ils se traduisent par une diminution de l'actif net de la société. Ces frais sont très variés ; les principaux sont les frais de personnel, les frais financiers (les intérêts dus par la société pour ses emprunts), les frais divers de gestion, etc. La loi fiscale exerce un contrôle très strict sur les frais généraux, car leur gonflement constitue une source d'évasion fiscale.

> Sont spécialement surveillés la rémunération des dirigeants sociaux et leurs frais de déplacements ; rien n'est plus tentant, en effet, pour un dirigeant que de réduire le bénéfice imposable de la société en s'octroyant une forte rémunération et en voyageant.

Les frais généraux ne sont, en principe, déductibles que s'ils se rattachent à la gestion de l'entreprise et s'ils sont exposés dans l'intérêt direct de l'exploitation. Ils doivent, en outre, correspondre à une charge effective et être appuyés de justifications suffisantes.

Les charges comprennent également les *amortissements* qui portent sur les éléments de l'actif immobilisé soumis à dépréciation (sont exclus les terrains et les fonds de commerce) ; ils doivent correspondre à la dépréciation effectivement subie et être calculés selon des règles très précises. La loi fiscale a prévu, dans certains cas, la possiblité de constater des amortissements accélérés (amortissements dégressifs ou exceptionnels), ce qui permet de réduire le bénéfice imposable et donc l'impôt lors des premières années suivant la réalisation de l'investissement.

Les *provisions* correspondent à la constatation d'un risque de perte, de charge ou de dépréciation d'éléments d'actif (stock, créances sur les clients). Elles doivent trouver leur origine dans des événements survenus avant la clôture de l'exercice, avoir un objet nettement précisé (dans sa nature et son montant) et correspondre à une perte ou à une charge probables.

> Certaines provisions, déductibles de l'assiette de l'impôt, ne correspondent pas à un risque de perte future mais à un avantage fiscal, au moins temporaire. Elles obéissent à des règles de calcul très particulières. On peut citer, à titre d'exemple, la provision pour hausse de prix, pour implantation d'entreprise à l'étranger, pour risques afférents à des opérations de crédit (à l'étranger).

De nombreuses règles limitent la déduction de certaines charges ou interdisent leur prise en compte du point de vue fiscal (impôts non déductibles tels que la taxe sur les véhicules de tourisme des sociétés, limitation de la déduction des intérêts versés aux associés, exclusion de certaines charges considérées comme somptuaires, etc.).

816-1. Après toutes ces déductions, ce qui subsiste des produits constitue le bénéfice fiscal supportant le prélèvement de 33,33 % et les contributions additionnelles sur l'IS. Toutefois, lorsque le résultat d'un exercice est déficitaire, ce déficit est considéré comme une charge de l'exercice suivant et déduit du bénéfice réalisé pendant ledit exercice. Si ce bénéfice n'est pas suffisant pour que la déduction puisse être inté-gralement opérée, l'excédent de déficit est reporté successivement sur les exerci-ces suivants, jusqu'au cinquième. Par exemple un déficit subi au cours de l'exercice 2002 peut être reporté sur l'exercice 2003 et, au besoin, sur les exercices 2004 à 2007 inclus mais pas au-delà. C'est ce que l'on appelle le *report déficitaire*.

Il est également possible de reporter le déficit d'un exercice sur les bénéfices des trois exercices précédant l'exercice déficitaire ce qui fait naître une créance sur le Trésor public correspondant à l'excédent d'impôt antérieurement acquitté ; cette créance est remboursable au terme d'une période de cinq ans si elle n'a pas été utilisée dans ce délai pour le paiement de l'IS. Le système de report en arrière des déficits, ou « carry back », est soumis à un certain nombre de conditions relatives notamment aux investissements réalisés antérieurement.

> Les moins-values à long terme résultant de la cession d'éléments d'actifs immobilisés, non amortissables (supra), détenus depuis plus de deux ans, sont quant à elles reportables pendant dix ans, mais uniquement sur les plus-values à long terme taxables au taux réduit.

816-2. Les dividendes reçus par une société de sociétés qu'elle contrôle à au moins 5 % sont exonérés de l'impôt sur les sociétés. En outre, si la société mère détient au moins 95 % du capital de ses filiales, elle peut, sous certaines conditions, être redevable de l'impôt sur les sociétés sur le résultat d'ensemble du groupe (*intégration fiscale*).

B – IMPÔT SUR LE REVENU

817. Cet impôt frappe, selon un barème progressif par tranches, le revenu des personnes physiques.

Assujettis

818. Toute personne domiciliée en France et y percevant des revenus est soumise à l'impôt. Les personnes mariées, ou ayant des enfants à charge, sont imposées par foyer, la règle du quotient familial permettant de réduire la progressivité de l'impôt.

> Les partenaires d'un pacte civil de solidarité (**Pacs**), défini à l'article 515-1 du Code civil, sont soumis à une imposition commune à compter de l'imposition des revenus de l'année du troisième anniversaire de l'enregistrement du pacte.
>
> Chaque membre d'un couple vivant en union libre (**concubinage**) est imposable séparément.

Lorsque les entreprises ne sont pas soumises à l'impôt sur les sociétés (obligatoirement ou sur option), leurs membres sont soumis à l'impôt sur le revenu. L'assiette de cette imposition est la quote-part du bénéfice à laquelle ils ont vocation, même si elle n'a pas été distribuée. C'est ce que l'on appelle, communément mais improprement, la *transparence fiscale*.

Assiette

819. Le revenu imposable est, en principe, formé par la somme algébrique des revenus acquis par le « foyer », lesquels sont déterminés par des règles propres. On distingue les revenus suivants.

Traitements et salaires

820. Les traitements et salaires sont imposables après déduction des frais professionnels (frais réels ou forfait de 10 %), puis d'une réfaction spéciale de 20 % due au fait que ces revenus, déclarés par l'employeur, ne sont pas dissimulables.

Ces abattements sont soumis à un plafond fixé chaque année par la loi de finances (fixant le budget de l'État, recettes et dépenses).

Revenus fonciers

821. Les revenus fonciers sont essentiellement les loyers procurés par les propriétés bâties ou non bâties ; ils sont imposables une fois déduites les charges correspondantes dont une partie est déterminée forfaitairement.

Les déficits fonciers, résultant des dépenses autres que les intérêts d'emprunts, ne peuvent être imputés sur le revenu global que dans la limite de 10 700 €. Au-delà de cette somme ils ne peuvent être imputés que sur les revenus fonciers des cinq années suivantes.

Revenus agricoles

822. Les revenus agricoles sont déterminés forfaitairement en multipliant la superficie de l'exploitation par un bénéfice moyen à l'hectare déterminé, chaque année, par une commission départementale paritaire, en fonction de la nature des cultures et de la qualité des terres.

Les exploitants agricoles, dont les recettes annuelles de deux années consécutives dépassent 76 300 € pour l'ensemble de leurs exploitations, sont obligatoirement imposés d'après leur bénéfice réel à compter de la deuxième de ces années.

Sur les abattements liés à l'adhésion à un centre de gestion agricole, voir n° 806.

Bénéfices industriels et commerciaux (BIC)

823. Les bénéfices industriels et commerciaux sont, en principe, soumis au régime du bénéfice réel et déterminés exactement selon les règles applicables aux sociétés soumises à l'impôt sur les sociétés, sommairement décrites aux n°s 814 et s.

Sur les abattements liés à un centre de gestion agréé, voir n° 806.

Les petites entreprises, dont le chiffre d'affaires annuel est inférieur à 76 300 € pour les entreprises de ventes ou de fourniture de logement et 27 000 € pour les autres activités, essentiellement les prestations de services, peuvent être imposées selon le régime des micro-entreprises.

Bénéfices non commerciaux (BNC)

824. Les bénéfices non commerciaux sont les revenus procurés par les activités qui n'entrent pas dans les catégories précédentes ; on y trouve, en particulier, les revenus des professions libérales. Les contribuables de cette catégorie dont les recettes annuelles dépassent 27 000 € sont soumis au bénéfice réel (déclaration contrôlée) ; les autres paient l'impôt selon le régime des micro-entreprises.

Revenus des capitaux mobiliers

825. Ce sont les intérêts des créances, les dividendes des actions et les intérêts des obligations émises par les sociétés. Les bénéficiaires de revenus fixes (c'est-à-dire d'intérêts) peuvent se libérer de l'impôt, dans certaines conditions, en demandant à l'établissement payeur d'acquitter pour leur compte un prélèvement forfaitaire global libératoire de 25 % sur les intérêts d'obligations et autres titres d'emprunts négociables (emprunts d'État, etc.), de comptes bloqués d'associés et de titres de créances négociables non susceptibles d'être cotés, et de 7,5 % à 70 % sur les autres intérêts. À défaut d'opter pour ce régime, les intérêts sont intégrés au revenu imposable et soumis au barème progressif de l'impôt sur le revenu.

Toutefois, afin d'atténuer la double imposition des *bénéfices* distribués (imposition au niveau de la société, puis imposition des dividendes au niveau du bénéficiaire), le droit français a institué un système d'*avoir fiscal.* Pour calculer le revenu imposable, on ajoute au dividende cet avoir fiscal ; il est ensuite retranché du montant de l'impôt à verser, résultant de l'application du barème.

> Le taux de l'avoir fiscal est de 50 % ; il est, toutefois, réduit à 15 % à compter de 2002 lorsque la personne susceptible de l'utiliser n'est ni une personne physique, ni une société bénéficiaire du régime des sociétés mères (n° 816-2).

Plus-values

826. Les plus-values de cession d'immeubles ou de valeurs mobilières supportent l'impôt sur le revenu. Toutefois, de nombreuses exonérations existent, notamment pour les résidences principales. De plus, les règles de calcul des plus-values tiennent largement compte, en général, de l'érosion monétaire.

827. La somme des différents revenus nets catégoriels perçus par un contribuable donne le revenu net global.

> Certains revenus ne sont pas imposés (prestations familiales, intérêts de certains comptes d'épargne…).

Certaines charges peuvent être déduites de ce montant, par exemple, des pensions alimentaires, des déficits réalisés les années antérieures… Après calcul de l'impôt sur ce revenu brut, certaines sommes peuvent être retranchées pour calculer l'impôt net à payer par exemple, des avoirs fiscaux, des dons, certaines dépenses afférentes à l'habitation principale, etc.

II.   Impôt sur la consommation

828. L'impôt sur la consommation est constitué essentiellement par la taxe sur la valeur ajoutée (TVA), généralisée en France depuis le 1er janvier 1968. La sixième directive du Conseil des Communautés européennes, du 17 mai 1977, a partiellement harmonisé les législations des pays membres des Communautés européennes. Ainsi, depuis le 1er janvier 1979, les législations nationales sont identiques en ce qui concerne le champ d'application, l'assiette et le régime des déductions ; les taux restent cependant propres à chaque pays.

> Des mesures transitoires sont prévues en faveur des nouveaux États membres de la CE.

Champ d'application de la TVA

829. Le champ d'application de la TVA est extrêmement large puisqu'il englobe toutes les livraisons de biens ou toutes les prestations de services effectuées à titre onéreux, relevant d'une activité économique et effectuées par un assujetti.

Certaines opérations sont cependant *exonérées* (exportations, transports internationaux, assurance, professions médicales, etc.) ou *imposées* seulement *sur option* (locations d'immeubles nus à usage professionnel ou de biens ruraux, etc.). L'exonération entraîne, sauf exceptions (exportations, transports internationaux, etc.), la perte du droit à déduction de la TVA qui a grevé les éléments du prix de l'opération effectuée.

Les règles de territorialité soumettent les importations à la TVA, alors qu'elles en exonèrent les exportations. Les prestations de services sont normalement imposables en France, lorsque le prestataire est établi en France ; mais cette règle connaît de très nombreuses exceptions ; divers critères sont alors retenus tels que le lieu d'utilisation ou le lieu d'installation.

Les assujettis à la TVA établis en France bénéficient, sauf exceptions (TVA immobilière, TVA sur option...), pour leurs livraisons de biens et leurs prestations de services d'une *dispense* de la déclaration et du paiement de cette taxe (régime dit de « *franchise en base* ») lorsqu'ils ont réalisé, au cours de l'année civile précédente, un chiffre d'affaires (hors TVA) n'excédant pas 76 300 € pour les assujettis réalisant des ventes de marchandise à emporter ou à consommer sur place ou des prestations d'hébergement ou 27 000 € pour les assujettis réalisant d'autres activités commerciales (prestations de services).

Assiette et taux de la TVA

830. L'assiette de la TVA est composée par le montant des ventes ou des services, tous frais compris, mais hors TVA. On applique à ce montant l'un des taux retenus en France aujourd'hui :

– taux « spécifique » de 2,10 % ;

– taux « réduit » de 5,5 % ;

– taux « normal » ou « intermédiaire » de 19,6 % (produits ou prestations auxquels ne s'applique pas un autre taux).

Régime des déductions

831. Le système de la TVA repose sur le principe des déductions. L'agent économique collecte la TVA auprès de ses clients et doit la reverser au Trésor public après avoir déduit la TVA supportée en amont (facturée par ses fournisseurs).

Bien qu'il n'y ait pas de TVA sur les exportations, la TVA d'amont sur les produits exportés peut être déduite (ou restituée le cas échéant).

Certaines opérations sont exclues du droit à déduction, soit en raison du régime applicable aux redevables (marchands de biens, par exemple), soit en raison de la nature des dépenses effectuées (dépenses de réception, de cadeaux, relatives aux véhicules de tourisme, etc.). De plus, certaines entreprises, qui ne réalisent pas la totalité de leurs opérations dans le champ d'application de la TVA, ne peuvent pas récupérer la totalité de la TVA d'amont ; un prorata de déduction est alors calculé.

En outre, la déduction de la TVA qui a été opérée peut être remise en cause, notamment en cas de variation du prorata dans le temps, ou de cession d'un bien d'actif immobilisé trop peu de temps après son acquisition.

La TVA est donc un impôt très simple dans son principe, transformant les agents économiques en collecteurs d'impôt. Ceci explique pourquoi les règles relatives à la TVA sont assez complexes et obéissent à un très grand formalisme.

III. Impôts sur le capital

Taxes foncières

832. Le propriétaire d'un bien immobilier, bâti ou non bâti, doit acquitter un impôt annuel qui est une taxe locale dont le taux varie selon la commune où est situé le bien concerné.

Droits de succession et de donation

833. Ces droits ne sont pas un impôt sur la détention du capital mais sur sa transmission. Leur taux varie de 0 à 60 % selon le lien de parenté existant avec le bénéficiaire et le montant du patrimoine transmis. Certains abattements existent.

Impôt de solidarité sur la fortune (ISF)

834. L'impôt de solidarité sur la fortune frappe les foyers fiscaux disposant d'un patrimoine net d'une valeur supérieure à 720 000 €. Des règles spécifiques exonèrent totalement les biens professionnels, les œuvres d'art et les forêts ; les terres faisant l'objet d'un bail rural à long terme sont partiellement exonérées. Le barème est progressif par tranches, les taux allant de 0,55 % à 1,80 %. Le total de l'impôt sur le revenu et de l'impôt de solidarité sur la fortune payés par un contribuable ne peut excéder 85 % de ses revenus nets imposables à l'impôt sur le revenu au titre de l'année précédente ; l'excédent vient en diminution de l'ISF à payer.

IV. Autres impôts

835. Il existe aussi un grand nombre d'impôts divers frappant soit l'exploitation des activités économiques, soit la structure des agents économiques.

Impositions sur l'exploitation

836. Une entreprise doit supporter de nombreux impôts et nous ne citerons que les plus importants.

Taxe professionnelle

837. La taxe professionnelle est due par toute personne exerçant une activité professionnelle non salariée à titre habituel. Son assiette est constituée par la valeur locative des investissements détenus par l'entreprise et une quote-part des salaires versés durant une année (18 % sauf dérogation). Il s'agit d'un impôt annuel local dont le taux est variable selon la commune d'implantation de l'entreprise.

Taxes assises sur les salaires

838. Les taxes assises sur les salaires sont :

– la taxe sur les salaires (employeurs non assujettis à la TVA sur au moins 90 % de leur chiffre d'affaires de l'année précédente) : en principe 4,25 % (taux majoré à 8,50 % ou 13,60 %) du total brut des rémunérations versées ;

– la taxe d'apprentissage au taux de 0,50 % ;

– l'investissement obligatoire dans la construction (0,45 % des salaires versés) pour les employeurs non agricoles établis en France et employant au moins 10 salariés ;

– la participation à la formation professionnelle continue (0,15 ou 0,25 % pour les entreprises de moins de 10 salariés ; 1,5 % des salaires versés pour les entreprises de 10 salariés ou plus ; 2 % pour les entreprises de travail temporaire).

La participation-formation et l'investissement dans la construction peuvent être versés soit au Trésor public, soit (hypothèse la plus fréquente) à des organismes collecteurs agréés.

Taxe sur les voitures des sociétés

840. La taxe sur les voitures des sociétés frappe annuellement les entreprises qui utilisent des voitures particulières.

Impositions de structure

841. Toute modification de la structure des entreprises entraîne la perception de *droits d'enregistrement* dont les taux peuvent être élevés, mais certaines transformations sont encouragées par des mesures de faveur.

Modifications de structure des entreprises

Vente d'un fonds de commerce ou d'un immeuble

842. L'acquéreur d'un fonds de commerce doit acquitter des droits d'enregistrement de 4,80 %.

> Ces droits sont réduits à 15 € pour l'acquisition d'un fonds de commerce d'une valeur inférieure à 23 000 €.

Le premier acquéreur d'un immeuble neuf achevé depuis moins de cinq ans supporte une TVA de 19,6 % et une taxe de publicité foncière de 0,6 %. Si l'immeuble est plus ancien, l'acquisition est soumise à un droit plafonné à 4,89 %.

> Certaines acquisitions (immeubles ruraux par les fermiers, opérations de remembrement foncier, etc.) bénéficient d'un tarif spécial de 0,615 %.

Cession de droits sociaux

843. Les cessions de parts sociales sont soumises au droit d'enregistrement de 4,80 %. Les cessions d'actions, constatées par un acte notarié ou sous seing privé, sont soumises à un droit d'enregistrement de 1 %, plafonné à 3 049 € par mutation ; toutefois, si les cessions d'actions ne sont pas réalisées par écrit elles échappent à cette imposition.

> Un ordre de virement de compte à compte n'est pas un acte.

Agréments fiscaux

847. Afin d'inciter les entreprises à adopter des comportements jugés souhaitables par l'État (par exemple, une certaine mobilité pour favoriser l'aménagement du territoire), certains avantages (dégrèvements d'impôt par exemple) peuvent être accordés à la suite d'un agrément ministériel constatant que les demandeurs remplissent les conditions requises.

Titre II

L'organisation du commerce

Chapitre I

La justice du commerce

(voir figure I-20 p. 176)

Section 1
Tribunaux de commerce

852. Dès l'aube du commerce, les litiges nés de l'activité commerciale ont été jugés par les commerçants eux-mêmes. Cette pratique s'est perpétuée en France depuis un édit de Charles IX (novembre 1563).

Composition des tribunaux de commerce

853. Les tribunaux de commerce sont composés de juges élus selon un système complexe, à deux degrés, par les commerçants français inscrits au registre du commerce et des sociétés, leurs conjoints collaborateurs (voir n° 898), des représentants des sociétés commerciales et des établissements publics industriels et commerciaux, les capitaines de navires, les pilotes de la marine ou de l'aéronautique civile, les membres des tribunaux de commerce et des chambres de commerce.

Les *juges,* dont le mandat est gratuit, sont choisis parmi les électeurs inscrits âgés de 30 ans au moins, étant soit immatriculés au registre du commerce et des sociétés, soit dirigeants de société ou directeurs d'EPIC depuis au moins cinq ans. Ils sont élus pour deux ans lors de leur première élection et pour quatre ans lors des élections suivantes ; après quatorze années de fonctions judiciaires ininterrompues dans un même tribunal, les magistrats ne sont plus éligibles dans ce tribunal pendant un an.

Le tribunal fonctionne avec un président et deux juges ; dans les grands tribunaux, il se divise en chambres ; le ministère public peut y présenter ses observations. Le tribunal est assisté dans sa tâche par différents auxiliaires : le *greffier* qui tient le rôle des affaires et différents registres ; les *administrateurs judiciaires,* chargés de gérer une entreprise en cas de conflit interne (par exemple entre les associés d'une société), ou de procédure de redressement judiciaire ; les *mandataires-liquidateurs* et les *experts en diagnostic d'entreprise.*

En 1998, les tribunaux de commerce ont rendu 273 343 décisions.

S'il n'y a pas de tribunal de commerce dans le ressort d'un tribunal de grande instance, ce dernier a compétence pour les affaires commerciales, mais il observe la procédure commerciale ; on dit alors qu'il « juge commercialement ». Le tribunal d'instance ne peut jamais avoir ce rôle, quel que soit le montant du litige.

La compétence des tribunaux de commerce est exercée de manière échevinale :
– dans les départements du Bas-Rhin, du Haut-Rhin et de la Moselle, par les chambres commerciales des tribunaux de grande instance d'Alsace-Moselle, composées d'un membre du tribunal de grande instance, président, et de deux assesseurs élus ;
– outre-mer, par des tribunaux mixtes de commerce, composés du président du tribunal de grande instance, du président et de juges élus.

Compétence des tribunaux de commerce
(voir figure IV-1)

Compétence d'attribution (voir figure II-1 page 235)

855. Les tribunaux de commerce sont des juridictions d'exception ; ils ne sont donc compétents que dans les matières qui leur ont été réservées par les articles L 411-4 à L 411-7 du Code de commerce et quelques textes extérieurs à ce Code en raison du caractère commercial de l'acte qui donne naissance au litige, ou parfois de la qualité de commerçant des parties.

Ce sont les contestations relatives :

1° *aux actes de commerce* entre toutes personnes ;

2° *aux engagements entre commerçants, entre établissements de crédit ou entre eux ;*

Il faut cependant tenir compte de deux exceptions déjà signalées : le tribunal de commerce est incompétent pour connaître des actions en responsabilité délictuelle ou quasi-délictuelle à raison d'accidents causés par des véhicules terrestres ; par ailleurs, lorsque l'acte est mixte, la partie pour qui l'acte est civil ne peut être assignée que devant le tribunal d'instance ou de grande instance mais elle peut assigner, si elle le veut, la partie pour qui l'acte est commercial devant le tribunal d'instance, de grande instance ou de commerce.

En outre, le tribunal de grande instance est seul compétent pour les litiges concernant les baux commerciaux, les marques et l'existence de droits de clientèle afférents aux brevets et aux appellations d'origine.

3° *aux sociétés commerciales ;*

Toutefois, les juridictions civiles sont seules compétentes pour connaître des litiges dans lesquels l'une des parties est une société d'exercice libéral, ainsi que des contestations survenant entre associés d'une telle société.

4° aux billets à ordre, même s'ils sont souscrits à l'occasion d'actes civils, à condition, dans ce cas, qu'ils portent au moins la signature d'un commerçant (les billets souscrits par un commerçant sont présumés faits pour son commerce) ;

5° au *redressement ou à la liquidation judiciaires d'un commerçant ;*

6° à la cession ou au nantissement *d'un fonds de commerce,* ou à la *tenue du registre du commerce et des sociétés.*

Si l'un de ces litiges est porté devant le tribunal de grande instance, celui-ci est incompétent ; mais l'*exception d'incompétence* doit être soulevée par l'une des parties et ce dès l'ouverture du procès (« in limine litis »).

> Toutefois, en matière de procédure collective de commerçants personnes physiques ou de personnes morales commerçantes, l'incompétence du tribunal civil est absolue : elle peut être relevée d'office par le juge et être invoquée à tout moment, même devant la Cour de cassation.

Le *président du tribunal* rend des ordonnances sur *requête* et est juge des *référés* selon les règles exposées au n° 77.

Compétence territoriale (voir figure IV-1)

856. Le demandeur doit assigner le défendeur devant le tribunal territorialement compétent, déterminé selon les règles de principe exposées au n° 296.

Il existe cependant quelques dispositions particulières : par exemple, tous les tribunaux ne sont pas compétents pour connaître du régime général de redressement judiciaire.

Il est fréquent dans un contrat commercial de désigner expressément le tribunal de commerce devant statuer sur d'éventuels litiges. Cette *clause,* dite d'« *attribution territoriale de compétence* », n'est valide que si elle a été convenue entre des commerçants – elle est donc *nulle dans les actes mixtes* – et si elle a été spécifiée de façon très apparente dans l'engagement de la partie à qui on l'oppose (nouveau Code de procédure civile art. 48).

> Ainsi a-t-il été jugé qu'une clause attributive de compétence imprimée verticalement sur le bord gauche des factures et en petits caractères n'est pas apparente et est donc nulle (Com. 16 novembre 1983 : Bull. IV n° 313).

Elle fait fréquemment partie de ce que l'on appelle les « conditions générales de vente ».

> Lorsque deux clauses attributives de juridiction figurant sur des documents contractuels émanant d'un vendeur et d'un acheteur sont inconciliables, elles s'annulent (Com. 20 novembre 1984 : Bull. IV n° 313).

Ces dispositions ne concernent que la compétence territoriale interne et ne sont pas applicables en cas de litiges internationaux (Paris 11 mars 1987 : BRDA 1987/12 p. 22).

Procédure devant les tribunaux de commerce

857. La procédure commerciale est plus simple que la procédure de droit commun. Notamment :

1° *il y a dispense du ministère d'avocat,* la représentation des parties devant le tribunal de commerce étant libre ;

2° *il est possible de déposer des conclusions à la barre,* sans avoir à les signifier ;

3° il n'existe pas de juge de la mise en l'état, mais un *juge-rapporteur :* ce magistrat peut, notamment, entendre les parties, les inviter à fournir les explications qu'il juge nécessaires à la solution du litige et ordonner, même d'office, toute mesure d'instruction ; il peut, aussi, si les parties ne s'y opposent pas, tenir seul l'audience pour entendre les plaidoiries et en rendre compte au tribunal dans son délibéré.

Observations sur les tribunaux de commerce

858. Les tribunaux de commerce n'existent pas en Grande-Bretagne et en Suisse ; ils ont été supprimés aux Pays-Bas, en Espagne et en Italie. En France, leur existence est aujourd'hui contestée en raison de la faiblesse des connaissances juridiques de certains juges et de leur manque d'impartialité.

> Seuls 10 % des tribunaux de commerce sont composés de 25 juges et plus.

Si, en matière commerciale, la proximité entre les juges consulaires élus et les entreprises justiciables est très profitable aux aspects d'écoute, de conseil et de prévention, elle est en revanche excessive lorsqu'il s'agit de l'activité strictement juridictionnelle, où il importe que le juge soit à l'abri de toute suspicion de partialité.

Aussi l'Assemblée nationale a voté, en première lecture, en mars 2000, un projet de loi aux termes duquel les formations de jugement ayant à connaître des procédures collectives seront présidées par des magistrats professionnels.

Section 2

Arbitrage

(Code civil art. 2059 s. ; nouveau Code de procédure civile art. 1442 s.)

859. L'arbitrage est la justice rendue par un « juge » privé, appelé arbitre, choisi par les parties en conflit.

Recours à l'arbitrage (voir figure IV-1)

Arbitrage interne

861. La décision de recourir à un arbitre peut être prise à deux moments différents.

1° **Avant la naissance du litige,** lors de la conclusion du contrat, en prévision de différends pouvant naître ultérieurement, les parties peuvent convenir d'une clause d'arbitrage dite **« clause compromissoire »**.

> La clause d'arbitrage est autonome par rapport au contrat dans lequel elle est insérée, de sorte qu'elle n'est pas affectée par une éventuelle inefficacité du contrat, sauf stipulation contraire (Com. 9 avril 2002 : BRDA 9/02 n° 8).

Cette clause n'est valable que dans les contrats conclus à raison d'une *activité professionnelle ;* elle doit, à peine de nullité, être *stipulée par écrit.*

> Cette condition n'est pas remplie pour un contrat conclu par téléphone, même si la confirmation de la vente adressée postérieurement par lettre contient la clause compromissoire et n'a fait l'objet d'aucune protestation de son destinataire (Com. 15 juillet 1987 : Bull. IV n° 179).

2° *Après la naissance du litige,* c'est-à-dire, selon la terminologie procédurale, une fois « le litige né et actuel », les parties en conflit peuvent convenir de soumettre leur litige à un arbitre par un contrat spécial appellé *compromis* ou convention d'arbitrage (valide même entre des particuliers).

Remarques :

1° L'arbitrage est interdit lorsque le litige relève de la compétence des juridictions administratives, sauf dispositions législatives contraires (CE 3 mars 1989, Société des autoroutes de la région Rhône-Alpes : JCP 1989 II 21 323, note P. Level).

2° Si un litige, dont un tribunal arbitral est saisi en vertu d'une convention d'arbitrage, est porté devant une juridiction d'État, celle-ci doit se déclarer incompétente (Civ. 2e, 16 juin 1986 : Bull. IV n° 97).

3° Certaines *polices d'assurances* (incendie, vol) comportent des *clauses d'arbitrage* par lesquelles les parties s'engagent mutuellement à soumettre leur différend éventuel à un ou plusieurs arbitres, avant d'intenter une action devant le tribunal. Ces clauses *ne sont pas des clauses compromissoires* car l'assuré conserve toujours la possiblité, après cet arbitrage, d'agir en justice. Elles s'imposent donc aux particuliers assurés.

4° *Le compromis ne doit pas être confondu avec la transaction* (voir n° 292). *De même le mot « compromis » est parfois utilisé, de façon impropre, pour désigner une promesse de vente d'immeuble devant être réitérée par acte authentique.*

Arbitrage international

862. Est international l'arbitrage qui met en cause les intérêts du commerce international ; il suffit, pour cela, que l'opération économique, à l'occasion de laquelle l'arbitrage est intervenu, implique un mouvement de biens, de services ou un paiement à travers les frontières.

> La cour d'appel de Paris a jugé que revêt ce caractère un arbitrage introduit par deux parties de nationalité différente, à propos d'un litige concernant l'exécution d'une convention dans un pays tiers et alors que cette convention avait pour effet de réaliser un mouvement de services et de capitaux à travers les frontières (12 décembre 1989 : BRDA 1990/7 p. 11).

La réglementation de cet arbitrage dépend du droit applicable, librement choisi par les parties adverses (règle dite de la « loi d'autonomie », voir n° 36). Toutefois, la clause compromissoire est indépendante juridiquement du contrat principal qui la contient directement ou par référence, et son existence et son efficacité s'apprécient, sous réserve des règles impératives du droit français et de l'ordre public international, d'après la commune volonté des parties, sans qu'il soit nécessaire de se référer à une loi étatique (Civ. 1re, 20 décembre 1993 : RJDA 3/94 n° 360).

Si le droit français est applicable, le recours à l'arbitrage est *libre dans les relations internationales,* pour tous les litiges aussi bien civils que commerciaux.

Constitution du tribunal arbitral

863. Le tribunal arbitral est librement formé par les parties en conflit. Deux voies s'offrent à elles :

– soit elles organisent spécialement l'arbitrage pour leur affaire et fixent le nombre et les modalités de désignation des arbitres ainsi que les règles de procédure à suivre *(arbitrage « ad hoc ») ;*

> Si l'arbitrage interne résulte d'une clause compromissoire, celle-ci doit, à peine de nullité, soit désigner le ou les arbitres (obligatoirement en nombre impair), soit prévoir les modalités de leur désignation.
> Pour un arbitrage international, la liberté des parties est totale, réserve faite des règles dites d'ordre public international, tel le respect des droits de la défense.

– soit elles choisissent de confier à une organisation permanente le soin de mettre en place et de suivre la procédure (arbitrage dit « institutionnel »). Il existe ainsi des associations, plus souvent appelées *cours d'arbitrage,* prêtes à fonctionner à la demande ; les plus célèbres sont la cour d'arbitrage de la Chambre de commerce internationale (qui siège à Paris), les cours d'arbitrage maritime de Paris et de Londres, la cour d'arbitrage de l'État de New York.

> Un contrat ne présentant aucun caractère international peut néanmoins être soumis à la cour d'arbitrage de la Chambre de commerce internationale, dès lors que cette cour accepte d'être saisie d'un tel différend (Paris 14 juin 1983 : BRDA 1984/17 p. 11).

Décision de l'arbitre

864. L'arbitre ou les arbitres tranchent le litige *conformément aux règles de droit applicables, à moins que les parties soient convenues* qu'ils statuent en « *amiable composition »,* c'est-à-dire en s'inspirant de ce qui leur paraît équitable.

La décision prise s'appelle une *sentence.* Son exécution dépend dans un premier temps de la volonté des parties ; à défaut, elle n'est susceptible d'exécution forcée qu'en vertu d'une décision *d'exequatur* (« qu'il exécute ») émanant du tribunal de grande instance siégeant à juge unique.

Les sentences ne sont pas publiques et restent le plus souvent secrètes. De temps à autre, il arrive cependant que certains d'entre elles soient publiées, notamment dans la « Revue de l'arbitrage », le « Droit maritime français » ou le « Year book arbitration ».

> Une fois le litige né et actuel, les parties peuvent aussi, dans un litige de droit commun, demander à un juge (d'État) de statuer en amiable compositeur. Cette voie procédurale permet d'obtenir rapidement et à moindres frais une décision ayant force exécutoire.

Voies de recours

Arbitrage interne

864-1. La sentence arbitrale est susceptible d'*appel,* sauf si les parties y ont renoncé dans la convention d'arbitrage ou si l'arbitre a statué en amiable compositeur (à moins que les parties ne se soient réservé la faculté d'appel dans la convention d'arbitrage). Elle est susceptible d'un *recours en annulation,* ouvert dans les cas prévus à l'article 1484 du nouveau Code de procédure civile. En revanche, elle n'est susceptible ni d'opposition ni de pourvoi en cassation ; toutefois, la tierce opposition reste possible.

L'ordonnance qui accorde l'exequatur n'est susceptible d'aucun recours ; celle qui le refuse est susceptible d'appel dans le délai d'un mois à dater de sa signification.

Arbitrage international

864-2. Il n'y a *pas d'appel* en matière d'arbitrage international. Toutefois, lorsque *le lieu de l'arbitrage est situé en France,* l'article 1504 du nouveau Code de procédure civile prévoit que la sentence peut faire l'objet d'un *recours en annulation* dans les cas prévus à l'article 1502 dudit Code, notamment pour violation d'une règle considérée comme d'ordre public international, telle la suspension des poursuites individuelles des créanciers et le dessaisissement du débiteur en cas de procédure collective (Civ. 1re, 5 février 1991 : RJDA 4/91 n° 352).

Observations sur l'arbitrage

864-3. La technique de l'arbitrage est largement utilisée dans les affaires commerciales, notamment internationales.

D'une façon générale, l'arbitrage favorise le secret des affaires (les débats et les sentences ne sont pas publics). Il permet une application du droit moins stricte que celle des tribunaux étatiques (clause d'amiable composition). Il est parfois plus rapide et moins onéreux que la justice étatique, mais cet avantage est de plus en plus contesté car certains arbitrages sont très longs et fort coûteux.

L'arbitrage offre des avantages plus marqués *dans les relations internationales. Il supprime l'inquiétude d'être jugé par un tribunal étranger* et élimine les conflits de juridiction. En outre, il est plus facile de faire exécuter une sentence qu'une décision de justice à l'étranger, grâce à la convention de New York du 10 juin 1958 ; toutefois, cet avantage n'existe pas entre États membres de la CE puisque la convention de Bruxelles du 27 septembre 1968 permet l'exécution rapide dans un État membre des décisions rendues dans un autre État.

Chapitre II

L'administration du commerce

Section 1
Organisation administrative

I.   Administration du commerce intérieur

Ministères et services annexes

866. Le commerce, au sens juridique du mot (actes visés aux articles L 110-1 et L 110-2 du Code de commerce), relève du secrétaire d'État aux petites et moyennes entreprises, au commerce, à l'artisanat, aux professions libérales et à la consommation, délégué auprès du ministre de l'économie, des finances et de l'industrie.

Chambres de commerce et d'industrie

867. Créés sous le nom de chambres de commerce dès le XVIe siècle, supprimés sous la Révolution puis rétablies sous le Consulat, ces organes ont reçu leur nom de chambre de commerce et d'industrie d'un décret du 19 mai 1960. Leur statut est fixé par les articles L 711-1 et suivants du Code de commerce.

Les chambres de commerce et d'industrie sont des établissements publics administratifs (Trib. confl. 23 janvier 1978 : D. 1978 II 584, note P. Delvolvé).

Elles ont pour vocation de défendre et de promouvoir l'économie de leur région ; leurs attributions sont consultatives et administratives :
À titre consultatif, elles donnent leur avis sur les questions qui leur sont soumises par le gouvernement ; cette consultation est parfois obligatoire, par exemple pour les règlements relatifs aux usages commerciaux, la création, dans leur circonscription, de nouvelles chambres de commerce ou de magasins généraux. Elles peuvent aussi émettre des vœux sur les problèmes intéressant le commerce et l'industrie.

Au point de vue administratif, les chambres peuvent gérer des services publics, par exemple des aéroports, des entrepôts, des magasins généraux, des salles de vente, des gares routières, des bourses de commerce ; elles peuvent réaliser, en qualité de maître d'ouvrage, toutes formes d'équipements commerciaux et artisanaux susceptibles de favoriser l'installation ou la reconversion des commerçants ou artisans. Elles exercent ces attributions conjointement avec les chambres de métiers.

Chambres régionales de commerce et d'industrie

868. Il existe une chambre régionale de commerce et d'industrie par région économique. Elle est composée de délégués des chambres de commerce et d'industrie ; elle joue, sur le plan régional, un rôle comparable à celui des chambres de commerce.

II. Administration du commerce extérieur

Organismes nationaux

Les ministères

869. Le commerce extérieur relève du ministre délégué au commerce extérieur, auprès du ministre de l'économie, des finances et de l'industrie.

Ce ministre a autorité sur la *direction des relations économiques extérieures* (DREE). Cette direction dispose, pour mener à bien ses diverses missions :

1° du réseau des *postes d'expansion économique* implantés à l'étranger (PEE) : les conseillers et attachés commerciaux ainsi que leurs collaborateurs spécialisés placés auprès d'une mission diplomatique ou consulaire ; ce réseau a un rôle de production d'information dont la diffusion est dévolue au CFCE ;

> Ils forment, au ministère des Affaires étrangères, le service de l'expansion économique à l'étranger (SEEE) ;

2° d'Ubifrance, l'Agence française pour le développement international des entreprises ayant pour mission de promouvoir les technologies françaises à l'étranger et de favoriser la participation des entreprises françaises aux salons internationaux se déroulant à l'étranger.

3° des *directions régionales du commerce extérieur (DRCE)* chargées de coordonner, dans chaque région, les actions de l'ensemble des instances intéressées au commerce extérieur.

Commission consultative du commerce international

870. Cette commission est un organisme restreint, donnant des avis motivés sur l'évolution du commerce international.

Conseillers du commerce extérieur

871. Les conseillers du commerce extérieur sont des industriels, agriculteurs ou commerçants français, nommés par le gouvernement en raison de leur compétence. Leur mission est d'aider et de renseigner les services du commerce extérieur.

COFACE

871-1. La Compagnie française d'assurance pour le commerce extérieur (Coface) est une société anonyme qui assure, pour le compte de l'État et sous son contrôle, les risques commerciaux, politiques, monétaires, catastrophiques ainsi que certains risques dits extraordinaires, liés aux échanges internationaux.

Centre français du commerce extérieur (CFCE)

872. Le Centre français du commerce extérieur est un établissement public ayant trois missions essentielles :

– l'information des exportateurs français sur les marchés étrangers et les opportunités qu'ils peuvent offrir ;
– le conseil personnalisé aux entreprises ;
– la promotion des produits français.

Il publie une revue, le « Moniteur du commerce international » (Moci).

Chambres de commerce françaises à l'étranger

874. Les chambres de commerce françaises à l'étranger sont constituées par des commerçants français dans certains pays où ils sont établis. Ce sont des associations privées, placées sous la loi du pays étranger dans lequel elles se trouvent ; l'adhésion des commerçants français établis dans le pays n'y est nullement obligatoire. Traditionnellement, ces chambres ont pris le nom de « chambre de commerce française » ; elles sont plus ou moins reconnues et aidées par le gouvernement français.

Organismes internationaux

Organismes publics

875. Certaines conventions internationales ont mis en place des organismes publics. Les uns ont une *vocation mondiale,* tel le Fonds monétaire international (FMI) ou la Banque internationale pour la reconstruction et le développement (BIRD ou Banque mondiale) ; ces deux organismes ont eux-mêmes créé l'Association internationale de développement (AID) et la Société financière internationale (SFI) pour encourager l'expansion des entreprises privées dans les pays en voie de développement et y financer des investissements par des prêts.

Les autres ont une *vocation moins étendue ;* mentionnons notamment les organes des Communautés européennes ; l'Association européenne de libre-échange ; la Commission économique pour l'Europe des Nations unies ; l'Organisation de coopération et de développement économiques (OCDE) [Convention de Paris du 14 décembre 1960, entrée en vigueur le 30 septembre 1961] ayant pour objectif de promouvoir des politiques de développement économique.

Organismes privés

876. Parmi de multiples organismes privés, on doit citer tout particulièrement la *Chambre de commerce internationale.* C'est une association de droit français, constituée en 1920, dont le siège est à Paris. Elle est composée de représentants de comités nationaux ; elle a été reconnue par l'ONU et admise au Conseil économique et social des Nations unies. Son rôle est d'informer les commerçants des différents pays et d'élaborer des règles favorisant le commerce international : on lui doit à ce titre, notamment, les « Règles et usances relatives au crédit documentaire », la définition des conditions internationales de vente (Incoterms) et la création d'une cour d'arbitrage à laquelle il est très souvent fait appel pour trancher les litiges nés dans les affaires internationales.

Section 2

Organisation professionnelle

Organes de défense du commerce

878. Les organes de défense des intérêts professionnels des commerçants sont des **syndicats.** Dans ce domaine, c'est la liberté complète : aucun commerçant n'est tenu d'adhérer à un syndicat ; aucun syndicat n'est tenu d'adhérer à une fédération ; aucune fédération n'est tenue d'adhérer à une confédération.

Outre leur tâche de défense des intérêts professionnels auprès des pouvoirs publics, les syndicats rendent des services à la profession : informations économiques, juridiques, sociales ou techniques ; organisation de manifestations pour faire connaître la profession : journées d'information, expositions, foires ; publication de revues ; actions en justice pour défendre la profession.

Organes de police professionnelle du commerce

879. La police professionnelle veille à l'honorabilité des professionnels, à leur compétence et à leur capacité financière. Ces missions sont confiées à des organismes divers ; certains portent le nom d'*« ordre »*, par exemple, en matière commerciale, l'Ordre des pharmaciens ; d'autres sont dénommés *« compagnies »*, ou *« conseils »*, comme le Conseil national du crédit, le Conseil national des assurances, le Conseil national de la cinématographie ; les autres sont dits *« bureaux »*, par exemple le Bureau professionnel de l'Armagnac.

Organes d'intervention économique du commerce

880. Des organes d'intervention économique ont été mis en place par un décret du 20 mai 1953 définissant leur objet et leurs statuts

Ils peuvent recevoir deux fonctions : d'une part, l'acquisition et le stockage de produits industriels ou agricoles pour le compte de l'État, d'autre part des opérations de compensation ou de péréquation.

Ils doivent, en principe, être constitués sous la forme de *sociétés professionnelles* ou *interprofessionnelles* dites *interprofessions.* Ce sont des sociétés anonymes ne pouvant comprendre que les membres de la profession intéressée et soumises à une étroite surveillance de l'État ; ces sociétés peuvent percevoir des cotisations mais ne doivent faire aucun bénéfice, les bonis et les pertes étant pris en compte par l'État. Les principales créations intéressent, pour l'instant, la commercialisation des produits agricoles : par exemple, la Société interprofessionnelle des oléagineux (SIDO).

Chapitre III

Les commerçants

Section 1
Qualité de commerçant

Sociétés commerciales

882. La loi considère comme des commerçants les sociétés qui prennent la forme de société en nom collectif, de société en commandite simple ou par actions, de société à responsabilité limitée, de société anonyme ou de société par actions simplifiée. Ces sociétés ont la qualité de commerçant quelle que soit leur activité et même si elle est civile (par exemple, l'exploitation d'un domaine agricole), quel que soit leur but et même s'il est désintéressé (par exemple, les sociétés coopératives qui fournissent des produits ou des services sans bénéfices), quel que soit leur propriétaire, même si celui-ci est l'État (les sociétés nationales).

> Sur les sociétés coopératives agricoles voir n° 461.

Toutefois, la Cour de cassation a refusé aux sociétés d'exercice libéral d'avocats à forme de société anonyme d'être électrices des membres des chambres de commerce et d'industrie, alors que le législateur n'a prévu aucune exception pour les SEL (Civ. 2e 20 novembre 1998 : RJDA 1/99 n° 60). Cette décision, faisant prévaloir la nature de l'activité sur la commercialité résultant de l'exercice de cette activité sous forme de société anonyme, pourrait poser le principe d'une application distributive des règles propres aux commerçants.

Personnes physiques et personnes morales (autres que les sociétés réputées commerciales)
(Code du commerce art. L 121-1)

883. Sont commerçants ceux qui exercent des actes de commerce et en font leur profession habituelle.

Exercice d'actes de commerce

885. Les actes dont l'exercice est requis sont les actes de commerce par nature, puisque les autres – les actes de commerce par accessoire – supposent que soit établie au préalable la qualité de commerçant.

Exercice professionnel

886. L'activité commerciale donne la qualité de commerçant lorsque les trois conditions suivantes sont remplies.

1° Une profession habituelle

Une « profession habituelle » est l'exercice habituel d'une activité dont on tire des ressources. Est donc commerçant celui qui accomplit, de manière durable et avec régularité, des actes de commerce ; toutefois, l'habitude n'excluant pas l'interruption dans l'exercice de l'activité, ceux qui ont une activité commerciale saisonnière n'en sont pas moins commerçants. En revanche, celui qui fait un acte de commerce à titre isolé, voire le répète mais épisodiquement (opérations de bourse par exemple), n'est pas commerçant.

> Toutefois, l'acceptation de lettres de change ne peut à elle seule conférer la qualité de commerçant (Com. 11 mai 1993 : Bull. IV n° 179).

2° Une profession lucrative

Est commerçant, celui qui cherche un gain, les actes de commerce supposant la spéculation ; dès lors, celui qui agit dans une autre intention n'a pas la qualité de commerçant. Tel est le cas, en particulier, de l'État ; en effet, lorsqu'il accomplit des actes de commerce, il ne les effectue pas en vue d'en tirer profit mais seulement dans l'intérêt général ; d'autre part de tels actes ne constituent pas pour lui l'essentiel de son activité (Paris 10 juillet 1986 : BRDA 1987/5 p. 13).

> Les départements et les communes ne sont pas non plus commerçants lorsqu'ils exploitent en régie des services publics industriels et commerciaux : transports en commun, théâtre, distribution d'eau, par exemple.

> De même, les États étrangers qui exploitent en France des services économiques (flotte de commerce, agences d'exportation des États socialistes) n'exercent pas une activité commerciale. Mais ces agences et représentations doivent être inscrites au registre du commerce et des sociétés et la compétence du tribunal de commerce a parfois été admise.

En revanche, les entreprises publiques à forme de société commerciale – les sociétés d'économie mixte ou à capital public – sont des commerçants « par la forme ». Les tribunaux tendent aussi à considérer comme commerçants les établissements publics à caractère industriel et commercial.

3° Une profession indépendante

L'activité commerciale est spéculative et est donc le fait de celui qui recherche pour son compte le profit et prend à sa charge les risques de pertes. Ainsi ne peuvent avoir la qualité de commerçant ni un salarié, tel un VRP, ni un mandataire tel un agent commercial ou un dirigeant de société commerciale, car ils agissent pour le compte des sociétés qu'ils représentent et non pour eux-mêmes.

Section 2
Statut des commerçants

Capacité commerciale (voir figure I-8, page 93)

Mineurs

888. Un mineur, même émancipé, ne peut être commerçant (Code de commerce, art. L 121-2).

Toutefois, un mineur émancipé peut faire des actes de commerce exception faite de la signature d'une lettre de change ; mais il ne peut acquérir la qualité de commerçant.

Majeurs

889. Les majeurs sont, en principe, capables de faire des actes de commerce ; toutefois :

– un majeur en tutelle est incapable comme un mineur non émancipé ; il ne peut pas faire d'actes de commerce et son tuteur ne peut les faire en son nom ;

– un majeur en curatelle ne peut faire seul un acte qui, sous le régime de la tutelle des majeurs, requiert une autorisation du conseil de famille, ni recevoir des capitaux ou les employer ; il lui faut une autorisation spéciale pour chaque acte et le curateur ne peut donner une autorisation générale permettant l'exercice d'une profession ;

– un majeur sous sauvegarde de justice et le majeur protégé occasionnellement (aliénation mentale) sont capables de faire des actes de commerce comme des actes civils. Toutefois, ils peuvent demander, après coup, la nullité, la rescision ou la réduction de tels actes.

Les décisions définitives plaçant un majeur sous tutelle ou sous curatelle et celles qui en donnent mainlevée ou qui les rapportent doivent, dans le délai d'un mois, être inscrites au registre du commerce et des sociétés.

889-1. *Remarque :* Seuls les incapables ne peuvent acquérir la qualité de commerçant. Les personnes frappées d'une incompatibilité ou d'une interdiction, exerçant le commerce au mépris de la défense qui leur est faite, sont néanmoins traitées comme des commerçants, tout en s'exposant à diverses sanctions.

Preuve de la qualité de commerçant

Principe

891. La preuve de la qualité de commerçant peut être apportée par tous moyens, car il s'agit de prouver un fait. Il n'existe pas, en droit français, d'attestation officielle, délivrée par l'autorité publique, de la qualité de commerçant ; la preuve se fait donc à partir d'une présomption légale et de présomptions de fait.

Présomption légale

892. La présomption légale est *l'immatriculation au registre du commerce et des sociétés.* Cette formalité a deux effets et tout d'abord *un effet positif :* toute personne immatriculée au registre du commerce et des sociétés est présumée avoir la qualité de commerçant ; mais il s'agit d'une *présomption simple* tombant devant la preuve contraire.

> L'immatriculation au registre du commerce et des sociétés n'étant qu'une présomption simple de commercialité, une cour d'appel ouvrant une procédure collective en se fondant sur ce seul motif, sans rechercher si la personne est véritablement commerçante, ne donne pas de base légale à sa décision (Com. 7 décembre 1983 : Bull. IV n° 341).

> En outre, l'immatriculation de quelqu'un qui ne l'a pas sollicité lui-même ou par l'intermédiaire d'un mandataire n'est pas valide et ne peut permettre de présumer la qualité de commerçant (Aix-en-Provence 30 nov. 1976 : Bull. Aix 1976/4 n° 338).

L'immatriculation a ensuite un *effet négatif.* Toute personne assujettie à cette formalité ne l'ayant pas requise à l'expiration d'un délai de quinze jours à compter du commencement de son activité ne peut se prévaloir, jusqu'à immatriculation, de la qualité de commerçant ; toutefois, elle ne peut pas se soustraire aux responsabilités et aux obligations des commerçants si les tiers prouvent qu'elle a en réalité cette qualité (Code de commerce art. L 123-8). Autrement dit, le non-immatriculé ne peut se prévaloir auprès des tiers de sa qualité de commerçant ; mais les tiers peuvent le tenir pour commerçant ; par exemple, le non-immatriculé ne peut pas demander à bénéficier de la prescription commerciale de dix ans, mais les tiers peuvent l'invoquer contre lui (Com. 2 mars 1993 : Bull. IV n° 91).

Présomptions de fait

893. Les présomptions de fait sont constituées par tous les faits et indices susceptibles de rendre vraisemblable la qualité de commerçant : prise de la qualité de commerçant dans un acte (par exemple, dans une police d'assurance ou dans une déclaration administrative), inscriptions administratives (liste électorale des tribunaux et chambres de commerce, mention sur les rôles des impositions fiscales), emploi de procédés de gestion commerciale (publicité, prospection organisée de la clientèle), etc.

La force probante de ces différents éléments est souverainement appréciée par les juges du fond ; mais la Cour de cassation contrôle la qualification établie sur ces faits et, partant, peut reconnaître ou refuser la qualité de commerçant. Elle ne manque pas d'ailleurs d'exercer ce pouvoir, car les difficultés d'application des règles de principe sont nombreuses.

Difficultés d'application

894. Les difficultés de preuve de la qualité de commerçant se rencontrent notamment dans les quatre hypothèses suivantes.

Commerce exercé par plusieurs personnes

895. Si un fonds de commerce est *indivis,* chaque indivisaire n'est commerçant que s'il réunit en sa propre personne les conditions de la commercialité. Il s'ensuit que le plus souvent seul celui qui exploite le fonds est commerçant.

Plusieurs personnes exerçant le *commerce en commun*, sans être copropriétaires d'un fonds de commerce, sont commerçantes si elles remplissent chacune les conditions requises. Elles deviennent alors solidaires des dettes ; il s'agit le plus souvent de concubins, de parents ou d'amis.

Commerce par prête-nom

896. Il y a commerce par prête-nom lorsqu'une personne fait le commerce en se dissimulant derrière une autre. Le plus fréquemment, la personne qui se cache est frappée d'une interdiction de faire le commerce ; dans cette hypothèse, les tribunaux estiment que le prête-nom et la personne dissimulée derrière elle font tous deux le commerce et sont tous deux commerçants.

Commerce à l'occasion d'une autre profession

897. Certaines professions permettent facilement de glisser vers une activité commerciale. Les tribunaux n'hésitent pas à considérer comme commerçants ceux qui accomplissent des actes de commerce de façon trop importante pour pouvoir être réputée accessoire, même si cela leur est interdit.

Commerce fait par des conjoints
(Code de commerce art. L 121-4 s.)

898. Lorsque le commerce est fait par des conjoints, quatre situations peuvent se présenter :

1° Le *conjoint* peut être le *collaborateur* de son conjoint, s'il est mentionné en cette qualité au registre du commerce et des sociétés et s'il assiste son époux chef d'entreprise sans être rémunéré et sans exercer aucune activité professionnelle. Le conjoint collaborateur est réputé avoir reçu du chef d'entreprise le mandat d'accomplir au nom de ce dernier les actes d'administration concernant les besoins de l'entreprise.

2° Le *conjoint* peut être le *salarié* de son conjoint dès lors qu'il participe effectivement à l'entreprise ou à l'activité de son époux à titre professionnel et habituel et qu'il perçoit une rémunération horaire minimale égale au Smic ; il se voit alors appliquer l'ensemble des dispositions du Code de travail.

3° Les deux *conjoints,* seuls ou avec d'autres personnes, peuvent être *associés* dans une même société, quelle qu'en soit la forme, et participer ensemble ou non à la gestion sociale, même en n'apportant qu'un bien commun.

4° Les deux *conjoints* peuvent être tous deux *commerçants* s'ils exercent une activité séparée.

En cas d'exploitation en commun d'un même fonds de commerce, ils ne sont tous deux commerçants que si chacun prend une part habituelle et non subordonnée à l'exploitation en faisant des actes de commerce de manière indépendante et à titre de profession habituelle (Com. 15 octobre 1991 : Bull IV, n° 286).

898-1. Le conjoint survivant du commerçant, justifiant par tous moyens avoir travaillé pendant dix ans dans l'entreprise de son conjoint sans recevoir de rémunération sous quelque forme que ce soit (salaire ou participation aux bénéfices), bénéficie d'un droit de créance d'un montant égal à trois fois le Smic annuel dans la limite de 25 % de l'actif successoral.

Nom commercial

899. Les commerçants personnes physiques peuvent utiliser leur nom de famille pour identifier leur entreprise et en faire un nom commercial.

Domicile commercial

900. Outre leur domicile civil les commerçants personnes physiques ont un domicile professionnel, dit commercial, au lieu de leur principal établissement.

La distinction du domicile commercial et du domicile civil a une grande importance pratique : les actes de la vie civile doivent être localisés au domicile de la vie civile ; ceux de l'activité commerciale, au domicile commercial. Par exemple, une assignation en divorce ou en paiement d'une pension alimentaire devra être faite au domicile civil ; l'injonction de payer une dette commerciale ou une mise en demeure d'exécuter une obligation commerciale devront l'être au domicile commercial.

La détermination du domicile commercial soulève parfois quelques difficultés que l'on résout en appliquant les règles suivantes :

1° le domicile commercial est distinct du domicile civil dès l'instant où le commerçant exerce son commerce dans un lieu différent de son domicile civil ;

2° *le principal établissement est le lieu où le commerçant exerce la direction administrative et financière* de son entreprise, par opposition aux lieux d'exploitation ;

3° en l'absence de principal établissement fixe, le domicile commercial est au lieu du domicile civil.

Statut matrimonial du commerçant

Capacité professionnelle
(Code civil art. 219 s et 1413 s)

902. Aujourd'hui, chaque conjoint peut *exercer librement une profession.* Toutefois, si l'un des époux manque gravement à ses devoirs et met ainsi en péril les intérêts de la famille, l'autre peut s'opposer à son activité.

Chaque conjoint administre, oblige et aliène seul ses *biens personnels* (ceux dont il a seul la pleine propriété) ; cependant un époux peut demander au tribunal d'être habilité à représenter son conjoint lorsque celui-ci est hors d'état de manifester sa volonté.

Les époux mariés sans contrat sont soumis au régime légal de communauté réduite aux acquêts.

> Sous ce régime, chacun des époux conserve la pleine propriété de ses *biens propres* (meubles ou immeubles), c'est-à-dire essentiellement les biens qu'il possédait le jour de la célébration du mariage, ceux qu'il recueille pendant le mariage par succession, donation ou legs, ainsi que les biens acquis en emploi ou remploi de biens propres.
>
> Quant à la *communauté,* elle se compose des fruits perçus et non consommés des biens personnels des époux, ainsi que des acquêts (acquisitions de meubles ou d'immeubles) faits par eux durant le mariage, et notamment de ceux qui proviennent de leur travail personnel.

Ils doivent alors respecter les règles suivantes :

1° Le conjoint *commerçant* a *seul* le pouvoir d'accomplir les actes d'administration et de disposition sur les *biens communs nécessaires à sa profession.* Toutefois, il doit obtenir, à peine de nullité, le *consentement de son conjoint :*
– pour toute aliénation ou constitution de droits réels (usufruit, servitude, hypothèque, gage) sur les *immeubles, fonds de commerce,* exploitations, *droits sociaux non négociables* (parts de sociétés civiles et de sociétés à responsabilité limitée notamment) et *meubles corporels dont l'aliénation est soumise à publicité* (navires, bateaux, avions mais non les automobiles, lorsque ces biens font partie de la communauté ;

> En outre l'époux commerçant (ou artisan) doit obtenir le consentement exprès de son conjoint, s'il travaille avec lui, pour aliéner, grever de droits réels et recevoir les capitaux provenant de ces opérations, les éléments du fonds de commerce (ou de l'entreprise artisanale) qui, par leur importance ou leur nature, sont nécessaires à l'exploitation de l'entreprise.

– pour percevoir les capitaux provenant de telles opérations ;
– pour *louer* à un tiers un *immeuble à usage commercial,* industriel ou *artisanal* dépendant de la communauté.

2° Le paiement de *dettes* contractées par l'un ou l'autre des époux commerçant pendant le mariage peut être poursuivi sur les *biens communs* sous les conditions suivantes :
– l'époux qui s'est engagé ne doit pas avoir agi dans l'intention de frauder les droits de son conjoint, c'est-à-dire s'être endetté dans l'intention de lui nuire en faisant supporter la dette par les biens communs ;

– le créancier avec lequel cet époux a contracté ne doit pas être de mauvaise foi, c'est-à-dire avoir connu l'intention frauduleuse de l'époux contractant.

Toutefois, les *gains* de l'un ou l'autre des conjoints commerçants ne pourront être *saisis par les créanciers de l'autre conjoint* que si l'obligation a été contractée pour l'entretien du ménage ou l'éducation des enfants.

3° En outre, chaque époux commerçant ne pourra engager que ses biens propres et ses revenus par un *cautionnement* ou un *emprunt,* à moins que ces actes n'aient été contractés avec le consentement exprès de l'autre conjoint et, dans ce dernier cas, seuls les biens communs et non les propres de celui-ci seront engagés.

Publicité du régime matrimonial

903. Doivent être publiés au registre du commerce et des sociétés :
– le contrat de mariage d'un commerçant ;
– la situation matrimoniale d'une personne mariée acquérant la qualité de commerçant ;
– les modifications de cette situation matrimoniale (séparation, divorce, changement de régime matrimonial, etc.).

Cessation des paiements

904. Il faut éviter que l'époux commerçant, menacé de ruine et donc de vente forcée de ses biens, ne les « mette à l'abri » en en transférant la propriété à son conjoint (on dit, dans le langage courant, « en les mettant au nom de l'autre »).

Pour déjouer cette manœuvre, la loi prévoit que, si la propriété des biens se détermine conformément au régime matrimonial des époux, les créanciers peuvent prouver par tous moyens que des biens ont été mis au nom du conjoint de leur débiteur avec des valeurs fournies par leur débiteur.

> Par exemple, une femme mariée sous le régime de la séparation des biens avait acquis la plus grande partie du capital d'une SARL. Or il a été établi, après expertise ordonnée par le tribunal saisi, par un créancier du mari, d'une action en simulation de cette souscription, que l'épouse ne justifiait ni de revenus personnels ni de la propriété de lingots d'or qu'elle déclarait avoir vendus pour se procurer des fonds.
>
> La preuve de la simulation ayant été ainsi apportée, le mari a été déclaré être, à l'égard du créancier demandeur, le véritable titulaire des parts de la SARL (Civ. 1re, 14 juin 1983 : BRDA 1983/21 p. 8).

De plus, les avantages consentis par le débiteur à son conjoint ne peuvent pas être réclamés par ce dernier si le débiteur était commerçant à l'époque de la célébration du mariage ou l'est devenu dans l'année de cette célébration.

Régime social du commerçant

905. Les commerçants jouissent d'un régime particulier de Sécurité sociale et de retraite.

Fixé par la loi n° 72-554 du 3 juillet 1972, il aurait dû, depuis, être progressivement harmonisé avec le régime général de la Sécurité sociale mais ceci n'a été que partiellement réalisé. Si les cotisations sont, en général, établies par référence aux cotisations des salariés, les prestations ne sont pas identiques ; par exemple, l'assurance maladie rembourse les frais mais ne verse pas d'indemnités journalières ; les prestations d'assurance vieillesse ne sont alignées sur le régime général que pour les périodes d'assurance postérieures au 31 décembre 1972.

Le conjoint salarié d'un commerçant est affilié au régime général de la Sécurité sociale s'il participe effectivement à l'entreprise ou à l'activité de son époux, à titre professionnel et habituel, et perçoit un salaire correspondant au salaire normal de sa catégorie professionnelle.

Le conjoint collaborateur bénéficie, le cas échéant, d'une allocation forfaitaire de repos maternel destinée à compenser partiellement la diminution de son activité. Il peut recevoir une pension personnelle d'assurance vieillesse, venant s'ajouter à celle de son conjoint, avec un possible partage de l'assiette des cotisations (entraînant un partage de la pension).

Régime fiscal du commerçant

906. Les commerçants sont soumis à un régime fiscal particulier. Notamment, ils paient l'impôt sur le revenu conformément aux règles d'imposition des BIC et ils sont les plus importants assujettis à la taxe professionnelle.

Autres règles propres aux commerçants

907. Il existe de nombreuses autres règles propres aux commerçants ; nous avons déjà eu l'occasion de les rencontrer et ne pratiquerons qu'un rappel partiel :

1° Les commerçants bénéficient de certains droits particuliers : notamment, le *droit au renouvellement des baux commerciaux,* la reconnaissance d'un droit de propriété sur leur clientèle (le *fonds de commerce*), et la possibilité de nantir cette clientèle.

> *Rappel.*
>
> 1° Ces droits ne bénéficient pas à ceux qui font le commerce irrégulièrement en étant frappés d'incompatibilité ou d'interdiction.
>
> 2° Les artisans bénéficient également du droit au renouvellement de leur bail.

2° À l'égard des commerçants, les actes de commerce peuvent se *prouver par tous moyens*.

3° La prescription extinctive des obligations commerciales entre commerçants ou entre commerçants et non-commerçants est, au maximum, de dix ans.

4° Les commerçants ont certaines obligations qu'ils partagent avec d'autres professionnels : inscription au registre du commerce et des sociétés, comptabilité, obligation d'avoir un compte bancaire ou postal (Code de commerce art. L 123-24), facturation (Code de commerce art. L 441-3).

> La non-délivrance d'une facture est punie d'une amende de 75 000 € pouvant être portée à 50 % de la somme qui aurait dû être facturée ; elle est également sanctionnée d'une amende fiscale égale à 50 % du montant de la transaction, réduite à 5 % lorsque le fournisseur apporte, dans les trente jours d'une mise en demeure adressée obligatoirement par l'administration fiscale, la preuve que l'opération a été régulièrement comptabilisée (Code général des impôts art. 1740 ter).

5° Les commerçants sont dotés d'organismes propres tels les tribunaux de commerce et les chambres de commerce.

Rappel.

Les commerçants, mais aussi les personnes morales de droit privé, les artisans et les agriculteurs :
– peuvent faire l'objet d'une procédure de redressement ou de liquidation judiciaires.
– sont passibles du délit de banqueroute.

908. *Remarque.* Sur l'éventualité d'une application distributive des règles applicables aux commerçants, s'agissant de sociétés commerciales par la forme voir n° 882.

Titre III

L'organisation
des activités civiles

915. Dans l'ensemble, les affaires civiles se font à l'aide des règles gouvernant les entreprises et le jeu des échanges, exposées ci-dessus. Cependant, leur statut juridique présente une particularité : les règles spécifiques aux affaires commerciales ne leur sont pas applicables.

Cette affirmation, qui paraît une lapalissade valable depuis des siècles, n'est cependant plus vraie de nos jours. À mesure que les activités civiles cessent d'être occasionnelles pour devenir des activités professionnelles, s'instaure un rapprochement avec le modèle juridique des activités commerciales. Les activités civiles deviennent ainsi des affaires sous l'effet conjugué d'un double mouvement : elles sont soumises à certaines règles commerciales (chapitre I) et elles font l'objet d'une administration comparable (chapitre II).

Chapitre I
Les règles commerciales applicables aux activités civiles

916. Aussi choquant qu'il puisse paraître, ce titre traduit une réalité dont l'ampleur s'accroît régulièrement depuis une trentaine d'années. De plus en plus souvent, des règles commerciales, c'est-à-dire des règles qui jusque-là n'avaient vocation à régir que les actes de commerce ou les commerçants au sens des articles L 110-1 et suivants du Code de commerce, s'appliquent aux activités civiles dans la mesure où celles-ci s'exercent comme des activités professionnelles.

Ce phénomène se développe ouvertement sous l'effet d'innovations législatives. Par touches successives, la loi crée un statut unifié des activités professionnelles par extension des règles commerciales. Ainsi, l'entrepreneur, civil ou commerçant, peut prolonger son activité économique par la constitution d'un groupement d'intérêt économique ; le régime de la société civile est calqué sur celui des sociétés commerciales ; l'immatriculation au registre du commerce et des sociétés est imposée à toutes les sociétés et à tous les groupements d'intérêt économique, qu'ils soient civils ou commerciaux ; la société unipersonnelle se trouve offerte, en même temps, aux commerçants, artisans et agriculteurs (quoique sous une forme civile pour ces derniers). Le redressement et la liquidation judiciaires peuvent concerner les personnes morales aussi bien commerçantes que civiles, les artisans et les agriculteurs ; le règlement amiable est ouvert à tous les entrepreneurs en fonction de l'importance de leur activité et non pas de la nature de cette dernière ; tous les échanges de biens et de services doivent se dérouler dans le respect des règles de la libre concurrence ; les non-commerçants sont soumis à la prescription de dix ans dès lors qu'ils contractent avec des commerçants ; les artisans jouissent du droit au renouvellement du bail du local où ils exercent leur activité et ils concluent des locations-gérances dans les mêmes termes que les commerçants ; les membres de professions libérales peuvent céder un fonds libéral d'exercice de la profession ; la clause compromissoire est valable dans tous les contrats conclus à raison d'une activité professionnelle ; le conjoint collaborateur d'un artisan ou d'un professionnel libéral bénéficie d'un statut comparable à celui du conjoint collaborateur d'un commerçant.

Mais la « colonisation » des activités civiles par les règles commerciales se manifeste aussi par des voies qui sautent moins aux yeux. On ne relève guère, en effet, qu'un nombre incalculable de non-commerçants se trouve, quotidiennement, au contact des règles commerciales parce qu'ils détiennent des valeurs mobilières, signent des chèques et des traites, ou sont soumis à l'obligation fiscale de déclarer leur revenu selon le régime réel, c'est-à-dire selon les règles comptables forgées pour les activités commerciales.

Il ne reste, somme toute, que les règles de la capacité commerciale, de la présomption de solidarité, de la liberté des preuves et de la compétence des tribunaux de commerce qui ne se soient pas encore infiltrées dans les affaires civiles.

Chapitre II
L'administration des activités civiles

917. Les activités civiles, décrites aux n°s 450 et s., sont très différentes les unes des autres. Il y a loin, c'est évident, de l'agriculteur au médecin, de l'un et l'autre au cordonnier ou au plombier, de ces derniers aux constructeurs-vendeurs d'immeubles. On ne peut donc pas donner aux activités civiles une administration unique. Mais, comme les activités commerciales – et c'est ce qui est caractéristique des affaires – chacune de ces activités est dotée d'une administration propre chargée de la gestion des intérêts collectifs. Il en est ainsi, notamment, pour l'agriculture (section 1), l'artisanat (section 2), les professions libérales (section 3).

Section 1
Administration de l'agriculture

Administration publique

918. Cette administration a à sa tête le ministre de l'agriculture, de l'alimentation, de la pêche et des affaires rurales.

Un Conseil supérieur d'orientation et de coordination de l'économie agricole et alimentaire, composé de représentants des ministres intéressés, de la production agricole, de la transformation et de la commercialisation des produits agricoles, de l'artisanat et du commerce indépendant de l'alimentation, des consommateurs et des associations agréées pour la protection de l'environnement, de la propriété agricole, des syndicats représentatifs des salariés des filières agricoles et alimentaires ainsi que d'un représentant du comité permanent du financement de l'agriculture, participe à la définition, à la coordination, à la mise en œuvre et à l'évaluation de la politique d'orientation des productions et d'organisation des marchés.

Il est compétent pour l'ensemble des productions agricoles, agro-alimentaires, agro-industrielles et forestières.

Il délègue normalement ses compétences en matière de forêts et de transformation du bois au Conseil supérieur de la forêt et des produits forestiers.

Un Conseil supérieur des exportations agricoles et alimentaires formule des recommandations sur les politiques d'appui à l'exportation et veille à la cohérence de leur mise en œuvre.

En outre, des **offices** d'intervention par produit ou groupe de produits peuvent être créés par décret en Conseil d'État.

Ces offices, qui sont des établissements publics à caractère industriel et commercial (EPIC) placés sous la tutelle de l'État, ont une triple mission :
– le renforcement de l'efficacité économique de la filière ;
– l'amélioration de la connaissance et du fonctionnement des marchés ;
– l'application des mesures communautaires.

> Il existe, aujourd'hui : un office national interprofessionnel
> – des céréales (ONIC),
> – des plantes à parfum, aromatiques et médicinales (ONIPPAM),
> – des fruits, des légumes et de l'horticulture (ONIFLHOR),
> – des vins (ONIVINS),
> – du lait et des produits laitiers (ONILAIT),
> – des viandes, de l'élevage et de l'aviculture (OFIVAL),
> – des oléagineux, protéagineux et cultures textiles (ONIOL),
> – des produits de la mer (OFIMER).
> Il faut y adjoindre :
> – le Fonds d'intervention et de régularisation du marché du sucre (FIRS),
> – l'Office de développement de l'économie agricole des départements d'outre-mer (ODEADOM).

Les pouvoirs publics peuvent déléguer tout ou partie des attributions actuellement confiées aux offices à une ou plusieurs organisations interprofessionnelles reconnues.

919. En outre, il existe, dans chaque région, une **conférence régionale pour le développement de l'agriculture** qui a pour mission de veiller à l'articulation des actions de développement agricole avec les actions de recherche, d'expérimentation et de formation permanente des exploitants et des salariés agricoles et avec les autres actions de politique agricole menées dans la région (Décret 2001-961 du 22 octobre 2001).

Administration professionnelle

Chambres d'agriculture

920. Prévues par le législateur dès 1851 mais non organisées, les chambres d'agriculture ont reçu leur statut actuel de la loi du 3 janvier 1924, maintes fois « toilettée ».

Ces chambres sont rassemblées, dans certaines régions, en une chambre régionale et, à l'échelon national, dans l'**Assemblée permanente des chambres d'agriculture.**

Leurs membres sont élus, pour six ans, par les chefs d'exploitation, leurs conjoints et leurs aides familiaux, les propriétaires exploitants ou non et les salariés des exploitations agricoles ; chacun de ces collèges est représenté au sein des chambres.

Les chambres d'agriculture tiennent annuellement deux sessions (mai et novembre). Elles se procurent leurs ressources au moyen d'une taxe pour frais de chambre d'agriculture, imposition additionnelle à la taxe foncière.

Elles ont différentes fonctions : d'abord, une mission de conseil et d'information des pouvoirs publics qu'elles partagent avec l'Assemblée permanente. Ensuite, une mission générale d'aide aux agriculteurs qui prend des formes très diverses : codification des usages locaux, création d'entreprises destinées à servir les intérêts agricoles du département (certaines chambres développent des actions en faveur du tourisme, par exemple) ; organisation de nombreux services d'intérêt commun dont le plus important est le Service d'utilité agricole de développement (SUAD). Ce dernier regroupe et coordonne l'action des divers organismes de développement agricole, dans le cadre d'un programme départemental ; il assure la gestion financière des fonds alloués par l'Association nationale pour le développement agricole (ANDA), il met des conseillers techniques à la disposition tant des groupements de développement agricole (GDA) que des Centres d'études techniques agricoles (CETA) ouverts à tous les agriculteurs.

Registre de l'agriculture

921. Toute personne physique ou morale exerçant à titre habituel des activités réputées agricoles, à l'exception des cultures marines et des activités forestières, doit être immatriculée, sur sa déclaration, à un registre de l'agriculture tenu par la chambre d'agriculture dans le ressort de laquelle est situé le siège de l'exploitation.

Cette formalité ne dispense pas, le cas échéant, de l'immatriculation au registre du commerce et des sociétés ou au répertoire des métiers.

Comices agricoles

921-1. Les comices agricoles sont des assemblées rurales tendant à développer l'élevage par des concours et des attributions de récompenses ; leur statut résulte d'une loi du 20 mars 1851.

Syndicats

922. Plusieurs syndicats assument la défense des intérêts agricoles. Les plus connus sont la Fédération nationale des syndicats d'exploitants agricoles (FNSEA), le Centre national des jeunes agriculteurs (CNJA) et la Fédération nationale de la coopération agricole (FNCA). Il existe aussi des syndicats de salariés agricoles.

Associations

923. Les associations sont très utilisées en matière agricole dès qu'il s'agit de répondre à un besoin particulier : par exemple, les associations régionales pour l'identification du cheptel, les associations d'éleveurs, les associations départementales pour l'amélioration des structures des exploitations agricoles (ADASEA), l'association des salariés de l'agriculture pour la vulgarisation et le progrès agricole (ASAVPA), etc.

Les plus importantes de ces associations sont les *centres d'économie rurale* dont le but est, notamment, d'aider les agriculteurs à connaître tous les éléments concernant la marche de leur exploitation par un contrôle de gestion adapté à leurs besoins ; de ces centres dépendent les associations de fiscalité et de gestion agricole dont nous avons signalé l'importance en matière comptable et fiscale (voir n° 806).

Sur le rôle des SAFER voir n° 219.

Section 2

Administration de l'artisanat

924. Cette organisation a été élaborée peu à peu sur le modèle de celle des commerçants.

Administration publique

924-1. L'artisanat dépend du secrétaire d'État aux petites et moyennes entreprises, au commerce, à l'artisanat, aux professions libérales et à la consommation, délégué auprès du ministre de l'économie, des finances et de l'industrie.

Le décret 97-1040 du 13 novembre 1997 a créé un « Fonds national de promotion et de communication de l'artisanat » devant contribuer au financement d'actions de promotion et de communication à caractère national en faveur de l'artisanat.

Administration professionnelle

924-2. L'organisation professionnelle de l'artisanat est dite « du secteur des métiers » ; elle dépasse le cadre des artisans au sens juridique.

Chambres de métiers

925. Les chambres de métiers sont des établissements publics composés de chefs de petites entreprises du secteur des métiers (même s'ils ne répondent pas à la définition juridique de l'artisan), de compagnons élus par catégories de métiers et de membres désignés par les organisations syndicales artisanales.

Les attributions de ces chambres sont les suivantes : tenue du répertoire des métiers ; délivrance des diplômes d'artisan et de maître artisan ; organisation de services d'intérêt commun ; sauvegarde des intérêts professionnels concurremment avec les syndicats d'artisans ; formation professionnelle ; œuvres d'entraide ; études et enquêtes ; avis et vœux.

Ces chambres sont groupées en Conférence régionale des métiers (COREM) pour étudier les questions d'intérêt régional.

Sur le plan national, il existe une *Assemblée permanente des chambres de métiers* de France, chargée d'étudier les problèmes d'intérêt commun ; auprès d'elle un établissement professionnel, le Centre national d'étude des techniques et économie de l'artisanat, recherche les moyens d'adapter les entreprises artisanales aux techniques modernes et de développer leur expansion.

Chambres régionales de métiers

925-1. Sur demande de la majorité des chambres de métiers d'une région, un arrêté ministériel peut transformer la conférence régionale des métiers, visée au n° 925, en chambre régionale de métiers.

Ces chambres régionales de métiers, instituées par le décret 85-1205 du 13 novembre 1985, sont des établissements publics ayant pour mission d'assurer la représentation de l'artisanat régional, de faire les études et réunir les informations et les statistiques nécessaires, de donner des avis et de faire des propositions intéressant l'artisanat d'une région.

Répertoire des métiers

927. Le *répertoire des métiers* est un registre tenu par les chambres de métiers ; il a un but administratif et statistique. Doivent y être immatriculées les personnes n'employant pas plus de dix salariés et qui exercent à titre principal ou secondaire une activité professionnelle indépendante de production, de transformation, de réparation ou de prestation de services relevant de l'artisanat et figurant sur la liste annexée au décret 98-247 du 2 avril 1998.

Cette immatriculation *ne dispense pas, le cas échéant, de l'immatriculation au registre du commerce et des sociétés.*

Elle entraîne l'affiliation obligatoire au régime d'assurances vieillesse des artisans ; elle est nécessaire pour pouvoir se prévaloir du droit au renouvellement du bail.

> Les entreprises artisanales doivent, en même temps qu'elles se font immatriculer au répertoire des métiers, signaler leur existence à l'INSEE et se voir délivrer un numéro d'identification.
> Dorénavant ce sont les centres de formalités des entreprises qui se chargent de ces déclarations administratives.
> Un répertoire central des métiers, géré par l'Institut national de la propriété industrielle, reçoit le double de toutes les inscriptions portées sur le répertoire des métiers.
> Il existe, au sein du répertoire des métiers, une section spécifique « Artisans d'art ».

Syndicats

928. À l'instar du MEDEF pour le grand patronat ou de la CGPME pour les petites et moyennes entreprises, le secteur artisanal a ressenti le besoin de se doter d'une structure syndicale. Ainsi est née, en 1983, l'Union professionnelle artisanale, se voulant le porte-parole unique des artisans auprès des pouvoirs publics.

Section 3
Administration des professions libérales

929. Ces professions sont étroitement organisées. Les pouvoirs publics veillent, en effet, à ce que leurs membres aient les qualités requises de compétence et de probité. À cet effet, la loi définit les conditions d'accès de la profession : elle exige toujours des diplômes déterminés attestant la capacité professionnelle ; elle groupe les membres des professions libérales dans des organismes chargés d'assurer la discipline et le respect de la déontologie de la profession considérée ; ces organismes sont appelés, selon les cas, « ordre », « chambre », ou « conseil ».

> Sur l'obligation pour les membres d'une profession organisée en ordre professionnel de payer leur cotisation à cet ordre, voir n° 479.
> Il existe une Assemblée permanente des chambres des professions libérales.

Parallèlement à cette administration imposée par les pouvoirs publics, les professions libérales assurent la défense de leurs intérêts professionnels par l'intermédiaire de syndicats comme toutes les professions.

Titre IV

L'organisation des affaires du secteur public

930. Au début du xxᵉ siècle, les interventions économiques des personnes morales publiques étaient exceptionnelles (*libéralisme économique*) tant au niveau de l'État que des collectivités territoriales. Ces activités économiques étaient, alors, soit gérées directement par des organes publics (la *régie*), soit *concédées* à des personnes privées. Rares étaient à cette époque les *établissements publics* (organismes publics chargés de gérer des services publics et dotés de la personnalité juridique).

Mais des habitudes d'intervention ont été prises par la puissance publique au cours de la Première Guerre mondiale et c'est durant la période dite de l'entre-deux-guerres, pour des raisons tant économiques (la crise de 1929) que politiques (le Front populaire), que l'État a été amené à devenir industriel et commerçant (*dirigisme économique*). En ont résulté les premières nationalisations (chemin de fer notamment), un très grand essor des établissements publics (sous le nom d'« *offices* ») et l'apparition de sociétés d'*économie mixte* constituées de capitaux publics et privés (Air France, La Compagnie générale transatlantique, les Messageries maritimes, la SNCF).

Après la Seconde Guerre mondiale, le dirigisme économique s'est considérablement accru. Outre la *planification,* le secteur public industriel et commercial s'est largement développé par le biais des *nationalisations.* À cet effet, ont été créés de nouveaux établissements publics (Charbonnages de France, EDF, GDF) et des entreprises publiques se présentant sous la forme de sociétés anonymes à capital entièrement public, les sociétés nationales (les principales compagnies d'assurances, la Banque de France, le Crédit lyonnais, la Société générale, la BNCI et le CNEP depuis fusionnées en BNP). Cette dernière formule est, aussi, celle qui a été reprise par la loi du 11 février 1982 ayant procédé à de nouvelles nationalisations.

Il est donc apparu des règles propres à ces activités constituant ce que l'on appelle le régime juridique du secteur public industriel et commercial.

> Malgré la terminologie, il ne faut pas déduire de cette appellation que le secteur public ne couvre que des activités commerciales au sens juridique du terme. Celles-ci sont certes les plus nombreuses et les plus remarquées, d'où l'expression. Cependant, elles ne sont pas les seules : la puissance publique exerce aussi quelques activités civiles (par exemple, l'exploitation de cabinets médicaux, l'action de l'Office des forêts, la construction immobilière), et peut à tout moment décider d'en exercer une, sous réserve de respecter le principe dit de liberté du commerce et de l'industrie.

La formule « secteur public industriel et commercial » signifie donc essentiellement que les activités de ce secteur ne relèvent pas en principe des règles administratives – ou, comme l'on dit parfois, du droit administratif – constituant le régime de droit commun de l'action de la puissance publique, par opposition aux règles de droit privé fixant le régime de l'action des particuliers.

Ce régime comprend les règles applicables aux activités économiques des pouvoirs publics (chapitre I), et les modalités d'administration de ces activités (chapitre II).

Chapitre I
Les règles applicables aux activités économiques des pouvoirs publics

Section 1
Activités économiques de l'administration

931. Les pouvoirs publics peuvent, dans les conditions précisées aux n°s 477 et 478, créer des *services publics dits industriels et commerciaux* ; ces services sont définis de manière très empirique par les tribunaux (Trib. confl., « bac d'Eloka », 22 janvier 1921 : D. 1921 III 1, concl. Matter) :

Il faut d'abord que l'objet du service soit caractérisé par la production et l'échange de biens et de services.

> Les services publics industriels et commerciaux ne couvrent pas que des activités commerciales, au sens juridique de ce terme (voir la remarque au n° 930) ; il concernent, en fait, toutes les activités économiques.

Il faut, en outre, que l'organisation et le fonctionnement du service aient la forme et les moyens d'une entreprise (privée ou publique).

Il faut, enfin, que les activités de production et d'échange n'aient pas été déclarées administratives, sous réserve d'une possible requalification par le juge.

931-1. *La régie est la gestion directe d'un service public par la collectivité publique dont il dépend, sans* qu'il y ait une *personne juridique distincte.* Tel est le cas, par exemple, des Monnaies et médailles et des très diverses régies des collectivités locales.

> Il faut se défier de l'emploi du mot « régie » qui n'est pas toujours utilisé à bon escient ; tel est le cas par exemple de la RATP (Régie autonome des transports parisiens) qui n'est pas une régie mais un établissement public.

Section 2
Activités des entreprises publiques

931-2. Les activités des entreprises publiques sont, en principe, soumises au régime commercial ou civil selon la nature des actes accomplis. Cependant, à certains égards, des règles administratives sont maintenues.

Entreprises publiques

932. Les entreprises publiques sont des personnes morales de droit public (établissement public) ou de droit privé (sociétés).

Établissements publics industriels et commerciaux

932-1. Les établissements publics industriels et commerciaux sont des *organismes publics dotés d'une certaine forme d'autonomie par le biais de la personnalité juridique ;* tel est le cas, notamment, de l'EDF, du GDF, de la SNCF, de la RATP.

> Il faut se méfier des pièges du vocabulaire usuel : ainsi la SNCF n'est pas une société mais un établissement public.

L'activité des établissements publics est limitée au domaine que leur attribue la loi ou le décret les ayant créés (principe de spécialité).

Certains ont une activité de service public (par exemple la SNCF, EDF, GDF, la RATP) ; d'autres ont une activité économique qui n'est pas un service public (par exemple l'ERAP).

Remarque : Un établissement public créé par son texte institutif sous la dénomination d'établissement public industriel et commercial peut être requalifié par les juges :
– soit d'établissement public à caractère administratif ;
– soit d'établissement public exerçant à la fois des activités administratives et des activités industrielles et commerciales (établissement public dit « à double visage »).

> Sur l'intérêt de ces distinctions, voir n° 936.

Pour fixer ces qualifications les tribunaux se réfèrent à l'objet ou la nature de la mission de l'établissement considéré, à l'origine de ses ressources et à ses modalités de fonctionnement.

Sociétés

Sociétés d'économie mixte

932-2. Les sociétés d'économie mixte sont des sociétés de droit privé mêlant capitaux publics et capitaux privés afin de gérer une activité d'intérêt général ; la participation publique peut être minoritaire mais elle s'accompagne alors d'un pouvoir prépondérant de décision et de gestion.

> Dans les sociétés d'économie mixte locales (SEML), les collectivités locales doivent être majoritaires en capital et en voix (Code général des collectivités territoriales art. L 1522-1).

Il s'agit donc de personnes morales privées, même si les capitaux publics sont majoritaires, soumises au droit commun des sociétés. Toutefois, elles font l'objet de nombreuses dérogations, notamment lorsqu'il s'agit de donner à la personne publique des pouvoirs supérieurs à ceux qu'elle tiendrait de sa participation financière.

Sociétés à capitaux publics

932-3. Les sociétés à capitaux publics sont des sociétés anonymes dont la totalité du capital appartient à une ou des personnes morales publiques. Elles sont dites *sociétés nationales* lorsque l'État est le seul actionnaire.

Elles sont, théoriquement, soumises au droit commun des sociétés anonymes mais :
– leurs conseils d'administration doivent comporter des représentants de l'État, des salariés et des personnalités choisies en raison de leurs compétences,
– les assemblées générales sont remplacées par des organismes variant selon les cas.

Application du statut de commerçant aux entreprises publiques

933. Lorsqu'une entreprise publique accomplit des actes de commerce, doit-on lui appliquer le statut du commerçant ? La réponse est très nuancée : tout dépend des règles concernées.

Qualité de commerçant

934. Les *sociétés* d'économie mixte ou à capitaux publics, qui sont des sociétés anonymes, ont, de ce fait, la qualité de commerçant (par la forme). La solution est, en revanche, plus douteuse pour les *établissements publics* industriels et commerciaux ; on peut seulement relever qu'un certain nombre de règles, qui sont la conséquence de la qualité de commerçant, leur sont applicables. Ainsi ces établissements peuvent bénéficier du droit au renouvellement des baux commerciaux ; ils doivent être inscrits au registre du commerce et des sociétés et relèvent, pour les litiges qui les opposent à leur personnel n'occupant pas un emploi de direction, des conseils de prud'hommes.

Procédures collectives

935. Les *établissements publics,* qu'ils soient administratifs ou industriels et commerciaux, étant des personnes morales de droit public, ne sont pas soumis aux procédures collectives (Code de commerce art. L 620-2).

Les *sociétés* d'économie mixte ou à capitaux publics n'y sont soumises que dans la mesure où les dispositions du Code de commerce ne sont pas inconciliables avec leur fonctionnement (Soc. 6 novembre 1991 : RJDA 2/92 n° 186). Par exemple le dirigeant d'une société d'économie mixte locale peut être condamné pour banqueroute, peu important que la majorité du capital de cette société soit détenue par une collectivité locale ou un groupement de communes et que son but soit d'intérêt général (Crim. 2 juin 1999 : RJDA 11/99 n° 1223).

Régime des actes des entreprises publiques

936. Tous les textes relatifs aux entreprises publiques, tant pour les établissements publics que pour les sociétés nationales, précisent qu'elles se comportent, en matière de gestion financière et comptable, suivant les règles couramment en usage pour les sociétés commerciales. On en déduit que leur activité doit être soumise, autant que faire se peut, au régime juridique des affaires civiles et commerciales.

Ainsi les contrats conclus par des *sociétés* nationales ou d'économie mixte, ou par des *établissements publics* à caractère industriel et commercial, avec des personnes privées relèvent toujours des règles civiles ou des règles commerciales, selon le cas (Civ. 1re, 17 novembre 1987 : Bull. I n° 298).

Contentieux

937. Les *établissements publics industriels et commerciaux* sont soumis à deux règles spéciales :

1° ils ne peuvent recourir à l'arbitrage que s'ils y sont autorisés par décret (Code civil art. 2060) ; tel est le cas, par exemple, de la SNCF ;

2° leurs biens sont insaisissables (Civ. 1re, 21 décembre 1987 : Bull. I n° 348).

Section 3

Délégation de service public

939. La délégation de service public est un contrat par lequel une personne morale de droit public confie la gestion d'un service public dont elle a la responsabilité à un délégataire public ou privé, dont la rémunération est substantiellement liée aux résultats de l'exploitation du service, le délégataire pouvant être chargé de construire des ouvrages ou d'acquérir des biens nécessaires au service (CGCT art. L. 1411-1 al. 1).

> À défaut de ce type de rémunération, la convention est un *marché public* soumis aux dispositions du Code des marchés publics
>
> À côté des concessions de services publics industriels et commerciaux, les activités économiques publiques peuvent aussi être assurées par des concessions de travaux publics (construction et exploitation d'ouvrages publics) ou de richesses naturelles (mines, chutes d'eau) qui dépassent le cadre d'un ouvrage d'initiation.
>
> Lorsque le contrat confie à une entreprise l'exploitation d'un service public à l'exclusion de toute autre prestation, notamment la réalisation d'ouvrages nécessaires à cette exploitation, il est dit *affermage* (CE 19 avril 1989 : GP 1989 Som. 523).

La concession doit concilier deux intérêts : celui du public à qui doit être assuré un service et celui de l'entrepreneur qui doit en tirer un juste profit. Cet accord, dont les stipulations sont contenues dans un acte de concession, accompagné d'un « *cahier des charges* », est donc à la fois :

– de nature *réglementaire,* pour tout ce qui concerne l'organisation et le fonctionnement du service public ;

– de nature **contractuelle,** s'agissant de la durée et des avantages financiers accordés au concessionnaire (redevances perçues sur les usagers – ne pouvant donc être modifiées qu'avec l'accord du concédant – et éventuellement, avances, subventions, garanties d'intérêt pour des emprunts, ou exclusivité).

Pouvoirs du concédant

940. Le concédant a deux pouvoirs :

1° contrôler le concessionnaire ;

2° modifier la partie réglementaire de l'acte de concession pour adapter le service aux besoins du public, à charge d'indemniser le concessionnaire pour maintenir l'équilibre financier (en l'autorisant à relever les tarifs, par exemple).

Obligation d'exécution du concessionnaire

941. Le concessionnaire doit exécuter ses obligations (principe de la continuité du service public) et ce personnellement, car il s'agit d'un accord conclu « intuitu personae ».

> Pour assurer cette exécution les collectivités publiques et l'État disposent du privilège du préalable (voir n° 291).

Il en est ainsi :

– même en cas de **« fait du prince »,** mesure prise unilatéralement par le concédant et aggravant la situation du concessionnaire, ce qui entraîne une indemnisation du préjudice subi ;

– même en cas de **pertes temporaires,** à la suite d'événements n'ayant pu entrer dans les prévisions des parties au moment de la conclusion de l'accord (augmentation brutale du prix des matières premières par exemple). Le concessionnaire recevra, toutefois, une **« indemnité d'imprévision »** (couvrant, en pratique, la plus large part du déficit), car l'arrêt de son activité compromettrait la continuation du service public (CE 30 mars 1916, « Compagnie générale d'éclairage de Bordeaux » : S. 1916 III 17). Cependant, si la situation financière est définitivement déficitaire, la concession doit être révisée ou résiliée.

Chapitre II

L'administration des activités économiques des pouvoirs publics

942. L'administration des activités économiques des pouvoirs publics pose le problème des rapports de l'État, détenteur de la puissance publique, et des organes chargés de gérer les activités assumées par la puissance publique. Il n'y a pas de difficulté lorsque ces activités sont en régie puisqu'elles sont alors intégrées étroitement aux services administratifs qui sont l'émanation même de l'État. En revanche, lorsqu'elles relèvent des sociétés nationales et des établissements publics à caractère industriel et commercial, il apparaît nécessaire, pour que la gestion du secteur public se fasse conformément aux objectifs de l'État, que soit mis en place un système de coordination de l'activité de ces entreprises avec les objectifs de l'État.

Pour l'instant, il n'existe, dans cette perspective, que des mécanismes de contrôle étatiques, prenant la forme de contrôles des ministères de tutelle et de vérification des comptes par la Cour des comptes ou une chambre régionale des comptes.

Toutefois, depuis quelques années, pour mieux intégrer les entreprises publiques à l'action générale de l'État, certaines d'entre elles ont signé avec ce dernier des accords définissant les objectifs qui leur sont assignés et les engagements pris à leur égard.

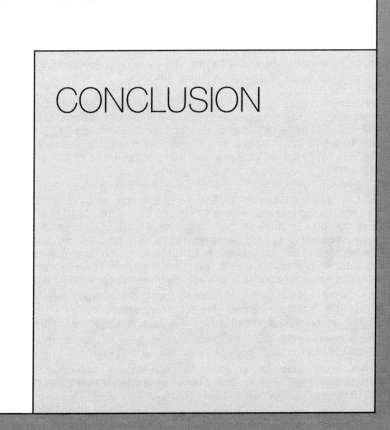

CONCLUSION

945. Comme on l'a vu au n° 916, le droit des affaires commerciales étend son empire sur toutes les activités professionnelles. Le mouvement a atteint une telle ampleur que le moment paraît venu d'envisager la mise en place d'un régime unifié qui gouvernerait toutes les affaires tant commerciales que civiles.

Les quelques règles qui ne s'appliquent pas encore aux activités civiles ne paraissent pas, en effet, fondées sur des particularités commerciales irréductibles. Est-il inconcevable d'admettre que les non-commerçants exerçant professionnellement une activité économique bénéficient entre eux de la prescription de dix ans, de la liberté des preuves et de la présomption de solidarité ? Est-il raisonnable d'autoriser un mineur de dix-huit ans à se lancer dans une activité agricole impliquant de lourds engagements financiers au regard des banques ? Est-il conforme à l'esprit de participation de notre époque de réserver aux seuls commerçants le droit de se juger eux-mêmes et de ne pas adapter les tribunaux de commerce à l'évolution des activités économiques ? Ces solutions sont de moins en moins fondées au fur et à mesure que la loi des affaires n'est plus réservée aux commerçants et aux actes de commerce mais étendue à tous les professionnels.

Dès lors que l'agriculture, l'artisanat, les professions libérales agissent dans le même esprit et éprouvent les mêmes besoins que le commerce et l'industrie, la pesanteur des faits pousse inéluctablement à l'identité de régime. Aussi la principale difficulté à surmonter pour instituer un droit des affaires unifié n'est pas de se convaincre des mérites présentés par les dernières règles commerciales en cause au regard des activités civiles. Elle est surtout de formuler, avec une netteté suffisante, la définition des activités professionnelles à faire passer sous leur tutelle : la règle commerciale sera nécessairement bonne si elle est appropriée aux actes qu'elle régit.

Pour satisfaire cet impératif, le nouveau champ d'application des règles commerciales devrait être, à notre avis, celui des activités professionnelles entendues comme des activités économiques présentant les trois caractéristiques suivantes :

– elles consistent à offrir des biens ou des services sur un *marché* donné (CJCE 16 juin 1987 Commission/Italie, 118/85 : Rec. p. 2559 point 7) ;

– elles n'ont *pas* un caractère *exclusivement social et d'entraide* (Crim. 25 novembre 1992 : Bull. n° 389 ; Conseil de la concurrence 8 juin 1993 : RJDA 8-9/93, n° 713 ; rapp. CJCE 17 février 1993 : RJDA 4/93, n° 328) ;

– elles ne se rattachent pas, par leur nature, leur objet et les règles auxquelles elles sont soumises, à des prérogatives de puissance publique (CJCE 19 janvier 1994, Sat Fluggesllschaft mbH c/ Eurocontrol : Rec I p. 55).

Est également économique toute activité impliquant une gestion entrepreneuriale, par exemple l'emploi de nombreux salariés (Civ. 1re 12 mars 2002 : BRDA 7/02 n° 17).

Les tribunaux mettent déjà en œuvre ces critères dans tous les cas où ils sont amenés à distinguer un professionnel d'un non-professionnel.

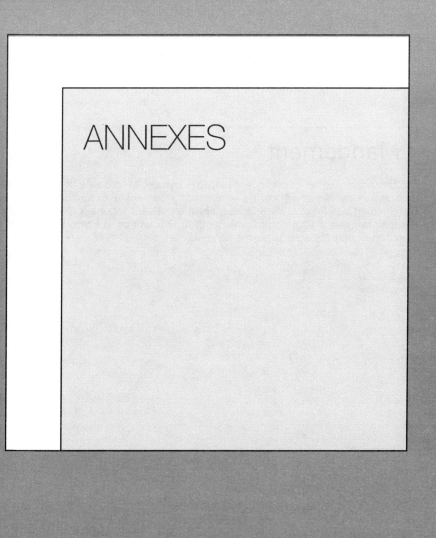

ANNEXES

Annexe 1
Formule exécutoire

Mandement

En conséquence, la République Française mande et ordonne à tous Huissier de Justice sur ce requis de mettre le présent jugement à exécution, aux Procureurs Généraux et aux Procureurs de la République près les Tribunaux de Grande Instance, d'y tenir la main, à tous commandements et Officiers de la Force Publique de prêter main-forte lorsqu'ils sont légalement requis.

Le Greffier en Chef
du tribunal

Annexe 2
Modèle de bilan
(avant répartition)

ACTIF		Exercice			Exercice
		Brut	Amortis-sements et provisions (à déduire)	Net	Net
ACTIF IMMOBILISÉ	Capital souscrit non appelé				
	Immobilisations incorporelles :				
	Frais d'établissement				
	Frais de recherche et de développement				
	Concessions, brevets, licences, marques, procédés, droits droits et valeurs similaires				
	Fonds commercial (1)				
	Autres				
	Avances et acomptes				
	Immobilisations corporelles :				
	Terrains				
	Constructions...................................				
	Installations techniques, matériel et outillage industriels				
	Autres				
	Immobilisations corporelles en cours				
	Avances et acomptes				
	Immobilisations financières (2) :				
	Participations				
	Créances rattachées à des participations				
	Autres titres immobilisés				
	Prêts				
	Autres				
	Total I				
(1) Dont droit au bail					
(2) Dont à moins d'un an					

ACTIF		Exercice			Exercice
		Brut	Amortis-sements et provisions (à déduire)	Net	Net
ACTIF CIRCULANT	Stocks et en-cours :				
	Matières premières et autres approvisionnements......				
	En-cours de production (bien et services) *(a)*.........				
	Produits intermédiaires et finis				
	Marchandises				
	Avances et acomptes versés sur commandes				
	Créances d'exploitations (3) :				
	Créances clients et comptes rattachés *(b)*				
	Autres				
	Créances diverses (3)				
	Capital souscrit – appelé, non versé				
	Valeurs mobilières de placement *(c)* :				
	Actions propres				
	Autres titres				
	Disponibilités				
COMPTES de régularisation	Charges constatées d'avance (3)				
	Total II				
	Charges à répartir sur plusieurs exercices **(III)**				
	Primes de remboursement des obligations **(IV)**				
	Écarts de conversion Actif **(V)**				
	TOTAL GÉNÉRAL (I + II + III + IV + V)				
(3) Dont à plus d'un an					

(a) À ventiler, le cas échéant, entre biens, d'une part, et services d'autre part.
(b) Créances résultant de ventes ou de prestations de services.
(c) Directement s'il n'existe pas de rachat par l'entreprise de ses propres actions.

MODÈLE DE BILAN   (avant répartition)

	PASSIF	Exercice	Exercice

CAPITAUX PROPRES	Capital [dont versé : . . .] *(a)* ....
	 Primes d'émission, de fusion, d'apport ....
	 Écarts de réévaluation *(b)* ....
	 Réserves :
	   Réserve légale ....
	   Réserves statutaires ou contractuelles ....
	   Réserves réglementées ....
	   Autres ....
	 Report à nouveau *(c)* ....
	 Résultat de l'exercice [bénéfice ou perte] *(d)* ....
	 Subventions d'investissement ....
	 Provisions réglementées ....
	
	 Total I		

PROVISIONS pour risques et charges	Provisions pour risques .... Provisions pour charges .... **Total II**		

DETTES (1) (f)
 	
 COMPTES de régularisation (1)
	Dettes financières :
	   Emprunts obligataires convertibles ....
	   Autres emprunts obligataires ....
	   Emprunts et dettes auprès des établissements de crédit (2) ....
	   Emprunts et dettes financières divers ....
	 Avances et acomptes reçus sur commandes en cours ....
	 Dettes d'exploitation :
	   Dettes fournisseurs et comptes rattachés *(e)* ....
	   Dettes fiscales et sociales ....
	   Autres ....
	 Dettes diverses :
	   Dettes sur immobilisations et comptes rattachés ....
	   Dettes fiscales (impôts sur les bénéfices) ....
	   Autres ....
	 Produits constatés d'avance ....
	
	 Total III ....
	
	 Écarts de conversion Passif **(IV)** ....
	
	 TOTAL GÉNÉRAL (I + II + III + IV)		

	(1) Dont à plus d'un an .... Dont à moins d'un an .... (2) Dont concours bancaires courants et soldes créditeurs de banques		

(a) Y compris capital souscrit non appelé.
(b) À détailler conformément à la législation en vigueur.
(c) Montant entre parenthèses ou précédé du signe moins (−) lorsqu'il s'agit de pertes reportées.
(d) Montant entre parenthèses ou précédé du signe moins (−) lorsqu'il s'agit d'une perte.
(e) Dettes sur achats ou prestations de services.
(f) À l'exception, pour l'application du (1), des avances et acomptes reçus sur commandes en cours.

MODÈLE DE BILAN *(suite)* (après répartition)

	PASSIF	Exercice	Exercice
CAPITAUX PROPRES	Capital [dont versé : . . .] *(a)*		
	Primes d'émission, de fusion, d'apport		
	Écarts de réévaluation *(b)*		
	Réserves :		
	Réserve légale		
	Réserves statutaires ou contractuelles		
	Réserves réglementées		
	Autres		
	Report à nouveau *(c)*		
	Sous-total : situation nette.....................................		
	Subventions d'investissement		
	Provisions réglementées		
	Total I		
PROVISIONS pour risques et charges	Provisions pour risques		
	Provisions pour charges		
	Total II		
DETTES (1) *(e)*	Dettes financières :		
	Emprunts obligataires convertibles		
	Autres emprunts obligataires		
	Emprunts et dettes auprès des établissements de crédit (2)		
	Emprunts et dettes financières divers		
	Avances et acomptes reçus sur commandes en cours		
	Dettes d'exploitation :		
	Dettes fournisseurs et comptes rattachés *(d)*		
	Dettes fiscales et sociales		
	Autres		
	Dettes diverses :		
COMPTES de régularisation (1)	Dettes sur immobilisations et comptes rattachés		
	Dettes fiscales (impôts sur les bénéfices)		
	Autres		
	Produits constatés d'avance		
	Total III...		
	Écarts de conversion Passif **(IV)**		
	TOTAL GÉNÉRAL (I + II + III + IV)		
	(1) Dont à plus d'un an		
	Dont à moins d'un an		
	(2) Dont concours bancaires courants et soldes créditeurs de banques		

(a) Y compris capital souscrit non appelé.
(b) À détailler conformément à la législation en vigueur.
(c) Montant entre parenthèses ou précédé du signe moins (−) lorsqu'il s'agit de pertes reportées.
(d) Dettes sur achats ou prestations de services.
(e) À l'exception, pour l'application du (1), des avances et acomptes reçus sur commandes en cours.

Annexe 3

Modèle de compte de résultat de l'exercice

Charges

CHARGES (hors taxes)	Exercice		Exercice
		Totaux partiels	Totaux partiels
Charges d'exploitation (1) :			
Coût d'achat des marchandises vendues dans l'exercice			
● Achat de marchandises *(a)*			
● Variation des stocks de marchandises *(b)*			
Consommation de l'exercice en provenance des tiers			
● Achats stockés d'approvisionnements *(a)*			
– matières premières			
– autres approvisionnements			
● Variation des stocks d'approvisionnements *(b)*			
● Achats de sous-traitances			
● Achats non stockés de matières et fournitures			
● Services extérieurs :			
– personnel extérieur			
– loyers en crédit-bail *(c)*			
– autres			
Impôts, taxe et versements assimilés			
Sur rémunérations			
Autres			
Charges de personnel			
Salaires et traitements			
Charges sociales			
Dotations aux amortissements et aux provisions			
Sur immobilisations : dotations aux amortissements *(d)*			
Sur immobilisations : dotations aux provisions			
Sur actif circulant : dotations aux provisions			
Pour risques et charges : dotations aux provisions			
Autres charges			
TOTAL			
(1) Dont charges afférentes à des exercices antérieurs			

(a) Y compris frais accessoires.
(b) Stock initial moins stock final : montant de la variation en moins entre parenthèses ou précédé du signe (−).
(c) A ventiler en «mobilier» ou «immobilier».
(d) Y compris éventuellement dotations aux amortissements des charges.

MODÈLE DE COMPTE DE RÉSULTAT DE L'EXERCICE — CHARGES *(suite)*

CHARGES (hors taxes)	Exercice	Exercice Totaux partiels	Exercice Totaux partiels
Report			
Quotes-parts de résultat sur opérations faites en commun			
Charges financières			
Dotations aux amortissements et aux provisions			
Intérêts et charges assimilées (2)			
Différences négatives de change			
Charges nettes sur cessions de valeurs mobilières de placement ..			
Charges exceptionnelles			
Sur opérations de gestion			
Sur opérations en capital :			
– valeurs comptables des éléments immobilisés et financiers cédés *(e)*..			
– autres			
Dotations aux amortissements et aux provisions :			
– dotations aux amortissements et aux autres provisions			
Participation des salariés aux fruits de l'expansion			
Impôts sur les bénéfices			
Solde créditeur = bénéfice			
TOTAL GÉNÉRAL			
(2) Dont intérêts concernant les entreprises liées.			

(e) À l'exception des valeurs mobilières de placement.

MODÈLE DE COMPTE DE RÉSULTAT DE L'EXERCICE — PRODUITS

PRODUITS (hors taxes)	Exercice	Totaux partiels	Exercice Totaux partiels
Produits d'exploitation (1) :			
Ventes de marchandises			
Production vendue			
Ventes			
Travaux			
Prestations de services			
Montant net du chiffre d'affaires			
dont à l'exportation : –			
Production stockée *(a)*			
En-cours de production de biens *(a)*			
En-cours de production de services *(a)*			
Produits *(a)*			
Production immobilisée			
Subventions d'exploitation			
Reprises sur provisions (et amortissements)			
Transferts de charges			
Autres produits			
TOTAL			
(1) Dont produits afférents à des exercices antérieurs			

(a) Stock final moins stock initial : montant de la variation en moins entre parenthèses ou précédé du signe (−) dans le cas de déstockage de production.

MODÈLE DE COMPTE DE RÉSULTAT DE L'EXERCICE — PRODUITS *(suite)*

PRODUITS (hors taxes)	Exercice		Exercice
		Totaux partiels	Totaux partiels
Report			
Quotes-parts de résultat sur opérations faites en commun			
Produits financiers			
De participations (2)			
D'autres valeurs mobilières et créances de l'actif immobilisé (2) ..			
Autres intérêts et produits assimilés (2)			
Reprises sur provisions et transferts de charges financières			
Différences positives de change			
Produits nets sur cessions de valeurs mobilières de placement ...			
Produits exceptionnels			
Sur opérations de gestion			
Sur opérations en capital :			
– produits des cessions d'élément d'actif *(b)*			
– subventions d'investissement virées au résultat de l'exercice ..			
– autres			
Reprises sur provisions et transferts de charges exceptionnelles ..			
Solde débiteur = perte			
TOTAL GÉNÉRAL			
(2) Dont produits concernant les entreprises liées			

(b) À l'exception des valeurs mobilières de placement.

Annexe 4

GREFFE DU TRIBUNAL

DE COMMERCE

76 - ROUEN

REGISTRE DU COMMERCE
ET DES SOCIÉTÉS

EXTRAIT

du

Registre du Commerce

et des

Sociétés

A) Renseignements relatifs à la personne morale   *B 975 780 149*

1. Date de l'immatriculation   *24 mai 1957*

2. Raison sociale ou dénomination sociale
     Entreprise X   Sigle

3. Nom commercial   /

4. Forme juridique   *S. A.*   *Statuts mis en harmonie*

5. Capital social   *120 000 €*

6. Adresse du siège social   *X*

7. Durée de la société   *95 ans*

8. Objet social :   *Entreprise générale de maçonnerie de travaux publics et de toutes opérations immobilières*

9. Administration de la société[1]

PRÉSIDENT DIRECTEUR GÉNÉRAL :

Monsieur   *A*

né le   à   frse

dt

DIRECTEUR GÉNÉRAL :

Monsieur   *B*

né le   à *ROUEN*   frse

dt

ADMINISTRATEUR :

Mme   *C*

née le

dt

COMMISSAIRE AUX COMPTES :

Titulaire :
S. C. P.   *D*
Siège social
Immatriculée au RCS ROUEN D 324 285 542

B) Renseignements relatifs à l'activité commerciale

10. Adresse du principal établissement   *X*
                                   Enseigne

11. Activité exercée
          voir rubrique n° 8

12. Date du commencement de l'exploitation principale :   *1er juillet 1933*

13. Mode d'exploitation : *Société propriétaire exploitante*

.../...

(1) Nom, prénoms, domicile personnel, état civil, nationalité des associés et tiers ayant pouvoir de gérer, d'administrer ou de diriger, ou le pouvoir général d'engager la Société, des membres du Conseil de surveillance et des commissaires aux comptes des Sociétés par actions.

14. Origine du fonds de commerce : *Création*

15. Établissements secondaires exploités dans le ressort du tribunal du lieu du siège social

/

(S'il existe plus de cinq établissements, la liste en sera délivrée sur réquisition spéciale.)

16. Établissements secondaires exploités hors du ressort du tribunal du lieu du siège social (lieu, tribunal et n° R.C.S.)
Établissements secondaires exploités hors du territoire français (adresse)

/

(s'il existe plus de cinq établissements, la liste en sera délivrée sur réquisition spéciale.)

17. Observations (faillite, règlement judiciaire, cessation d'exploitation, radiation...)
N° DE RÉFÉRENCE : *77 B 311*
Date de dépôt au Greffe : *6 juillet 1933*

AVIS IMPORTANT

Le présent extrait ne peut faire état des faillites, règlements ou liquidations judiciaires après amnistie, réhabilitation ou clôture pour défaut d'intérêt de masse.

Éventuellement suite des rubriques précédentes
(Rappeler le numéro de la rubrique)

ÉVENTUELLEMENT SUITE DES RUBRIQUES PRÉCÉDENTES
(Rappeler le numéro de la rubrique)

Suite de la rubrique n° 9

COMMISSAIRE AUX COMPTES
Suppléant :   Monsieur Z
né le   à   Frse
DT :

Pour extrait certifié conforme,

Délivré à ROUEN, le 16 juin 1987
Le Greffier

(Cachet du Greffe)

S'il y a lieu, porter la suite des renseignements ne pouvant tenir dans cette page, à la page 4, en rappelant le numéro de la rubrique.

TABLES

Table alphabétique

(Les chiffres renvoient aux paragraphes et le n° en caractères gras
aux développements principaux)

Arrêt
— de cassation : 90 et s.
— de rejet : 89

Arrêté : 30 et s., 97
— de conflit : 95

Arrhes : 284-2

Arsenaux : 930, 931-2, voir bateau, navire

Artisan : 253, 284-1, **460**, 482, 642-2, 652, 682, 708 et s., 717, 902, 907, 924-1 et s., voir cession, établissement artisanal

Artiste-interprète : 648-3

Arts : 456, 460, **648**, 650

Ascendant : 276

Assemblée
— générale (sociétés) : 145, 178, 180
— nationale : 22 et s.
— permanente des chambres d'agriculture : 920
— permanente des chambres de métiers : 758, **925**
— plénière (Cour de cassation) : 88 et s.

Assiette : 803 et s.

Assignation : 271, **305**, 310

Assises (cour d') : **83**, 85

Assistance (justice) : 105, **106**

Assistance à la formalité : 785-3

Assistant de justice : 101

Association : **167**, 172, 461-1, 508, 643-1, 677, 812, 873, 876, 923
— agréée de consommateurs : 643-1, **644**
— d'aide aux victimes et d'information sur les problèmes pénaux : 244
— européenne de libre échange : 19, 307-2
— française de normalisation : 641-1
— de gestion agréée, voir centre
— pour la gestion du régime d'assurances des créances salariées : 709-8
— internationale de développement : 875

Associé : **164** et s., 855
— (conjoint) : 898

Assurance : 151, 206, 245, 254, 261, 280, 434, 479, 552, 567, **720** et s., voir police
— de choses : 728
— crédit : 730, **736**, 871-1
— de dommages : 728, **733** et s., 738
— maritime : **422**, 434, 721
— mutuelle : 434, **461-2**, 721
— de personnes : **729**, 735, 738, voir assurance vie
— « pour le compte de qui il appartiendra » : 737
— prospection : 871-1
— de responsabilité : **728**, 737
— vie : 68, 552-1, 590, **725**, 827

Astreinte : 42-3, 77, **316**, 327, 595

Atome, voir nucléaire

Attaché commercial : 869

Attestation : 348

Attestation de spécificité : 649-1

Attribution
— judiciaire : 233
— préférentielle : 403

Audience : 106, **305**

Audiovisuel : 301, **648** et s., 648-3

Augmentation du capital : **671**, 709-2

Auteur : 239, **273**, 456

Auteur (droit d') : 126, 231, 238, 563, 585, **648** et s.

Auteur (droit voisin du droit d') : 648-3

Authenticité : 107

Auto-école : 430, 565

Autocontrôle : 528

Autofinancement : 670

Automobile : 16, 225-1, 233, **260-1**, 261, 793, 855, voir véhicule
— (mesures d'exécution sur) : 42

Autonomie
— des lois et règlements : 9, 809
— de la volonté : 547
— (loi d') : **36**, 862

Autopayante (prime) : 640-2

Autorisation
— de mise sur le marché : 650
— préalable : 477, 489

Autorité
— de la chose jugée : 295, **306-2**, 307-1 et s.
— parentale : **142 et s.**, 252

Autorités administratives indépendantes : 68

Autorités de contrôle des entreprises du secteur financier : 692-1

Aval : 513, **685**, 702
— en pension : 685

Avance : 685 et s.
— sur marché : 685

Avaries communes : 2, **721**

Avenant : 581

Aveu : 330, 342, 343, **350 et s.**

Avion : 215, 225-1, 235, 260, 793, 902

AVIPP : 244

Avis : 68, 96
— à tiers détenteur : **206**, 662
— communautaire : 19-1

Avitaillement : 422

Avocat : **105**, 106, 305, 306, 318, 319, 321, 321-1, 457, 601, 857, voir profession libérale

Avocat général, voir ministère public

Avoir fiscal : 825

Avoué d'appel : **106**, 457 voir profession libérale
— d'instance : 105

Ayant cause : 239, **273**, 295-1, 330, **587 et s.**
— à titre particulier : **274**, 571
— à titre universel : **274**, 330, 340
— universel : **274**, 287, 330, 340

Ayant droit, voir ayant cause

B

Bail : 544-1, 576, 588
— à construction : 227
— commercial : 76 et s., 175, 292, 585, **645-2 et s.**, 662, 662-2, 855, 902 voir propriété commerciale
— emphytéotique : **227**, 646
— d'un fonds de commerce, voir location-gérance
— d'un immeuble : 145, 206, 219, 230, 236, 287, 292, 386, 428, 459, 567, 821
— d'un meuble : **428**, 459-1
— rural : 81, 219, **389**, 453, 481-1

Balance (comptable) : 495

Banque : 386, 395-2, 419, 616, 677, **691 et s.**, 799, 800 et s.
— centrale européenne : 284-1
— de développement des petites et moyennes entreprises : 763
— de données : 648-4
— française du commerce extérieur : 691, **763**
— de France : 5, 607, 692 et s., 801 et s.
— Internationale pour la Reconstruction et le Développement : 17
— Mondiale : 17
— (opérations de) : 419

Banqueroute : 717

Barème : **642-3**, 643-1

Barreau : 105, voir avocat

Base de données : 648-4

Bateau : 225-1, 235, **422**, 793, 902

Bâtiment : 260

Bâtonnier : **105**, 305, voir avocat

BCE : 284-1

BDPME : 763

Bénéfice : **164**, 166, 167, 806
— (fiscal) : 806, **810 et s.**
— de discussion : 702
— d'inventaire : 239
— de la séparation des patrimoines : 239

Bénéficiaire : **614**, 616, 686

E

F

J

Juridiction
— administrative : 96 et s.
— de droit commun : 75 et s.
— d'exception : 78 et s.
— répressive : 34, 43, **82 et s.**, 207, 244
— de Sécurité sociale : 80
— (recours de pleine) : **319**, 643-1

Jurisprudence : 109

« Jus mercatorum » : 3

Juste titre : 225-1

Justes motifs (dissolution) : 172-2, 181

Jury : 83

K

« Know-how », voir savoir-faire

L

Label : 641-4

Lac : 215

Laisser-sur-place (vente au) : **635**, 637

Langue française (emploi) : **396**, 512

LCR : 616

« Lease-back » : 682

Légalité
— des lois : **21, 26**
— des règlements : **34**, 40, 320
— des règlements et directives communautaires : 21

Légataire : 274, **276**, voir legs

Legifrance : 20, **109**

Légitime défense : 249

Legs : 172, 173, 219, **276**, voir héritier, succession, testament

Lésion : 142, 155 et s., 192, 270, **563**, 889

Lettre, voir correspondance
— de change : 3, 16, 337, 422-3, 597, **616**, 685, 885, 888

— de change-relevé : 616
— de confort : 702-2
— d'intention : 702-2
— de patronage : 702-2
— de voiture : **620**, 686, voir transport

« Lex mercatoria » : **3**, 62

Liaison du contentieux : 319

Libéralité : 242

Liberté
— d'aller et venir : 126
— du commerce et de l'industrie : 34, 262, **477 et s.**, 695, 750, 774, 938
— contractuelle : 547

Licence : 477
— de brevet : 650-4
— d'exportation : 395-2
— d'extraction : 648-4
— d'importation : 395-2
— de marque : 653-3
— de réutilisation : 648-4
— de savoir-faire : 652

Lien de causalité : 246, 603-1

Liquidateur : 715-1

Liquidation : 172-2
— judiciaire : 189-1, 616, **715 et s.**, 855

Liquidité (créance) : 286

Litispendance : 295

Livre comptable : 344, **511 et s.**
— auxiliaire : 511 et s.
— d'inventaire : 511 et s.
— journal : 511 et s.

Livret de famille : 140-1

Location, voir bail

Location-accession : 558

Location-gérance : 279, 519, **663**, 665, 698, 708, 709-4, 713, 783

Location-vente : 552-1

Logiciel : **648**, 650-1

Logo : 653

Loi : 10, **22 et s.**, 218
— d'autonomie : **36**, 862
— confirmative : 39

O

P

Promulgation : 24

Proposition de loi : 23

Propriété : **209 et s.**, 259, 290, voir copropriété, multipropriété
— commerciale : 389, 480, 481, **646
et s.**, 662-2, 663-2, 665, 907, 916,
927, 934, voir bail commercial
— d'un immeuble : 76, **215 et s.**, 225-
2
— incorporelle : 238
— industrielle : 238, 648-1 et s., voir
brevet, dessin d'invention,
enveloppe Soleau, marque, modèle,
savoir-faire
— littéraire et artistique, voir auteur
(droit d')
— d'un meuble : 225-1
— (abus de) : 219
— (acquisition de) : 226
— (clause de réserve de) : **189-1**, 237,
280, 567
— (démembrements de) : 227
— (preuve de) : 222
— (publicité de) : 793
— (titre de) : 223, **225-1**

Provision (comptable) : **500**, 513, 515,
670, 809, **816**

Provision (judiciaire) : 86
— (référé) : 77

Prud'hommes : **79,** 85, 105, 106, 934

Pseudonyme : **131,** 653, 654

Pseudonyme (œuvre) : 648-1

Publication
— des décisions de justice : 304, 640-1
— de la loi : 24
— de règlements : 32
— des textes communautaires : 20

Publicité : 648, voir registre du commerce
et des sociétés
— comparative : **396,** 640
— des comptes : 794
— des entreprises : 795
— foncière : **230,** 274, 337, 548-1, 588
— de la propriété : 793
— trompeuse : **396,** 649-6

Pupille de l'État : 143

Pur droit (moyen de) : 299

Put warrant : 616

Q

Qualification : **299,** 547, 582, 893
— (certificat de) : 641-2

Quasi-contrat : 267 et s.

Quasi fonds propres : 672

Question
— écrite : 30-1
— préjudicielle : 21, 34

Quittance : 345
— (clause de) : 335

Quitus : 146

Quota : 489

Quotité disponible : 276

R

Radiation : **787,** 891

Raison sociale : **175,** 653 et s., voir dénomination sociale, nom commercial

Rapport de recherche : 650-3

Ratification (traité) : **18,** 316

RATP : **931-1,** 932-1

Rattachement parasitaire : 640

RCS : 172, 386, 646, **781 et s.**, 855, 892,
898, 903

Réassurance : 721

Réassureur : 721

Récépissé : 620, **634,** 686, voir transport

Récépissé - warrant : 634

Recettes (clause-) : 645-5

Recherche : 456

Réclusion : 43

Recommandation   communautaire :
19-1

Reconduction (tacite) : **552,** 645-5

Séquestre : **108,** 237

Serment : 290-1, 330, **353 et s.**

Service de l'expansion économique à l'étranger : 869
— d'utilité agricole de développement : 920

Service public : 94, 160, 187, 254-1, 478, 547
— industriel et commercial : 160, 478, **931-1**
— (concession de) : 939 et s.

Services collectifs (schémas de) : 770

Servitude : 218, **227**

Session (parlementaire) : 23

SFI : 763, 875

SICA : 166

Siège
— social : 172, 175, 266, **386,** voir agence, établissement, succursale
— (magistrat du), voir juge, magistrat

Signature : 337
— digitale : 337
— électronique : 337-1
— numérique : 337
— (dénégation de) : 339
— (engagement par) : 685

Signification : **106,** 233, 278, 305, 307, 340, 616, 698

Simulation : 330, **581,** 904

Sincérité des comptes : 515, 517

Sinistre : 721 et s.

SIREN (numéro) : 795

SIRET (numéro) : 795

SNC : **165,** 165-1, 179, 273, 337, 437, 481, 812, 882, voir société commerciale

Socialisme municipal : 478

Sociétaire, voir association

Société : **164 et s.,** 785, 856
— par actions simplifiée : 165
— d'aménagement foncier et d'établissement rural : 219
— anonyme, voir SA

— d'attribution d'immeubles en jouissance à temps partagé : 220
— de bourse, voir prestataire de service d'investissement
— à capital public : 886, **932-4 et s.**
— de capitaux : 165, voir SA, SAS, SARL, SCA
— civile, voir SC
— en commandite par action, voir SCA
— en commandite simple, voir SCS
— commerciale : **165 et s.,** 437, 461, 481, 486, 508, 514, 515-1, 517, 691, 695, 785, 855, **882,** voir SA, SAS, SARL, SCA, SCS, SNC
— coopérative : **166,** 418, 461, 887
— coopérative agricole : 461
— créée de fait : 402, 701
— d'économie mixte : 166, 886, **932-2 et s.**
— d'économie mixte locale : 478, 695, **932-2**
— « de façade » : 239
— de fait : 701
— financière : 691
— financière d'innovation : 763
— Financière Internationale : 875
— holding : 527
— immobilière : 421
— d'intérêt collectif agricole : 166
— interprofessionnelle : 880
— mère : 521 et s.
— mutuelle : 434, **461-2,** 721
— nationale : 166, 930, **932-3 et s.**
— en nom collectif, voir SNC
— en participation : **172,** 515-1, 701
— de personnes : 165
— professionnelle : 880
— à responsabilité limitée, voir SARL
— unipersonnelle à responsabilité limitée, voir EURL
— de ventes volontaires de meubles aux enchères publiques : 106
— (groupe de) : 286, **527**

SOFIPARIL : 881

Sol : 194

Soleau (enveloppe) : 650-7

Solidarité : 64, 165, 168, 246, 280, 662, 663-1, **701,** 895, 898-1, 907, voir « in solidum »

Sommation : 594-1

Sosie : 126

Source : 215, 455

Souscripteur : 616

SOMMAIRE
ANALYTIQUE

1re PARTIE

Introduction au droit des affaires et des activités économiques

Préliminaire : la formation du droit des affaires et des activités économiques

TITRE I :

Les sources du droit des affaires et des activités économiques

Chapitre I. – Les actes de l'autorité publique

Chapitre II. – Usages

TITRE II :

La mise en œuvre du droit

SOUS-TITRE I :

Les « acteurs », les personnes

Chapitre I. – Les personnes physiques

SOUS-TITRE II :
Les choses et les droits disponibles

Chapitre I. – Les choses

Chapitre II. – Les droits disponibles

Chapitre III. – Le patrimoine 135

SOUS-TITRE III :
L'acquisition, la transmission et l'extinction des droits

SOUS-TITRE IV :
La sanction du droit (l'exécution forcée)

Chapitre I. – Notions sommaires sur le droit judiciaire

Chapitre II. – La preuve

2ᵉ PARTIE
Les entreprises

TITRE I :
L'organisation de l'entreprise

TITRE II :
L'encadrement juridique de l'action des entreprises

Chapitre II. – Les règles générales d'exercice des activités économiques

3ᵉ PARTIE

Les techniques juridiques des échanges

TITRE I :

Les techniques juridiques d'engagement

Chapitre I. – Les contrats

TITRE II :
Les techniques juridiques de commercialisation

Chapitre I. – La conquête de la clientèle

Chapitre II. – L'appropriation de la clientèle

TITRE III :

Les techniques juridiques de financement

Chapitre I. – Les procédés de financement

Chapitre II. – La sécurité de financement

TITRE IV :

La technique de garantie des risques : l'assurance

Chapitre II. – Le contrat d'assurance

4ᵉ PARTIE

L'organisation des affaires

TITRE I :

L'organisation générale des affaires

Chapitre 1. – L'administration des affaires

Chapitre II. – L'orientation des affaires

Chapitre III. – L'information sur les affaires

Chapitre IV. – La fiscalité des affaires

TITRE II :

L'organisation du commerce

Chapitre I. – La justice du commerce

Chapitre II. – L'administration du commerce

Chapitre III. – Les commerçants

TITRE III :

L'organisation des activités civiles

Chapitre I. – Les règles commerciales applicables aux activités civiles

Chapitre II. – L'administration des activités civiles

TITRE IV :

L'organisation des affaires du secteur public

ANNEXES

TABLES

Photocomposition MCP - Fleury-les-Aubrais
Achevé d'imprimer en septembre 2002
dans les ateliers de Normandie Roto Impression s.a.s.
61250 Lonrai (France)
N° d'imprimeur : 022113
Dépôt légal : septembre 2002